O CETICISMO DA FÉ

RODRIGO SILVA

O CETICISMO DA FÉ

**DEUS
UMA DÚVIDA,
UMA CERTEZA, UMA DISTORÇÃO**

Ágape
São Paulo, 2018

O ceticismo da fé – Deus: uma dúvida, uma certeza, uma distorção
Copyright © 2018 by Rodrigo Silva
Copyright © 2018 by Editora Ágape Ltda.

9ª reimpressão – Janeiro de 2025

COORDENAÇÃO EDITORIAL: Rebeca Lacerda
PREPARAÇÃO: Mauro Nogueira
REVISÃO: Fernanda Guerriero Antunes
CAPA: Brenda Sório
DIAGRAMAÇÃO: Rebeca Lacerda

EDITORIAL
Jacob Paes • João Paulo Putini • Nair Ferraz
Rebeca Lacerda • Renata de Mello do Vale • Vitor Donofrio

Texto de acordo com as normas do Novo Acordo Ortográfico da Língua Portuguesa (1990), em vigor desde 1º de janeiro de 2009.

Dados Internacionais de Catalogação na Publicação (CIP)

Silva, Rodrigo
 O ceticismo da fé: Deus: uma dúvida, uma certeza, uma distorção / Rodrigo Silva. – Barueri, SP : Ágape, 2018.

 1. Religião e filosofia 2. Deus 3. Fé 4. Cristianismo 5. Deus - Existência I. Título

18-0631 CDD-210

Índice para catálogo sistemático:
1. Religião e filosofia   210

EDITORA ÁGAPE LTDA.
Alameda Araguaia, 2190 – Bloco A – 11º andar – Conjunto 1112
CEP 06455-000 – Alphaville Industrial, Barueri – SP – Brasil
Tel.: (11) 3699-7107 | Fax: (11) 3699-7323
www.editoraagape.com.br | atendimento@agape.com.br

"A verdade e a mentira foram tomar banho no rio. Despiram-se e entraram nas águas. A mentira, enganosa como sempre, saiu primeiro e vestiu-se com as roupas da verdade. A verdade preferiu andar nua a vestir as roupas da mentira. Resultado? As pessoas preferiam uma mentira transvestida a uma verdade nua e crua."

Adaptado de um antigo conto do Oriente Médio
(autor desconhecido).

Prefácio

O filósofo americano William James, em seu famoso texto "The Will to Believe" (A Vontade de Crer), escreveu sobre a natureza das opções que enfrentamos em nossa vida. Pense em todas as opções que estão ou já estiveram diante de você para tomar uma decisão, desde opções rotineiras, como entre ler um livro e lavar a louça acumulada, opções bizarras, como imitar um coelho ou mostrar a língua para um estranho, até opções mais sérias, como fazer faculdade de Medicina ou Agronomia. James diz que existem três formas de classificar essas opções. Elas podem ser vivas ou mortas: vivas se elas têm a possibilidade de serem verdade e mortas se não existe (ou existe pouca) possibilidade de serem verdade. Elas também podem ser forçadas ou não, ou seja, são forçadas se existe necessidade de você escolher entre elas e não-forçadas se essa necessidade não existe. Finalmente, uma opção pode ser significativa ou não, ou seja, ela é significativa se muitas coisas da sua vida dependem de qual escolha você fizer e não-significativa se a decisão não fará muita diferença na sua vida. No mesmo texto, o filósofo sugere que a opção religiosa (entre crer e não crer) é viva, forçada e significativa. Ou seja, a opção de crer ou não em afirmações religiosas não somente é uma escolha em que ambas as opções têm a possibilidade de ser verdade, mas existe uma necessidade de escolher entre elas, e além disso, essa escolha muda completamente o rumo da sua vida!

O Dr. Rodrigo Silva reconhece isso e, baseado nesse reconhecimento, escreveu este livro. Fundamentado em décadas de estudo, de interações com crentes e descrentes, e de uma grande relação de amor com a filosofia e a teologia, ele produziu uma obra sincera, honesta e rica, recheada de importantes ensinamentos e *insights* para o leitor. A sinceridade, creio eu, surge de sua própria caminhada cristã, uma que não teve escassez de profundas dúvidas, ansiedade e sofrimento pessoal. A honestidade brota de sua constante busca por uma opinião equilibrada, informada por anos de estudo e, consequentemente, sincera admiração por filósofos e pensadores enquanto reconhecendo suas miopias. Quanto à riqueza deste livro, ela advém de sua curiosidade inquieta, buscando conexões e lições na literatura, na história, na sociologia, na antropologia, na ciência, na cultura popular, e até mesmo na intuição humana. Mas, como é de se esperar quando se trata de um livro com este título, o carro-chefe é a filosofia. Com respeito e sensatez, o Dr. Rodrigo utiliza-se de conceitos e *insights* da filosofia continental e analítica para mostrar que a crença, longe de ser um atentado à inteligência humana, é uma opção viável e, em última instância, convincente. Nesse processo, o autor não subestima a inteligência do leitor, fazendo-o constantemente engajar com material filosófico profundo, sem deixar de lado o bom humor e a simplicidade de uma história ou anedota. Falando como ex-aluna dele, devo dizer que é como se estivesse sentada na sala de aula novamente escutando suas exposições.

Este livro vem para preencher uma lacuna enorme na literatura brasileira: a perspectiva inteligente de um cristão brasileiro em meio ao debate mais fervoroso da história entre a crença e a descrença em Deus. Essa lacuna existe para dois públicos: crentes que querem pensar e pensantes que (possivelmente) querem crer. O Dr. Rodrigo, na minha opinião, preenche esse vácuo não somente mostrando ao crente que duvidar da própria crença é aceitável e até necessário, mas também mostrando ao descrente que suas dúvidas são sanáveis. Se você faz parte de um desses dois grupos, creio que você terminará de ler este livro tendo saciado sua sede.

Marina Garner Assis
Professora de Filosofia e Religião.
Atualmente, concluindo o PhD em Filosofia da Religião
na Boston University.

Sumário

INTRODUÇÃO, 17
Uma fé que duvida, 18
Ufanismo?, 19
Distorções semânticas, 20
Discordando com classe, 21

CAPÍTULO 1 – SAIA JUSTA COM O ATEÍSMO, 23
A fé dos adultos, 25
Um tiro no pé?, 26
Audaciosa honestidade, 27

CAPÍTULO 2 – DEUS – UMA DÚVIDA, UMA CERTEZA, UMA DISTORÇÃO, 30
Distorções e paradoxos, 32
Ameaça religiosa, 34
Agressividades mútuas, 35
Mais falsos dilemas, 37

CAPÍTULO 3 – QUESTIONO MESMO, E DAÍ?, 39
Verdades que não ajudam, 40
Questionar não é perigoso?, 41
E quanto a Deus?, 43
Genialidade e ateísmo, 44
Experiências desastrosas, 46
Ninguém é descrente, 47
Religiosos podem questionar?, 49
Discutir é conversar, 51

CAPÍTULO 4 – VOCÊ SABE EM QUE (DES)ACREDITA?, 53
Cosmovisão: uma ilustre desconhecida, 54
Cosmovisões perigosas, 55
Goebbels entra em cena, 56
Sem escapatória, 57
Como nasce uma cosmovisão?, 58
A gênese do pensamento coletivo, 60
O indivíduo e o meio, 61
Estou correto?, 63

CAPÍTULO 5 – DECIFRANDO HOMER SIMPSON, 65
Dados que assustam, 66
Quem fez isso?, 67
Saber *versus* conhecer, 68
Que fale a Wikipédia, 69

Capítulo 6 – Questionando a universidade, 72

Educar pra quê?, 73
Homer e Deus, 74
Religião é veneno?, 75
Qual a novidade?, 76
Ateus mais inteligentes?, 78
Ambiente lastimável, 79
Quem incentiva?, 82
Modelos de vida?, 85
Goodbye, Deus, 86
Reprovados!, 88

Capítulo 7 – Crendices e devaneios, 89

Fideísmo religioso, 91
O absurdo da fé, 92
Perguntar não ofende, 94
Questionar na medida certa, 95
Ouse saber, 97

Capítulo 8 – Convivendo com a incerteza, 100

A voz do povo, 102
Um encontro com Berger, 104
Teoria do Conhecimento, 106
Essência do conhecimento, 108
Certezas ou incertezas?, 110
Certeza não é conhecimento, 112
Testemunho pessoal, 114

Capítulo 9 – As origens do ateísmo, 116

Tema tabu, 116
Pré-história, 117
Um pouco de antropologia, 118
Quebra-cabeça evolutivo, 120
Subjetivismo em alta, 121
Antropologia da religião, 122
E o ateísmo?, 125

Capítulo 10 – Ateísmo na Antiguidade, 127

O ceticismo de Pirro e Homero, 128
O Antigo Oriente, 128
Budismo: um caso à parte, 129
O paradoxo de Epicuro, 131
Império Romano, 131
Idade Média, 132
Tempos modernos, 133
O Deus de Spinoza, 134
Um abalo na história, 135
Sistematização da descrença, 137

Capítulo 11 – Quando crentes viram bandidos, 139

Religiosos no comando, 141
Acabaremos com a Religião?, 143

Capítulo 12 – A incoerência da fé, 146
Propagandas de Cristo, 147
Arautos ou palhaços?, 150
Cristianismo sem Cristo, 151

Capítulo 13 – Caça às bruxas, 154
Guerra Santa?, 156
Culpemos a religião!, 158
As aparências enganam, 160
Violência e fé, 161
Não em nome de Deus!, 162
A culpa é do Sagrado, 163
Finalmente o Estado Ateu, 165
Que podemos concluir?, 165

Capítulo 14 – Compensa falar de Deus?, 167
Que me importa?, 168
A tese de Durkheim, 170
A origem de Deus, 173

Capítulo 15 – Ninguém escapa da transcendência, 174
Expectativas fantasiosas?, 176
Supersentido, 178
Deus: termo em desgaste, 180
Muitos deuses, 181
Finalmente, a transcendência, 183

Capítulo 16 – Intuição racional, 185
A ignorância nossa de cada dia, 186
O despertar da ciência, 188
Mudança de rumos, 190
E a intuição?, 192
Desafiando a exclusividade científica, 193
O que faz um cientista?, 195
Tocando a realidade, 196
Outros questionadores, 197
O valor da ciência, 199

Capítulo 17 – Tocados pelo absurdo, 201
Um encontro com Camus, 201
O que é o absurdo?, 203
Fuga da realidade, 204
Confrontando a alienação, 207
A sede continua, 208

Capítulo 18 – Sistemas abertos, fechados e isolados, 210
Olhe lá fora, 211
Real versus circunstancial, 213
Obituário de Deus, 214
Senso sem sentido, 215

Capítulo 19 – O sentido de tudo, 218
Que falem os números, 219
Ciência do possível?, 221
Provável ou improvável?, 222
Algo além, 224

Capítulo 20 – Supermercado da fé, 226
Espiritualidade em alta, 227
Sociedade de consumo, 228
Mercado e religião, 229
O consumidor espiritual, 230
Relações de fé, 232
Os bonzinhos do inferno, 237
Mercenários da fé, 238
Pastores assalariados?, 240
Teatro e fast-food espiritual, 242

Capítulo 21 – O ser e o existir, 244
A questão da existência, 245
A ideia de Lavoisier, 246
Provocações mentais, 247
Ser ou não ser?, 248
A natureza da existência, 249
A mulher que não se conhecia, 250
Como conhecer a realidade?, 252
Limites semânticos, 253
Predicados da linguagem, 254
Unicórnios e cavalos, 255
Teoria da existência, 257
Contrassensos conceituais, 259
Coisas não surgem do nada, 261
Um conto para ilustrar, 263
Propriedades da existência genitora, 265

Capítulo 22 – Há alguém lá em cima?, 269
A criança e o adulto, 270
Voltando a falar do sonho, 272

Capítulo 23 – A improbabilidade de Deus, 275
Provas que não provam, 277
Ciência e senso comum, 280
Realidade supraexperimental, 281
Preconceitos infundados, 283
Dogmatismos científicos, 285
Matemática e Deus, 287
Geometria e Deus, 288

Capítulo 24 – Por que existimos?, 292
O bule celestial, 293
No princípio era o começo, 295
Por que tudo aconteceu?, 297
A proposta de Hawking, 300
Força ativa, ser pessoal?, 303
O movimento, 307
Deus das lacunas?, 308

Capítulo 25 – Valores morais existem?, 311

Tudo é relativo, 312
Questão dividida, 313
Tudo é permitido, 315
Interpretando Dostoiévski, 316
Ser crente é ser bom?, 317
Buscando o padrão, 318
Natureza moral, 320
Concluindo, 322

Capítulo 26 – Deus absconditus, 325

Teologia negativa, 326
Tentativa de equilíbrio, 329
Calculando o rombo, 332
Minha briga com Freud, 334
Qual o tamanho do vazio?, 339
Eternidade com propósito, 340

Capítulo 27 – Deus revelatus, 343

Carência contraditória, 346
Uma boa notícia, 348
A máscara de Deus, 349

Capítulo 28 – A singularidade do cristianismo, 352

Como é Deus?, 353
Audácia cristã, 354
O incomparável Jesus, 358
E os demais?, 361

Capítulo 29 – Igreja, quem precisa dela?, 363

"Jesus sim, Igreja não!", 363
Cristo e Igreja, 364
Cristo fundou a igreja?, 365
Cristianismo ou igreja?, 366
A desconfiança continua, 367
A opinião dos jovens, 368
Evangelismo ateu?, 370
Propaganda e Fé, 372
E então?, 373

Capítulo 30 – A dor da sobriedade, 378

O vazio que persiste, 379
Realidade intolerável, 381
Por que o consumismo não satisfaz?, 383

Capítulo 31 – Jesus Cristo, mito ou realidade?, 385

Jesus da fé e da história, 386
Mudança de rumo, 388
Novo conceito de história, 390
O questionamento dos teólogos liberais, 393
Outras posições, 395
Um missionário descrente, 396
Uma historiografia de Jesus Cristo, 399
Na literatura judaica, 401
Fontes não judaicas, 404

História real ou ficção?, 408
Relatos lendários?, 410
O escândalo dos evangelhos, 411
Jesus humano, 412

Capítulo 32 – Milagres existem?, 414
Fé demais não cheira bem, 415
O ceticismo de Hume, 416
Respondendo a Hume, 418
A problemática quântica, 419
Milagres e leis naturais, 420
Sóbrios ou idiotas?, 421
O valor do testemunho, 423
Cientistas podem crer?, 424

Capítulo 33 – Que dizer da Bíblia?, 425
Livro perigoso, 427
Dialogando com Shaw, 430
A Bíblia na história, 431
Por que um livro?, 434
Como se produz um best-seller?, 437
Obra-prima ou rascunho?, 438
Um quase aborto literário, 441
Nem clássico nem best-seller, 443
Livro imposto?, 446
Livro perseguido, 448
Preservação única, 451
Os Manuscritos do Mar Morto, 453
A Bíblia foi modificada?, 456
Um livro que transforma, 458

Capítulo 34 – Escavando a verdade, 461
Como tudo começou, 462
Contribuições adicionais, 463
Arqueologia do Antigo Testamento, 465
Arqueologia do Novo Testamento, 466
Qumran e os Manuscritos do Mar Morto, 467
Conclusão, 467

Capítulo 35 – Seria Deus um genocida?, 468
Não seria assim na Bíblia?, 468
Como entender tudo isso?, 470
"*Hold on*"!, 470
Conhecendo culturas estranhas, 472
A mente de um radical, 475
Juntando os fatos, 478
História patriarcal, 479
O caso de Jericó, 481
Genocídio ordenado?, 483
E as crianças de peito?, 484
Deus ordena a violência?, 488
Cananitas abomináveis?, 489

Capítulo 36 – Deus e o sofrimento, 492
Sistematizando o problema, 493
Deus em Auschwitz, 496
Os que descreram, 497
E os judeus?, 498
Um caso para se pensar, 500

Capítulo 37 – Existe lógica na dor?, 503

A onipotência de Deus, 504
Um Deus legislador, 506
O dilema continua, 508
O melhor dos mundos?, 509

Capítulo 38 – Um enredo para o caos, 512

Um problema milenar, 513
O problema do mal na Antiguidade, 515
A teodiceia de Leibniz, 517
O que é o mal?, 519
A existência do mal, 521
Afetividade e escolha, 522
O caso de Jó, 523
A atitude de Deus, 526
A parábola do rei piedoso, 528

Conclusão – Finalmente em casa, 531

Céticos também se fascinam, 532
Superando convenções, 535
Então fazer o quê?, 537
Olhe pra cima, 541
Sozinhos ou acompanhados?, 543
Escala de Kardashev, 546
Roteiro de cinema, 547
Deus na escala, 550
Obrigado, Kardashev, 553
Convivendo com a incerteza, 554
Posso falar da eternidade?, 556

Referências, 559

Introdução

> Sou demasiado cético para ser incrédulo.
> – Benjamin Constant

Este livro é sobre a existência de Deus, mas não foi escrito, a princípio, para crentes. Os religiosos conservadores até podem lê-lo, e ficarei muito feliz se o fizerem. Porém, a linguagem que uso não será para pessoas que creem e se sentem confortadas com sua crença. Eu me dirijo àqueles que perderam a fé ou pelo menos nutrem sérias dúvidas a respeito dela. É um compêndio para quem duvida (cético), para quem não tem certeza (agnóstico), ou ainda para quem acha que Deus existe, mas está distante de nós (deístas). Ah, também é um livro para ateus. Sim, especialmente os ateus.

De princípio devo explicar que a palavra "existência" aqui será usada no sentido semântico de "ser, estar, viver, haver, subsistir, durar". Digo isso porque é difícil predicar a Deus o sentido etimológico de existir. Segundo o *Dicionário etimológico da Língua Portuguesa* (José Pedro Machado), existir vem "do latim *ex(s)istere* [com o sentido de] 'sair de', 'elevar-se de', 'nascer', 'provir de'". Sendo assim, do ponto de vista etimológico seria um contrassenso falar em existência de Deus a partir uma perspectiva judaico-cristã, pois, se considerarmos que a ideia de existir é *algo extraído de algo*, seria mais coerente dizer que Deus não existe, *Deus é*! Contudo, para evitar desnecessárias questiúnculas vernáculas, valho-me do sentido atual do termo e simplesmente digo que falarei sobre a existência de Deus. Assim, todos entenderão o que digo sem muitas complicações.

É claro que, devido ao forte conteúdo filosófico deste assunto, mesclado a discussões provenientes de outras áreas do conhecimento, advirto que este livro será fácil em algumas partes, hilário em outras e pesado num monte delas. Tentei simplificar ao máximo alguns conceitos para torná-los palatáveis ao leitor. Não sei, contudo, se consegui fazê-lo para a satisfação de todos. De qualquer modo, sei que o tema que proponho não costuma atrair pessoas que busquem uma sistematização do óbvio. Logo, o que aparenta ser difícil converte-se num interessante desafio.

Você perceberá ao longo da leitura que não é tarefa fácil traduzir em linguagem simples os autores citados e as problemáticas sobre as quais refletiram.

Principalmente considerando que não os apresentei apenas num exercício de decalque ou de introdução ao seu pensamento. Pelo contrário, fiz uma leitura crítica deles, com concordâncias totais, parciais e, principalmente, discordâncias.

Não me abstenho dos temas polêmicos de Deus: Por que ele se esconde? Como acreditar em sua bondade num mundo de tanto sofrimento? Por que um Deus de amor matou e mandou matar tanta gente no Antigo Testamento? Onde ele estava durante o massacre de Auschwitz?

Com perguntas assim, você já deve ter percebido que esse será um livro polêmico e provocador. Até tentei ser politicamente correto em tudo que escrevi e, novamente, não tenho certeza se alcancei um bom resultado. É possível que a mesma fala arranque aplausos de uns e vaias de outros. O que importa é que se posicionem. Preciso de leitores racionais, e não do programa de leitura do Google.

Fique tranquilo, pois você não verá aqui nenhuma soberba confessional. Meu objetivo primário não é um convencimento sobre Deus, mas um testemunho pessoal a respeito dele. Não quero enganar você ou insultar sua inteligência. É claro que sou crente, mas a inspiração para este trabalho veio justamente da minha descrença. Isso mesmo que você leu! Tão paradoxal como o título que elegi, é meu ceticismo, que me conduz diariamente à fé. Como se dá isso? Leia e você verá.

Não! Não sou um ex-ateu que se converteu. Note que a frase anterior foi redigida no presente do indicativo ativo. Sou um crente que ainda duela, dia após dia, contra inquietações, incertezas e questionamentos. Sou, como descreveu uma grande amiga, *um sujeito de mente inquieta, muito inquieta!* Nunca me senti tão bem retratado numa única frase.

Uma fé que duvida

Sempre encontro pessoas que acham estranho eu dizer que a fé comporta dúvidas. Essa, no entanto, é uma realidade inegável. René Descartes que o diga! Mesmo não sendo teólogo, nem pretendendo produzir uma declaração de fé religiosa, ele terminou dando-me um dos mais brilhantes *insights* confessionais que já li: "o homem", dizia ele, "deve desconfiar de tudo para poder acreditar em alguma coisa".

Refiz o caminho proposto por Descartes e cheguei a uma conclusão surpreendente. Ao comprometer-me sinceramente com a dúvida encontrei, para minha surpresa, a produção de uma certeza inquestionável e, consequentemente, um fundamento sobre o qual edificar uma estrutura racional segura.

Com a exceção de que não discriminei nenhuma possibilidade ontológica nem me limitei à razão humana como única capaz de alcançar verdades elevadas, também demoli alguns edifícios mentais e os reconstruí, exatamente como propõe o método cartesiano. Contudo, ao longo do processo, percebi que a demolição nem sempre será o caminho mais viável. Conquanto Descartes adote a preferência pela demolição total das coisas, não podemos nos esquecer de que somos seres em permanente estado de construção, isto é, seres inacabados, sempre em projeto. Logo, se algumas edificações se mostram corretas não há por que abandoná-las, mesmo que a obra não esteja completa.

Diferentemente do que intencionara originalmente Descartes, os filósofos da modernidade acataram o método cartesiano, partindo também da dúvida, e insistiam que toda crença fosse considerada falsa até que fosse, pela razão, comprovada verdadeira. A partir desse ponto, rompe-se com a antiga cosmovisão *teocêntrica* e os raciocínios passam a pautar-se pelo *antropocentrismo* extremo. O ponto de partida para a reflexão passa a ser o homem e sua racionalidade, e não mais a revelação divina.

Ironicamente, Descartes, que era cristão e acreditava na Bíblia, deu o pontapé inicial para um método que tornou-se, de certo modo, o fundamento do ateísmo contemporâneo com todas as suas implicações.

Eu também comecei no caminho cartesiano, mas em alguma bifurcação tomei rumo diferente do ateísmo. Não foi um erro de rota, nem uma fuga da realidade. Foi uma decisão livre e consciente, moldada pela lógica dos fatos e pela interpretação de minha mente. Graças a Descartes, a sistematização da dúvida me conduziu a grandes certezas.

Ufanismo?

Não se trata de ufanismo religioso. Não sou dono da verdade muito menos especialista em Deus. Achei importantes verdades, mas não todas as verdades. O que creio advém de importantes pistas que encontrei pelo caminho. Não é uma fé gratuita, muito menos absolutista. Aliás, todos os absolutismos – seculares ou religiosos – terminam produzindo histerismos, por isso, corro deles.

Aceito de bom grado a ciência, mas não o cientificismo. Busco sempre a racionalidade, mas fujo do racionalismo. Não se trata de evitar, mas tomar cuidado com as consequências práticas do uso indiscriminado do sufixo "ismo". Ele pode levar ao autoritarismo ilegítimo de certos conceitos provenientes exclusivamente da vaidade humana. Lembre-se de que o sufixo "ismo", advindo do mundo grego como conjunto de crenças e doutrinas religiosas ou não religiosas, foi incorporado à linguagem médica como uma patologia ou disfunção mental, resultante de intoxicação causada por agente obviamente tóxico (*Dicionário Houaiss*).

Isso não quer dizer que zoroastrismo, judaísmo, cristianismo ou mesmo "ateísmo" signifiquem imediatamente "doenças de Deus". O uso indistinto do termo pode gerar confusões. O importante é estar alerta em relação ao absolutismo de certos conceitos (seculares ou religiosos) que levam da anarquia ao totalitarismo, todos travestidos de pseudointelectualidade. Afinal, foi em nome tanto da religião quanto do materialismo marxista que se promoveram os mais cruéis assassinatos e a morte da liberdade. Tais regimes se pautaram sempre pela radicalidade das ações e pela força de falácias supostamente lógicas.

No que diz respeito à fé, corre-se igualmente o risco de acoplá-la ao mesmo sufixo criando o fideísmo, que – com o perdão de Bayle e Kierkegaard – é, para mim, uma distorção da fé verdadeira, por abjurar qualquer valor da racionalidade. São muitos os que, por não entenderem o papel da fé na experiência mental, incorrem no risco de transformá-la em crendice.

A fé não pode ser um salto cego num abismo divino para o qual não existe nenhuma racionalização ou racionalidade. Por outro lado, dizer que a razão manda na fé é como afirmar que o rabo abana o cachorro. Seria um contrassenso anular por completo qualquer função racional no ato de crer. Afinal se existe mesmo um Deus, ele nos criou como seres racionais. Negar isso é como tirar das aves a capacidade de voar.

Distorções semânticas

De modo geral, percebo que não é apenas a fé que sofre distorções. A própria palavra *ateísmo* tem sido usada de um modo às vezes diversificado, às vezes genérico demais, dando margem a leviandades que prejudicam a compreensão do assunto.

Há religiosos conservadores que tomam o ateísmo como sinônimo de demonismo, depravação, enquanto humanistas seculares o interpretam como sinal de superioridade, clareza mental. De modo ufanista os primeiros agem como se somente eles fossem moralmente bons. Já os segundos não escondem a premissa de que ateus são os únicos com disposição mental esperta o bastante para admitir a realidade como ela é, sem mitos ou alienações coletivas. Eles seriam os mais sábios da cadeia evolutiva. Os únicos que captaram com profundidade a advertência de Marx sobre a religião e o ópio do povo.

Seria bom se todos reconhecessem que rótulos e estereótipos são perigosos e inviabilizam diálogos. Sem contar que quase sempre criam um quadro distorcido do outro, a partir do que se julga saber do grupo a que ele pertence. É, enfim, uma caricatura malfeita que desmotiva até o senso de humor.

Ambos os lados precisam entender que ateus não devoram criancinhas e crentes não comem alfafa com cavalos. Ninguém tem o direito de chamar o outro de "imoral" por sua descrença, nem "idiota" por sua fé.

Sei que há radicalismos por toda parte e nenhum grupo está livre deles. Por isso não vale a pena refutar uma doutrina alheia baseado no comportamento censurável de um defensor dela. Cabe ao observador externo a prudência de não julgar a parte pelo todo, ainda que algumas atitudes pareçam, de fato, marcas de coletividade.

Nazistas e antissemitas soam como sinônimos perfeitos e – em termos filosóficos – de fato o são. Contudo, no campo da individualidade não posso generalizar. Houve muitos alemães tanto civis quanto militares que se tornaram heróis anônimos, salvando judeus por não concordarem com o regime de Hitler, ainda que ostentassem uma insígnia alemã[1].

Seja de que lado você estiver, da crença ou da descrença, lembre-se de que posturas intolerantes e agressivas tornarão seu argumento mais suscetível à crítica racional. Principalmente quando ele esboçar uma fobia pela divergência e, sobretudo, pelo confronto racional de ideias.

Discordando com classe

Para que nosso diálogo ao longo deste livro seja realmente proveitoso, preciso tecer alguns comentários sobre surpresas que tive e preconceitos que testemunhei de ambos os lados da discussão. É imperioso falar disso já assim no começo para que você saiba principalmente como "não" pretendo defender minha posição.

Certa vez gravei um programa para a TV Novo Tempo, o qual intitulei "Discordando com classe". Meu objetivo era tentar trazer um pouco mais de civilidade às muitas discussões ideológicas ou filosóficas que saem do campo das ideias para atacar pessoas, demonizar grupos e promover o ódio.

Por falar em ódio, que dizer da postura dos *haters* da Internet? Eles já viraram até estudo de caso em faculdades de Psicologia. Trata-se daquelas pessoas, segundo os especialistas, com sérios sintomas de distúrbio emocional que postam comentários de ódio ou crítica sem qualquer tipo de critério. Daí o

---
1 Ian Kershaw. *De volta do inferno – Europa, 1914-1949* (São Paulo: Companhia das Letras, 2016).

nome *hater* da palavra *hate* (ódio em inglês). Veja o livro *O discurso do ódio em redes sociais*, de Marco Aurélio Moura. Ele dá uma boa ideia desse fenômeno e seu perigo para a sociedade. É desanimador tentar abrir um diálogo com eles. *Haters* parecem ter um prazer doentio em fazer ataques nos fóruns e nas redes sociais. São especialistas em *cyberbullying*.

Esse tipo de oponente precisa de terapia, não de uma resposta honesta. Pior é que muitos deles são altamente inteligentes, o que prova que "inteligência" não é sinônimo de "sabedoria". Quer despertar o ódio deles? Simples. Pense numa ideia, publique na Internet e espere como um pescador à beira do lago. Em pouco tempo, os *haters* aparecerão.

Não pense que ao falar desse tipo de comportamento estou me referindo exclusivamente a ateus & cia. (cuidado com os estereótipos!). Há desequilíbrio em todos os lados, eu disse. Supondo que eu tenha leitores tanto religiosos quando descrentes. Deixe-me dar um recado especial para os "advogados de Deus", tanto os que o defendem como os que o acusam. Se Deus existe, não precisa de defensores, precisa de testemunhas, e se não existe não tem como nem por que ser condenado. Portanto, todos aqueles que entram neste debate julgando-se advogados, promotores ou juízes de Deus estão perdendo seu tempo. Definitivamente, esse não é nosso papel, seja de que lado estivermos na discussão.

Aprendamos com o erro do apóstolo Pedro. É um episódio que está na Bíblia. Quando Cristo foi preso no Jardim das Oliveiras, o apóstolo tomou uma pequena espada e agrediu Malco, um servo do sacerdote, que estava junto aos que vieram acorrentar Jesus. De um só golpe, cortou-lhe a orelha, deixando-o em prantos. Por que será que ele não agrediu um dos soldados? Por ser mais fácil bater em alguém desarmado?

Não sei, mas a dura repreensão de Cristo me dá uma certeza: não é cortando a orelha de Malco que defenderemos nosso Senhor! Melhor seria seguir a máxima de Che Guevara que diz: "hay que endurecerse, pero sin perder la ternura jamás". Chocado por eu citar um revolucionário comunista? Ora, como poderia escrever um livro como este se não tivesse a capacidade de deixar de lado o preconceito e selecionar o que concordo e o que discordo numa mesma pessoa?

Portanto, deixando de lado o preconceito, gostaria de convidá-lo a ler este livro, no qual traço meu testemunho de fé. Depois você pode fazer o que quiser com ele. Não permitamos que a hipocrisia generalizada faça uma conversa honesta parecer sarcasmo. A leitura de um texto sempre gera um diálogo interessante: eu escrevo, você lê, sua alma responde, todos ganhamos. E então? Aceita minha proposta?

Capítulo 1
Saia justa com o ateísmo

Ao tempo em que eu escrevia este livro, um amigo me enviou um *link* da Associação Brasileira de Ateus e Agnósticos (ATEA), que publicou um trecho de uma palestra minha sob o curioso título "parece que esse pastor está a caminho do ateísmo"[2]. Era um vídeo no qual eu admitia a saia justa em que estaria diante de ateus, caso eles me confrontassem com alguns dados, e continuo admitindo o desconforto.

Foi uma experiência muito curiosa. Admirei-me de ver muitos comentários elogiosos, outros ufanistas (acreditando que eu estava mesmo tendo uma crise de fé) e outros tantos debochados, pelo fato de, no finalzinho da fala, eu expressar minha crença na volta de Cristo – algo para eles é equivalente a acreditar em Chapeuzinho Vermelho. Isso sem contar os famosos *haters*, que amam atacar cruelmente qualquer um por qualquer ideia que apresente. Mas, no geral, o tom não foi tão hostil como era de se imaginar.

Caso não tenha visto o vídeo, você deve estar curioso em saber que dados foram esses que admiti que me deixariam numa saia justa com o ateísmo. Pois bem, foram alguns testes feitos pelo *Pew Forum on Religion and Public Life* [Fórum Pew sobre religião e vida pública], nos Estados Unidos, que concluiu que ateus e agnósticos estão sabendo mais sobre religião e Bíblia que os próprios religiosos do país[3].

Os números são, de fato, desconcertantes e não sei se apresentariam resultados muito diferentes caso a pesquisa fosse feita no Brasil. Os incrédulos acertaram mais questões sobre cristianismo e outras religiões que os crentes, e, para vergonha da ala conservadora, os mais bem colocados entre os religiosos foram os judeus – que não creem que Jesus é o Messias – e os mórmons – considerados seita pelos principais *heresiólogos* da atualidade, isto é, os especialistas em heresias do cristianismo. No fim da lista, com a menor pontuação, ficaram os católicos hispanos.

---

2   Disponível em <https://www.facebook.com/ATEA.ORG.BR/posts/1453979304632647>. Acesso em: 28/02/2017.

3   Disponível em <http://www.pewforum.org/2010/09/28/u-s-religious-knowledge-survey/>. Acesso em: 10/10/2015.

Quando torcedores do time adversário sabem mais sobre seu clube que você mesmo, alguma coisa está errada. Pior ainda é quando seu conhecimento sobre o assunto fica abaixo do aceitável para alguém que diz amar tanto aquela causa. Pois é isso que os dados mostram acerca da massa religiosa.

Aproveitando a ilustração futebolística, lembro-me de um caso ocorrido em Londres, em dezembro e 2014. Considerando a chegada das festas natalinas, o jornal inglês *Daily Mirror* [Espelho diário] encomendou uma pesquisa sobre conhecimento religioso envolvendo um pouco mais de mil juvenis e pré-adolescentes[4]. O questionário foi feito com a pergunta "Quem é Jesus Cristo?". As opções de resposta eram: A) jogador do Chelsea, B) Filho de Deus, C) apresentador de TV, D) candidato de um show de calouros ou E) um astronauta. A primeira opção foi escolhida por um em cada cinco entrevistados. Ou seja, para 20% dos jovens, Jesus era um jogador de futebol ou, pelo menos, alguém confundido com Jesus Navas, que, na época, era um meia espanhol do Manchester City.

Não pense que foi uma brincadeira de juvenis. Os testes foram feitos por profissionais em estatística com margens de erro bem estabelecidas, tabulação de dados, amostragem e fórmulas de validação dos resultados. O desastre continuou: um em cada quatro jovens entrevistados pensava que o nascimento virginal de Jesus aconteceu dentro de uma igreja, e um em cada dez respondeu acreditar que Rudolph, a famosa rena do nariz vermelho, existiu de verdade. Isso sem contar que pouco mais da metade respondeu que tanto Jesus como Santa Claus (o Papai Noel) nasceram em 25 de dezembro; por isso todos ganham presente neste dia. A pérola do desconhecimento veio por último, quando 25% dos menores – já aficionados por smartphones – disseram que os magos encontraram no Google Maps a localização da cidade de Belém da Judeia.

Muitos desses ensinos absurdos certamente vêm de casa, onde os pais, quase sempre sem tempo, dizem qualquer coisa para entreter as crianças, deixando para os professores o dever de ensinar o que é correto. Sendo assim, não é difícil entender por que boa parte desses jovens abandonará a fé de seus pais ao entrarem para a universidade. O que receberam até ali não passou de ritos litúrgicos inexplicados, anacronismos sem sentido e histórias desconexas.

---

4   Disponível em <https://www.mirror.co.uk/news/uk-news/one-five-children-think-jesus-4784708>. Acesso em: 13/02/2016.

A fé dos adultos

Os próprios pais e adultos também não se mostram melhores conhecedores daquilo em que dizem acreditar como religiosos. No final de 2013, o instituto de pesquisa *ComRes*, do Reino Unido, fez uma pesquisa a pedido de uma agremiação cristã para checar o grau de conhecimento bíblico de religiosos ingleses, todos adultos. Fora-lhes apresentada uma relação de histórias supostamente relacionadas ao nascimento de Jesus e, em seguida, perguntaram a cada um que histórias, fatos ou personagens – dentre os apresentados – estariam presentes no relato dos evangelhos. Cerca de 5% disseram que Papai Noel estaria citado no Evangelho de Lucas e 7% que a árvore de Natal fazia parte original do lugar onde Jesus nascera[5].

Uma pesquisa semelhante foi feita nos Estados Unidos, onde apenas 4% da população se descreve como ateu ou agnóstico[6]. Um país, portanto, orgulhosamente religioso! Os resultados, no entanto, foram ainda piores.

De acordo com o Instituto Barna, sediado em Greendale[7], Califórnia:

> 93% das residências pesquisadas possuem um ou mais exemplares da Bíblia;
> 12% dos entrevistados garantiram ler as Escrituras todos os dias;
> 38% recorriam a ela momentaneamente, em períodos de necessidade;
> 57% confessaram que passaram mais de uma semana sem ler a Bíblia;
> 31% acreditam que o dito popular "Deus ajuda a quem cedo madruga" está nas páginas da Bíblia;
> 48% acreditam que o livro de Tomé – um livro apócrifo – é um dos livros que compõem a Bíblia cristã;
> 52% não sabiam que existe o livro de Jonas;
> 58% desconheciam quem pregou o Sermão do Monte.

Certamente eu ficaria com vergonha se, desconhecendo esses dados, um ateu os apresentasse em público num debate. O estereótipo que muitos religiosos apresentam dos descrentes é de pessoas que negam por desconhecer. Mas os dados mostram que isso nem sempre é verdade, e a pergunta honesta que faço é: Se os ateus negam mesmo conhecendo, os crentes – que demonstram menor conhecimento – creem baseados no quê? Essa é uma questão que realmente me incomoda. Seria a fé contemporânea sustentada num achismo e a descrença num exame real de fatos?

---

[5] John Grant. *Debunk It!: How to Stay Sane in a World of Misinformation* (São Francisco: Ca. Zest Book, 2014), p. 24.

[6] Disponível em <http://www.pewforum.org/2010/09/28/u-s-religious-knowledge-survey/>. Acesso em: 13/03/2017.

[7] Disponível em <https://www.barna.com/>. Acesso em: 13/03/2017

Um tiro no pé?

Sei que parece um tiro no pé revelar esses dados e admitir tal desconforto assim, de cara, num livro supostamente escrito para defesa da fé. Talvez fosse melhor nem apresentar esses números e deixar que o estereótipo do "crente biblicamente letrado *versus* ateu desinformado" permaneça. Isso, porém, não seria nem um pouco ético ou honesto. Além do mais, não posso fugir da realidade que me cerca, nem insultar a inteligência de nenhum leitor supondo que ele nunca perceberá o óbvio. A informação está presente à palma da mão. Basta um celular e um sinal de Wi-Fi. Ou enfrentamos a realidade, respondendo-a honestamente, ou nos rendamos à ideia do outro, deixando de ser teimosos e desonestos.

Estou até disposto a "trocar meus velhos sapatos", como dizia um ex--professor da faculdade, desde que me deem sapatos novos e mais apropriados. O que não posso é ficar descalço, nem com sapatos errados. Se não for assim, o único jeito de trocar o calçado, para lembrar uma fala de John Newman, "seria colocando o direito no pé esquerdo e o esquerdo no pé direito, pois esses são os únicos sapatos apropriados que possuo"[8].

Note, porém, que não se trata de ficar com os mesmos sapatos apenas por uma questão de comodismo. É o oposto disso! Mudanças, via de regra, envolvem inconveniências grandes ou pequenas, mas necessárias. O ponto é que não podemos, igualmente, desistir de um conceito apenas porque tornou-se "fora de moda". Mudanças apressadas podem ser tão prejudiciais quanto a manutenção de erros por amor da conveniência.

Sobre as mudanças necessárias, Karl Marx dizia que não basta aos filósofos interpretarem o mundo, o que eles precisam é transformá-lo, e eu concordo com isso[9]. Pois, mesmo crendo numa intervenção escatológica de Deus na história, compreendo ser meu dever, como cidadão, transformar para melhor o mundo no qual eu vivo, mesmo que essa melhora não seja universal ou definitiva. Trocando isso para a linguagem religiosa, não poderei ajudar a construir o reino de Deus neste mundo enquanto permanecer acomodado em meu mundinho religioso.

Ratifico, porém, que qualquer mudança só deve ser um imperativo, se necessária. Tão importante quanto a transformação necessária, é saber a hora e os pontos em que não se deve mexer numa ideia prévia. Já dizia Sir Lucius Cary,

---

8 Michael J. Curkey. *Bishop John Neumann, C.SS.R.* (Filadelfia: Bishop Neumann Center, 1952).

9 Karl Marx. *Theses on Feuerbach*, in *Karl Marx: Selected Writings*. L. Simon (ed.) (Indianapolis: Hackett, 1994).

visconde de Falkland, no século 17: "Quando não é necessário mudar, é necessário que não se mude"[10].

Audaciosa honestidade

Para não assustar demais os religiosos que estiverem lendo este livro, deixe-me dizer que minha inspiração para a franqueza na admissão de certas ideias vem justamente da Bíblia Sagrada. Desconheço outro clássico da humanidade que seja tão honesto em apontar os defeitos de seus heróis, como o faz esse livro base do cristianismo.

Um editor moderno certamente omitiria os crimes, fraquezas e adultério de Davi. A menos, é claro, que se trate de uma biografia de denúncia ou um estudo técnico da vida do indivíduo, sem fins publicitários. É preciso muita coragem para admitir que "o homem segundo o coração de Deus" matou seu melhor soldado para continuar dormindo com a mulher dele. Ora, se a Bíblia foi assim tão franca, por que não posso também honestamente admitir os problemas da religiosidade moderna?

Se tem algo que pode ser muito perigoso aos crentes é o ufanismo religioso, que leva o sujeito a crer que não existe ética, honestidade, nem vida espiritual fora de seu próprio sistema de valores. Que o céu foi projetado para pessoas que pensam e agem igualzinho a ele.

Recentemente li que a McAfee, fabricante de softwares para proteger empresas de ataques pela Internet, recrutou uma equipe de *hackers "white hat"* ou os *hackers* do bem, para justamente invadir seu sistema de segurança, revelando os pontos vulneráveis do programa. Assim eles poderão descobrir as falhas e corrigi-las, tornando seu sistema mais eficiente. A soberba de achar que não existem erros ou tornar as falhas um assunto proibido não ajudaria nada neste sentido. Só tornaria a rede mais vulnerável. Assim, proponho fazer o mesmo com a fé que sigo, descobrir vulnerabilidades e ver como posso honestamente lidar com elas.

Disto posto, aqui vai mais um caso para a coleção de fatalidades sociais com tempero de religião: a história de Ayaan Hirsi Ali, uma mulher que nasceu numa família altamente religiosa e se tornou ateia, justamente por causa das brutalidades que testemunhou em nome de Deus.

---

10 Lucius Cary. *Discourses of Infallibility*. Disponível em <http://quod.lib.umich.edu/e/eebo2/A85082.0001.001?view=toc>. Acesso em: 15/03/2017.

Para falar dela, preciso primeiro reportar um incidente ocorrido em novembro de 2004 quando o cineasta Theo van Gogh foi morto a tiros em Amsterdã por um fanático religioso, que, em seguida, o degolou e lhe cravou no peito uma carta em que anunciava sua próxima vítima: a então deputada Ayaan Hirsi Ali, que, por causa disso, teve de abandonar a Holanda e se refugiar nos Estados Unidos.

Mas quem era essa mulher? Por que tanto ódio em relação a ela? Ayaan Hirsi Ali nasceu na Somália em 1969 e, desde cedo, presenciou o horror baseado em ensinamentos religiosos.

Aos cinco anos ela e sua irmã de quatro anos sofreram uma mutilação cruel que vitima milhares de meninas todos os anos em várias partes do mundo. Trata-se da infibulação, que é a amputação do clitóris e dos pequenos lábios vaginais. Depois dessa tortura – guiada por sua própria avó –, seus grandes lábios foram seccionados, aproximados e suturados com espinhos de acácia, sendo deixada uma minúscula abertura necessária ao escoamento da urina e da menstruação.

Esse orifício geralmente é mantido aberto por um filete de madeira, que é, em geral, um palito de fósforo. Em casos assim, as perninhas da criança devem ficar amarradas durante várias semanas até a total cicatrização.

O desaparecimento da vulva é a primeira consequência. Em seu lugar fica apenas uma dura cicatriz, que será "aberta" no dia do casamento pelo marido ou por uma "matrona" designada para o ofício. O rompimento traz uma dor igual ou pior que a do dia da castração. Mais tarde, quando se tem o primeiro filho, essa abertura é aumentada e, em algumas vezes, após cada parto, a mulher é novamente infibulada. Imagine a criança passando por um horror assim e ouvindo que "deus se alegra disso".

Fugindo de um casamento forçado, Ayaan foi parar na Europa, onde passou fome, humilhação, mas conseguiu vencer, graduando-se em política na universidade de Leiden, Holanda, e se tornando, posteriormente, representante de Estado. Ali ela descobriu muitos novos conceitos. A primeira vez que conheceu uma colega vinda de Israel, ela admitiu que em toda sua infância a única coisa que sabia de judeus e ocidentais era que estes eram infiéis que deveriam morrer como animais peçonhentos.

Ativista dos direitos femininos e de outros grupos menores, Ayaan também passou por muitos questionamentos existenciais ao longo do processo e, ao final deles, já não conseguia mais acreditar em Deus. A imagem divina era traumática demais e quem a convenceu de que ele não existe não foi Richard Dawkins nem Sam Harris, paladinos da causa ateísta. Foram religiosos radicais que de um modo perverso fizeram-na crer que se Deus existe e é como a apresentaram, seria então uma questão de honra não ficar ao lado dele.

Apesar de o exemplo anterior envolver o islamismo, os filiados de outros seguimentos não deveriam ficar muito confortáveis pensando que isso só acontece no mundo de Allah. A situação é mais generalizada do que parece. Até mesmo o budismo, comumente reconhecido como uma religião pacífica, tem uma ala tão violenta que já mereceu estudos acadêmicos a esse respeito: "a violência em nome de Buda"[11].

Não é raro ouvir histórias de violência de budistas contra a minoria muçulmana de Mianmar. Numa dessas, está o relato de mulheres e crianças rohingyas impelidas para o alto-mar por líderes budistas, num simples barco de pesca, praticamente sem provisões de água ou mantimento. Várias morreram à deriva antes que pudessem ser resgatadas pela guarda costeira.

E o que dizer do cristianismo? Aí sim que a lista de horrores poderá ser mais longa. São questões que mexem comigo e, se não mexessem, creio que estaria perdendo minha humanidade. Não posso estar anestesiado diante desses fatos, nem fingir alienação. Não quero ser um cidadão de plástico em cujas veias não têm sangue, e sim água. Não posso fingir que desconheço essas coisas, ou ficar insensível diante delas.

Por isso eu entendo a postura de alguns incrédulos. Compreendo, com muita honestidade, por que muitos optam por não mais acreditar. Se Deus é aquilo que os religiosos representam dele, então é melhor não crer que ele exista. Pelo menos assim teremos alguém a menos para odiar.

Ou como ironizou um famoso aforismo atribuído a Voltaire: "Deus criou os homens à sua imagem e semelhança, e estes, agora, estão lhe retribuindo o favor"[12]. Seria engraçado, se não fosse trágico.

A despeito de tudo isso, isto é, de todas as admissões, sigo acreditando em Deus. Por quê? Por um devaneio? Essa resposta será construída à medida que os demais capítulos forem lidos. Um passo de cada vez. Como disse na introdução, meu objetivo aqui não é convencer ninguém de nada, mas testemunhar por que eu, igualmente honesto com meus pensamentos, decidi acreditar em Deus e me entregar a ele. Espero que você continue comigo nas páginas que se seguem e, se não concordar com minha fé, pelo menos entenda a razão de minha crença.

---

11   Mahinda Deegalle. *Buddhism, Conflict and Violence in Modern Sri Lanka* (Abingdon: Routledge, 2006); Michael K. Jerryson. *Buddhist Fury: Religion and Violence in Southern Thailand* (Oxford: Oxford University Press, 2011).

12   Apud René Pomeau. *La Religion de Voltaire* (Paris: Librairie Nizet, 1958), p. 159, 183.

Capítulo 2
Deus – uma dúvida, uma certeza, uma distorção

"Não sou contra, nem a favor, muito pelo contrário...". Você certamente já ouviu essa máxima do paradoxo popular. Trata-se de uma anedota, é claro. Ninguém em sã consciência a levaria a sério. Contudo, em termos de inconsciente coletivo, não é difícil ver pessoas, mesmo intelectuais, pautando-se pelos ditames da incongruência e do raciocínio *non sequitur*.

Lembro o caso clássico do historiador e cronista Pero de Magalhães Gândavo em seu antigo *Tratado da Terra do Brasil*, o qual dizia que a língua falada pelo índio brasileiro não tinha **F**, **L** ou **R**. "Cousa digna de espanto", concluía ele, "porque assim não têm **Fé**, nem **Lei**, nem **Rei**"[13]. Este foi um texto de vestibular e até hoje me pergunto o que tem uma coisa a ver com outra.

Existe também aquele que diz querer descobrir a verdade, mas, de fato, deseja apenas que a verdade esteja ao seu lado custe o que custar. Quando uma pessoa é fechada numa agenda ideológica, dificilmente consegue uma brecha para um diálogo honesto. Tudo o que ela faz, mesmo diante de novas evidências, é ratificar seus velhos conceitos. Aqui vai um diálogo anedótico que ilustra bem essa situação. Vamos chamar nossos personagens de João, Marcelo e Inês:

João: Não tem sentido nenhum no mundo o maldito do horóscopo. Você viu as evidências que apresentei? Como responde a elas?
Marcelo: Ah, simples: você é muito parecido com o meu pai. Só posso dizer por esse seu tipo de fala que você é de Leão, né?
João: Não, não sou de Leão, eu já disse, eu não acredito em...
Inês: Ah, já sei, você é de Peixes?
João: Não, não sou de peixes. Eu...
Marcelo: Claro! Que bobagem a nossa. Você é Aquário...
João: Sim, sou, mas...

---

13 Pero de Magalhães Gândavo. *Tratado da Terra do Brasil. História da Província Santa Cruz* (Belo Horizonte: Itatiaia, 1980).

Inês: Ai... minha tia é de Aquário; ela é muito parecida com você, tem um gênio igualzinho...
João: Vocês não estão me entendendo...
Marcelo: Verdade, cara, você tem objetivos na vida e não os deixa de jeito nenhum, gosta de estar perto dos amigos, é valente... Qual o seu ascendente?

Percebeu? Foi isso que eu quis dizer com a diferença entre querer estar ao lado da verdade ou querer que ela esteja do meu lado custe o que custar. Este é apenas um lado do problema de hoje.

Existe ainda outra situação de consequência igual ou pior, que é quando uma espécie de preguiça mental leva outros tantos ao campo da indiferença. Eles parecem acreditar piamente que esse território lhes tratará a paz de espírito que livra da obrigação de decidir diante de um tema difícil. Seu comodismo ético e mental tende à covardia e à fuga da realidade. Evita a reflexão e com ela o posicionamento.

Dizem por aí que foi Martin Luther King quem declarou: "O que me preocupa não é o grito dos maus, mas o silêncio dos bons". Seja de sua autoria ou não, a frase é de uma virtude inquestionável. Há também um texto do Pastor Luterano Martin Niemöller cuja citação pode variar de fonte, pois foi feita de modo espontâneo em vários pronunciamentos do período pós-guerra. Há quem diga que ele estaria parafraseando Vladimir Maiakovski ou Bertold Brecht. Falando do nazismo Niemöller declarou:

> Um dia, vieram e levaram meu vizinho, que era judeu. Como não sou judeu, não me incomodei. No dia seguinte, vieram e levaram meu outro vizinho, que era comunista. Como não sou comunista, não me incomodei. No terceiro dia, vieram e levaram meu vizinho católico. Como não sou católico, não me incomodei. No quarto dia, vieram e me levaram. Já não havia mais ninguém para brigar por mim.[14]

É no mínimo desconcertante deixar que o silêncio dos de bem se torne cúmplice do engano e da perversidade dos maus. Quando os bons se calam, os perversos triunfam. Mas estou certo de que isso não se aplica a você. Se seu caso fosse o de comodismo, você talvez nem começaria a ler este livro.

---

14 Essa citação eu tomei como aparece numa placa de exposição permanente no US Holocaust Memoriam Museum de Washington, DC.

Por isso, posso iniciar nosso diálogo propondo que não dá para ser neutro sobre assuntos de grande relevância, e aqui entra o tema de "Deus". Quer ele exista ou não, estamos diante da maior verdade ou da pior mentira de todos os tempos. Admiti-la implica compromisso, negá-la demanda denúncia. Em outras palavras, sou obrigado a assinalar uma dentre duas opções: adesão ou combate, nunca neutralidade.

Há de se notar, contudo, que o problema não se resolve apenas com uma tomada de posição. É importante saber o que decidimos, por que decidimos e o que faremos a partir disso, lembrando que ideias implicam consequências. Isso não significa que teremos sempre todas as respostas e todas as certezas. Como diz uma velha canção do Padre Zezinho, *Cantiga por um ateu*:

> Eu sei que da verdade eu não sou dono,
> Eu sei que não sei tudo sobre Deus.
> Às vezes, quem duvida e faz perguntas
> É muito mais honesto do que eu.

Distorções e paradoxos

O grande problema, talvez, com a apresentação desse tema a leitores não religiosos seja a falta de piedade na vida de pessoas que afirmam acreditar em Deus, mas vivem como se ele não existisse. Esse, a meu ver, é o tendão de Aquiles da religiosidade em todos os tempos.

A incoerência dos que se dizem crentes é difícil de ser digerida. Por que igrejas tradicionais são às vezes as agremiações mais frias de que se tem notícia? Há situações em que é mais fácil encontrar sexo numa esquina do que um abraço no final da missa. Sei que isso não se aplica a todos, é claro, mas nega a realidade aquele que finge que tais paradoxos não existem.

Fico observando, por exemplo, num país como o nosso, de maioria cristã, como a cruz (símbolo máximo cristianismo) tem se tornado cada vez mais um mero amuleto de boa sorte. Entre gnomos, figas e cristais energéticos, você sempre poderá encontrar pelo menos uma dúzia de cruzes feitas dos mais diferentes materiais e com as mais diversas funções. Se falasse da Alemanha, precisaria ainda mencionar a cruz de ferro com a suástica usada orgulhosamente por soldados nazistas.

Parece que o mercado fabricou tipos de cruz para todos os gostos. De letreiros a pingentes, todos têm um modelo adequado. Até mesmo aqueles que desprezam a filiação religiosa não se envergonham de ostentar uma cruz como *piercing* no mamilo, ou como brinco numa das orelhas. Grupos de Heavy Metal dos anos 1980 amavam a estampa de cruzes ladeadas por demônios e caveiras ensanguentadas.

Aliás, vale aqui uma observação quanto ao uso de crucifixos, retratos do Sagrado Coração e estampas com o rosto de Cristo que enfeitam desde as paredes de hospitais, igrejas e casas de família, até bordéis, bares, casas de jogos e repartições públicas. Assistindo outro dia a um documentário sobre exploração sexual de crianças, não pude deixar de perceber em alguns prostíbulos da periferia a presença de um crucifixo pendurado na cabeceira das camas ou nas paredes dos quartos. Agora imagine um adulto violentando uma criança sob o olhar de Jesus crucificado!

Concluo tristemente que a imagem do Cristo já não impõe respeito algum nem àqueles que se dizem religiosos. Sem contar que o mesmo símbolo presente em alguns tribunais de justiça também não impede o advogado desonesto de mentir, nem o juiz corrupto de se vender[15].

O sociólogo Gilberto Freyre conta que, no Brasil mais antigo, era comum venderem remédios caseiros para curar doenças contraídas em zonas de prostituição. Havia elixires para curar desde um simples herpes ou dermatite até a sífilis e outras doenças sexuais. O mais interessante, porém, era que nos rótulos das garrafas apareciam figuras como a do menino Jesus segurando um cordeirinho.

> Até em estampas devotas, com imagens do menino Jesus cercado de anjinhos, anunciava-se que o elixir tal cura sífilis, e que se o próprio Cristo viesse hoje ao mundo, seria ele que ergueria sua palavra santa para aconselhar o uso do elixir.[16]

Num Carnaval recente, foliões e mulheres seminuas dançavam irreverentes ao som da música "Erguei as mãos", numa versão carnavalesca feita por determinada escola de samba do Rio de Janeiro. Enquanto a música seguia, traficantes distribuíam lança-perfume e drogas para jovens, que pulavam freneticamente ao som da mesma melodia.

O pior é que se fizéssemos uma enquete naquela multidão, descobriríamos que não se tratava de ateus zombando do cristianismo. Eram pessoas que, na sua maioria, diziam crer em Deus. Mas se eu falasse para eles que aquilo era

---

15 V.V.A.A. *Quem é Jesus Cristo no Brasil?* (São Paulo: ASTE, 1974).

16 Gilberto Freyre. *Casa-grande & senzala* (Rio de Janeiro: Livraria José Olympio Editora, 1952), p. 134.

"pecado" e "blasfêmia", sairia execrado dali sem dó nem piedade. E muitos deles, "doidões", voltariam a cantar "Erguei as mãos" num ambiente regado a drogas, álcool e promiscuidades.

Antes que você feche o livro pensando *Ah, já vi que esse autor é um moralista ultrapassado*, dê-me apenas a chance de dizer duas coisas: primeiro, o exemplo dado não foi para fazer apologia moral de A ou B. O objetivo é ilustrar a ironia de que os mesmos que participaram da cena descrita certamente se irritariam se um grupo de ateus fizesse uma sátira de Jesus pulando Carnaval, usando drogas e abraçado com uma dançarina seminua.

Segundo que, à semelhança dos tempos do *panis et circensis* (pão e circo), em que o povo adorava divertimentos de gosto duvidoso, seria muito difícil hoje aceitar as críticas de Sêneca, como foi para os romanos daquela época, mesmo sabendo que ele era um dos poucos pensadores lúcidos do palácio de Nero César[17].

É difícil se posicionar criticamente contra o show quando você mesmo faz parte da peça. Ainda mais se tratando de uma época como a nossa, que, apesar de se declarar plural, apresenta alguns absolutismos dominantes, como a ideia de que apetites e pulsões não devem ser reprimidos, mas antes "resolvidos" com vícios e comportamento liberal, bem ao gosto de uma clientela viciada em consumismo.

Ameaça religiosa

Acho irônico que, em meio a uma religiosidade desastrosa como a de hoje, muitos insistam que os ateus seriam a maior ameaça à fé. Não sou ingênuo em dizer que Richard Dawkins não fez nenhum estrago. Claro que fez! Contudo, não sei se é ele realmente o maior problema do cristianismo. Lembra-se do filme *O inimigo mora ao lado*? Pois é, ironia das ironias, o enredo bem valeria para uma paródia religiosa em que o assassino da fé não estaria em outro lugar senão dentro das igrejas ou pelo menos na porta delas fazendo sinal da cruz enquanto passa diante do edifício. E tem mais: essa leva de exemplos constrangedores não

---

17 Ao fazer referência a Sêneca e à política do "pão e circo", estou cônscio de que existe hoje uma vertente de historiadores que critica aquela perspectiva historiográfica mais antiga, representada por Paul Veyne (*Le pain et le cirque: sociologie historique d'un pluralisme politique*), segundo a qual os setores subalternos seriam manipulados pelo *panis et circensis* (pão e circo), marcados pela passividade e pela não intervenção nas relações políticas, e preocupada com as doações e os divertimentos. Não é esse, contudo, meu intento ao me referir ao costume imperial, e sim relembrar que o povo tinha sim prazer em entretenimentos pouco louváveis, como guerras mortais nas arenas, consumo desenfreado de ópio etc. Quanto a isso não parece haver nenhuma crítica que eu conheça.

poderia terminar sem a menção do comércio da fé, em que curas e bênçãos são prometidas em troca de doações generosas para aumentar a conta dos líderes religiosos. Alguém esses dias ironizou que só falta criarem A *Seita* (trocadilho de "aceita") *Cartão de Crédito* com promoção de dizimo a 8% durante os seis primeiros meses de filiação. Seria engraçado, se não fosse trágico.

Confesso que isso é muito estranho para mim. Cobrar valores morais de alguns religiosos tornou-se uma guerra inglória. Para muitos que se dizem cristãos, aceitar a mensagem do evangelho é tão absurdo como aproveitar o dia de chuva para se bronzear ao ar livre. Eles simplesmente não querem saber disso.

Não esconderei dos leitores céticos meu desconforto diante de tudo isso. Embora eu mesmo não seja perfeito, sei que há uma diferença entre ser pecador e ser perverso, entre ter falhas e brincar com coisas sagradas. A incoerência, a meu ver, é a ponte que liga o que é ruim ao que há de pior. O primeiro ato falho é tolerável e pode ser perdoado, o segundo (da perversidade e do desamor) é inadmissível e impenitente. Por isso é mais confortável conviver com um descrente ético do que com um religioso ambivalente. A incoerência do segundo pode potencializar o ceticismo do primeiro.

Agressividades mútuas

O irônico disso tudo é que os mesmos que promovem um culto à leviandade são os primeiros a se transformar em cães de guarda da fé, atacando o ateísmo como se esse fosse realmente o pior problema da sociedade. Não estou com isso dizendo que aplaudo o ateísmo e o reputo por virtude, porém, acho desmedida a generalização que muitos de meus irmãos de fé fazem contra os que não creem. Ser ateu tornou-se sinônimo de delinquente, imoral, perigoso, satanista.

Ao comentar, em julho de 2010, o caso de um bandido que matou uma criança de dois anos e tentou atirar em outras pessoas, um apresentador de TV disse que esse crime era "típico de um sujeito que não acredita em Deus". Eu até entendo o estereótipo da expressão, mas a coisa não é tão *preto no branco*. Há muitos descrentes honestos e religiosos perigosíssimos.

Na época da reportagem, um grupo de ateus entrou na justiça pedindo direito de resposta, que não sei se foi deferido pelo juiz. Porém, não sou de defender o indefensável. O jornalista realmente foi infeliz na declaração. Digo isso porque prefiro um oponente honesto e respeitoso a um partidário defendendo o que eu penso com argumentos que eu jamais utilizaria.

O estereótipo de que é impossível ser bom e ateu ao mesmo tempo não merece meu apoio. A rígida distinção entre mau ateu e bom cristão é um claro exemplo de falácia por "falso dilema". O que temos aí é um típico preconceito chauvinista. Nenhum religioso de verdade (especialmente cristão) deveria se apropriar deste pensamento. Senão, o que dizer de Herbert de Souza, o Betinho? Ateu e caridoso como poucos que conheço.

Aliás, gostei do modo inteligente como Marceu Vieira o descreveu ainda com vida em seu livro *Nada, não: e outras crônicas*[18]. Ele disse: "Betinho hoje é ateu. Não acredita em Deus. Mas algo faz crer que Deus acredita nele". Betinho me ensinou que é possível ser bom e ateu ao mesmo tempo (o julgamento de sua vida cabe a Deus, e não aos homens).

Existem, também, por outro lado, vários tipos de ateísmo e não estou falando de diferentes correntes filosóficas. Refiro-me ao modo como cada um expressa sua descrença. Há aqueles que realmente não tratam seu ateísmo como uma proposta, e sim como um dogma, agressivo, expresso de forma intolerante e antidemocrática.

Assim como os já mencionados "paladinos guardadores da fé", há do outro lado os que agem como "hienas do ceticismo" rindo enquanto devoram suas presas. E o que é pior é que os que assim agem não parecem pessoas que pensam por si mesmas. Antes deixam o ódio falar por si e se projetam sobre autores, igualmente agressivos, cujo comportamento não é nada diferente da religiosidade déspota que eles tanto denunciam. A única diferença é que os oficiais do Santo Ofício, para dar um exemplo, tinham um poder político que eles não possuem, pois se o tivessem estariam ordenando o fechamento de igrejas e o aprisionamento de clérigos.

Alguns desses ateus intolerantes deixam realmente em dúvida se estão defendendo uma ideia ou destilando um ódio pós-traumático contra um pai agressivo, um abuso na infância ou uma revolta pela perda de um ente querido. São muitas as possibilidades para um ódio desenfreado contra um Deus que não existe.

Sinceramente não posso afirmar com certeza absoluta que haja uma causa freudiana para o ateísmo ou a religiosidade de cada um. A observação que fiz não se baseia numa análise psicanalítica que sirva para todos. Contudo, não considero incongruente a observação de que certas posturas, de crença e descrença, concorrem sintomaticamente para a hipótese de um sério desequilíbrio emocional. Basta ver a agressividade com que muitos impõem suas ideias ironizando, debochando, demonizando os que discordam deles.

---

18 Marceu Vieira. *Nada, não: e outras crônicas* (Rio de Janeiro: Mauad Editora, 1999).

Certa vez, ao ser questionado sobre o direito de comediantes zombarem de religiões alheias, Rowan Atkinson, intérprete do famoso Mr. Bean, manifestou a seguinte opinião: "o direito de ofender é muito mais importante do que qualquer direito de não ser ofendido"[19]. Sinceramente, gosto muito do senso de humor desse sujeito, mas, com uma declaração tão horripilante como esta, fico feliz que o personagem que lhe rendeu tanto sucesso era justamente alguém que praticamente não falava nada.

Mais falsos dilemas

Se por um lado existem os que dividem a ética entre crentes e ateus, por outro há os que dicotomizam o conhecimento entre obscurantismo (os crentes) e intelectualismo (os ateus). Fico muito incomodado com a postura de alguns céticos que insistem em dizer que tenho de optar entre a crença e a academia, entre a fé e a inteligência racional. Por quê? Isso é outro exemplo da falácia por falso dilema. Onde está escrito que razão e fé haveriam de se repelir? O que faço com aqueles grandes gênios da humanidade que eram crentes? Newton, Pascal, Jung etc.?

Pelo que vejo, o preconceito chauvinista não está somente do lado de religiosos fundamentalistas. Não é incomum ver em muitas faculdades professores céticos transformando alunos num público-alvo cativo. A sala de aula torna-se um púlpito e a atividade docente um meio catequético.

Não estou falando de um padre durante uma missa, e sim de um acadêmico cético que não aceita a religião na academia, mas usa várias aulas para convencer os alunos de que Deus não existe. Ora o que seria o tema da "não existência de Deus" senão um assunto religioso? Afinal devemos ou não trazer temas religiosos para a sala de aula? E se a resposta for positiva, por que trazer apenas um lado da moeda e negar o direito de apresentação do outro?

Essa atitude pedagógica de negar religião na sala de aula e falar prodigamente da não existência de Deus é um contrassenso curricular. Parecem monges medievais proibidos de falar de sexo no convento, mas que gastam várias aulas condenando o "pecado do orgasmo". Ora, o que é isso senão a temática que eles mesmos proibiram?

Não me tome por deselegante, nesta crítica e sim por sincero. É triste ver, como afirmou o jornalista Karl Kraus – inimigo número 1 do senso comum,

---

[19] Disponível em <http://www.telegraph.co.uk/education/3348850/Atkinson-defends-right-to-offend.html>. Acesso em: 17/01/2017.

"que os alunos comem o que os professores digerem". Confesso que eu antes pensava que a academia era o paraíso da coerência, da lógica, da liberdade de expressão, do bom senso. Hoje, no entanto, percebo que isso nem sempre é verdade. Novamente recorro a Kraus para expressar o que testemunhei: "há imbecis superficiais e imbecis profundos"[20].

Já vi livres pensadores que só se conservam pluralistas enquanto você concorda com eles. Na hora da discordância – quando você opina em público que sua opção é o paraíso de Deus, e não o materialismo dialético que ele defende – aí o caldo entorna! O mesmo que iniciou a classe se dizendo pluralista, transforma-se num xiita de carteirinha e, mesmo não acreditando na existência do diabo, faz da universidade um inferno para religiosos conservadores que discordam do seu pensamento.

Sei que nem todos são assim. Tive, por exemplo, vários colegas ateus na USP que respeitaram muito minha fé religiosa e até demonstraram descontentamento com o espírito xiita de outros ateus radicais. Nos grupos de pesquisa de que participei nunca me senti invalidado pelos demais. Contudo, lembro-me de um dia em que dois deles me revelaram que se eu estivesse estudando em outro departamento (que por ética não direi qual), sentiria a forte animosidade dos antirreligiosos.

Tive um colega, hoje falecido, que teve sua defesa de doutorado quase interrompida na Unicamp por causa de um protesto que alunos e professores ateus faziam do lado de fora do auditório. O motivo? Ele estava fazendo um doutorado em Biologia e sua tese nada tinha a ver com religião. Porém, como era autor de livros que defendiam o criacionismo, os militantes achavam que seria um crime dar o título de doutor a um homem com crenças tão retrógradas, e eu pensava que eram provas, trabalhos e notas que aprovariam um acadêmico, e não suas crenças pessoais!

Assim, embora eu não costume tomar a parte pelo todo, também não ignoro que quando a "parte" quer fazer um estrago, ela faz. Por outro lado, fico feliz pelos amigos de mente aberta que encontrei nas universidades por onde passei e por haver leitores que, mesmo sem acreditar em Deus ou na Bíblia, tomam tempo para ler um livro como este. Parabéns por ser um deles e vencer o preconceito! Se Betinho estivesse vivo, talvez fizesse a gentileza de também ler o meu livro. Afinal, ele sempre ouvia os dois lados.

---

20 Karl Kraus. *Ditos e desditos* (São Paulo: Brasiliense, 1988).

Capítulo 3
Questiono mesmo, e daí?

A primeira coisa que pensei ao escrever o título deste capítulo é que meu editor iria querer mudá-lo. Ele parece ter um ar subversivo que talvez não agrade certos leitores! De fato, pessoas excessivamente conservadoras (para não dizer autoritárias) não apreciariam esse tipo de linguagem. Os anarquistas também não, pois adoram fazer o discurso da oposição e do quebra-quebra somente enquanto não assumem a liderança. Então reprimem com o mesmo rigor, ou pior ainda, aqueles que agora discordam de seu regime ou de suas ideias.

A Internet está cheia de exemplos paradoxais que ilustram como o questionamento nem sempre é fácil de ser digerido. Basta ver como os mesmos internautas que levantam a bandeira da *tolerância*, da *liberdade* e do *respeito* podem se tornar altamente hostis com aqueles que divergem de sua agenda. O lema de muitos é: "aceito a discordância, desde que você assine embaixo do que digo". Não é fácil equacionar civilizadamente o direito de defender uma proposta num universo de contrapropostas.

Paulo Freire estava certo quando falou da dinâmica do opressor-oprimido, na qual a vítima e o revolucionário de ontem se tornam os ditadores de hoje ao assumirem o controle[21]. Sei que há felizes exceções, mas todo oprimido tende a se tornar um opressor quando está no comando. "O poder", escreveu Lord Acton, "tende para a corrupção e o poder absoluto corrompe absolutamente"[22]. E olha que ele estava se referindo ao poder religioso, outrora perseguido, que se tornou opressor quando assumiu a soberania na Europa.

Talvez alguém me pergunte: Por que inserir no livro esse incentivo ao questionamento? Não soa anarquista demais? A resposta é simples: fazer perguntas sinceras é o passo primordial para se adquirir qualquer tipo de conhecimento.

Existe uma citação atribuída a Einstein (eu particularmente não creio que seja dele) que diz:

---

21 Paulo Freire. *Pedagogia do oprimido* (Rio de Janeiro: Paz e Terra, 2002).

22 John Emerich Edward Dalberg Acton. *Historical Essays & Studies* (London: Macmillan Co., 1907), p. 504. Reprodução legal de BiblioLife, LLC.

Se eu tivesse uma hora para resolver um problema e minha vida dependesse da solução, eu gastaria os primeiros 55 minutos determinando a pergunta certa a se fazer, e uma vez que eu soubesse a pergunta, eu poderia resolver o problema em menos de 5 minutos.

Seja de Einstein ou não, essa fala tem em si um importante princípio. Às vezes gastamos tempo demais resolvendo problemas que não existem ou que não são realmente o cerne da questão naquele momento.

Elon Musk, gênio do Vale do Silício, para muitos o novo Steve Jobs da América, declarou o mesmo princípio numa entrevista. Ele disse:

> Acredito que um dos principais pontos [numa busca] é que em muitos momentos a pergunta é mais difícil que a resposta, e, se você puder, de modo apropriado, elaborar a questão, então respondê-la será a parte mais fácil. Assim, à medida que vamos conhecendo melhor o universo, poderemos saber melhor que perguntas devem ser feitas.[23]

Em outras palavras: questionar corretamente é a forma mais apropriada de alcançar o entendimento. Mas veja: isso não significa que todas as dúvidas são produtivas. Há perguntas mal-formuladas ou, em alguns casos, mal-intencionadas (que não demandam um questionamento honesto). Dizem que certa vez um jovem atrevido perguntou a um palestrante: "O que Deus estava fazendo antes de criar o universo?", ao que ele respondeu: "Estava preparando o inferno para quem faz esse tipo de pergunta".

Portanto, risos à parte, as pessoas têm o direito de perguntar. O problema é que muitos que dizem ter uma dúvida apresentam na verdade uma tese, e não uma questão honesta. Querem desafiar o outro, e não ter sua indagação honestamente respondida. Ao formular uma questão, o sujeito tem de sinceramente saber se está mesmo querendo uma resposta ou um endosso para seu pensamento ruim.

Verdades que não ajudam

Existem também aquelas famosas *respostas que não respondem*, ou seja, argumentos falaciosos disfarçados de esclarecimentos que, na verdade, não ajudam ou são irrelevantes. Respostas como as que recebeu certo paraquedista

---

23 Entrevista dada em 2015 para o *Excellence Reporter*. Disponível em <https://excellencereporter.com/2015/03/11/elon-musk-on-the-meaning-of-life/>. Acesso em: 11/03/2017.

que, por um erro de cálculo, foi arrastado quilômetros do seu local de pouso e ficou preso em uma árvore, sem poder fazer nada. Por fim, passou embaixo da árvore um indivíduo cheio de livros, a quem o paraquedista interpelou:

– Ei, amigo, poderia me dizer em que lugar estou? Poderia me ajudar a descer?
– Ah – disse o sujeito com ares de descoberta –, você é um paraquedista, não é mesmo?
– Sou, disse o homem. Ajude-me a descer.
– Sim, ah, e percebo que é um major, pois vejo sua patente no uniforme...
– Sim, eu sou um major. Ajude-me, por favor...
– E vejo que você pulou de um avião militar que passou há pouco, pois pude ouvir o ronco dos motores...
Já impaciente, o paraquedista replicou...
– Vejo que você é um pregador religioso [ou um estudante de Filosofia, segundo outra versão da estória].
– Sim, eu sou! Como o senhor percebeu? Pelos livros que carrego?
– Não! É pelo fato de você estar há um tempão dizendo um monte de verdades que não servem para nada[24].

Viu?! O problema nem sempre está em fazer perguntas, e sim em dar respostas coerentes.

Questionar não é perigoso?

Tudo bem, dirá alguém, mas esse incentivo num livro desta natureza poderá fomentar o surgimento de "questionadores" perigosos. Será? Mesmo que isso aconteça acho que vale a pena arriscar. Deixe-me explicar o porquê.

Todos sabemos que a língua é um organismo vivo e suas palavras sofrem constantes processos semânticos. Hoje o adjetivo "questionador" tornou-se pejorativo qualificando, sobretudo, aquele sujeito que tem problemas com autoridade, os famosos "do contra" ou "rebeldes sem causa". Contudo, essa é uma definição limitada que não leva em conta a riqueza etimológica do termo.

Questionar vem do latim *quaerere*, que quer dizer "buscar conhecer", "desejar o conhecimento". Os verbos "querer" em português e "buscar" em inglês

---

[24] Adaptado de Victor Codina. *40 nuevas parábolas* (Bogotá: Ediciones San Pablo, 1993), p. 84.

(*to quest*) vêm da mesma raiz. Portanto, o ato de questionar envolve um desejo, uma busca pelo conhecimento, que é parte da natureza humana. É, enfim, levantar questões que podem e *merecem* ser discutidas. Não se trata necessariamente de rebeldia, nem de especulação. É a favor desse questionamento que levanto minha bandeira.

O problema é quando trocamos a legítima busca do saber pela imposição de uma ideia prévia (literalmente: pré-conceito). Ou então fazemos perguntas retóricas sem nenhum interesse pela resposta. O único desejo é sentir o prazer de ter dado um xeque-mate no adversário.

"Você já parou de bater em sua esposa?" – pergunta um promotor para um acusado de agressão doméstica. Este tipo de pergunta não implica um questionamento neutro. Antes, é a confirmação de uma sentença. O que o advogado de acusação está dizendo é: "Tenho certeza de que você bate em sua mulher! Disto não resta a menor dúvida. Meu intuito é induzir você a confessar o delito perante o juiz". Esta é a falácia da pressuposição. Ela consiste na inclusão de uma certeza (pressuposição) que não foi previamente esclarecida como verdadeira, ou seja, trabalha-se com uma premissa que, em tese, não existe.

Mesmo quem tem ideias já estabelecidas deveria periodicamente reavaliá-las, atualizá-las, ver se elas têm um ponto que precisa ser ajustado, corrigido. Isso não significa falta de certeza. Trata-se de compreender que mesmo verdades estabelecidas não devem ser uma camisa de força contra novos raciocínios. O "vício do cachimbo" pode entortar a boca, e a repetição de um mesmo conceito por anos não o torna necessariamente verdadeiro. Uma mentira mil vezes repetida continua sendo uma mentira! Ela não se torna verdade, ainda que muitos passem a crer nela.

Embora meu telhado também seja de vidro – pois sou um professor universitário – devo admitir que muitas vezes a universidade, que deveria ser o ambiente máximo da liberdade de expressão e pensamento (dentro de uma ordem, é claro), torna-se um reduto de discursos herméticos que simplesmente não toleram o questionamento. Tudo isso paradoxalmente em nome da liberdade de cátedra.

A verdade é que todos nós queremos público para nossas ideias. É claro que devemos divulgar com força aquilo que acreditamos ser correto, justo e coerente. Mas não ao ponto de tornar o outro um mero repetidor de opiniões alheias. Cada indivíduo tem uma capacidade própria de pensar e agir. As pessoas que conseguem desenvolver bem essa faculdade tornam-se as mais influentes no meio em que vivem. São líderes nos empreendimentos e formadores de opinião – tanto para o bem como para o mal.

De qualquer modo, deveria ser um dever inegociável da sociedade desenvolver certa autonomia nos indivíduos, preparando, especialmente os mais jovens, para que sejam seres pensantes, e não meros refletores do pensamento alheio. Costumo dizer a meus alunos que quando alguém concorda com algum ponto que eu disse, se a concordância for legítima, sincera e racional, aquela ideia já não será mais minha, porém dele. A receita pode ser semelhante, mas o tempero vai ao gosto do freguês.

Em vez de limitar o estudo ao que autores têm dito e escrito, seria interessante levar os alunos, filhos e demais membros da sociedade a um encontro com outras fontes de informações muitas vezes negligenciadas na academia: a natureza, o espírito, a história de cada um, a reflexão pessoal, o exercício de fazer perguntas.

E quanto a Deus?

Começar a busca de Deus crendo ser nula a possibilidade de sua existência não é um questionamento honesto. É uma tese concluída antes de se iniciar a pesquisa! Alguém, no entanto, pode legitimamente argumentar que o contrário também seria verdadeiro. Ou seja, começar afirmando que Deus existe e não abrir espaço para o ateísmo também é um tipo de falácia por pressuposição, e eu concordo com isso.

Qual seria, portanto, o equilíbrio entre os dois extremos? Trabalhar pelo menos com a hipótese das possibilidades, isto é, dar a chance para que ambos os lados apresentem suas evidências. A Bíblia diz que "quem dele se aproxima precisa *crer* que ele existe" (Hebreus 11:6). Mas cuidado para não fazer anacronismos do texto bíblico ou se fiar apenas na tradução em português. Aqui não se trata de pressuposto, muito menos de fé cega. Não é uma questão de se crer primeiro em algo inexistente e, a partir desta crença cega, criar um devaneio e uma disposição mental que o faça ver tudo sob a ótica daquela opinião infundada. Isto não é nem de longe o que a Bíblia está propondo! Lembre-se: pessoas obcecadas também podem ver evidências de uma certeza que só existe na cabeça delas.

Vou explicar o que esta passagem quis dizer. O Novo Testamento, em que ela aparece, foi escrito em grego *koiné*, e muitos detalhes desta língua são esclarecidos pela comparação linguística com o antigo grego clássico. Pois bem, o verbo "crer" usado pelo autor (*pisteusai* em grego) significa literalmente a garantia que advém de uma *possibilidade* de confiança. Este sentido aparece em antigos escritores como Demócrito, Platão, Aristóteles e outros[25].

Seria mais ou menos assim: para ir ao banco pedir um empréstimo, você não sai de casa com a certeza absoluta de que conseguirá o dinheiro. Isto seria presunção, e gerentes não fazem empréstimos a presunçosos. Eles preferem clientes que ofereçam um mínimo de lastro. Por outro lado, você também não pode ficar totalmente incrédulo, do contrário nem tentará o empréstimo e perderá a chance de obter o dinheiro que necessita.

Se você vai ao banco é porque existe, no mínimo, a *possibilidade* de que o financiamento lhe seja concedido. Parafraseando o pensamento bíblico de Hebreus 11:6, você deve ir ao banco *crendo* que ele concede empréstimos. Por que tentar num banco, e não num cemitério? Ora, porque ninguém até hoje, exceto os loucos, deu testemunho de ter conseguido um financiamento com um defunto! Por outro lado, uma multidão de pessoas afirma ter conseguido empréstimo com um gerente de banco. Sua confiança, portanto, não é fé cega; ela se baseia no testemunho que outros deram. Ainda que você nunca tenha feito um empréstimo pessoalmente, acaba tentando. Afinal, tendo dado certo com outros, pode, hipoteticamente, dar certo com você. É uma possibilidade real, vale a pena crer nela e arriscar uma chance.

Do mesmo modo Deus. Você há de convir que uma multidão de pessoas, incluindo intelectuais de prestígio, dá testemunho de que ele existe e que é razoável acreditar nele. Eu até poderia começar minha busca partindo do pressuposto de que Deus não existe e que tudo não passa de crendice popular. Mas o que eu faria com o testemunho de gênios da estirpe de Leonardo da Vinci, Blaise Pascal, G. W. Leibniz, Isaac Newton, C. S. Lewis e mais recentemente Antony Flew? Jogaria tudo no lixo? Ora, esses homens não eram o tipo de gente que acreditaria em qualquer coisa sem um mínimo de embasamento racional.

Genialidade e ateísmo

Talvez alguém lendo isso também diga: do mesmo modo, existem muitos intelectuais de prestígio que não aceitam a existência de Deus. Se eu parto do pressuposto de que Deus existe, o que faço com o testemunho de mentes brilhantes como Ferreira Gullar, Arnaldo Jabor, Friedrich Nietzsche e Karl Marx?

---

[25] R. Bultmann. "Pistew", in Gerhard Kittel. *Theological Dictionary of The New Testament* (Grand Rapids: Eerdmans Publishing Company, 1974), 6:177.

Aqui não podemos tomar seis por meia dúzia, sabe por quê? Por causa de Aristóteles. É o seguinte: embora eu mesmo não concorde com absolutamente tudo que ele escreveu, devo reconhecer os princípios da lógica aristotélica e sua influência na história do pensamento ocidental, moldando, inclusive, o raciocínio destes vultos que citamos anteriormente. Pois bem, Aristóteles classificava as opiniões racionais e lógicas como juízos entre o sujeito e o predicado. Esses juízos se dividem de acordo com a qualidade, quantidade, relação e modalidade. Quanto à qualidade eles podem ser afirmativos ou negativos[26]. Acontece, porém, que a afirmação e a negação não ocorrem no mesmo momento nem estão no mesmo nível epistemológico. Gottlob Frege, um dos principais idealizadores da lógica matemática moderna, embora discordasse de Aristóteles em vários pontos, ampliou o logicismo separando a lógica clássica aristotélica da lógica simbólica. Como consequência, excluiu a negação como pensamento, embora esta continue exercida de modo formal. Ele diz que a negação não dá existência, nem tira a existência de nada, ela apenas deve ser concebida como discursiva[27].

Para aqueles que não conhecem Frege, ele era um matemático alemão do século 19 com forte inclinação filosófica sobre a realidade dos objetos abstratos como os números, conjuntos e outros objetos matemáticos. Não sou adepto de toda sua lógica nem quero atribuir a ele a defesa de algo que não intentou. Só pincelei esse ponto para dar costura à minha argumentação. Não o fiz, porém, fora de contexto. Para que você saiba, Frege negava o argumento ontológico de Deus, argumentando que nossa capacidade de nos referirmos a objetos abstratos em declarações que consideramos ser verdadeiras exige que esses objetos existam. Não sei se eu iria a tanto. Isto parece ser uma tentativa de ler metafísica a partir da linguagem, criando um conceito muito tênue de existência.

Seja como for, minha referência à sua declaração sobre a negação ontológica segue numa sequência tomista de que a negação e afirmação não são simultâneas, já que a negação é a causa de uma afirmação[28]. É preciso primeiro que se afirme algo, para então poder negar. Até a lei da não contradição aristotélica pressupõe isso, pois como se diz "uma coisa não pode ser (primeira afirmação positiva) e não ser (depois a negativa) ao mesmo tempo". Por esta razão, digo que é necessário primeiro trabalhar com a hipótese da existência de Deus

---

26 Aristóteles. *Métaphysique*, 2 vols. (Paris: Vrin, 1981).

27 G. Frege. "A negação. Uma investigação lógica", in *Investigações lógicas* (Porto Alegre: EDIPUCRS, 1918-1919/2002).

28 S. Teo. II-II, 122, a.2, ad1.

(*afirmação*), para então poder negar sua realidade, e não o contrário. Aí sim, a negação poderá fazer seu papel na lógica, pois somente através do funcionamento discursivo oferecido pela possibilidade negativa (através da contradição) que seria possível atingir a verdade lógica (validade).

Portanto, essa nuvem de testemunhas que creem em Deus gera, no mínimo, uma "possibilidade" a ser aventada, mesmo que o ônus da prova recaia sobre os que afirmam a existência ontológica independente de determinado ser. A negação só pode vir depois disso. No caso da ilustração que usei antes, ignorar a chance de um empréstimo bancário, partindo do pressuposto de que todos os que conseguiram estão enganados, não é uma estratégia inteligente. Do mesmo modo, achar previamente que todos os que creem em Deus são alienados sem primeiro *experimentar* a validade ou não de seu testemunho é anular as chances reais de uma verificação empírica. É preferir o preconceito e a fuga à possibilidade de um conhecimento real.

Isso não significa que preciso experimentar todas as coisas para ter uma opinião legítima sobre cada uma delas. Cuidado com exageros! Como disse James Oberg, "ter a mente aberta é uma virtude, mas não a ponto de o cérebro cair para fora"[29].

Experiências desastrosas

De acordo com a semiótica, há realidades que são autoidentificáveis em si mesmas, não necessitam de experimentação para serem conhecidas. Nunca me alimentei de dejetos humanos e não preciso fazer isso para saber que se trata de uma má ideia. O mesmo se passa com o vício do crack: não preciso usá-lo para saber que não presta, basta ver o que ele causou na vida dos que foram por esse caminho.

A diferença, portanto, entre experimentar drogas (para ter certeza de que não me convêm) e experimentar Deus (para saber se vale a pena crer nele) está no fato de que, no caso de Deus, encontramos bons e maus testemunhos daqueles que o experimentaram. Logo, a possibilidade aponta para os dois lados. Falta saber qual o melhor. Já as drogas não possuem "bons" testemunhos advindos de seus usuários. Até quem está no tráfico admite que não vale a pena seguir por esse caminho. Logo, seria maluquice experimentar algo ruim apenas para se confirmar o que todos já estão dizendo.

---

29 Apud C. Sagan. *The Demon-Haunted World: Science as a Candle in the Dark* (New York: Random House, 1996), p. 187.

Ademais, eu não preciso me posicionar em relação a tudo o que me rodeia. Imagine uma montanha-russa, por exemplo. Que tal a Top Thrill Dragster que fica em Ohio, nos Estados Unidos? Ela é uma das mais altas do mundo. São 128 metros de altura e um looping de 270 graus. Seus carrinhos vão a "apenas" 200 km por hora. É adrenalina garantida ou seu dinheiro de volta!

Alguns que a experimentaram disseram que foi a pior experiência de sua vida. Outros acharam o máximo a sensação de velocidade e vertigem durante o ponto mais alto dos trilhos e, uns poucos, talvez, não sentiram nem uma coisa nem outra. Eu mesmo nunca estive na Top Thrill, logo não sei com certeza absoluta que tipo de sensação eu teria. Se a oportunidade algum dia vier, tudo bem, se não vier, tudo bem também. Posso passar a vida inteira sem essa experiência que não terei minha existência comprometida em nada pela falta dela.

O mesmo não posso dizer sobre Deus em relação a esse assunto. Se ele é uma ilusão (para citar Dawkins), estou diante da pior mentira de todos os tempos, e tenho de me posicionar contrário a ela, para o meu próprio bem e das pessoas que amo. Se, porém, houver uma mínima chance de que Deus seja real, então serei um idiota se não me render imediatamente a ele. Neutralidade, neste caso, é algo que não existe. Omitir-me seria o mesmo que me colocar em oposição e só um louco se oporia a um Deus todo-poderoso.

Ninguém é descrente

Para muitos descrentes o subtítulo acima mereceria um troféu abacaxi como aqueles dados nos tempos do Chacrinha a todos os calouros desafinados. Supor que todos creem parece uma antífrase formulada por quem não entendeu nada do pensamento cético.

Se tem uma coisa que a maioria dos ateus faz questão de deixar claro é que eles não possuem qualquer crença nem em Deus nem em nada. Argumentam que afirmar que Deus não existe não é sinônimo de crer que ele não existe.

Num primeiro momento, os que afirmam isso estão certos. Apenas num primeiro momento. Vou explicar o porquê. Em termos de lógica, há uma diferença entre "não creio em X" e "creio em X (ou não X)". Tudo vai depender de onde, na sentença, entrará o elemento de negação.

Se eu disser: "não creio que haja cobras neste mato", estarei fazendo uma proposição bem diferente de "eu creio que não há cobras neste mato". Não é apenas um jogo de palavras. São duas proposições bem diferentes e espero explicar o porquê. A primeira implica que eu não tenha uma opinião formada sobre o assunto, apenas uma suposição. Não tenho uma crença que me diga uma coisa nem outra. Já a segunda é mais assertiva, eu tenho uma crença firme de que não há cobras ali.

Então, neste sentido, estou em acordo com meus amigos céticos. O problema, a meu ver, é até onde se leva o argumento. Na prática, a história do ateísmo não condiz com um movimento que se limita à não crença de Deus existe, em vez de crer que Deus não existe. Tal característica descreveria mais os agnósticos e, mesmo assim, nem tanto.

Você verá mais à frente dois capítulos narrando uma breve história do ateísmo. Ali você poderá ver que o ateísmo real, visto como fenômeno antropológico, ligado à história da humanidade, possui premissas e argumentações que não condizem com aquela definição abstrata de ateu como "sem crença em Deus".

Se for assim, a situação fica pior para os que assim se definem; digo mais, fica até ofensiva, pois o ateísmo deixa de ser posição ou convicção baseada em fatos (convicção, segundo o *Dicionário Houaiss*, é "crença")[30] para se tornar um estado psicológico destituído de certezas e que pode, por extensão, ser partilhado por um animal ou uma pedra que não têm crença nem opinião alguma acerca de nada. Tenho um cachorro chamado Gypsy e até onde eu saiba nem ele nem os pedregulhos do meu quintal possuem qualquer crença em Deus. Mas isso jamais faria deles "ateus" ou "descrentes".

Percebeu, portanto, que ateísmo é muito mais do que "não crença na existência de Deus"? Os ateus, ou pelo menos uma boa parte deles, afirma que "não há Deus". Ora essa assertiva, assim como a outra de que "há um Deus", demanda a posse de um conhecimento que requer justificação e argumentos. Logo, implica acreditar em alguma coisa, e não simplesmente ausência de crenças.

Presumo (pode ser que eu esteja errado) que por detrás dessa insistente negação de fé (ou crença) por parte dos ateus exista uma acomodação muito maior que a velha fala de que fé é antônimo de fatos. O ponto seria o seguinte: se o ateu pode ser tomado como um simples "não teísta", ele então não precisa provar seu ponto. Basta negar a tese do outro.

A falta de evidências para a existência de Deus seria o suficiente para presumir que ele não existe. Os teístas é que teriam o ônus da prova contrária. Num tribunal, a falta de provas pode inocentar um réu, mas a acusação sem provas

---

30 Disponível em <https://ciberduvidas.iscte-iul.pt/consultorio/perguntas/conviccao/12849>. Acesso em: 11/06/2014.

não pode inocentar um acusador. Portanto, se o ateísmo for tomado como convicção de que Deus não existe, seus proponentes teriam de sustentar o ônus da prova que justifique sua afirmação. Como muitos admitem que tal comprovação não existe, preferem evitar a responsabilidade epistemológica tornando sua crença apenas uma condição psicológica que nega, mas não faz asserções.

Assim, a não existência de Deus – suposta a partir da ausência de provas – seria o pressuposto natural, e o silêncio estaria ao lado da descrença. Lembrando mais uma vez que assim como "destemor" não significa sem medo de nada – um soldado destemido pode ter medo de perder sua família – "descrença" também não quer dizer incredulidade absoluta. Isso seria uma falácia do tipo "inferência imediata".

Por isso digo que todos temos nossas crenças pessoais. Até mesmo os agnósticos; afinal, eles *creem* que não se pode crer em nada. Isso me lembra de um livro muito interessante que li tempos atrás. O título era *Em que creem os que não creem*, de Umberto Eco e Carlo M. Martini, dois dos intelectuais mais respeitados da Itália. O que nos diferencia, portanto, não é a falta de fé, mas o objeto dela e o argumento que usamos para a afirmação dele.

Religiosos podem questionar?

O que vou dizer agora vale para todos. Religiosos, ateus, agnósticos... não importa! No que diz respeito ao nosso sistema de crenças, ninguém pode falar que crê ou descrê de algo se não experimentou a possibilidade da dúvida e da busca sincera por uma resposta. No caso de uma convicção, seja ela passada desde a infância ou adquirida ao longo da vida, enquanto não trabalhamos sinceramente com a possibilidade de tudo estar errado e vencemos com lucidez essa possibilidade em nossa consciência, o máximo que podemos dizer é que estamos acostumados a pensar daquele jeito, e não que cremos realmente naquilo.

Dizem que certa vez um hindu reverenciava as águas do rio Ganges. Um amigo estrangeiro colocou algumas gotas no microscópio e lhe mostrou quão poluídas as águas estavam. Desgostoso com a realidade, ele preferiu tomar uma pedra, quebrar o microscópio e continuar sua reverência como se nada houvesse acontecido.

Em outra situação, um professor de Filosofia estava apresentando uma palestra, quando foi interpelado por um estudante que respeitosamente discordava de suas ideias. De modo arrogante o acadêmico respondeu: "Fique você sabendo, meu jovem, que há trinta anos eu estudo esse assunto". Mas o jovem tinha a primeira e a vigésima quarta edição do livro do professor e sabia que elas não apresentavam nenhuma diferença, nem de acréscimos, nem de atualizações, muito menos de correções. Então ele replicou: "Por favor, professor, não se ofenda com o que vou perguntar, mas há algo que não entendo: Há trinta anos o senhor estuda esse assunto ou há trinta anos o senhor repete a mesma coisa sem mudar?". Não sei como foi o desfecho desta história, nem sei se é verdadeira ou fictícia, só sei que, ao contrário do dito popular, uma mentira mil vezes repetida não se torna uma verdade. Continua uma mentira, só que mil vezes repetida.

Deixe-me dizer que eu mesmo já passei por esse processo mental do questionamento e terminei optando pela crença em Deus – crença, aliás, que procuro atualizar e reexperimentar a cada dia. É sobre o meu processo mental de busca e reconhecimento de Deus que gostaria de discutir com você, e não se assuste com o uso do verbo "discutir". Como de costume, a nossa cultura distorceu o conceito de muitas palavras e "discussão" foi uma delas. Hoje pensa-se que discutir é atacar uma pessoa, impor sua opinião sobre ela. Isso é bem diferente de entrar num diálogo, em que se está disposto a falar, ouvir e, mais do que isso, compreender exatamente o que se ouviu, tomando uma posição diante do conteúdo.

Discutir vem do latim *discutere* (*dis*, separação, + *quatere*, quebrar). O sentido original era quebrar, sacudir, abalar. Era isso o que os médicos romanos faziam com as plantas para produzir um remédio. Eles quebravam e sacudiam as raízes para separar a terra e verificar as que eram ou não fortes o bastante para servirem de medicamento. Em virtude desta prática, discutir também adquiriu um sentido adicional de "curar".

Originalmente, portanto, "discutir" seria pegar um assunto e agitá-lo, até ele se dividir em partes menores e se desprender daquelas que seriam periféricas. Assim, ele fica mais fácil de ser digerido, pois não podemos compreender tudo de uma só vez. É por isso que, em qualquer discussão, todos os envolvidos parecem ter sempre um pouco de razão: cada um só vê a parte que lhe interessa, a do outro é sempre a terra a ser desprendida ou o pedaço de raiz que não serve para remédio. Deste modo, o importante numa discussão é superar a tendência partidarista e usar as partes "sacudidas" para se alcançar senão o consenso, pelo menos o respeito mútuo por aquele que discorda de nossa opinião.

No campo pedagógico, segundo Castanho, discutir é algo fundamental:

> ... seu papel no ensino é exatamente esse: dado um ponto de vista (uma teoria, um resultado de investigação, uma exposição qualquer) submetê-lo a um esmiuçamento tal que sejam analisadas todas as implicações ali contidas [...] [as discussões] levam os alunos a não aceitarem passivamente uma posição antes de uma análise profunda e multifacetada. Cabe em qualquer *área do conhecimento*... *Pode ser usada durante ou* após uma aula expositiva... após um filme, uma sessão de slides...[31]

Ou, no nosso caso, em um livro!

Discutir é conversar

Discutir e questionar significam, pois, uma conversa que seja pautada pela busca mútua da verdade, e não pelos sentimentos vazios de ganho ou perda em um debate. Não quero impor nada a você, apenas contar como e por que cheguei a uma conclusão diferente da de muitos ateus e agnósticos, mesmo passando por caminhos de busca idênticos aos que muitos deles passaram. Portanto, mesmo que não cheguemos a um acordo em todos os aspectos, ainda assim ganharemos. Afinal, compensa compreender como o outro pensa, não necessariamente para concordar com ele, mas até mesmo para se saber por que discordamos de suas conclusões e continuamos a respeitá-lo mesmo assim. Numa conversa desse tipo, o preconceito foi superado e surgiu o respeito mútuo. Passamos, finalmente, a questionar a ideia, sem contudo deixar de reconhecer o ser humano que existe por detrás dela e percebê-lo como irmão. Ainda que diferente, um irmão.

Todo aquele que diz acreditar em Deus pode e deve fazer perguntas que sejam legítimas e razoáveis. Estou particularmente convicto de que o direito de fazer perguntas é algo que me foi dado pelo próprio Criador, faz parte de mim. Ao contrário do que muitos pensam, nem todo questionamento é incompatível com a fé.

Pegue uma Bíblia qualquer e você encontrará ali mesmo no Antigo Testamento passagens que sugerem uma busca inquiridora de Deus. Uma delas diz: "Provem, e vejam como o Senhor é bom" (Salmo 34:8). Interessante que a palavra hebraica traduzida por "provem" é *ta'am*, que significa mais do que simplesmente questionar. Ela sugere a ideia de experimentar algo sensorialmente, sentir o sabor de uma coisa. Em outra passagem, é o próprio Deus

---

[31] M. E. L. M. Castanho. "Da discussão e do debate nasce a rebeldia", in I. P. A. Veiga (org.). *Técnicas de ensino: por que não?* (Campinas: Papirus, 1993), p. 93.

que faz o desafio racional para a humanidade: "Ponham-me à prova", diz ele em Malaquias 3:10. E em outro texto, desta vez do profeta Isaías, o próprio Deus "democraticamente" convida: "Venham, vamos refletir juntos" (Isaías 1:18), ou, conforme uma tradução mais antiga, "vamos arrazoar juntos", isto é, discutir, entrar num acordo, entender as razões um do outro.

Também nas páginas do Novo Testamento encontro uma gama de textos me aconselhando a testar ou examinar criticamente todas as coisas antes de crer apressadamente nelas (2Coríntios 13:5; Efésios 4:14; 1Tessalonicenses 5:21; 1João 4:1). Se compreendo bem a advertência bíblica, devo estar alerta a não concordar com algo apenas porque faz parte da tradição dos mais antigos (Mateus 5:21-22; Colossenses 2:8), ou porque um líder influente disse. A primeira carta de Pedro (2:1,3) alerta quanto a não acreditar em falsos líderes que explorariam as pessoas com historietas emotivas que eles mesmos inventariam (conf. também Mateus 7:15; 2Coríntios 11:5). Quer um incentivo à reflexão e à racionalidade autônoma mais claro do que este?

Portanto, esse será um livro de reflexão, diálogos, admissões, mas também de muitos questionamentos. Não tenho a genialidade de C. S. Lewis, mas, à semelhança dele, às vezes me sinto "o mais relutante dos convertidos"[32]. Isso não significa que eu esteja em crise com minha fé, mas que, por ser um indivíduo de mente inquieta, vivo sempre à procura de respostas, admitindo dificuldade de aceitar certas argumentações.

Sobre Deus? Bem, se ele existir mesmo como eu creio, sua imensidão deverá ser tal que a aproximação de sua pessoa provocará mais perguntas que respostas. Assim, não tenho medo de perguntas honestas. Talvez eu esteja mais perto dele quando faço perguntas do que quando repito certezas.

E se errar? Bem, creio que, se Deus existe como eu creio, ele será menos ofendido pela sinceridade de um pecador do que pela hipocrisia de um santo. É assim que inicio essa jornada em busca de respostas.

---

32 Esse foi o título de um livro de David Dawning sobre o autor.

Capítulo 4
Você sabe em que (des)acredita?

Contar histórias é um forte do povo do interior. Seja ele das caatingas do Nordeste, do Pantanal mato-grossense ou dos rincões de Minas Gerais. Quer eu esteja com um sertanejo do Brasil ou em companhia de um beduíno do deserto, não escondo meu contentamento diante das poucas oportunidades que tive de sentar e ouvir um velho contador de histórias. Há ainda aqueles contadores de "causo" da cidade grande, que disfarçados de taxistas ou frequentadores de botequim, amam narrar um fato que juram ter acontecido de verdade. É claro que, para a narrativa não ficar insossa demais, dá-se um retoque aqui e outro ali, mas nada que faça tudo virar uma grande mentira. É só para dar um pouco de emoção àquilo que se conta.

Do ponto de vista sociológico, a narrativa popular tem dimensões de pesquisa e estudo de caso. São elas que incorporaram o duplo sentido humano de propagar e preservar memórias. Quando se conta, se relembra, e ao relembrar cria-se um laço afetivo entre o *eu* que conta e o(s) *outro(s)* que ouve(m). Já dizia o oráculo apocalíptico: "Feliz aquele que lê as palavras desta profecia e felizes aqueles que ouvem...". Paulo também expressou que a fé vem "pelo ouvir". Isso é verdade. Uma vez que todos compartilham a mesma história, passam a ter uma espécie de pacto de sangue, pois se tornam responsáveis por ela. É talvez por isso que nem a fome ou a miséria são capazes de silenciar a voz de um povo criativo. Reinventar o cotidiano e dar sentido para a vida é algo que mantém viva a cultura de uma nação.

Ninguém foi tão genial em perceber isso como Ariano Suassuna. Suas obras, quer no formato de livro, teatro ou televisão, são formidáveis. Ele era um gênio da literatura brasileira. Quem não riu da dupla Chicó e João Grilo em *O Auto da Compadecida*? Ingênuos, porém espertos e de alma infantil, os dois amigos faziam de tudo para driblar a fome e a necessidade, sendo que Chicó encontrou nas histórias que contava uma maneira paradoxalmente "inocente" de "enganar" para sobreviver em meio à miséria da seca.

Eram relatos praticamente infantis, coisas impossíveis de acontecer e que desafiam a lógica de uma mente sensata: o cavalo Bento que cavalgou da Paraíba até o Sergipe, atravessando o São Francisco; o peixe pirarucu que o arrastou pelas águas por três dias, o papagaio que morreu de velhice sendo ainda novo. Ao final de cada história, confrontado pela indagação de como aquilo pode ter acontecido, Chicó disparava sua lógica universal: "Não sei, só sei que foi assim".

A saída de João Grilo bem poderia ser eleita a razão argumentativa da maioria das pessoas. Dependendo de quem a usa, conscientemente ou não, ela pode encerrar uma fé ingênua – quando o sujeito realmente acredita no que diz; um deliberado engodo – nem ele mesmo acredita no que está falando; ou ainda um desvio da atenção para que o assunto pare por ali e o interlocutor não faça mais perguntas inoportunas. Fica o dito pelo não dito.

Cosmovisão: uma ilustre desconhecida

Todos nós, indistintamente, temos uma interpretação de mundo que é moldada por nossos valores, crenças e também pelos nossos questionamentos. Tudo isso forma nossa visão de mundo, isto é, nossa cosmovisão. Muitas vezes nem nos damos conta dela, mas ela está aí, nos acompanhando em praticamente todos os raciocínios que fazemos e decisões que tomamos, desde as mais simples, até as mais complexas. De fato, o mais interessante da cosmovisão é justamente esse detalhe de que as pessoas a possuem mesmo sem ter a mínima noção do que ela é. E mais: a possuem e a utilizam.

A cosmovisão funciona como uns óculos com os quais enxergamos a realidade. Seria como pedir para pessoas diferentes opinarem sobre a vida do Dalai Lama. O governo chinês o descreveria como traidor; um budista tibetano, como a reencarnação do Buda; um político americano, como o merecido ganhador do Prêmio Nobel; e o papa, como um religioso digno de respeito. Os brasileiros que já ouviram falar nele dizem ser um bom líder ao lado de Gandhi e Madre Teresa de Calcutá, enfim, um ícone da paz. Mas não vão muito além disso.

Como você vê, quem conta uma história nem sempre buscará narrar os fatos tais como aconteceram. A tendência natural é procurar uma justificativa própria para o fato e as razões para ele. Obviamente que em casos como o de Dalai Lama nossas interpretações tenderam ao lado em que nosso país, por exemplo, está ou não está envolvido no assunto. Tudo isso está inserido neste tema maior da cosmovisão. E o que ela seria?

"Cosmovisão é o conjunto das pressuposições cognitivas, afetivas e valorativas fundamentais que um grupo de pessoas faz sobre as coisas da natureza, e que elas usam para organizar as suas vidas." Quem disse isso foi Paul G. Hiebert, autor do livro *Transformando cosmovisões*, de leitura recomendável. Quem, no entanto, percebeu bem esse fenômeno de reconhecimento da realidade, ou pelo menos deu esse nome a ele, foram os alemães lá pelo século 18. Procurando definir uma doutrina do conhecimento e como os homens percebem o mundo em redor, os epistemólogos criaram a palavra *Weltanschauung* para se referir ao modo como enxergamos as coisas que acontecem em redor. Quem usou pela primeira vez o termo foi Immanuel Kant no seu livro *Crítica do julgamento*, publicado em 1790.

Sei que, num primeiro momento, isso tudo parece uma perda de tempo. Parar para discutir como se forma nossa compreensão de mundo talvez soe para alguns como coisa de quem não tem o que fazer, mas não é bem assim. Lembrando o aforismo nietzschiano: "nada aprisiona o homem mais do que suas convicções". De fato, é a crença em determinadas ideias e ideais éticos que nos move a agir ou não agir em prol de uma causa. A crença interior leva alguns ao sacrifício, à ação ou até mesmo ao genocídio. Portanto, o conhecimento prévio dessas crenças pode prevenir males e evitar problemas.

Cosmovisões perigosas

"Crença interior" é uma expressão muito próxima da palavra cosmovisão. É ela que move a história dos homens com suas guerras, suas ideologias, seu amor e seu ódio, sua esperança e seu desespero. É a cosmovisão que leva você a lutar por alguns direitos e agir como tem agido, seja de modo bom e responsável, ou inspirado na delinquência. Pense, portanto, no perigo que seria o nutrimento de uma cosmovisão errônea. Você consegue imaginar o estrago que ela pode fazer? Senão, veja o caso da Alemanha e tire suas próprias conclusões. Numa época em que ninguém se importava com o atual "politicamente correto", alguns pensadores "eruditos" descobriram no livro indiano dos Vedas o impulso ideológico de que precisavam para se firmarem como nação e etnia. A ideia era encontrar a raça humana superior e todos queriam pertencer a ela.

Um pouco antes disso a pesquisa pelas raízes filológicas dos indo-europeus já havia gerado grande excitação na Europa e isso determinou a busca frenética pelos arianos, uma suposta linhagem mais pura de seres humanos, constituída por indivíduos altos, fortes, de pele clara e inteligentes. A palavra "ariano" deriva de *arya* ("nobre", em sânscrito) e serviu para denominar um povo que na realidade nunca existiu.

Hoje todos sabemos que "ariano" não representa uma raça, e sim um grupo linguístico, mais conhecido como indo-europeu. Porém, esse não era o pensamento em voga no século 19. Foi um francês chamado Gobineau que espalhou a ideia por toda a Europa, angariando muitas críticas, mas também muitos adeptos, principalmente intelectuais alemães.

Os arianos representariam, de acordo com critérios puramente arbitrários, o que se tinha de mais puro em termos de humanidade. Eram, enfim, a raça humana superior da qual descenderam os nórdicos e germânicos. Eram estes grupos étnicos que representavam, pois, o ápice da civilização. Foi graças a eles que a humanidade progrediu.

No extremo oposto, residindo no setor mais baixo da hierarquia racial humana, estariam os negros, ciganos, asiáticos e semitas (no caso, judeus). Qualquer mistura dos puros com esses grupos inferiores traria prejuízos incalculáveis.

Goebbels entra em cena

Em meio a tudo isso, um jovem de mente brilhante e caráter duvidoso chamado Joseph Goebbels bebeu profundamente nas fontes que alimentavam essa ideologia. Montando sua cosmovisão como um queijo feito de muitas vacas, ele pegou um pouco de Heidegger[33], Chamberlain, Nietzsche, Max Heindel, Schlegel, Rosenberg e outros. Então passou a propalar um vocabulário rico em palavras como combate (*kampf*), sacrifício (*opfer*), destino (*schicksal*), comunidade do povo (*volkgemeinschaft*), sangue e solo (*blut und boden*), adestramento (*zucht*), raça (*rasse, stamm, geschlecht*) e a mais importante: dirigente ou *führer*.

O próprio Goebbels era um erudito com título de Doutor em Filosofia expedido em 1921 pela conceituada Universidade de Heidelberg. Logo, a doutrinação que recebeu, os autores com os quais entrou em contato (e que não eram necessariamente "nazistas"), não constituíam nenhum episódio circunstancial, isolado ou incongruente para a política da época.

Só para se ter uma noção, a Universidade de Freiburg tinha uma cátedra chamada "Introdução à doutrina racial" e outra de "Biologia hereditária", cuja função era ensinar aos estudantes a visão do mundo nacional-socialista

---

33 Cf. Emmanuel Faye. *Heidegger – L'Introduction du Nazisme Dans la Philosophie* (Paris: Éditions Albin Michel, 2005).

e o pensamento da raça. Eugen Fischer, teórico do eugenismo e um dos primeiros defensores do genocídio dos povos ditos "inferiores", amigo pessoal de Heidegger, foi quem coordenou o curso. Por isso, foi natural que o partido nazista, já em seus primórdios, se apropriasse da ideia.

O pensamento de Goebbels era, como eu disse, uma cosmovisão particular que expressava fidedignamente outra cosmovisão maior – na época coerente – que precedeu a ascensão do nazismo e se prolongou para além do período do reitorado, e até mesmo da própria queda de Adolf Hitler. Por falar em Hitler, era esse o elemento que faltava ao mapa conceitual de Goebbels. Um messias, um redentor, um *füher*! Dizem os biógrafos que Goebbels nunca se recuperara do trauma de ser manco devido a uma poliomielite na infância, de modo que seu complexo de inferioridade o fez se espelhar num tema e numa pessoa que o fizessem se sentir grande, gigante! Hitler e o arianismo fizeram isso por ele.

Resultado? Hitler não alcançaria o que alcançou se não fosse a brilhante atuação de Goebbels, que se tornou seu publicitário particular e ministro da propaganda nazista. Foi graças a ele que a Alemanha e outros países se mobilizaram para formar o Terceiro Reich.

O saldo de tudo isso você já sabe: uma Europa destruída, seis milhões de judeus assassinados, milhares de órfãos e um cálculo médio de 50 milhões de mortos, 60% dos quais civis que nada tinham a ver com o conflito. O próprio Goebbels e sua esposa se mataram no *bunker*, mas não sem antes assassinarem os próprios filhos que tinham entre 12 e quatro anos de idade. O motivo disso? A morte prévia de Adolf Hitler.

De acordo com o historiador Peter Longerich, autor de uma nova biografia de Joseph Goebbels, o ministro da propaganda nazista desenvolveu, graças à sua visão de mundo, uma dependência psíquica de Hitler[34]. Sua esposa também não ficara longe: para ela "um mundo sem o *Füher* não é digno de vida".

Sem escapatória

O perigo maior de histórias como esta é que ninguém está livre de possuir uma cosmovisão ou ser afetado pela cosmovisão do outro. Imagine quantas vidas foram interrompidas porque um maluco com problemas de autoestima resolveu alavancar outro maluco no poder.

---

34 Peter Longerich. *Joseph Goebbels, uma biografia* (Rio de Janeiro: Objetiva, 2014).

Não pense que o povo não tem participação nisso. A própria passividade das pessoas – que pretendo destacar neste capítulo – as leva a alimentar o monstro que há por detrás dos déspotas e corruptos que desviam a sociedade. Como dizia Orson Scott Card: "Se os porcos pudessem votar, o homem com o balde de comida seria eleito sempre, não importa quantos porcos ele já tenha abatido"[35].

Conta-se uma lenda vinculada a Stalin que foi reproduzida pelo consagrado novelista russo Chingiz Aitmatov num artigo do jornal *Sovetskaya Kirgiziya* publicado em 6 de maio de 1988[36]:

> Em uma de suas reuniões, o ditador pediu que lhe trouxessem uma galinha. Agarrou-a forte com uma das mãos enquanto a depenava com a outra. A galinha, desesperada pela dor, quis fugir, mas não pôde. Assim, Stalin tirou todas suas penas, dizendo aos seus colaboradores. Agora, observem o que vai acontecer. Stalin soltou a galinha no chão e se afastou um pouco dela. Pegou um punhado de grãos de trigo e, enquanto seus colaboradores viam, assombrados, como a galinha, assustada, dolorida e sangrando, corria atrás de Stalin e tentava agarrar a barra de sua calça, enquanto este lhe jogava uns grãos de trigo, dando voltas pela sala. A galinha o seguia por todos os lados. Então, ele olha novamente para seus auxiliares, que estão totalmente surpreendidos, e lhes diz: "Assim facilmente se governa os estúpidos. Viram como a galinha me seguiu, apesar da dor que lhe causei? Do mesmo modo é a maioria das pessoas. Seguem seus dirigentes, apesar da dor que estes lhes causam, pelo simples gesto de receber um benefício barato ou algo para se alimentar por um ou dois dias.

Como nasce uma cosmovisão?

É difícil falar de uma receita para todos os casos de cosmovisão individual. Afinal de contas, não existe outro de nós mesmos. Ainda que haja experiências de vida muito parecidas, minha história é única, não existem duas biografias exatamente iguais, nem de gêmeos univitelinos.

Por isso o máximo que podemos dizer é que as cosmovisões que construímos parecem partir ou nascer de três fontes: 1) Noção de pertença – todos nós queremos fazer parte de um grupo. 2) Necessidade de afeto – por querer ser

---

35 Apud Antti P. Balk. *Balderdash: A Treatise on Ethics* (Helsink, Washington, Londres: Thelema Publications, 2012), p. 365.

36 Apud. Disponível em <http://hayrettinguelecyuez.webs.com/stalinism.htm>. Acesso em: 30/08/2017.

amados, queridos, terminamos nos adequando às regras desse ou daquele grupo. É para ser aceitos que assumimos certos modos de vestir, falar, comportar.
3) Identidade pessoal – não é normal recebermos tudo automaticamente, nós reagimos ao que recebemos, seja pelo gosto, por um trauma criado ou pelo simples movimento de nosso livre-arbítrio.

Sendo assim, uma cosmovisão não é algo que surge num único instante. Ela vai sendo construída aos poucos e está sempre sendo atualizada, modificada, confirmada. Depende das experiências que temos e de como respondemos a cada uma delas. Um trauma com um pai violento, e ao mesmo tempo religioso, pode fazer com que mudemos nossa concepção de céu a inferno, de crença em descrença. Em contrapartida, uma situação de "fundo de poço" pode nos levar a buscar uma espiritualidade da qual nunca fizemos caso. Os religiosos chamam isso de "conversão".

Assim, a filosofia, a religião, os amigos, os inimigos enfim, as relações sociais que temos ao longo de nossa existência vão ajudando a construir nossa cosmovisão, mas não a determiná-la. No final da história é você e não o outro quem decide como verá o mundo. Cada um é responsável por si, desde, é claro, que esteja no pleno uso de suas faculdades mentais.

Em sua composição, a cosmovisão é constituída em parte por um núcleo central, isto é, uma estrutura que é fruto das relações sociais que temos. Esse mesmo núcleo costuma ser resistente a mudanças, embora não signifique que seja imutável – afinal ela está constantemente sendo atualizada! Na periferia estariam outras visões de mundo que estão sempre em dialética com nossas concepções, ora confirmando ora desafiando nosso entendimento.

Tudo isto, porém, refere-se à atividade da cosmovisão no indivíduo e suas relações com o público externo. Existe, contudo, outra cosmovisão coletiva que também atua na história. Ela se constrói quando uma sociedade ou grupo social passa a pensar majoritariamente de um modo a ponto de ser assim caracterizada por aquele pensamento. Exemplo: mesmo havendo pessoas que não aceitassem a escravidão dos negros, podemos coletivamente dizer que o Brasil colonial era uma nação escravocrata.

Percebeu o processo? Viu como a cosmovisão é algo ao mesmo tempo individual e coletivo? A diferença é que a individual dura uma vida e a coletiva pode durar por gerações inteiras.

A gênese do pensamento coletivo

Foi Émile Durkheim o primeiro a teorizar o conceito de "consciência coletiva" e como ela é originada. Não é um trabalho terminado, ainda há muitos pontos obscuros nesta temática, principalmente porque uma vez inseridos num sistema, é difícil perceber criticamente os costumes, a moral, o modismo que dão forma ao nosso contexto.

É engraçado quando amigos já quarentões se encontram e começam a rever fotos da época de faculdade. "Nossa, que cabelo era esse?" – comenta uma colega que exibia um charmoso corte "Joãozinho". "E eu? – complementa a outra. Onde estava com a cabeça de ir a um baile de formatura com um vestido desses?" Os homens também se entreolham, rindo das calças que usavam e dos estilos que julgavam estar arrasando corações. Até que alguém complementa: "É, o passar do tempo fez muito bem a todos nós". "Isso mesmo!" – concluem os demais.

Quem desenhou aqueles modelos antes considerados "fantásticos" e depois disse que estavam ultrapassados? Note que a decisão é tão séria que afeta até nossos gostos pessoais. Não conseguimos mais achar o estilo moderno e nos perguntamos como tivemos coragem de usar aquilo.

Não sei como será daqui a algum tempo – pois as tendências mudam muito rápido –, mas no momento que escrevo este livro está na moda usar calça jeans surrada e rasgada no joelho ou na coxa. Antigamente seria motivo de protesto no Procon se a loja me vendesse um produto desses; hoje, é uma das mais caras da vitrine. Mediante isso, só tenho uma conclusão: se eles convencem um jovem que uma calça jeans rasgada é bonita, então podem convencer de quase qualquer coisa.

Em termos gerais, os exemplos que dei da moda perfazem a cosmovisão ou a consciência coletiva que pode ser definida como o conjunto de características e conhecimentos comuns de uma sociedade, que faz com que os indivíduos pensem e ajam de forma minimamente semelhante. Corresponde às normas e às práticas, à moral, aos códigos culturais, como a etiqueta e as convenções sociais.

Assim, o indivíduo e suas ações são fortemente influenciados tanto por essa consciência individual quanto pela coletiva. Mas os limites entre ambas não são muito claros, pois mesmo decisões consideradas extremamente individuais, como a de tirar a própria vida, podem ser influenciadas pelas condições sociais. Lembra o famoso caso da Baleia Azul? Um jogo de Internet que desafiava adolescentes a tarefas que iam desde cortar o próprio corpo até pular de um edifício.

Em linhas bastante gerais posso dizer que elementos como língua, apego, educação, mídia são peças-chave na construção e ou transformação de culturas que se formam através de um mínimo de interação social. Por exemplo, o processo que cria novas ordens morais, formadas a partir do entusiasmo coletivo, é, muitas vezes, contrariado por processos em que esse entusiasmo diminuiu, como crises sociais profundas ou carência de modelos de liderança.

Não vou esboçar aqui todas as teorias vigentes sobre a gênese dos pensamentos coletivos. Isso fugiria aos propósitos deste livro. Meu intuito apenas é levar você à reflexão de que o sentimento pessoal que advogamos pode ser reflexo de uma influência externa e subliminar que nos determinou agir e pensar dessa ou daquela forma. Um elemento midiático ou uma necessidade de aceitação no grupo podem ser exemplos disso.

O contrário também é verdadeiro, isto é, quando determinada postura é assumida, não por incentivo de alguém, mas para provocar alguém. Neste caso, entramos numa reação em conflito e agimos exatamente do modo como o outro desaprova. Tal comportamento é muito comum entre pais e filhos que não possuem uma relação saudável.

Por isso, devemos estar em constante estado de reflexão. Vendo e revendo nossos conceitos, nossos motivos, nossa perspectiva. O desafio é pôr em prática o que disse o filósofo e ensaísta americano Ralph Waldo Emerson: "É fácil viver no mundo conforme a opinião do mundo. É fácil viver na solidão, conforme a nossa opinião. Grande será o indivíduo que, mesmo em meio à multidão, conseguir manter com perfeita doçura a independência da solidão"[37].

O indivíduo e o meio

Acho importante, a essa altura do diálogo, citar uma nota do antropólogo Alfredo Austin: "Pertencer a uma tradição ou possuir uma cosmovisão não implica, de maneira nenhuma, uniformidade de pensamento, mas sim capacidade relativa de intercomunicação e interação em um dado contexto social"[38].

Há autores que negam o conceito de cosmovisão para hoje, pois entendem que ele só diz respeito a sociedades tradicionais, com uma estrutura de tradição

---

37 Ralph Waldo Emerson; Eva March Tappan. "Self-Reliance", in *Select Essays and Poems* (New York: Allyn and Bacon, 1808), p. 35, versão eletrônica.

38 Anales de Antropología, Universidad Nacional Autónoma de México, México, v. 32, n. 1, 1995, p. 217.

forte e estreita relação entre indivíduo e sistema. Hoje viveríamos um período "pós-estrutural" em que os indivíduos não são mais motivados a pensar conforme a cartilha de um único partido, religião ou governo, pois a sociedade tem muitas particularidades que desafiam qualquer ideia uniforme. Será? Tenho cá minhas dúvidas. A meu ver, as estruturas de pensamento individual e coletivo convivem em dialética e estão tão presentes hoje como estiveram no passado. Não existe, por exemplo, neutralidade na academia, sempre teremos paradigmas que dependem de visões de mundo. Há muitas delas: marxismo, humanismo, teísmo, ateísmo, agnosticismo, religiões orientais, materialismo, para nomear algumas. Dado que não podemos escapar dos pressupostos, o desafio é reconhecer as cosmovisões existentes e ter uma posição crítica em relação a elas, ou seja, saber por que você escolheu determinado caminho e que consequências advirão disso.

Sei que o exemplo a seguir não valerá para todos, porém, é mais comum do que se imagina e vale para as outras áreas do conhecimento. Aconteceu comigo, num evento em que participei como palestrante. Um estudante chegou até mim com um amigo de ares bem arrogantes trazendo um monte de perguntas na manga. Ele era um jovem de uns 17 anos cheio de convicções adolescentes e não foi difícil perceber ali uma falácia do tipo *plurium interrogationum*, isto é, quando se exige uma resposta simples e rápida para questões complexas. Eu estava em pé no corredor depois da palestra, com várias pessoas querendo falar comigo. Não era o ambiente para aquele interrogatório, embora não creia que ela usara a falácia de modo consciente.

Encurtando o diálogo, pois não havia tempo para muito mais que isso, perguntei: "Por que você se diz ateu?". A resposta: "Por que não estou certo se Deus realmente existe". "Ora", eu retruquei, "então você está mais para agnóstico, pois um ateu tem certeza de que Deus não existe. Não há o 'se' na fala de um ateu." Ele se desconcertou, mas para não perder a empáfia disse com convicção: "Isso! Sou um agnóstico!". Descobri depois que ele na verdade queria desafiar a autoridade religiosa defendida por seus pais, mas isso é outra história. Continuando a conversa, perguntei: "E qual corrente agnóstica você segue? Empírica, modelar, apática, forte, ateísta ou teísta?". Demonstrando não conhecer nenhuma ele chutou: "Forte!".

Sabendo que os agnósticos fortes negam qualquer possibilidade de certeza, perguntei: "Se você crê que não pode ter certeza de nada, como pode ter certeza de que não se pode ter certeza de nada?". Ele demorou a entender o trocadilho e, mudando de assunto disse: "Admito que não sabia que o agnosticismo tinha tantas linhas, vou estudá-las melhor para ver qual se encaixa mais com o que penso sobre Deus. Por enquanto, só posso dizer que nasci na igreja e não gosto do tipo de Deus que meus pais me ensinaram na infância. Preciso primeiro saber se o que você diz de Deus é melhor ou é a mesma coisa que eles disseram. Só aí posso dizer que crerei ou não nele".

Então concluí: "Meu amigo, isso não é agnosticismo, é ignosticismo – um termo cunhado pelo filósofo judeu Sherwin Wine, para descrever posturas como a sua que preferem não se definir como ateus ou teístas por não terem uma compreensão exata ou aceitável do que seria Deus".

Estou correto?

Ao imperativo de conhecer sua cosmovisão (particular e coletiva) acrescente o desafio de saber se você está ou não certo naquilo que pensa. Ter certezas é algo relativamente fácil; estar correto demanda maior esforço cognitivo. E não caia no erro de achar que o "comum" é necessariamente o "correto". No século 19 era comum surrar uma senhora negra de idade apenas por ela deixar queimar o feijão de seus amos. Assumir posições críticas diante de eventos passados é relativamente fácil, difícil é reconhecê-los ainda em curso e se posicionar diante deles.

Hoje muitos insistem que a certeza é algo ultrapassado. Estamos numa era de pós-verdades em que nada é, em si verdadeiro, tudo é relativo. Noções de certo e errado, belo ou feio, moral ou imoral são apenas convenções culturais. Não existe nada além da experiência pessoal humana, e Deus, caso exista, é apenas um espectador passivo da história.

Finalmente somos nós que ditamos as regras. Será? Como ter certeza de que minha cosmovisão é correta e de que é importante mesmo ter uma cosmovisão? Quanto a essa última pergunta só posso dizer que a posse de uma cosmovisão não é um direito a ser exercido, é uma condição da qual não temos escapatória. O que está em nossas mãos é eleger que tipo de cosmovisão teremos para direcionar nosso caminho.

Quanto à verdade, caso ela exista, poderia ser conceituada em termos absolutos como a expressão exata da realidade. Mas aqui nos deparamos com um quadrilátero de opções:

1 – não existe verdade, tudo é relativo;
2 – existe a verdade, mas jamais será alcançada;

3 – existe a verdade e ela é exatamente aquilo que dizemos;
4 – existe a verdade, mas a alcançamos apenas em parte.

Independentemente da opção que cada um faça, uma coisa é certa: aquilo que conhecemos ou chamamos de verdade será sempre uma interpretação mental que temos da realidade conforme transmitida por nossos sentidos e interpretada pelos nossos neurônios. Seria desejável, ou prudente, pelo menos esperar que nossas conclusões sejam confirmadas por outros seres humanos inteligentes e destituídos de preconceito – isto é, do desejo ardente de que algo de interesse deles seja verdadeiro custe o que custar. Aí essa verdade poderá ser confirmada por equações matemáticas, vivências, experiências e outros instrumentos cognitivos que formam um modelo capaz de interpretar razoavelmente o passado e prevenir acontecimentos futuros diante das mesmas coordenadas. É até onde conseguimos ir ao encontro da verdade se nos limitarmos à razão como modo de possuí-la.

Mas cuidado: o conceito de certeza pode ser por vezes confuso e impreciso. Mais à frente voltaremos a falar sobre isso. Por ora, basta lembrar que a confiança mental também tem suas limitações. Dado que a certeza, se for fruto de uma investigação cuidadosa das coisas, está correlacionada à verdade, é tentador pensar que a certeza implica a verdade. Mas isto é falso.

Até a certeza filosófica, laboratorial e científica pode vir de uma premissa falsa. Isto acontece porque somos falhos e podemos ter o azar epistêmico de raciocinar bem com dados falsos. Dá-se também o caso de raciocinar mal com dados verdadeiros, criando assim falácias mentais que são mais comuns do que se imagina. E falácias são como perfume ruim, quem as usa dificilmente percebe.

O já mencionado Descartes põe tudo em dúvida em busca de uma certeza sobre a qual possa erigir o seu conhecimento, e isto pode criar a ilusão de que a certeza implica o conhecimento. Novamente errado. A certeza, adequadamente adquirida, é apenas um bom guia, mas, por não ser infalível, não implica necessariamente a verdade. A certeza é um conceito epistêmico e a verdade última um conceito metafísico, e seria surpreendente se o primeiro implicasse o segundo. Portanto, *alea jacta est* – a sorte está lançada e o assunto só começando. Ainda temos muito que conversar ao longo deste livro.

Capítulo 5
Decifrando Homer Simpson

Quem não conhece Homer Simpson, o pai de família mais atrapalhado da história? Ele deixa para trás candidatos como Fred Flintstone, George Jetson e Peter Griffin, da animação *Family Guy*. Não sei ao certo o que Matt Groening tinha na cabeça quando rascunhou os primeiros traços de um pai de família que era o oposto de tudo que se tem por politicamente correto. O fato é que ele conseguiu emplacar um fictício idiota, fã de cerveja e comedor de donuts como personalidade do ano! A revista americana *Entertainment Weekly* declarou ser Homer Simpson o maior personagem de ficção das últimas décadas.

Apesar de todas as suas debilidades mentais, Homer desbancou até mesmo o bruxo adolescente Harry Potter, que desde 1997 vendeu mais de 450 milhões de exemplares em todo o mundo, sendo 3 milhões apenas no Brasil[39]. Fico me perguntando até que ponto Homer Simpson é apenas um desenho ou uma caricatura histórica de todos nós. Não seriam seus gestos uma forma cômica de retratar de modo real a própria sociedade moderna? Não é por menos que até a linguagem que ele usa passou a fazer parte oficial do idioma inglês.

D'oh é uma interjeição que Homer usa quando fica irritado ao perceber que cometeu um erro ou que algo ruim aconteceu. Ele já se expressou assim em vários episódios. Por isso, em 1988 o *Oxford English Dictionary*, o dicionário de inglês mais conceituado do mundo, reconheceu a popularidade da expressão ao ponto de incluí-la em sua lista de vocábulos. *D'oh* agora faz parte da língua inglesa e significa "expressão de frustração quando se percebe que as coisas deram errado ou não aconteceram como planejado, ou ainda que alguém acabou de fazer ou dizer algo estúpido".

Ora, se a pré-modernidade foi a era da fé, a modernidade a era da razão, não seria a pós-modernidade a era do *D'oh*? Afinal de contas, eu queria estar errado, mas sinto que vivo muitas vezes numa época em que a cultura inútil e o besteirol reinam soberanos por todos os lados.

---

39 Disponível em <https://oglobo.globo.com/sociedade/religiao/com-novas-versoes-cada-mes-mercado-de-biblias-continua-no-topo-18098150> e <http://veja.abril.com.br/entretenimento/curiosidades-numericas-da-saga-harry-potter/>. Acessados em 05/10/2017.

O mais irônico é como perdemos valores cognitivos básicos como compreensão do que se lê, poder de interpretação e noção de respeito próprio. Veja que interessante: nos anos 1940, Walt Disney visitou o Rio de Janeiro e, dentro do Copacabana Palace, criou um personagem para supostamente "homenagear" os brasileiros. Seu nome: Zé Carioca – um malandro, que não gosta de trabalhar, cheio de jeitinhos como o próprio povo "homenageado". Sinceramente não sei que homenagem é essa que só enaltece defeitos do sujeito. Mas o fato é que o brasileiro se sentiu lisonjeado com a homenagem prestada pelo empresário americano.

O tempo passou e hoje vejo uma revanche não planejada, quando Matt Groening cria uma paródia dos americanos bem pior que o simplório Zé Carioca dos brasileiros. E os estadunidenses, de alguma maneira, não se importaram ou até pareceram gostar da homenagem, pois riram muito com ela. Nem se deram conta de que Homer é mais um alerta que uma menção honrosa. É o retrato de uma sociedade moral e intelectualmente falida.

Sei que também existe bondade no velho Homer. Ele tem um emprego para sustentar sua família, ama loucamente sua mulher e se esforça para ser um bom pai, embora nunca se lembre do nome da Meg – a caçula dos herdeiros. O ponto não é este.

Não posso deixar que a filosofia do "nem tudo está perdido" me impeça de buscar melhorias e correções. Um obeso com arteriosclerose não vai deixar de ter uma doença só porque é um cara legal. Suas virtudes não compensarão seu descontrole alimentar. Ou ele muda de hábitos ou deixará uma esposa viúva e filhos sem pai. No caso do Homer – e de boa parte da sociedade – a ideia que passa é que os defeitos não são para serem corrigidos. Fazem parte do enredo. Se tirarmos os vícios, a atrapalhadas e tudo mais que, embora engraçado, seja condenável, os Simpsons perderão a graça e, com eles, a nossa própria história.

Dados que assustam

Em 1987 foi publicado um polêmico livro nos Estados Unidos que até hoje é tema de um intenso debate na educação daquele país. O título traduzido para o português seria "Instrução cultural: o que cada americano precisa saber". Nele, o autor, E. D. Hirsch chega à polêmica conclusão de que uma grande parte dos alunos estadunidenses não teriam o *background* cultural mínimo para entender com profundidade nem a primeira página de um jornal. Isso é muito sério[40].

De fato, várias pesquisas parecem confirmar esta afirmação. Uma delas, a lista *MindSet* (modo de pensar), realizada anualmente pelo Beloit College de Wisconsin, revelou dados aterradores. Somente para constar:

> A maioria dos americanos que está prestes a entrar na universidade não consegue escrever em letra cursiva, acham que o e-mail é lento demais, que Beethoven é um cachorro e Michelangelo, um vírus de computador, ou uma das tartarugas ninja.
>
> Para os estudantes que se formaram em 2014, a Checoslováquia e a Iugoslávia nunca existiram, a Alemanha nunca foi um país dividido, e para a maioria dos que nasceram depois de 1980 João Paulo II, que assumiu o pontificado em 1978 e morreu em 2008, teria sido o primeiro papa da história.

Em outra pesquisa realizada em Fullerton, Califórnia, mais da metade dos alunos não sabia quem foi Alexander Hamilton, mesmo com sua foto aparecendo na nota de dez dólares. Embora eu não tenha dados tão detalhados sobre o Brasil, não creio que estejamos melhores que os americanos, haja vista que numa das últimas divulgações do Pisa (Programa Internacional de Avaliação de Alunos), dentre os países que participaram da pesquisa, o Brasil ocupava, invariavelmente, as piores posições em todos os itens avaliados. No ano em que essa pesquisa foi realizada, nós, brasileiros, ficamos em 53º lugar de um total de 65 participantes. Perdemos em qualidade de educação até para países como Bulgária e Romênia. As respostas reveladas por esse tipo de avaliação educacional podem até parecer engraçadas (como as famosas "pérolas do Enem"), mas são trágicas. Se, como diz o ditado, os jovens são o futuro do mundo, arrepia-me imaginar um mundo gerenciado pelos entrevistados nessas enquetes.

Quem fez isso?

De quem seria a responsabilidade por isso? Talvez a resposta esteja na explicação de Allan Bloom[41], eminente educador da Universidade de Chicago. Para ele o que estaria por detrás dessa ignorância coletiva é a convicção pós-moderna de que não existe verdade absoluta, de que tudo é relativo. Assim, o

---

40 E.D. Hirsch Jr. *Cultural Literacy What Every American Needs to Know* (Nova Iorque, Boston: Houghton Mifflin; Publication, 1987).

41 Allan Bloom. *The Closing of the American Mind* (New York: Simon Schuster Trade, 1987).

propósito da educação não é aprender a verdade ou dominar fatos, mas apenas adquirir a habilidade de obter sucesso, riqueza, fama e realização pessoal. A verdade última ficou irrelevante e desnecessária, é coisa de cada um. Logo, não me admira que estes sejam os desastrosos resultados da cultura. Afinal de contas como estabelecer o que é certo e errado num currículo? Como estabelecer o que os alunos devem aprender? Como saber que o que aprendem hoje não será desmentido ou atualizado amanhã? Como dizer que uma resposta está definitivamente errada?

Lembremos, para a cultura pós-moderna estamos num tempo de pós-verdades, logo, qualquer resposta é válida, afinal, tudo é relativo. A ordem do dia é moldar os discursos às hermenêuticas de Nietzsche e Foucault, segundo as quais não há fatos, somente versões. Em 2016, a *Oxford Dictionaries*, departamento da Universidade de Oxford responsável pela elaboração de dicionários, elegeu o vocábulo "pós-verdade" como a palavra do ano na língua inglesa[42].

Saber *versus* conhecer

Existe, porém, um dado aparentemente conflitante com o que foi dito anteriormente, que no fim corrobora com o que foi dito e piora o quadro que já era bastante ruim. Os jovens de hoje não são ignorantes. Eles sabem muito. Nunca houve uma época com tanta informação disponível e franqueada a praticamente todo mundo que esteja sob a tutela da tecnologia.

Um amigo que trabalha com índios no Amazonas mencionou tribos no meio da mata navegando na Internet, usando antena parabólica, tudo alimentado por gerador de energia. Eu mesmo já me surpreendi ao encontrar em pleno deserto do Sinai um beduíno falando num iPhone (e olha que ele tinha sinal).

Não, meu amigo, essa não pode ser a época da desinformação. Pelo contrário, todos sabem e sabem muitas coisas. Entre no Google e está tudo ali. O problema é que as pessoas sabem, mas não conhecem. Afinal de contas, saber e conhecer não são sinônimos perfeitos.

Excesso de informação não implica necessariamente conhecimento adquirido. Estamos falando de funções cognitivas relacionadas, porém distintas. Conhecimento é quando você reage ao dado recebido – concordando ou discordando dele – e sabe o que fazer com o seu conteúdo, relacionando-o a

---

[42] Disponível em <https://www.nexojornal.com.br/expresso/2016/11/16/O-que-%C3%A9-%E2%80%98p%C3%B3s-verdade%E2%80%99-a-palavra-do-ano-segundo-a-Universidade-de-Oxford>. Acesso em: 16/4/2017.

outros saberes. Já a informação é o recebimento passivo, sem o exercício da reflexão, decisão e consciência.

Você tem o dado, mas não sabe o que fazer com ele nem no sentido prático, quanto mais no sentido ético. Por isso, costumo dizer para meus alunos que em sala de aula eles "capturam" o conteúdo, mas não significa que o aprenderam. Isso dependerá do que farão com aquela informação ao deixar a sala de aula. Por exemplo: o carro para na estrada e o motorista fica parado olhando para o motor em pane. Por não saber o que fazer, podemos dizer que ele tem informações sobre o motor, mas nenhum conhecimento a respeito dele. Aí vem o mecânico e conserta o motor, esse sim tem conhecimento acerca dele.

Que fale a Wikipédia

A Wikipédia é um desses fenômenos sociais gigantescos que geram amor e ódio dos pesquisadores. Há professores que têm um ataque de nervos se o aluno colocar algo retirado dela, enquanto outros não parecem se importar muito. O fato é que a Wikipédia se tornou um caminho sem volta. Somente em 2013 ela tinha mais de 10 milhões de artigos em mais de 200 línguas que, se impressos, dariam uma série de mais de 1.800 volumes com 1.000 páginas cada. E olha que a empresa que a mantêm possui apenas seis empregados!

Um dos problemas da coleção é que a linguagem de um acadêmico é ladeada à fala de um menino de 8 anos. Todo mundo coloca informação ali, diariamente. "A Wikipédia é obra da geração que vira noites na Internet", concluiu Carolina Rossini, uma pesquisadora brasileira em Harvard[43]. Dizem que o próprio Jimmy Wales, idealizador do projeto, ironizou numa palestra para alunos que ninguém deveria usar sua criação em trabalhos de pesquisa: "Por tudo que é mais sagrado", dizia ele, "vocês que estão na faculdade, não citem a Wikipédia!".

Porém, se deixar de lado os preconceitos justificáveis com relação a essa enciclopédia livre, posso tirar uma importante informação da Wikipédia que dificilmente viria de outra fonte: ela é uma evidência empírica de como o público está se doutorando em conhecimento perigoso e trivial. Principalmente as novas gerações, repletas de ph.D.s em cultura inútil.

---

43 Disponível em <http://revistacrescer.globo.com/Revista/Crescer/0,,EMI8389-15565,00-O+TRIUNFO+DA+CULTURA+INUTIL.html>. Acesso em: 13/12/2014.

Como você sabe, o editor de uma enciclopédia sempre dá mais espaço para os verbetes mais importantes, que, por essa razão, demandam mais texto informativo que os demais. Não dá para falar sobre Karl Marx e Mickey Mouse usando a mesma quantidade de caracteres. Quem define isso, já disse, é o editor-chefe, que, com bom senso, seleciona os temas que terão maior ou menor peso.

Pois bem, parece que os editores da Wikipédia – nossa geração de internautas – também tiveram seu critério, porém, diferente do esperado. Ao que tudo indica, as razões da morte de Tiradentes não são tão importantes quanto os motivos de um suposto terceiro divórcio entre Beyoncé e Jay-Z. Os números estão aí para provar. Uma comparação feita pelo jornalista Marcelo Zorzanelli entre o tamanho de artigos (em número de caracteres) sobre ícones da cultura pop e temas importantes do conhecimento humano revela diferenças intoleráveis[44]:

> Renascentismo: 16 mil – Pokémon: 47 mil.
> *Homo sapiens*: 10 mil – Super-Homem: 27 mil.
> Tiranossauro Rex: 13 mil – Yoshi: 16 mil.
> Apóstolos de Cristo: 7,5 mil – Paquitas da Xuxa: 12 mil
> Deus: 9,5 mil – Jogador Romário: 21 mil

Há garotinhos na comunidade que não estão frequentando a escola, mas sabem montar e desmontar um fuzil com a precisão de um fuzileiro naval, manipulam uma droga com a maestria de um químico da Polícia Civil. Enquanto isso, na sala de aula, há muitos que não sabem nada de história do Brasil, mas conhecem tudo sobre o seriado *Game of Thrones*. E olha que nem entrei em assuntos polêmicos como pornografia, pedofilia e recrutamento para o terrorismo. Aqui já não falo mais da Wikipédia, mas da Internet de um modo geral.

Percebeu aonde quero chegar? Estamos formando uma geração de *Simpsons* da vida real. Como dizia Umberto Eco, a TV já havia colocado o "idiota da aldeia" em um patamar no qual ele se sentia superior. "O drama da Internet é que ela promoveu o idiota da aldeia a portador da verdade"[45].

A dificuldade do professor, pai, adulto de hoje não é apenas inserir bons conteúdos na cabeça do jovem, aluno e filho. É preciso primeiramente liberar

---

44 Disponível em <http://revistacrescer.globo.com/Revista/Crescer/0,,EMI8389-15565,00-O+TRIUNFO+DA+CULTURA+INUTIL.html>. Acesso em: 12/08/2017.

45 Disponível em <https://www.terra.com.br/noticias/educacao/redes-sociais-deram-voz-a-legiao-de-imbecis-diz-umberto-eco,6fc187c948a383255d784b70cab16129m6t0RCRD.html>. Acesso em: 28/08/2017.

espaço, esvaziar o lixo que está tomando precioso espaço cognitivo, e isso dá muito trabalho.

Se compararmos a mente a uma casa e o que se ensina a um decorador de ambientes, posso dizer que o desafio pedagógico moderno não é mobiliar ou remobiliar uma sala como faz o designer de interiores num ambiente normal. É retirar o lixo do ambiente, diante de um proprietário acumulador que, semelhante aos acumuladores de verdade, resiste à saída daquele monte de entulho perigoso e sem serventia.

O pior é que o mesmo lixo mental que está na cabeça de grande parte da nova geração produz, por consequência, comportamentos doentios. Por isso vemos notícias tão absurdas de jovens se envolvendo com drogas, criminalidade, pedofilia, e toda a sorte de delinquências sociais que tiram o sono de qualquer pai consciente. Somos uma geração de Barts educados por uma geração de Homers.

Às vezes me pergunto se não seria ainda pior, ou seja, se não somos uma geração que confunde ensino com educação achando que passar para o aluno o conhecimento de matemática pura, gramática ou biologia fará dele automaticamente um cidadão de bem. É necessário um pouco mais que isso para se formar um caráter. O aluno pode até sair da faculdade sabendo resolver qual a raiz quadrada de X. Mas o que ele responderia diante da questão a seguir?

> Pus um carro à venda, mas descobri depois disso que ele está para bater o motor e o reparo não ficará barato. Hoje surgiu um senhor querendo comprá-lo. Devo vender o carro assim mesmo, escondendo que o motor não terá muito tempo de vida?

Esse tipo de pergunta, infelizmente, não cai no vestibular. Testes de caráter não constituem índices de aprovação para uma universidade que só deseja passar conhecimento, e não valores.

Capítulo 6
Questionando a universidade

Todos sabemos que a instituição hoje chamada universidade surgiu das antigas escolas católicas da Idade Média chamadas *universitas*, termo latino que significa "denominar o conjunto de seres ou coisas que constituem um todo". Daí o significado primitivo da palavra "universidade" no século 13, que era o de conjunto de mestres e de estudantes congregados na mesma escola e ligados pelos mesmos interesses culturais – *Universitas magistrorum et scholarium*. Mestres e estudantes formavam, assim, uma corporação, evidentemente comandada em maior ou menor grau pelos ditames da Igreja.

Com o passar do tempo, porém, entre idas e vindas dos conflitos locais, expansões econômicas, nascimento do protestantismo e Revolução Francesa, a universidade foi se distanciando do poder eclesiástico e até se rebelando contra ele. Foi um processo natural, uma vez que o mundo estava cansado dos mandos e desmandos em nome de Deus. Os que tinham maior conhecimento, é claro, começaram a alertar o povo a esse respeito.

O surgimento das universidades na Europa possibilitou a disseminação do pensamento crítico que acabaria por desencadear o Renascimento e, mais tarde, o Iluminismo. Quem estava à frente disso? Os chamados livres-pensadores – embora esse termo, a rigor, pertença à Idade Moderna. Seu objetivo era propagar uma liberdade de pensamento sem os grilhões do despotismo feudal, monárquico e eclesiástico.

Até aí tudo bem. O problema, como pretendo demonstrar neste capítulo, é que esses precursores, ou os que vieram depois deles, exageraram na dose e o que era para ser uma fogueira tornou-se um incêndio incontrolável. Tomaram o ônibus certo e desceram no ponto errado.

Literalmente jogaram fora a água suja, a bacia e o menino juntos. Aí deu nisso, a formação de um movimento completamente anárquico, antirreligioso, antideus e antifé. Como definiu Paulo Bitencourt, autor do livro *Liberto da religião: o inestimável prazer de ser um livre-pensador*:

O livre pensamento é o oposto do pensamento dogmático. Logo, nada pode ser mais incompatível com o livre pensamento que crenças religiosas, pois em nada há mais dogmatismo que na religião. [...] Só livres-pensadores são pessoas verdadeiramente racionais. Seu ceticismo não as deixa ser engodadas por nenhuma ideologia. Não acreditando em coisa alguma desprovida de evidências, livres-pensadores são imunes também a todo e qualquer tipo de superstição.[46]

Não pense, contudo, que a história se resume a isso ou que tudo acaba aqui. Estamos apenas no meio do enredo e já temos elementos mais que suficientes para ver que começamos bem, mas tomamos o rumo errado em alguma bifurcação da estrada. O que você verá a seguir é minha argumentação acerca disso.

Educar pra quê?

O grande educador brasileiro Anísio Teixeira deixou bem claro certa vez qual o papel das universidades na sociedade moderna. Ele disse: "São as universidades que fazem hoje, com efeito, a vida marchar. Nada as substitui. Nada as dispensa. Nenhuma outra instituição é tão assombrosamente útil"[47]. Concordo em parte com ele. Digo em parte por uma única razão: sua fala parece centralizar nas universidades uma função redentora que, embora válida, não é exclusiva nem prioritária delas. Há outros elementos da sociedade que participam desse processo com importância igual ou superior à universidade. Entre eles estão a família, a ética, as tradições, a fé.

Os índios, beduínos, esquimós e aborígenes não têm universidade e sua vida marcha em alguns aspectos de maneira menos estressada que a nossa. Em que pese a superioridade acadêmica dos países de primeiro mundo, tenho certeza de que se fosse escrito um livro de História Geral dos Esquimós, a trama seria bem menos violenta, traiçoeira e sanguinária que a História da cidade universitária de Oxford, Inglaterra. Podemos até ter Harvard, Yale, USP, Unicamp, porém, se perdermos os valores citados anteriormente, perdemos tudo.

De que adianta calcular precisamente a relação tempo-espaço e perder os momentos felizes que a vida proporciona? Entender como funciona o mundo subatômico e não compreender a cabeça de um filho adolescente? Desenhar

---

46 Paulo Bitencourt. *Liberto da religião: o inestimável prazer de ser um livre-pensador* (Portuguese Edition), eBook.

47 Anísio Teixeira. *Educação e universidade* (Rio de Janeiro: Editora da UFRJ, 1988).

todos os músculos da face e não saber sorrir sem estar maquiado? Não sou um pessimista schopenhaueriano, contudo, temo que o sucesso *final* se transforme em sucesso *fatal*. Que o preço do baile fique tão caro que não compense a dança.

É por isso que, embora eu mesmo seja um professor, tenho minhas profundas decepções com a exacerbada confiança que se deposita no mundo acadêmico. Minha discordância de Anísio Teixeira continua no fato de que a educação, por si só, por mais elevada e importante que seja, não é garantia de uma sociedade justa e igualitária. Por isso um discurso unilateral símile ao slogan do "educação é tudo" não me fascina tanto. A qualidade educacional da Alemanha nazista era impecável e isso não os impediu de protagonizar um dos maiores massacres da humanidade.

Há tempos ouvi falar de uma carta escrita por um sobrevivente de Auschwitz a um professor. Não sei se a fonte é histórica, o conteúdo, no entanto, é inspirador e nos faz refletir muito ainda que seja fictício:

> "Prezado Professor,
> Sou sobrevivente de um campo de concentração. Meus olhos viram o que nenhum homem deveria ver.
> Câmaras de gás construídas por engenheiros formados. Crianças envenenadas por médicos diplomados. Recém-nascidos mortos por enfermeiras treinadas. Mulheres e bebês fuzilados e queimados por graduados de colégios e universidades. Assim, tenho minhas suspeitas sobre a educação. Meu pedido é: ajude seus alunos a tornarem-se humanos. Seus esforços nunca deverão produzir monstros treinados ou psicopatas hábeis. Ler, escrever e aritmética só são importantes se fizerem nossas crianças mais humanas."

Agora vamos falar de hoje. Você acha que realmente a educação está cumprindo seu papel redentor? Veja, não estou falando em negar seus valores. Longe de mim favorecer qualquer espécie de obscurantismo. Estou questionando a concretização dos ideais humanistas, prometidos por aqueles que criam ser a fé um obstáculo à evolução racional da humanidade.

Homer e Deus

Volto a falar de Homer Simpson. A noção de valores e a relação com o Sagrado apresentadas no desenho são bastante reveladoras. As aparições de Deus em vários episódios até mereceriam um estudo de caso, a começar do fato de que o Altíssimo é um dos poucos personagens desenhados com cinco dedos. E como por um jogo de sorte ou azar, os encontros entre Deus e Homer sempre se dão num ambiente de sonho, morte e juízo final.

Em todos eles surge um clima de reclamação e justificativas. Num momento é Deus que questiona a Homer por que deixou de ir à igreja, em outro é Homer que reclama que o culto é chato e o sermão entediante. Em *Thank God It Doomsday*, depois de chegar ao céu, Homer vê Marge e seus filhos sendo atormentados pelo diabo no inferno. Então ele tem uma conversa séria com Deus sobre como salvar sua família. Quando Deus se recusa a ajudá-lo, Homer, com raiva, começa a bagunçar o Paraíso até mudar a mente de Deus. Aliás, uma coisa é patente nos roteiros: Homer sempre muda a mente de Deus. O idiota da história tem mais argumentos que o Criador do universo! Seria isso uma indireta sobre a insensatez da fé e a manipulação do Sagrado? Considerando o humor judaico dos roteiristas, pode até ser.

A paródia para mim está muito clara. Quando o humanismo se levantou contra a teologia, acreditou-se que a educação e a razão pura seriam a salvação da sociedade. Uma vez educado, o homem estaria livre de deuses, mitos e medos que o aprisionavam em um permanente estado de angústia mental. Logo, quanto mais racional fosse o sujeito, menos religioso se sentiria e, consequentemente, desenvolveria mais capacidade mental para enfrentar os dilemas da vida sem apelações espirituais. Seria, pois, um livre-pensador!

Essa continua sendo a bandeira de muitos ícones do neoateísmo. Entendendo o racionalismo como uma barreira às coisas de religião, muitos acadêmicos, mesmo aqueles que não se declaram abertamente ateus, passam para os universitários a ideia de que a razão os ajudará a enfrentar melhor a realidade fria e ao mesmo tempo bela como ela é. Os alunos são, assim, ensinados a entender que estamos sozinhos neste mundo, que não existe deus nenhum lá fora, que o sucesso depende exclusivamente de seu esforço e a morte é o fim de todos. Logo, ser "educado" é superar a infantilidade da crença que, pelo medo da morte e do inferno, propõe a existência de deuses e caminhos de salvação.

Religião é veneno?

Michel Onfray é um desses promotores antirreligiosos. Ele entende que a religião é, ao mesmo tempo, um atentado à inteligência, um sinal de imaturidade psicológica e uma falta de coragem para enfrentar a realidade. Ela procede de uma pulsão de morte, que rejeita tudo que é racional, livre, vivo, feminino e corpóreo. Ao falar de mundo para além do material, a crença em Deus se mostra um obstáculo para a emancipação humana[48].

A realidade, porém, parece ir à contramão do otimismo de Onfray & cia. Considere meu raciocínio. Não tenho aqui dados que me digam o percentual de alunos ateus, agnósticos e religiosos das universidades. Aliás, sei que tais números variariam de *campus* para *campus*, de curso para curso – uma faculdade de Física certamente atrai mais alunos ateus que uma faculdade de Direito. Contudo, a despeito dessa ausência de dados, não creio ser ingênua a impressão de que o ambiente universitário (especialmente das grandes universidades públicas) é amplamente pró-ateísta ou, pelo menos, antirreligioso em seu discurso e comportamento.

Pode-se até estudar o fenômeno religioso num ou noutro seminário, mas sempre como movimento social destituído de qualquer valorização intrínseca. O sincretismo entre católicos e religiões afrodescendentes no Brasil colonial é interessante para um trabalho de história ou sociologia, como seria uma avaliação social dos quadrinhos da Turma da Mônica. Já a análise dos ensinos de Cristo com vistas a averiguar sua relevância para o mundo moderno é assunto irrelevante.

Como Homer, não nos importamos muito com coisas de Deus. O Bar do Moe, o show do Krusty e as rosquinhas recheadas são mais interessantes que o céu e o culto no domingo (os Simpsons são protestantes). E se Deus vier reclamar conosco, vamos convencê-lo de que ele está errado.

Qual a novidade?

O ateísmo e o materialismo em universidades certamente não são algo novo. De fato, a confluência de forças econômicas e políticas, na estruturação de um novo modo de produção, na passagem do feudalismo ao capitalismo e na derrubada da nobreza e do clero, estabeleceram a necessidade de construir um novo modo de pensar e agir, distanciando-se do controle teológico, e as universidades foram o território ideal para essa nova ordem.

A novidade de hoje é que, diferentemente das gerações passadas, os universitários ateus, agnósticos e humanistas começam a considerar seu secularismo um aspecto importante e fundamental de sua identidade. Até pouco tempo, identificar-se como feminista, LGBT, afrodescendente, pacifista, ambientalista, socialista, libertário ou liberal era o fator primário da vida estudantil. A identidade secular (ateu ou agnóstico) vinha em segundo plano. É isso que está

---

48 Michel Onfray. *Traité d'athéologie – Physique de la Métaphysique* (Paris: Grasset & Fasquelle, 2005).

mudando. Identificar-se como assumidamente não religioso está se tornando cada vez mais importante para muitos deles.

O que se vê, portanto, é um movimento ou uma tentativa de retorno à ordem do Iluminismo: a subjugação da natureza pelo intelecto e a organização racional da sociedade como base da emancipação final da humanidade. Não se assume, porém, o discurso colonialista do passado, nem a tentativa de controle através da dominação física e cultural. Afinal, todos querem parecer politicamente corretos, e o imperialismo está fora de moda em nossos dias. Porém, mesmo nesta época de pós-colonialismo, percebe-se a existência de discursos centralizadores e ufanistas, que rejeitam qualquer conhecimento *extramuros*. Persiste uma profunda cegueira histórico-sociológica que, ao atribuir à cultura racionalista exclusividade ou graus de superioridade em relação a outras visões de mundo (principalmente religiosa), reforça o sentido colonizador, messiânico e catequético do racionalismo europeu, isso sem contar que ele romantiza o potencial universalista do antigo Iluminismo e sua *episteme* como formadora por excelência de verdades e valores.

Sei que nem todos concordarão com minha leitura. Certamente que as análises e críticas deste fenômeno variam, especialmente se o referencial teórico for Heidegger, Kant, Habermas ou Bauman. Porém, é inegável que o impacto intervencionista humano gerado pela visão de mundo moderna fracassou em concretizar o otimismo predito pelos primeiros livres-pensadores.

A ambição iluminista de dominar a natureza e colocar a humanidade acima dela produziu inevitavelmente consequências desastrosas para a própria humanidade. A Primeira e Segunda Grande Guerra, as catástrofes ecológicas, a especulação financeira e a contínua sensação de colapso da história não foram consequências da fé, mas dos movimentos humanistas modernos. O super-homem de Nietzsche que pensava subjugar a natureza demonstrou-se perfeitamente capaz de escravizar seres humanos seja pelas algemas, pela política, economia ou pelo marketing que conduz ao consumismo desenfreado.

Mesmo assim, a velha proposta de estímulo ao ateísmo, ceticismo, uso exclusivamente racionalista da ciência está de volta e com muita força. Acredita-se que a supressão da fé em Deus fará com que os jovens abandonem suas guerras culturais e adquiram uma postura não teísta que contribua para a tolerância e a aceitação de grupos que a religião marginalizou por séculos, devido à sua ênfase no pecado, na castidade, na santificação. Mais uma vez, promete-se um paraíso construído bem aqui na Terra, mas sem Deus, Adão e Eva e fruto proibido.

O movimento segue ganhando terreno. O rápido crescimento da Aliança de Estudantes Seculares (SSA – Secular Student Alliance), um grupo de proteção para o ateísmo e humanismo organizado em *campi* universitários e escolas de ensino médio nos Estados Unidos, demonstra essa realidade. Muitos estão orgulhosamente se declarando descrentes e inspirando outros a fazer o mesmo. É um verdadeiro trabalho de catequização às avessas.

Tanto que universidades importantes como Harvard já possuem um serviço de capelania humanista que atua há mais de 40 anos e com vibrante trabalho ativista dentro do *campus*. Juntamente com a liderança estudantil da Sociedade Secular de Harvard, a capelania fez da identificação cética algo proeminente na universidade. Autor do livro *Good Without God* [Bom sem Deus], Greg Epstein não esconde que seu intento e de um batalhão de outros intelectuais é levar jovens para o lado do ateísmo, e eles parecem estar conseguindo.

Sei que no Brasil a realidade é diferente. Porém, existem predisposições semelhantes entre o ambiente universitário brasileiro, europeu e norte-americano no que diz respeito ao incentivo do "se é bom com Deus, melhor ainda sem ele". Admita seu ateísmo e não se envergonhe dele. Há muita gente esperta que concorda com você. Agora que você sabe que Deus não existe, pare de sonhar com o céu e comece a curtir a vida.

Ateus mais inteligentes?

Uma pesquisa feita há poucos anos nos Estados Unidos deve ter irritado bastante tanto os ateus quanto os teístas. Ela foi conduzida por Tony Jack e Richard Boyatzis, respectivamente professores dos departamentos de Filosofia, Psicologia e Ciências Cognitivas da Case Western Reserve University de Cleveland, Ohio – uma das mais bem-conceituadas escolas privadas dos Estados Unidos.

Através de tomografias computadorizadas do cérebro e oito seletivos testes psicológicos, eles avaliaram 527 adultos e chegaram a uma conclusão audaciosa e surpreendente: religiosos são menos inteligentes que ateus assumidos. Os resultados foram publicados na *Public Library of Science* (*PLoS ONE*) – uma revista indexada de ciências[49]. Os pesquisadores partiram do pressuposto de

---

[49] Jack AI, Friedman JP, Boyatzis RE, Taylor SN. "Why do you Believe in God? Relationships between Religious Belief, Analytic Thinking, Mentalizing and Moral Concern", PLOS ONE (11[5], 2016): e0155283. Disponível em <http://journals.plos.org/plosone/article?id=10.1371/journal.pone.0155283 errata: https://doi.org/10.1371/journal.pone.0155283>. Acesso em: 28/08/2017.

que o cérebro humano, formado por dois hemisférios, geralmente tem suas distintas habilidades localizadas em uma ou outra região que, por sua vez, demonstra mais estímulo se o sujeito for melhor naquela área do que em outra. A linguagem e a inteligência lógica, por exemplo, relacionadas à capacidade de utilizar fórmulas, criar raciocínios lógicos, interpretar símbolos e resolver problemas matemáticos, geralmente são observadas em pessoas que utilizam mais o hemisfério esquerdo do cérebro. Estes seriam os matemáticos, engenheiros e cientistas. Já o hemisfério direito é mais criativo, intuitivo, relacionado a capacidades visuais. Não se esqueça, porém, de que, mesmo com essas predominâncias, os hemisférios trocam constantemente informações e atuam sinergicamente na maioria absoluta das vezes.

Disto posto, os resultados foram, como adiantei, bastante polêmicos. Os religiosos demonstraram menos inteligência lógico-matemática e analítica que os ateus. Estes últimos, no entanto, tenderam a pensar de forma manipuladora, com frieza e pouca simpatia pela dor do outro. Ateus estariam mais propensos a repelir a metade social do cérebro, voltando-se a um comportamento mais impulsivo e autocentrado, semelhante ao dos psicopatas. Já os religiosos teriam menos afeição à postura analítica, o que também acarretaria uma perda do nível de inteligência.

Os autores reconhecem o risco do uso do termo "psicopata" na redação do estudo. Sua análise, contudo, é puramente laboratorial, sem nenhum viés preventivo, rotulante ou generalizador de comportamentos. Há muitos ateus empáticos e sociopatas religiosos.

Eles ainda citam, por exemplo, o livro de Baruch Aba Shalev sobre os 100 anos do Prêmio Nobel que traz todos os ganhadores do prêmio desde 1901 até o ano 2000. Ali 89.5% dos laureados eram fiéis de uma religião, ao passo que somente 10.5% eram ateus ou livres-pensadores.

Ambiente lastimável

Caso as pesquisas de Jack e Boyatzis sejam procedentes, fico me perguntando que resultado encontraria num mundo universitário repleto de alunos e professores ateus. Os dados a seguir oferecem uma pista, e já adianto que não são nada fáceis de ser digeridos. Todos foram retirados de pesquisas publicadas em revistas indexadas.

Antes de apresentá-los, porém, é importante corrigir algo que certamente passará pela mente de muitos. Não devemos confundir passeatas, quebradeiras, greves e protestos como sinônimos perfeitos da defesa ética de valores. Colocar pneus queimados na portaria da faculdade depois que uma menina foi estuprada no estacionamento é como fazer cócegas na pata de um elefante esperando que ele se renda ao domador. Temos de ser mais inteligentes que isso e abolir outras práticas infelizmente normais de incentivo à imoralidade sexual que permeiam os corredores universitários sem que ninguém faça qualquer protesto a esse respeito.

Nenhum dos que protestavam com palavras de ordem contra o governo e a polícia pelo estupro da jovem estudante teve coragem de arrancar do quadro de avisos o cartaz do diretório estudantil que marcava para a próxima semana a noite da "calcinha molhada" com direito a muita "pegação" e "beijos" enquanto a bebida durasse – isso não é uma parábola, nem um acontecimento isolado; aconteceu de verdade e mais de uma vez!

Se um religioso fosse àquelas classes para ensinar valores morais cristãos em relação a sexo, aborto e conceito de família, seria certamente hostilizado, chamado de falso moralista, chauvinista ultrapassado e antifeminista. Caso a reitoria insistisse em deixar que ele continuasse seu ciclo de palestras dentro do *campus*, líderes feministas apareceriam na porta com faixas, gritos de ordem e peitos à mostra ostentando frases do tipo: "o corpo é meu, faço com ele o que quiser".

Enquanto isso, o cartaz-convite da festa da "calcinha molhada" continua lá fora, nenhum diretório acadêmico protesta contra ele. Pelo contrário, retirá-lo seria uma censura, uma volta à ditadura militar. A celebração da sensualidade, da farra e da "pegação" aguarda os mesmos notórios estudantes, que, poucos dias depois, estarão na portaria da faculdade protestando por causa do estupro da colega de sala, e não me diga que uma coisa não tem nada a ver com a outra. Qualquer estudante sabe que ações humanas são interligadas e geram consequências. Os acontecimentos históricos ocorrem numa trama de ações e reações em cadeia.

O narcotráfico jamais será algo justificável. No entanto, quando um adolescente do morro se torna um traficante perigoso, não creio ser justo condenarmos isoladamente sua conduta ou a tratarmos como problema social, desconsiderando a gama de artistas, jogadores de futebol, cantores e outras figuras midiáticas tão idolatradas que usam drogas e acabam influenciando a conduta dos jovens.

Desvios de conduta continuam e continuarão sempre sendo algo condenável, contudo, não devo me surpreender quando o comportamento de um grupo sinaliza os frutos de uma condição social prévia de incentivos àquela determinada conduta. Seria hipocrisia condenar os influenciados e continuar adulando os formadores de opinião.

Queria que tudo o que escrevi anteriormente fosse apenas uma invenção de minha cabeça, mas são episódios reais. Sabendo, no entanto, que você certamente gosta de fatos, deixe-me apresentar alguns dados que foram coletados e publicados em revistas indexadas.

Um estudo feito pela Universidade Federal de Alfenas e a Escola de Enfermagem da USP de Ribeirão Preto revelou que universitários do sexo masculino compartilham normas de seu meio sociocultural, que valorizam o uso de álcool e/ou outras drogas como forma de lidar com as exigências e o estresse da vida universitária, criar identidade e ter pertencimento neste contexto social, reforçando a influência da cultura[50]. Provavelmente por causa disso, o uso de substâncias psicoativas (SPA) lícitas (bebidas alcoólicas, tabaco, medicamentos com potencial de abuso) e ilícitas (cocaína, maconha, *ecstasy*, entre outras) entre jovens universitários brasileiros é o dobro da taxa da população em geral, concluiu outra pesquisa da Unicamp[51], ou seja, posso cientificamente afirmar que universitários são a parcela da população que mais consome drogas. Isso é terrível, pois combater o narcotráfico com armas ignorando aqueles que consomem e incentivam o consumo de seu produto é como encher uma banheira com o ralo aberto. Nunca alcançaremos o objetivo!

Dados adicionais publicados no *Jornal Brasileiro de Psiquiatria*[52] demonstraram que o uso de drogas na vida é mais frequente entre os estudantes norte-americanos, que relatam usar mais tabaco, tranquilizantes, maconha, *ecstasy*, alucinógenos, cocaína, *crack* e heroína que os universitários brasileiros. Em contrapartida, os universitários brasileiros relatam usar quase duas vezes mais inalantes do que os universitários norte-americanos. Esse padrão se repete ao se analisarem as diferenças intragênero. A isso soma-se que os universitários brasileiros parecem se envolver com mais frequência no uso de bebidas alcoólicas, maconha, tranquilizantes, inalantes, alucinógenos e anfetamínicos que seus pares da população geral não universitária.

---

50 Disponível em <http://www.scielo.br/pdf/reeusp/v50n5/pt_0080-6234-reeusp-50-05-0786.pdf>. Acesso em: 28/08/2017.

51 Disponível em <https://www.revistaensinosuperior.gr.unicamp.br/artigos/uso-de-drogas-por-universitarios>. Acesso em: 28/08/2017.

52 Disponível em <http://www.scielo.br/scielo.php?pid=S0047-20852008000300005&script=sci_abstract&tlng=pt>. Acesso em: 28/08/2017.

Uma série de outras pesquisas demonstrou empiricamente que a entrada na universidade se tornou um período crítico de vulnerabilidade propício ao começo e à manutenção do uso de álcool e outras drogas. Veja, isso não significa dizer que religiosos são moralmente melhores do que ateus. O ponto aqui é outro. Se a Universidade deseja mesmo, através de um discurso excludente de Deus, fazer os jovens moralmente melhores, algo parece não estar funcionando nos resultados finais.

Segundo o Levantamento Nacional sobre Uso de Álcool, Tabaco e Outras Drogas entre Universitários, realizado pelo Grupo Interdisciplinar de Estudos de Álcool e Drogas da Faculdade de Medicina da Universidade de São Paulo (USP) em parceria com a Secretaria Nacional de Políticas Sobre Drogas (Senad) e o Centro de Integração Empresa-Escola (CIEE), 49% dos universitários pesquisados já experimentaram alguma droga ilícita pelo menos uma vez e 80% dos entrevistados com menos de 18 anos já afirmaram ter consumido bebida alcoólica.

Os autores do estudo apontaram um elemento adicional que me chamou a atenção. A população universitária seria uma amostra da população geral interessante de ser estudada epidemiologicamente, pois a saúde mental dos estudantes pode ser um fator diferencial nas Instituições de Ensino Superior (IES)[53]. Infelizmente, concluíram os autores, esse mesmo ambiente universitário é pródigo em facilitar algumas condutas que venham a lhes proporcionar problemas futuros, como o consumo abusivo de álcool e outras drogas, além da adoção de comportamentos de risco.

Quem incentiva?

Não quero promover nenhuma caça às bruxas nem ser leviano em acusações improcedentes. Contudo, minha mente inquieta não resiste em questionar se os livres-pensadores que assumiram a paternidade universitária, expulsando Deus da sala de aula, estariam fazendo seu dever de casa como educadores. Lembre-se, a juventude de hoje mais do que nunca precisa de modelos morais de vida. Informação por informação eles buscam no Google.

Muitos dos que entram no curso superior vêm de famílias que ensinavam valores que agora são questionados como conceitos pré-modernos. Outros vêm de lares desestruturados e, carentes de afeto, buscam igualmente nos professores

---

53 Disponível em <http://www.scielo.br/scielo.php?pid=S0047-20852013000300004&script=sci_abstract&tlng=pt>. Acesso em: 28/08/2017.

um referencial de vida e afetividade. Em ambos os casos, é dever do docente ser mais que um mero "transmissor de conteúdos". Ele se torna um mentor para muitos jovens que ainda estão em processo de formação. Tarefa, é claro, que não deve ser confundida com a figura de um "doutrinador", que, ultrapassando o papel docente, torna os alunos pequenas extensões de sua vaidade acadêmica.

O que vemos, no entanto, são jovens expostos pela mídia e por muitos acadêmicos a uma enxurrada de apologias imbecis como uso normal de drogas, sexo livre, coisificação da mulher como objeto sexual, vulgarização da fé religiosa e desdém do Sagrado. Depois culpam um sujeito indeterminado pelos males da sociedade ou insistem que a superação das antigas tradições trará a verdadeira redenção humana.

Recentemente um canal de TV brasileiro puniu um famoso ator por assediar uma camareira no horário de trabalho. A suspensão do artista se deu em função da denúncia da funcionária e da repercussão do assunto nas redes sociais. Conquanto seja completamente repreensível a atitude nada apreciável do dito galã, fico me perguntando se o que ele fez não foi apenas um reflexo de uma prática comum naquele ambiente e que todos considerariam perfeitamente normal se não tivesse tido a repercussão que teve.

Sua punição foi, na concepção de muitos, apenas um quadro "para inglês ver". Se não fosse a opinião pública, ninguém faria nada. Aliás, a própria camareira foi hostilizada por outras colegas por ter denunciado o sujeito, e a TV demonstrou uma atitude no mínimo dúbia ao punir o ator e fazer apologia do mesmo ato em várias de suas novelas, minisséries e propagandas. Vivemos uma sociedade bipolar que idolatra Nelson Rodrigues e dramatiza repúdio pelas mesmas situações que constroem seus romances – aliás ele nunca reprende as situações que recria, parecem coisas normais de uma sociedade moderna que superou os tabus da moralidade patriarcal.

Saindo da TV para o mundo universitário, veja o que aconteceu: uma festa, segundo testemunhas, regada a drogas, nudez e rituais de satanismo foi a atração máxima do campus de uma universidade pública brasileira cujo nome não direi, mas sei ter sido a mesma a barrar um evento religioso sob a égide de que ali é um espaço público não confessional. Pois bem, estudantes da mesma instituição promoveram um evento chamado "Xereca Satânik" cujo ponto alto foi a sutura ao vivo de uma vagina como forma de protesto a favor do movimento feminista.

Quando o escândalo foi parar na imprensa, um grupo de alunos e professores protestou dizendo que aquele rito foi uma forma legítima de denunciar os constantes casos de estupro ocorridos na própria universidade e protestar contra a onda de conservadorismo imbecil que ainda existia na sociedade, especialmente nas igrejas.

Sei que nem todos ali concordaram com esse argumento, mas não aceito a explicação de que se trata de um ato isolado. Os alunos compareceram em massa a algo que já estava anunciado deste jeito, com todas as letras na faculdade, no mural dos diretórios acadêmicos e nas redes sociais. Não havia muitos elementos surpresa nem ocultamento do propósito do encontro. Todos sabiam do que se tratava e do gosto duvidoso daquela temática.

O comportamento dos estudantes certamente refletiu os valores ou (des)valores que aprenderam na mídia e em sala de aula. Tanto que veja a nota desconcertante do chefe de departamento em que o evento foi promovido: "Embora não tenham sido feitos 'rituais satânicos' e o título do evento fosse essencialmente provocativo (ao contrário do que o jornalismo marrom afirmou), precisamos dizer que não haverá de nossa parte qualquer censura a atos do gênero".

Sempre gosto de dar fontes das citações que uso, mas neste caso abrirei uma exceção para não expor ainda mais a instituição envolvida. Só sei que o caso é dramático e não é único. Que dizer aos pais que confiam seus filhos a uma instituição pública, na expectativa de que aprendam novos valores e adquiram conhecimento que os torne cidadãos de bem para a sociedade?

Durkheim afirmava haver três elementos na moralidade humana: o espírito de disciplina, o apego aos grupos sociais e a autonomia da vontade[54]. O primeiro seria primordial já que a moral é um conjunto de regras a serem seguidas. O segundo seria importante, pois é o grupo que estimula o indivíduo à prática. O terceiro seria desejável no sentido de que é contrário à imposição de regras à consciência do indivíduo.

Após esclarecer estes elementos, Durkheim se pergunta como construir a moralidade na criança, e eu acrescentaria, "também no jovem". Curiosamente ele não fala dos pais, mas do professor a quem compara com o sacerdote das antigas sociedades patriarcais, que atuava em nome de Deus. Suas regras não estariam em discussão, pois ele (professor/sacerdote) é o representante das leis, uma autoridade. Só a autoridade da regra será maior que a sua. Defende, portanto, uma sanção expiatória, necessária para simbolizar uma defesa moral que

---

54 É. Durkheim. *Ética e sociologia da moral* (São Paulo: Landy, 2003); idem. *Sociologia, educação e moral* (Portugal: Rés, 2. ed., 2001).

leve a denunciar, condenar e punir o erro, sem, é claro, recorrer à violência corporal, que para Durkheim seria um despotismo.

Se Durkheim estiver certo, o silêncio e a "não censura" de acadêmicos que preferem não se passar por conservadores pré-modernos são deploráveis. Justamente por isso, o posicionamento dos alunos diante do uso de drogas e entorpecentes é desconcertante: das representações dos universitários de tecnologia, 60% foram favoráveis ao uso e 40% desfavoráveis; dos da área de saúde, 44% tiveram um posicionamento favorável, 15% foram desfavoráveis e 41% neutros. Das representações dos universitários da área jurídica, 32% foram favoráveis e 68% desfavoráveis.

Modelos de vida?

Admito, no entanto, que o peso da crítica não deve cair somente em cima dos docentes. Os próprios pais dessa nova geração já se encontram adaptados aos modismos da atualidade. A ordem do dia é preparar jovens para um mundo de realizações pessoais, onde somente pessoas bem-sucedidas são felizes. Veja se não é essa a imagem que o mundo midiático nos passa. As meninas podem até admirar Madre Teresa de Calcutá, e os rapazes, Mahatma Gandhi, mas na hora de escolher seus modelos de vida preferem se parecer com Beyoncé ou Justin Bieber. O ideal de vida não é ter a renúncia de São Francisco, e sim o sucesso de Mark Zuckerberg, fundador do Facebook. Gandhi pode até ter mobilizado milhões e pacificado uma nação. E daí? Sua vida foi chata, ele não teve os sete bilhões de dólares de Zuckerberg, nem os 500 milhões de seguidores do Facebook. Logo, quem você acha está sendo a inspiração e o modelo de vida para muitos de nossos jovens? Com quem eles querem se parecer? A quem estão sendo incentivados a imitar? Um santo ou um *pop star*?

É por isso que alguns discursos de prevenção às drogas parecem tão patéticos. Descriminalizar, tratar o assunto como saúde pública, combater traficantes, aumentar a fiscalização nas fronteiras, conscientizar através de cartazes e frases... Já estamos cansados desses chavões. Todos os esforços, destituídos de um efetivo tratamento da alma humana que permanece doente, soam como a história do homem que pega a mulher com outro no sofá e queima o sofá achando que assim resolverá o problema.

Veja que quadro elucidativo temos nestes dados: quanto às causas do uso de maconha, a mesma enquete citada mais anteriormente demonstrou que a maioria dos estudantes aponta a fuga dos problemas como motivador para esta conduta: 48% da área de tecnologia, 49% da jurídica e 61% de saúde[55]. E, antes que eu seja mal-entendido, meu discurso aqui nada tem a ver com a polêmica sobre a liberação do uso medicinal da *Cannabis*. Estou falando de pessoas drogadas, não de uso medicamentoso de uma planta.

Disto posto, pergunto: Não seria mais sensato usar a energia gasta na defesa da legalização das drogas em trabalhos de ajuda espiritual e emocional? Uma abordagem assim talvez ensinaria melhor os alunos a enfrentarem os problemas em vez de fugir deles através de um entorpecente ou uma bebedeira. E não estou falando de autoajuda – as livrarias das faculdades estão lotadas de livros assim e eles também não estão resolvendo o problema. Refiro-me a uma abordagem global que envolva autoajuda, heteroajuda e, a tão negligenciada, "alto" ajuda, isto é, a ajuda que vem de Deus.

Goodbye, Deus

Curioso que quando a chamada "utopia do paraíso" ainda era uma promessa a ser considerada, milhares de cristãos não tiveram medo de enfrentar a fome, a miséria e até a ameaça de morte, pois criam que uma força sobrenatural estaria com eles nos momentos mais difíceis. Por isso alguns mártires morreram cantando, e as primitivas catacumbas cristãs estão repletas de frases de esperança e otimismo.

Mas alguns mais espertos resolveram contar para os jovens que tudo isso é mentira. Não há céu, nem força divina alguma operando em favor deles. Lembrando a mencionada pesquisa de Jack e Boyatzis, o jeito ateu de pensar – valorizando mais a razão e menos a interpessoalidade – gerou universitários órfãos que não sabem o que fazer diante dos problemas do dia a dia.

Segundo a Associação Nacional dos Dirigentes das Instituições de Ensino Superior (ANDIFES) cerca de 15% dos universitários passam por períodos de depressão em algum ponto do curso, enquanto a média para jovens de até 25 anos fora da universidade fica em torno de 4%. Jovens universitários têm de 3 a 4 vezes mais chances de se matar do que jovens fora da faculdade e esse número pode ser ainda mais alto entre alunos das áreas de saúde[56].

---

55 M.P.L. Coutinho; L. F. Araújo; B. Gontiès. "Uso da maconha e suas representações sociais: estudo comparativo entre universitários", in *Revista Psicologia em Estudo* (Maringá: set./dez. 2004): 469-477.

56 Disponível em <http://www.jornalismounaerp.com.br/blog/2017/02/13/indice-de-depressao-e-maior-entre-universitarios/>; <http://www.scielo.br/pdf/estpsi/v25n3/a05v25n3.pdf>. Acesso em: 28/08/2017.

Se, como afirmou Edwin Shneidman, ateu e especialista em suicidiologia, "[a] educação é o item mais importante na diminuição dos índices de suicídio"[57], das duas uma: ou algo está errado com a educação que ofertamos ou ele falou uma grande bobagem.

Tive acesso a um estranho livro intitulado O *dicionário de suicidas ilustres*, preparado pelo artista plástico J. Toledo. Chamou-me a atenção o fato de que a grande lista de suicidas era composta por artistas, escritores, filósofos, médicos e psicanalistas, a maioria dos quais, livres-pensadores. Depois fiquei surpreso em descobrir que o próprio organizador da obra, J. Toledo, resolveu, ele mesmo, dar cabo à sua vida.

Não me tome por insensível ao mencionar esse assunto do suicídio. Quem o pratica por problemas emocionais é uma vítima, não um delinquente. Contudo, não seria esse compêndio, somado às filosofias que esses intelectuais defenderam e aos posicionamentos morais ensinados em sala de aula, um espelho sobre o qual nossa juventude drogada, prostituída e suicida reflete sua própria imagem?

Temas antes valorizados como a base da sociedade, hoje são vulgarizados. Viraram caricatura moralista. Em seu lugar promove-se uma exagerada adaptação de valores ao gosto do mundo, da moda e da cultura que nos rodeia. Em nome da sobriedade e da prudência não queremos ser marginalizados, ninguém quer ser esquisito. A ordem do dia não é lutar contra o mundo, mas adaptar-se a ele.

Nesse sentido, até mesmo alguns princípios hoje defendidos, como o famoso "politicamente correto", caem na ambiguidade de se saber se são defendidos porque o sujeito pensa realmente daquele jeito ou foi obrigado a crer assim pela circunstância que o rodeia. Portanto ele hoje defende a igualdade de raças, porque é louvável pensar desse jeito (apenas uma minoria de loucos continua professando um racismo declarado). Contudo, se o mesmo indivíduo vivesse no Brasil colônia, provavelmente estaria defendendo a escravidão dos negros, contrário aos ideais de uma minoria abolicionista.

"Caia fora, Deus! Você e sua corja de teólogos conservadores não têm lugar na universidade!" E Deus, educadamente, saiu, deixando o lugar para o discurso exclusivo do materialismo e da comprovação científica. As crenças religiosas tornaram-se questionáveis cientificamente e foram provadas como inválidas. O homem poderia finalmente ser dono do seu destino, escolhendo o que é certo e errado. Porém, por uma triste ironia da história, o céu não foi o único a ficar vazio.

Como bem resume o colunista Antônio Prata:

---

57 Apud Paula Fontenelle. *Suicídio: o futuro interrompido* (São Paulo: Geração Editorial, 2008).

Nós expulsamos os deuses, mas preenchemos o vazio com um antropocentrismo tão autoconfiante quanto ingênuo. Cremos que com sismógrafos e exercícios físicos, com boas políticas e baixo teor de gorduras, com os algoritmos corretos e pensamento positivo, estaremos livres de todo o mal.[58]

Os índices, no entanto, demonstram que o tal otimismo de um mundo melhor sem Deus não passou de devaneio. Estávamos bêbados quando anunciamos esta besteira.

Reprovados!

O *campus* universitário, forjado para ser um oásis do conhecimento, tornou-se o deserto das questões existenciais. Os livres-pensadores tornaram a juventude livre de Deus e os aprisionaram em seus próprios dramas. É no mínimo irônico que, com tanta informação filosófica e racional, os problemas pessoais precisem ser resolvidos à base de álcool e drogas.

Não entendo como justamente aqueles que defendem a bandeira da autonomia racional (daí o nome livres-pensadores) fabriquem tantos repetidores de conceitos alheios. Pois, como se não bastassem os terríveis dados apontados anteriormente, testes mostraram que alunos e egressos de famosas universidades ainda sofrem de muitos problemas cognitivos tais como:

- Dificuldade de expressar ideias próprias, criatividade;
- Dificuldade de se expressar por escrito;
- Produção de texto e inteligência fluída;
- Dificuldade de entender o que leram (analfabetismo funcional);
- Dificuldade de reflexão;
- E, a já comentada, dificuldade de lidar com questões existenciais.[59]

Já que mencionei tantos exemplos de besteirol que fazem sucesso travestidos de intelectualidade, nada mais justo que citar o "grande" Homer Simpson – filósofo dos novos tempos, que nos brindou com mais uma pérola de "sabedoria": "O problema das consequências", dizia ele, "é que elas vêm depois". Aforismo redundante que não deixa de ser algo a se pensar.

---

58 *Folha de São Paulo*, 23/03/2011, p. A16.

59 M.C. R. A Joly; A. A. A. Santos; F. F. Sisto (orgs.). *Questões do cotidiano universitário* (São Paulo: Casa do Psicólogo, 2005).

Capítulo 7
Crendices e devaneios

Em 1992 Steve Martin estrelou uma comédia intitulada *Leap of Faith* [O pulo da fé]. A versão brasileira não poderia ter um título melhor: *Fé demais não cheira bem* (intraduzível para o inglês). Eles mostraram de maneira bem-humorada a tragédia de pregadores charlatães que brincam com a fé do povo. Interessante que o enredo termina com um desfecho surpreendente e até sério; uma demonstração real de fé que mexe com os brios do falso pregador. É um filme velho, mas que vale a pena assistir.

O charlatão e o crédulo: eis uma mistura perigosa que resulta em muitos estragos sociais, especialmente para as religiões. Apesar do intercâmbio popular, crente e crédulo não são a mesma coisa. Machado de Assis os diferenciou muito bem ao descrever Rubião – personagem do romance *Quincas Borba* – como um sujeito "mais crédulo que crente"[60]. Até as raízes etimológicas são distintas: crente vem do latim *credente*, que significa aquele que crê, confia, a partir de uma evidência racional. Já o adjetivo crédulo vem do latim *credúlu* e se refere ao ingênuo que crê facilmente em qualquer coisa.

Não pense que charlatanismo e crendices são "privilégios" apenas do mundo religioso. A sociedade como um todo está repleta de abusos e crendice na política, nas ideologias, na mídia, no marketing e também na academia. Nem mesmo cientistas especializados estão imunes à possibilidade de um devaneio particular.

Veja o caso do físico René Prosper Blondlot, conforme aparece no *The Skeptic's Dictionary* [Dicionário dos céticos], editado por Robert Todd Carroll[61]. Sua amarga experiência ocorreu no início do século 20, em plena era das grandes descobertas relativas ao átomo. Na ocasião, respeitados cientistas pesquisavam as características ocultas da matéria, e a descoberta dos raios X havia sido uma delas. Blondlot, que vivia na França, anunciou num congresso em 1903 que, enquanto tentava polarizar os raios X, acabou descobrindo um outro raio

---

60 Machado de Assis. *Quincas Borba* (São Paulo: Ática, 1995), p. 60,61.

61 Robert Todd Carroll (ed.). *The Skeptic's Dictionary* (New Jersey: John Wiley and Sons Inc., 2003), p. 62,63.

que emanava de qualquer tipo de material, exceto madeira recém-cortada e metais manipulados. Esse raio era invisível e só poderia ser detectado em forma de espectro, quando irradiado em direção a uma amostra de sulfito de cálcio. Ao receber a radiação, esse composto químico emanava um leve brilho percebido através de um complicado aparelho de detecção inventado pelo próprio Blondlot. Sua descoberta foi batizada de Raios N e causou um tremendo furor no meio científico. Curiosamente alguns físicos "confirmaram" a existência do tal raio em seu laboratório de pesquisa. Outros, por sua vez, buscavam meios de construir novos aparelhos capazes de detectar o suposto brilho.

Por fim, a revista *Nature* enviou o especialista Robert W. Wood, da Universidade Johns Hopkins, para acompanhar o experimento ao lado de Blondlot. Wood suspeitava que os Raios N eram uma ilusão, então usou um truque simples para enganar o colega. Sem que ninguém percebesse, ele retirou do aparelho o prisma que possibilitaria ver qualquer luz que emanasse da substância. Sem essa peça a máquina não poderia funcionar.

O resultado foi assustador: mesmo sem o prisma, Blondlot continuava vendo o brilho da amostra. Um brilho que não existia. Pior, o assistente de Blondlot também afirmava estar vendo o brilho. Na mudança de uma experiência para outra, pois o processo era repetido várias vezes, Wood recolocou o prisma e pediu ao avaliador para avaliar. Esse, contudo, pensou que Wood estaria tirando a peça, quando na verdade estava recolocando. Resultado: mesmo com o prisma de volta à máquina, tanto o assistente quanto Blondlot afirmavam não estar vendo mais o espectro. Um claro sinal de alucinação coletiva.

Quando o truque veio à tona, o cientista francês entrou em depressão, ficou louco e acabou morrendo atormentado pelo amargo incidente. E os outros que também disseram ter visto os tais Raios N? A conclusão dos especialistas é que neste caso não se trata de má-fé ou desonestidade científica. Aqueles acadêmicos foram vitimados por uma autossugestão que os levou a ver mais que havia. Às vezes a vontade de se chegar a um determinado resultado é tão grande que o pesquisador é levado a ver coisas que na verdade não estão ali.

Devemos tomar muito cuidado com isso, pois genialidade e acúmulo de estudos não constituem um salvo-conduto contra equívocos e neuroses. Pelo contrário, podem até contribuir com a demência em alguns casos. A história está repleta de homens e mulheres talentosos que passaram a vida trafegando por um vértice em que loucura e genialidade pareciam caminhar de mãos dadas. Veja os exemplos de Di Cavalcanti, Van Gogh, Nietzsche, apenas para citar alguns.

Se me permite uma dica, mais do que uma vida de clausura numa biblioteca entupida de livros e computadores plugados na Internet, o segredo da clareza mental está nos remédios da natureza: alimentação e descanso equilibrados, abstinência de drogas lícitas e ilícitas, exercícios físicos regulares, ar puro e, principalmente, paz de espírito. Mesmo casos mais graves, que demandem a ação de um especialista, podem ser amenizados ou até curados pela aquisição de hábitos saudáveis. Já diziam os latinos: *mens sana corpore sano* – a mente estará sadia se o corpo estiver sadio e vice-versa.

Fideísmo religioso

A manipulação religiosa da fé é algo que me irrita profundamente. Conheço pessoas sinceras que nutrem reservas quanto à crença espiritual por causa da má conduta de um religioso ou devido a uma propaganda enganosa feita por um charlatão em nome de Deus. Não sou perfeito e confesso meu receio diante de pessoas "certinhas demais". Contudo, tenho constantemente a preocupação de não ser um obstáculo entre Deus e um não religioso sincero de coração. Afinal de contas, a vida dos religiosos pode ser a única Bíblia que muitos estão lendo fora das Igrejas, e acredito que alguns se tornem ateus, simplesmente porque não puderam aceitar a caricatura de Deus que foi rascunhada para eles. Não é por menos que a filosofia da "Morte de Deus", expressa por Nietzsche, termina com um louco gritando pelos becos de um mercado: "Deus morreu! Nós o matamos! Todos nós somos seus assassinos [...] e o que são estas igrejas senão túmulos e sepulturas de Deus?"[62]. O sentido expresso por Nietzsche parece ser o de que a religião criou a ideia de Deus e a própria religião contribuiu para o demolir.

Pense num curandeiro dizendo que as pessoas precisam ter fé inquestionável para serem curadas por seu intermédio. Ele pode até ter uma Bíblia na mão e gritar o nome de Jesus que isso jamais será fé; trata-se, na verdade de um *fideísmo*. Você já ouviu falar nesta palavra? *Fideísmo* é o sentimento do crédulo, é uma fé cega que ignora ou minimiza o papel da razão para se chegar à verdade suprema. Não há demanda alguma por evidências; o "fideísta" acredita por acreditar. É como um místico apostando suas cartas num amuleto. Ele realmente acredita, sem fundamento algum, que o colar de ossos colocado no pescoço livrará seu corpo das doenças e das flechas do inimigo. Para o

---

62   Friedrich Nietzsche. *The Gaya Science* (1882, 1887), parágrafo 125, in Walter Kaufmann (ed.). (New York: Vintage, 1974), p. 181,182.

charlatão, não poderia haver situação mais confortável, pois, caso alguém não seja curado (e muitos certamente não o serão), ele pode simplesmente dizer que o milagre deixou de ocorrer, não porque ele mesmo fosse um impostor, mas porque faltou fé da parte daquele que buscava a cura.

O antigo historiador Heródoto nos conta que no século 5 a.C., Creso, rei da Lídia, fora ameaçado por Ciro II, rei da Pérsia, que acampou com seus soldados na margem leste do Rio Hális. Na dúvida se deveria enfrentar o inimigo ou permanecer seguro na cidadela de Sardes, Creso consultou uma pitonisa (ou seja, uma vidente) do Oráculo de Delfos. Envolta pelos vapores que emanavam do chão, a resposta da médium foi: "Se cruzares com teu exército o Rio Hális, destruirás um grande reino". Animado pela mensagem que cria vir direto do deus Apolo, Creso saiu em combate e foi vergonhosamente derrotado. Quando cobrou do Oráculo uma explicação pelo acontecido, a vidente justificou que a profecia se cumpriu de fato. O grande reino a ser destruído era o dele e não o de Ciro II[63]. Esse era um homem de muita fé, pena que fé na pessoa errada.

O absurdo da fé

Uma frase latina, erroneamente atribuída a Tertuliano, pode ser mencionada como a bandeira do fideísmo: *credo quia absurdum est* (Creio porque é absurdo)[64]. Os fideístas apelam demais para o sentimentalismo em detrimento da razão. A ideia é: "Deus disse, eu creio, isso é suficiente". O problema é que eu posso tomar esse mesmo raciocínio para acreditar em absurdos.

Não creio que a razão possa substituir a fé ou ter prioridade em relação a ela, mas também não vejo como poderia compreender e aceitar as proposições da fé (especialmente aquelas reveladas por Deus) senão através do exercício das habilidades racionais. O fideísta crê para crer mais ainda – é um círculo vicioso. Eu, pelo contrário, prefiro "crer a fim de entender" (*credo ut intelligam*). Deus seria um tirano se nos obrigasse a crer 100% no vácuo, sem um mínimo de evidências que nos fizesse reconhecer que a voz que ouvimos é realmente dele, e não de nossa imaginação doentia.

---

63 Heródoto (1994). *Histórias*, livro II. J. R. Ferreira & M. de F. Silva, versão do grego e notas. (Lisboa: Edições 70). #47-51.

64 Robert D. Sider. "Credo Quia Absurdum?", in *The Classical World*, v. 73, nº 7 (Abril – Maio, 1980), p. 417-419.

Certa vez, ao dar uma entrevista num programa de *talkshow*, falei sobre o fideísmo e o entrevistador, que era Jô Soares, perguntou-me se a fé em Jesus demonstrada pelo centurião romano não seria uma espécie de fideísmo. Ele estava se referindo ao episódio descrito em Mateus 8:5-13, em que um chefe do exército imperial pede a Cristo que cure seu servo a distância, sem a necessidade de ir à sua casa. Jesus disse que o servo já estava curado e ele saiu crendo nisso, mesmo sem evidência alguma. Seria, portanto, este episódio um exemplo de fideísmo "em Jesus"? – provocou o apresentador.

O que Jô Soares não havia levado em conta, e eu mostrei isso em minha resposta, é que o centurião tinha sim muitas evidências de Jesus. Ele morava nas vizinhanças de Cafarnaum e certamente já tinha visto muitos milagres realizados pelo Nazareno. Na versão de Lucas (que difere um pouco da de Mateus), é dito que ele tinha ouvido falar de Cristo e, por isso, pediu aos judeus mais velhos que levassem seu pedido ao Mestre. Ele jamais faria isso se não soubesse a quem estava recorrendo. Era, portanto, uma fé legítima que se baseava numa evidência – o comportamento exemplar de Jesus somado ao testemunho que outros deram dele.

Há somente uma situação em que devemos crer sem questionar: quando já conhecemos suficientemente os atributos daquele que está nos dizendo alguma coisa. Veja se não é assim na sua vida: quando você conhece a autoridade de uma pessoa e a competência com a qual ela age em sua especialidade, você faz exatamente o que ela manda mesmo que não entenda o porquê da ordem ou tudo pareça um grande absurdo. Imagine que você esteja num prédio em chamas e um bombeiro apareça para salvá-lo. Ele dirá: "Se quiser ser salvo, faça exatamente o que eu digo!". Você será um tolo se não obedecer imediatamente. Todos temos evidências de que um bombeiro sabe o que está fazendo. Ele, então, quebra a janela e manda você saltar de uma altura de quase vinte metros. Na verdade, há um colchão de ar lá em baixo, mas você não sabe disso e não há tempo para muitas explicações. Mesmo com medo e sem entender, se for inteligente, você pula. O bombeiro sabe o que está dizendo, não compensa parar para questioná-lo.

É esse tipo de confiança que Deus pede em algumas situações específicas da vida. Veja, porém, que ele primeiro dá evidências de quem é para depois pedir que creiamos irrestritamente em sua pessoa. Mais à frente falaremos sobre essas evidências; por ora, basta saber que, segundo a perspectiva bíblica, é somente depois que o relacionamento de confiança está plenamente criado, que Deus dá ordens explícitas que espera sejam cumpridas inquestionavelmente para o bem daquele que crê, e não se esqueça: essa situação de obedecer sem questionar é o passo número dois da aproximação de Deus. Voltando ao exemplo do incêndio, eu jamais obedeceria a um estranho no meio das chamas se não tivesse uma informação mínima de quem ele era e qual a sua capacidade real de me tirar dali.

O desespero pode levá-lo a seguir até mesmo um louco se o incêndio for num hospício cheio de gente achando que é Nero. Uma fé racional, no entanto, ajuda a saber quem, de fato, deverá merecer minha confiança naquela multidão de vozes pedindo e oferecendo socorro.

Perguntar não ofende

É no mínimo interessante que, de acordo com a Bíblia, Deus tenha escolhido exatamente os judeus para trazer o Messias ao mundo. Sabe por que digo isso? Porque, talvez mais do que os gregos, esse foi o povo mais questionador que havia na face da Terra. Até hoje os judeus questionam tudo. São especialistas na arte de fazer perguntas.

Lembro-me de um israelense que conheci em Jerusalém tentando conceituar o seu próprio povo para mim. Segundo ele, depois de conversar e vender, o que todo judeu mais gosta de fazer é perguntar coisas. Tire as fórmulas interrogativas e ele não saberá o que dizer. Tanto é, prosseguiu ele numa típica piada judaica, que certa vez perguntaram a um rabino: "Por que vocês, judeus, sempre respondem a uma pergunta com outra pergunta?". Ao que ele prontamente respondeu: "Há algum mal nisso?".

Como bom judeu que era, Jesus de Nazaré se limitou em vários encontros a fazer perguntas. Ele evitava fórmulas prontas que trocassem a reflexão pessoal pela repetição sem sentido de um dogma ou conceito. Houve uma vez que ele até repreendeu seus patrícios por ficarem repetindo frases decoradas em orações públicas, sem ao menos lembrar o sentido do que estavam dizendo (Mateus 6:7-8). Se Sócrates, o pai dos questionamentos maiêuticos, morreu afirmando que devia um Galo para Asclépio, Jesus, que não teve esse título, foi o exemplo maior de alguém que não temeu fazer perguntas até o fim. "Meu Deus, meu Deus, por que me abandonaste?" (Mateus 27:46) foram quase suas últimas palavras. O interessante é que, desta vez, não houve nenhuma resposta audível do céu e, mesmo assim, segundo a narrativa do Evangelho, ele se entregou nas mãos de Deus. Jesus realmente conhecia o Pai, por isso confiava nele mesmo diante do terrível silêncio!

Quanto à legitimidade histórica destes episódios envolvendo Jesus e seu ministério, discutiremos em outro momento. Um passo de cada vez. Por ora, a menção destas passagens bíblicas nos serve apenas para reforçar a tese de que a fé tem espaço para o questionamento saudável.

A meu ver, melhor do que a nomenclatura do *Homo sapiens* popularizada por Carl Linnaeus em 1735, seria mais apropriada a bem-humorada sugestão de Varro, Cícero, Quintiliano e outros autores antigos que chamavam o ser humano de *Homo curiosus*[65], e "curiosidade" é nossa marca registrada. Levante a mão quem nunca se machucou na infância como resultado da curiosidade em fazer algo que disseram ser proibido. De um dedo na tomada a uma queimadura por brincar com fósforos, todos temos cicatrizes de uma infância cheia de curiosidades, buscas e questionamentos. Aquele que não tem dúvidas seja o primeiro a lançar a pedra!

"Melhor do que ter todas as respostas – dizia o cartunista do *The New Yorker* James Thurber – é estar entre aqueles que formularam as perguntas."[66] Realmente, desde Einstein acredita-se que saber formular bem um problema, isto é, fazer uma pergunta bem bolada, é algo talvez mais importante que encontrar as soluções, pois, sem essa formulação clara e objetiva, as respostas ficariam vagas e não serviriam para nada. Foram, portanto, as perguntas que ajudaram a impulsionar a história, pois, para que os homens fossem atrás das soluções, alguém teve de perceber um problema e sistematizá-lo para os demais.

Portanto questione, questione à vontade. Não há lei que proíba isso. Mas cuidado para não cair no devaneio. Um erro de dosagem pode ser a diferença entre um remédio e um veneno.

Questionar na medida certa

Questionar é preciso, mas formular bem as perguntas é uma arte. Procuro sempre dizer a meus alunos que, ao formularem uma pergunta, eles devem saber com exatidão o tipo de resposta que estão procurando e que sejam perguntas respondíveis dentre os padrões do bom senso. Perguntas feitas simplesmente

---

65 Luigi Romeo. *Ecce Homo – A Lexicon of Man* (Amsterdam: John Benjamins B.V., 1979), p. 31,124.
66 Apud David Crystal; Hilary Crystal. *Words on Words – Quotation about Language and Languages* (Chicago/London: The University of Chicago Press/Penguin Books Ltd., 2000), citação 26:146.

por amor ao questionamento têm o seu valor na retórica, mas aqui não levam a nada. Seriam como um adolescente que se beija num espelho e diz para todo mundo que está namorando a menina mais linda do bairro.

As indagações humanas não podem ser um fim em si mesmas, caso contrário terminam levando à especulação. É como ficar procurando a terceira margem de um rio ou discutir quantos anjos caberiam na ponta de um alfinete. Você certamente conhece a parábola atribuída a Voltaire e aplicada a teólogos e metafísicos, mas que, no fundo, serve para qualquer indivíduo: há questionadores que são como um homem cego num quarto escuro procurando um gato preto que não existe. E o que é pior: tem gente que jura ter encontrado o gato! Não obstante a advertência que vem desta parábola, preciso dizer que é muito limitado o método de acreditar apenas naquilo que se viu. Este seria o extremo oposto do fideísmo, e extremismo será sempre um lado da verdade que ficou louco.

Foi-se a época em que era academicamente chique declarar-se um convicto São Tomé que tinha de "ver para crer". Ora, eu até hoje não vi pessoalmente o DNA (a não ser em desenhos feitos em livros) e nem por isso duvido que ele exista. Antes que algum biólogo me mande fotos pela Internet, para compensar minha limitação nesta área, quero lembrar que existem coisas "reais" que nem mesmo os especialistas conseguiram ver. Peça a um físico para lhe mostrar uma foto original (sem nenhum efeito de computador) que permita a ambos "verem" o Big Bang ou a Matéria Escura. Eles sabem que ambos existem, mas ninguém jamais os contemplou de fato, viram apenas "evidências que apontam para a sua existência", como a observação em 2006 de um choque galáctico registrado pelo telescópio de raios X Chandra da Nasa que sugeriria a realidade da Matéria Escura. Trata-se de uma evidência, não de uma certeza absoluta baseada em testemunho ocular direto. Mesmo assim, a grande maioria dos físicos acredita que essa substância misteriosa e invisível compreende cerca de 95% de toda a matéria que compõe o universo.

Situações como estas me fazem concluir que em muitos rincões da ciência e da racionalidade o correto é "crer para ver", e não o contrário. Eu sei que o método científico normalmente exige repetições que garantam a melhor explicação para um evento, isto é, para aquele algo que ninguém consegue ver (como a força gravitacional). Isso não seria necessariamente "crer para ver", pois, segundo eles diriam, é muito mais do que somente crer. Contudo, há proposições legitimamente científicas que por natureza, complexidade e tamanho fogem desse ideal de um ambiente controlado.

Sendo assim, por que então eu deveria mudar a ordem dos fatores em relação a Deus? Afinal, se ele existe mesmo deve ser muito maior e mais complexo que a Matéria Escura. Logo, não o verei diretamente, mas observarei evidências que apontam para sua realidade criadora.

Qualquer ente mensurável ou menor do que o universo não é grande o bastante para que eu possa absolutamente chamá-lo de Deus. Por maior que ele seja, não passaria de mais um pontinho no universo. O Sol, por exemplo, é esplendoroso e já foi diversas vezes cultuado no passado. Ainda assim, é apenas uma fagulha cósmica, pequena demais para ser objeto de minha adoração. Já um suposto Deus Criador de todas as coisas, inclusive da Matéria Escura, este sim estaria acima da minha capacidade de verificação direta. É maior do que tudo e não estou seguro de que haja um espaço que possa cabalmente contê-lo. Longe de ser uma visão pessimista e apofática, essa demanda mental pela imensidade divina abre, paradoxalmente, um enorme espaço para conhecê-lo. Como disse o rabino Abraham Heschel: "Estamos mais perto de Deus quando fazemos perguntas do que quando pensamos que temos as respostas"[67].

Funciona assim o raciocínio: conquanto eu não possa "verificar laboratorialmente a Deus", devido à minha limitação e à grandeza que suponho que ele possua, posso legitimamente fazer perguntas sobre ele. Assim, caso ele exista, não é inverossímil a chance de que ele mesmo responda de uma forma inteligível à minha mente finita. Mesmo que para isso ele tenha de se "adequar" à minha linguagem e compreensão.

Ouse saber

A palavra de ordem kantiana *Sapere aude!* (ouse saber) é muitas vezes aplicada para sustentar um raciocínio individualista que praticamente nega o testemunho de outrem, especialmente daqueles que viveram antes de nós[68]. É a falácia

---

67 Apud *Heschel quotes – God, Man, Prayer, Life and Death*. Disponível em <http://sunwalked.wordpress.com/2007/07/21/heschel-quotes-god-man-prayer-life-and-death-and-video/>. Acesso em: 25/10/2009.

68 "Esclarecimento é a saída do homem de sua menoridade, da qual ele próprio é culpado. A menoridade é a incapacidade de fazer uso de seu entendimento sem a direção de outro indivíduo. O homem é o próprio culpado dessa menoridade se a causa dela não se encontra na falta de entendimento, mas na falta de decisão e coragem de servir-se de si mesmo sem a direção de outrem. *Sapere aude!* Tem coragem de fazer uso de teu próprio entendimento, tal é o lema do esclarecimento." I. Kant. "Resposta à pergunta: O que é esclarecimento? 'Aufklärung'", in *Textos Seletos* (Petrópolis: Vozes, 1974), p. 100.

do *argumentum ad novitatem* ou a apelo à novidade. Ela consiste em afirmar que algo é melhor ou mais correto apenas porque é novo ou mais novo. Assim, um escritor cristão como Paulo jamais poderia ser equiparado à grandeza de um Sartre. Afinal, pobre Paulo, ele acreditava que Jesus ressuscitou e era o próprio Filho de Deus! Não podemos esperar muito de alguém que vivia numa época de fábulas, anterior às descobertas da modernidade. Nós, não! Somos herdeiros do racionalismo iluminista, há tempos superamos a ideia do milagre, do mito, do sobrenatural. Sartre é definitivamente melhor. Ora, não esqueçamos o alerta do próprio Kant para que pensadores modernos jamais ignorassem os limites da razão humana. A modernidade vive se esquecendo deste conselho.

É claro que Kant, a meu ver, exagerou um pouco na dosagem de sua reflexão, mas ela tem um elemento de validade em sua advertência. Na época em que ele viveu, a atitude crítica era um fenômeno dominante na Europa. A pessoa crítica ou racional seria aquela com capacidade de pensar apenas por si sem aceitar totalmente o que os outros tivessem como dogmas. Veja, não é uma questão de avaliar o dogma, e sim de rejeitá-lo *a priori*.

Então, por ter sido ainda mais crítico que seus contemporâneos, Kant questionou até mesmo a definição de sua época como o apogeu da razão e sistematizou o que ele chamava de os limites da razão humana. Para ele, a razão tende a ultrapassar os limites da experiência, fazendo afirmações baseadas apenas em conceitos, por si mesmos, insuficientes para qualquer declaração objetiva.

Como disse, acho que Kant exagerou, mas tomo parte de suas observações e as aplico tanto na esfera individual quanto coletiva. O infinito não cabe em minha mente, todas as minhas experiências são apenas recortes pessoais da realidade, e não a totalidade do que existe. Mesmo no que diz respeito ao conhecimento acumulado pela humanidade, devemos admitir que nenhum de nós pode ser especialista em tudo para obter conhecimento direto de todas as áreas do saber. Precisamos da mediação de outros, inclusive daqueles que nos antecederam. Eu, particularmente, que não entendo nada sobre física, preciso ter fé no testemunho dos astrônomos para acreditar naquela tal Matéria Escura que me disseram existir. Se negasse tudo o que não vejo por mim mesmo, tudo que não entendo com a minha razão autônoma, eu jamais aceitaria o que está escrito nos livros de Einstein ou Stephen Hawking.

É claro que há coisas mais simples que posso verificar por mim mesmo. Não preciso de Newton para perceber a lei da gravidade. Um tombo é o suficiente para me lembrar de que ela existe. Contudo, a Teoria da Relatividade é mais complexa, preciso aceitar pela fé o que Einstein escreveu, pois não consigo compreender sequer o bê-á-bá da questão. Aliás, não somente eu, mas 99% da raça humana. Dizem que certa vez um repórter perguntou a Arthur Eddington, um dos maiores especialistas em Relatividade Física da década de 1920, se era verdade que no mundo só havia três pessoas que compreendiam bem a teoria de Einstein. Depois de uma longa pausa, ele respondeu: "Eu estava tentando descobrir quem seria essa terceira pessoa"[69].

Agora imagine alguém que se diz inteligente negando a Teoria da Relatividade sob a égide de que o que sabemos dela foi escrito por homens! Seria ridículo, não é mesmo? O que dizer então de pessoas que negam *a priori* a Bíblia, sob a alegação de que ela é um livro escrito por homens? Antes que eu seja apedrejado por comparar escritores bíblicos à genialidade de Einstein, deixe-me dizer que embora houvesse gente simples dentre seus autores, também havia muitos intelectuais naquele time. Paulo, que já mencionamos anteriormente, não ficava devendo nada para Sócrates, e os tratados de Moisés chegam em alguns pontos a ser superiores ao código de Hamurabi e às jurisprudências de Cícero.

Tudo, portanto, pode ser resumido a uma disposição mental de abrir ou não a possibilidade de ouvir o outro lado da história. Algumas vezes a história acaba tendo três lados: o meu, o do outro e a verdade! Seria possível ouvir a Deus nessa multidão de vozes e teorias?

---

69 Apud Fred Heeren. *Mostre-me Deus* (São Paulo: CLIO, 2008), p. 167.

Capítulo 8
Convivendo com a incerteza

A literatura poética, confesso, não é o gênero que mais mexe comigo. Contudo, vez ou outra, encontro algumas pérolas que realmente gostaria de memorizar para dizer de cor em público. São palavras bem colocadas que me fazem refletir. Pensamentos que eu até poderia ter tido, mas que jamais conseguiria exprimir de maneira tão apropriada e profunda usando apenas algumas palavras e um pouco de rima.

Foi o caso do meu encontro "acidental" com o poema "Estado imaginário", de um advogado desconhecido para mim chamado Sávio Lopes, que resume com excelência o tema que pretendo tratar neste capítulo. Tomo a liberdade de citar apenas um trecho do que ele escreveu:

[...]
De tudo que aprendi, percebi,
Que o saber e a dúvida
Andam no mesmo passo
E o conhecimento
Leva-me a perguntas
Das quais as respostas
Nunca acho.

Queria de volta a inocência,
Os primeiros erros
Do meu estado imaginário;
Pois a multidão
Das minhas verdades
Afetam minha tranquilidade.

Nos berços do meu solilóquio
Vou juntando os dados,

Questiono as certezas,
E de silêncio as embriago,
Quando a razão
Esclarece outra mentira
Deixando-me apavorado.[70]

Estes versos exprimem com maestria a luta intelectual e emocional de muitos em relação às questões da vida. Pessoas pensantes são naturalmente passíveis de assombros vindos do fantasma da dúvida. Inclusive ou principalmente nós, crentes! Não pense que a fé que possuímos é 100% inabalável.

Eu mesmo tive momentos de tanta angústia e luta espiritual com Deus que só não fiquei pior durante a crise porque lembrei-me de vários casos bíblicos em que homens e mulheres de Deus igualmente tiveram duelos com a descrença. Se você nunca leu a Bíblia com esses olhos prepare-se para saber uma coisa: a história do Antigo e Novo Testamentos está repleta de situações em que as verdades divinas emergem não de uma calmaria, mas de um escândalo. Assim foi no passado e continua sendo hoje em dia.

Lembro uma vez, internado em um hospital, em que olhei desolado para o teto do quarto e resmunguei: "Antes eu pensava ter um monte de respostas, agora já não lembro mais nem as perguntas". O silêncio naquele caso não era sinônimo de tranquilidade. Era um castigo imposto a um ser carente de sentido que queria ouvir pelo menos uma frase de afeto vinda de quem realmente soubesse as respostas de que eu estava precisando.

Fico feliz por ter superado aquele triste momento. Contudo, sei que nem todos tiveram a mesma sorte ou eventualidade que eu. Muitos, de fato, se precipitam cada vez mais fundo no poço das incertezas e não sabem como conviver com elas. Outros simulam uma pseudoconfiança doutrinária – seja em favor de Marx ou de Cristo – e assim passam o ar de que realmente estão seguros do que creem, quando na verdade estão apenas acostumados a pensar daquele jeito e não querem abrir mão de seu comodismo mental.

Isso não quer dizer que ninguém creia ou descreia com sinceridade. Referi-me a uma fatia populacional que pretende ser o que não é, sem me importar em dar-lhe nome ou apontar sua quantidade. Admito o fenômeno sem

---

[70] Disponível em <http://poesiasdesaviolopes.blogspot.com.br/search?q=Estado+imagin%C3%A1rio>. Acesso em: 12/04/2016.

identificá-lo com nomes. Fazê-lo estaria fora de minha alçada, seria bancar um juiz universal – o que eu não sou.

A voz do povo

Do solilóquio em segredo às muitas vozes que em vez de ajudar, às vezes, atrapalham, o sujeito pensante continua sua busca por verdades que possam ajudá-lo. O problema é que o barulho das multidões costuma trazer mais tormenta que solução.

Quando vejo: governos corruptos e sem preparo eleitos pelo voto da maioria; gente popularesca com algum talento musical ou futebolístico tornando-se ídolos de uma geração inteira de jovens; programas de gosto duvidoso disparando no Ibope; e vídeos de conteúdo tosco bombando no YouTube, fico me perguntando se realmente a voz do povo é a voz de Deus ou a voz da ignorância coletiva. Quantas vezes a democracia é apenas a variante ditatorial de um povo manipulado que demanda com protestos o coroamento de um idiota! A sabedoria popular, neste sentido, torna-se o coletivo de embrutecimentos individuais.

Veja se não faz sentido minha crítica. Indústrias alimentícias nos convencem a consumir de tudo, menos comida realmente saudável; remédios fabricados para sarar e viciar em vez de trazer prevenção e cura; uma mídia bipolar que coloca em sequência feministas debatendo sobre respeito pela mulher e em seguida anunciando um show de variedades, que tem como quadro principal meninas de biquíni lutando numa banheira de lama ou lavando carro apenas de calcinha e sutiã.

No intervalo, a mesma emissora coloca uma propaganda de homens no bar olhando sedentos para o corpo da mulher que traz cerveja e os serve, não sem antes dizer com sensualidade: "Experimente você também!". No seguimento começa a novela das nove em que a protagonista aparecerá nua fazendo o papel de amante sedutora (cena que, aliás, as feministas do primeiro programa elogiarão no dia seguinte) e, para fechar, vem o jornal da meia-noite criticando a polícia por não conter a violência nos estádios. Então a programação segue – para os que aguentam ficar acordados – anunciando o filme *Velozes e furiosos V*, que enaltece justamente o tipo de delinquentes que você não queria ver morando em sua cidade.

Por um lado, dizemos aos jovens: isso é errado! É imoral. Por outro, damos filmes, novelas e entretenimentos que os incentivam a ser justamente aquilo que condenamos. Somos uma sociedade bipolar! Tanto é que muitos desses jovens se aliaram ao Estado Islâmico atraindo para o terrorismo outros jovens justamente através de documentários bem-feitos, cujo conteúdo era justamente a violência à qual já estavam expostos nos *games* e filmes que consumiam.

É por coisas como estas que há tempos abandonei a ilusão de que a maioria sempre está certa. Não quero com isso dizer que estou completamente incólume neste mar de influências negativas. Tal sentimento seria soberbo e autorrefutável, pois não existe nenhum "homem à frente de seu tempo" – isso é tolice. Ainda que reflitamos coisas que estão avançadas demais para nossa geração, mesmo assim continuamos falando, comendo e nos comportando em grande parte como os demais de nosso contexto social.

Do mesmo modo esclareço que não abandono totalmente o valor de um saber coletivo, nem arvoro a exclusividade da reflexão autônoma. Pelo contrário, "Não havendo sábios conselhos, o povo cai, mas *na multidão de conselhos há segurança*" (Provérbios 11:14, ACF). Meu objetivo com essas observações é provocar uma análise do tempo em que vivemos e como ter certezas nesta época de tantos "ismos".

Foi neste sentido que questionei o adágio de que o assentimento de um povo seria um critério de verdade. Ouvi dizer – mas não achei a fonte primária disso – que a origem do provérbio "a voz do povo é a voz de Deus" viria do fato de Hermes, cultuado como Mercúrio em Roma, possuir, na Acaia, ao norte do Peloponeso, um templo onde se manifestava respondendo às consultas dos devotos pela singular e sugestiva fórmula das vozes anônimas.

Purificado, o consulente se aproximava do altar e dizia em sussurro ao ouvido do ídolo o seu desejo secreto, formulando seu pedido, dúvida ou a súplica. Então ele se levantava, tapando os ouvidos, e corria para o pátio do templo ou para a praça principal, onde arredava os dedos, esperando ouvir as primeiras palavras dos transeuntes. O que viesse era a voz de Deus para ele.

Teófilo Braga, político e ensaísta português do final do século 19, expõe que essa superstição ainda era vigente na Lisboa de seus dias:

> A voz humana tem poderes mágicos; um feiticeiro, para saber se uma pessoa era morta ou viva, dizia à janela: – Corte do Céu, ouvi-me! Corte do Céu, falai-me! Corte do Céu, respondei-me! – Das primeiras palavras que ouvia na rua acharia a resposta.[71]

---

71 Apud Luís da Câmara Cascudo. *Coisas que o povo diz* (São Paulo: Global Editora, 2009).

Seja como for, existe uma referência mais antiga, do século 8, que é a carta de Alcuíno para Carlos Magno, na qual já alertava contra o perigo de se deixar levar sempre pela maioria. O trecho diz:

> *Nec audiendi qui solent dicere, Vox populi, vox Dei, quum tumultuositas vulgi semper insaniae proxima sit.*

Tradução para português:

> E essas pessoas não devem ser ouvidas por quem continua dizendo que a voz do povo é a voz de Deus, já que a devassidão da multidão sempre está muito próxima da loucura.

É por advertências como esta que eu não poderia escrever um capítulo sobre a certeza sem falar dessa perigosa democratização excessiva de valores e crenças que leva políticos, religiosos, professores, líderes de um modo geral a procurar agradar o povo a todo custo, a fim de se manterem confortáveis em seus cargos. Eles evitam o "politicamente incorreto" não porque estão convencidos de ser aquilo verdadeiro, mas pelo pânico de não serem rejeitados.

Na contramão desse cenário, mas convivendo paradoxalmente com ele, há também os formadores de opinião que levam o povo a assumir posturas que foram sugestionadas com fins bastante específicos. Moda, marketing, consumo não são coisas que refletem apenas a vontade popular. Elas também impõem normas que o povo segue sem questionar, e quem vai contra essas normas é ultrapassado, fanático, fora de moda.

Uma hora é a galinha que segue os pintinhos, noutra são os pintinhos que seguem a galinha numa jornada obsessiva de passos que conduzem ao precipício. É assim que a sociedade oferece sistemas de pensamento e ritos sociais que nos livram da reflexão e do exame de consciência. É o famoso mundo aceito sem discussão.

Um encontro com Berger

Se eu parasse aqui este capítulo deixaria a ideia de que é impossível ter certezas ou que, pelo menos, o agnosticismo seria o caminho recomendável. A situação que descrevi anteriormente parece referendar a observação irônica do romancista austríaco do Robert Musil, que declarou que "a voz da verdade tem um tom suspeito". Ela não é tão absoluta como desejaria o "verdadeiro crente". Será?

Uma plausível resposta para esta colocação veio até mim através de um livro que valeu a pena ter lido. É sobre ele que quero falar neste momento.

Como não sou sociólogo por formação, é claro que não domino todos os teóricos dessa área. Assim, o encontro com alguns deles se dá por uma feliz casualidade. Foi o que aconteceu com os escritos de Peter Berger, renomado sociólogo da Universidade de Boston, morto em 2017. Gregory Thornbury, presidente do King's College de Nova York, disse em seu obituário que a obra de Berger "fez com que os teólogos quisessem ser sociólogos quando crescessem".

Adquiri seu livro, escrito em parceria com Anton Zijderveld, num congresso de teologia nos Estados Unidos. O título não poderia ser mais provocativo: *In Praise of Doubt – how to Have Convictions without Becoming a Fanatic*. Foi lançado em português com o título: *Em favor da dúvida: como ter convicções sem se tornar um fanático*.

A primeira novidade da obra foi ver um sociólogo respeitado que ainda se diz incuravelmente religioso. Embora, a bem da verdade, ele se defina como *evangelisch, mas não evangélico* – o que não deixa de ser interessante, pois demonstra um compromisso com a fé que supera os limites de uma agremiação religiosa organizada, sem dirimir sua importância.

Escrevendo com um rigor sociológico – pois esta é sua formação primária – Berger se dirige a todos os públicos, mas principalmente a crentes que vivem numa espécie de exílio, pois se sentem chamados por Deus de nação santa, porém não se encaixam com as normas sociais vigentes.

Os que duelam com questões honestas também são contemplados na leitura, pois não é fácil num ambiente cristão (especialmente aquele mais conservador) o indivíduo admitir que ainda nutre certas dúvidas de fé. Aliás, o mesmo se passa no ambiente secular; um ateu não pode admitir para seus companheiros que nutre dúvidas sobre o ateísmo professado, sem ser marginalizado pelos demais.

É muito triste quando tentam sanar nossas dúvidas com simplificações artificiais da problemática. Criam-se nomes para nos proteger de questões autênticas, mas perigosas para o sistema. Depois oferecem uma linguagem artificial que torna tudo muito bem arrumadinho quando na verdade não é.

Por outro lado, há também os que se refugiam na dúvida como a maior de suas certezas. São os dogmaticamente céticos, o que inclui aqueles que questionam não porque possuem dúvidas reais, mas porque se tornou chique ser do contra. Amam a esquerda mesmo quando não têm motivo para ser esquerdista.

Não atualizam o discurso. Apenas fumam maconha e repetem os chavões de Woodstock numa época em que a Guerra do Vietnã já virou passado.

Os escritos de Berger lidam com todas estas questões sugerindo audaciosamente que o cultivo da dúvida – que eu qualificaria como "dúvida sadia" – pode ser a chave para lidar com questões morais, principalmente num universo de tantas posições vigorosamente rivais. Isso para mim caiu como luva naquilo que eu mesmo defendo há muito tempo e que você está vendo neste livro. A audácia da sugestão é justamente o fato de que a convicção e a dúvida geralmente são vistas como operações intelectuais opostas. Porém podem e devem ser harmonizadas.

O livro também provoca o senso comum de que a sociedade está se tornando secularizada. Deus ainda não foi embora – para tristeza dos que promoveram sua morte no início do século 20. De modo geral, a ideia é dizer não ao dogma bem como à crença de que não há nada em que se deve crer ainda que provisoriamente. Respeitar a ideia do outro, saber o que acreditamos, evitar a soberba. Isso para mim foi extraordinário. Concordaria 100% com o autor? Não. Há coisas que penso diferente de Berger. Porém, saí de sua leitura com a grata satisfação de saber que é possível encontrar um caminho moderado entre o dogma e a dúvida que eu poderia chamar de certeza saudável e como ele funciona na prática.

Segundo o autor é necessário que haja um exercício de moderação mental entre os posicionamentos relativista e fundamentalista, e isso não se reduz à religião apenas, mas aplica-se à política e a moralidade. Os fundamentalistas sempre tendem para a "ética dos fins absolutos". Os moderados políticos tendem a uma ética da responsabilidade.

A certeza moderada evita tanto o relativismo quanto o fundamentalismo. No entanto, pode ser inspirada por uma verdadeira paixão em defesa dos valores essenciais originados da percepção da condição humana e, eu acrescentaria, nas possíveis orientações de um Deus que se revela – sobre isso falaremos mais adiante.

Teoria do Conhecimento

A necessidade ou pelo menos a busca de certezas é uma modalidade humana que se confunde com a chamada Teoria do Conhecimento, às vezes usada como sinônimo de epistemologia, o que não é uma aplicação exata, uma vez que esta última, se usada em sentido estrito, se aplica mais ao estudo sistemático do conhecimento científico, sendo por isso mesmo reconhecida como filosofia da ciência. Seja como for, ambas referem-se a uma área da filosofia que procura refletir sobre o que é o conhecimento, a possibilidade ou não de se conhecer (*i.e.*, de ter certeza de algo), e qual o fundamento, origens e valor do conhecimento adquirido.

Não há como negar que somos aquilo que Descartes chamou de *res cogitans* ou coisa pensante, em oposição a um corpo que acaba servindo-lhe de obstáculo, a chamada *res extensa*. "O que sou eu? – perguntava o filósofo – Uma substância que pensa. O que é uma substância que pensa? É uma coisa que duvida, que concebe, que afirma, que nega, que quer, que não quer, que imagina e que sente."[72] O sujeito pensante, portanto, é uma substância que se define pelo pensamento. Uma substância espiritual que Descartes punha em oposição ontológica à substância material, mas que – no meu entender – permanecem indivisível, unitária (indivíduo) e sensivelmente sujeita à transcendência.

Eu diria até que foi a sugestão cartesiana que inaugurou a "metafísica do sujeito", entendida por muitos como a característica básica do pensamento moderno. Efetivamente, dessas duas noções cartesianas derivaram as duas correntes básicas da filosofia moderna: o racionalismo e o empirismo, ambas ancoradas no sujeito, transformado na nova sede do critério de verdade. A crítica cartesiana desautorizou o objetivismo e o realismo ingênuos que dominaram o pensamento antigo e medieval.

Até aí vigorava o critério da evidência objetiva, segundo a qual o pensamento deve se submeter à evidência. É esse o caráter da definição clássica de verdade como a adequação do intelecto à coisa, ligada à consideração de que o critério último e universal de julgamento da verdade é a evidência objetiva. A partir de Descartes o critério de verdade desloca-se para o sujeito: nada terá estatuto de verdade sem passar pelo crivo da experiência subjetiva, expressa na arte de raciocinar a partir da dúvida. É claro que o exagero deste conceito deu origem à tradição racionalista que só aceita como verdadeiro aquilo que pode ser reduzido a ideias claras e distintas, o que, como pretendo argumentar, não pode ser procedente.

O racionalismo é a corrente que assevera o papel preponderante da razão no processo cognoscitivo, pois os fatos não são fontes de todos os conhecimentos e não nos oferecem condições de "certeza". Já o empirismo seria a corrente de pensamento que sustenta que a experiência sensorial é a origem única ou fundamental do conhecimento. Ambos se preocupam com o problema do conhecimento, que é o ponto de referência básica da filosofia moderna. Em contrapartida, constroem teorias distintas acerca do conhecimento que para um é intelectualista e

---

[72] René Descartes. *Meditações metafísicas* 2. Coleção Os Pensadores (São Paulo: Abril Cultural, 1973).

para o outro sensitista. Por fim, apresentam fortes ligações com as ciências naturais e exatas, especialmente em física, química, astronomia, mecânica e matemática. O racionalismo usa, de preferência o *a priori* dedutivo da matemática, enquanto o empirismo opta pelo *a posteriori* indutivo da experimentação.

Essência do conhecimento

Em termos de essência do saber, a Teoria do Conhecimento possui uma área que, a meu ver, é a mais conflituosa, geradora de muitas divergências. Refiro-me ao campo do realismo e idealismo. O realismo traduz-se na orientação ou atitude do espírito que implica uma preeminência do objeto, dada a sua afirmação fundamental de que nós conhecemos coisas. Em outras palavras, é a independência ontológica da realidade, o sujeito raciocinando em função do objeto. O realismo é, normalmente, subdividido nestes grupos. O realismo ingênuo, natural, volitivo, tradicional e crítico/científico.

O realismo ingênuo é aquele em que o homem aceita a identidade de seu conhecimento com as coisas que sua mente menciona, sem formular qualquer questionamento a respeito daquilo. É a atitude do senso comum, que reconhece as coisas e as concebe tais como parecem.

Um pouco diferente do realismo ingênuo é o realismo natural, cercado por reflexões críticas sobre o conhecimento. Este dá destaque aos sentidos como meios – ainda que imperfeitos – de percepção da realidade. Coisa que o primeiro não faz. Suas raízes estão nas profundas transformações econômicas, políticas, sociais e culturais da segunda metade do século 19.

Já o realismo volitivo afirma a existência de um mundo material fora de nós, percebido graças à nossa vontade de existir. Se fôssemos seres puramente intelectuais, sem nenhuma faculdade volitiva, não teríamos consciência alguma da realidade. Por outro lado, reconhece-se um choque constante com a realidade à medida que as coisas que existem resistem aos nossos desejos, e nestas resistências vivemos a realidade que nos cerca.

O realismo tradicional seria aquele que indaga a respeito do porquê das coisas. Intensifica-se numa busca frenética por fundamentos teóricos, razões e arrazoados que justifiquem esta ou aquela premissa. É a atitude típica dos que seguem a linha aristotélica de raciocínio.

Por último, posso citar o realismo científico, que é uma variação do realismo crítico. Ele parte do pressuposto de que existe uma realidade objetiva que pode ser reconhecida pelo senso comum, porém, é mais confiantemente descrita, explicada e prevista pelo método científico.

Estas são descrições simples, apenas para se ter uma noção deste vasto campo do conhecimento. A síntese do realismo é a certeza de que existe uma correlação e adequação à inteligência, a algo que pode ser conhecido. O modo de referendar esse "algo" conhecível é que varia gerando as diferentes abordagens citadas anteriormente.

Lembre-se, contudo, de que para os racionalistas os sentidos não são confiáveis, pois podem induzir ao erro. Ilusões de ótica estão aí para confirmar isso. Assim, que eles atribuem uma grande confiança no poder da razão humana como critério de reconhecimento da verdade. Nas palavras de Descartes: "nunca devemos nos deixar persuadir senão pela evidência de nossa razão"[73].

Com esses conceitos em mente, estou pronto para falar do contraponto do realismo que é o idealismo. Alguns afirmam que ele nasce com Platão, mas desenvolve-se com Descartes. Neste conceito, não há realidade objetiva, pois as coisas não existem por si mesmas. Elas vão existindo à medida que são pensadas ou representadas pelo nosso espírito, ou seja, há uma tendência a tornar tudo em redor, esquemas mentais ou formas espirituais.

No idealismo, os objetos são criados a partir da subjetividade do indivíduo. Aquilo que ele não percebe não existe para ele. Assim, a certeza e o conhecimento são reduzidos à representação mental que fazemos das coisas, pois a verdade acerca dos objetos está menos neles do que em nós mesmos. Precisamos pensá-los ou percebê-los para que adquiram existência para nós.

Sintetizando, o idealismo é a doutrina ou corrente de pensamento que subordina ou reduz o conhecimento à representação ou ao processo do pensamento mesmo, por entender que a verdade das coisas está menos nelas do que em nós, em nossa consciência ou em nossa mente, no fato de serem "percebidas" ou "pensadas".

Existem ainda os que dividem o idealismo em psicológico e lógico. Para o primeiro, entende-se tudo aquilo que constitui um ser *percebido* e, para o segundo, tudo o que se identifica como ser *pensado*.

Sei que esse esquema pode soar um tanto estranho para muitos, mas saiba que importantes nomes estão por detrás de tudo o que foi dito nos parágrafos anteriores. Refiro-me a autores como Berkeley, Hume, Locke, Hegel e o próprio Descartes.

---

73 René Descartes. *O discurso do método* (São Paulo: José Olympio, 1960)

Certezas ou incertezas?

Com estes elementos gnosiológicos em mente, a próxima questão que nos interessa é se podemos ou não ter certeza de alguma coisa. Qual é, enfim, a possibilidade real do conhecimento?

Novamente, os autores recorrem a duas formas de tratar o problema: o dogmatismo e o ceticismo. Ambos podem ser ainda qualificados como total e parcial, de modo que o dogmatismo afirma a possibilidade de se conhecerem verdades universais quanto ao ser, à existência e à conduta, transcendendo o campo das puras relações fenomenais e sem os limites impostos primariamente à razão. Já o ceticismo consiste numa constante atitude de dúvida, mesmo diante de opiniões obtidas no âmbito das relações empíricas. Suas conclusões são sempre provisórias, pois a atitude cética nunca abandona o que se filia a essa linha de pensamento. A parcialidade ou totalidade com que essas linhas são conduzidas demarcam os limites e as possibilidades que cada adepto supõe poder chegar no âmbito de reconhecer ou não a verdade.

Hegel, por exemplo, era dogmático absoluto no sentido em que defendia a identificação absoluta entre pensamento e realidade. Hume e Kant eram menos taxativos, por entenderem que o indivíduo pensante não poderia atingir verdades últimas. Apenas no plano ético era possível atingir, de certa forma, o absoluto, predicando pela razão o certo e o errado em dadas circunstâncias. Blaise Pascal já ia para outro extremo afirmando o dogmatismo teórico da matemática e da ciência, duvidando, porém, da precisão teórica nos modos de agir da conduta humana.

O ceticismo, por fim, se distingue de tudo isso por causa de sua posição de reserva e desconfiança constantes em relação a todas as coisas. Seus representantes na Grécia antiga eram Pirro, Górgias e, parcialmente, Carneades. Na filosofia moderna, seu principal representante foi Augusto Comte.

Deixe-me agora dizer como eu mesmo me posiciono diante de tudo isso. Para tanto quero citar um pensamento de Jung que resume minha trajetória mental em busca de conhecimento. "Queremos ter certezas e não dúvidas, resultados e não experiências, mas nem mesmo percebemos que as certezas só podem surgir através das dúvidas e os resultados somente através das experiências"[74].

---

74 Jung. *The Stages of Life # 752*, in *The Collected Works of C. G. Jung*. Gerhard Adler; Michael Fordham; Herbert Read; William McGuire (eds.). Complete digital edition (Princeton University Press, 2009), vols. VIII e VI.

Antes de mais nada, não sou junguiano. Porém, valho-me desse recorte de seu pensamento e o destrincho para que você acompanhe minha experiência cognitiva.

1. Queremos ter certezas e não dúvidas – embora nem sempre querer signifique "poder", acredito que essas inclinações psíquicas me revelam algo e não posso fechar os olhos para o que elas estão me dizendo. Pássaros nascem migrando para o sul e tartarugas marinhas correm para o mar. Seria ingênuo negar a existência do oceano e de um lugar chamado sul apenas porque algumas tartarugas e aves migratórias ficaram circunstancialmente confinadas num plano em que não podiam ver nem experimentar o objeto de seu instinto.

Se quero ontologicamente ter certezas, e não dúvidas, isso significa que existe uma verdade para ser explorada e conhecida. Essa verdade antecede meu ser – pois nasço desejando-a – e pode ser negada, pois existe a dúvida, ou seja, ela não será tão óbvia para todos.

2. [Quero] resultados e não experiências – o anseio por verdades não é como um desejo efêmero por vitamina de abacate, que logo passa assim que tomo um copo gelado dela. Trata-se de algo que permanece comigo sempre. Tentar negá-lo é convidar a neurose sobre minha pessoa.

Esses dias estive refletindo por que existe tanto consumo de drogas lícitas e ilícitas neste mundo. Por que as pessoas querem tanto estar embriagadas ou fora de área? Não seria por medo de encarar a realidade que descobriram? Por isso, fogem dela como o diabo foge da cruz, seja para a ilusão das drogas, seja para o universo paralelo dos entretenimentos, que estimulam a construção de uma realidade virtual. Doentia, porém, eficaz em alienar as mentes daquilo que realmente interessa.

3. Que as certezas só podem surgir através das dúvidas – já discorri neste livro sobre como a Bíblia permite e estimula o questionamento sadio. Perguntas sérias e honestas levam a resultados positivos, questões vazias atraem para o fosso.

A capacidade de duvidar de si mesmo é sem dúvida uma das maiores contribuintes para o desenvolvimento humano, na dosagem certa ela melhora nosso desempenho emocional, pois nos estimula à busca constante e nos faz ter uma noção real de quem somos e quais são nossos limites. Einstein dizia que o mais importante é nunca pararmos de questionar. A dúvida e todas as questões que a vida apresenta podem determinar o grau de maturidade emocional que temos diante de nossa própria existência humana. A dúvida, em última instância, determina o grau da nossa sabedoria!

4. Resultados [podem surgir] somente através das experiências – neste ponto eu afirmo, porém ultrapasso o contexto do experimento laboratorial, acadêmico ou mental. Fora dos limites da razão humana quero falar de uma experiência transcendental, que apenas o que experimenta pode dizer como é.

Certeza não é conhecimento

Um erro que, a meu ver, muitos cometeram no passado foi afirmar que conhecimento e certeza estariam em pé de igualdade mental. O artigo de Gettier oferece boas argumentações contra esse pressuposto. Muitos, no entanto, ainda insistem em dizer que a certeza é o conhecimento claro e seguro de algo. Logo, a menos que tenham explorado todas as possibilidades, jamais poderão fazer uma afirmação segura. Mas onde estaria a justificativa para tal afirmação? Este para mim é um ceticismo intelectualmente injustificado! Certezas não implicam veracidades absolutas ou exatidão.

Quer um exemplo? Alguns físicos teorizam (embora não haja nada que evidencie isso) que existam infinitos universos paralelos, mas por esta forma de pensar eu jamais poderia afirmar nem duvidar disso, pois não explorei todo o cosmo e além dele para ver se realmente existem infinitos universos paralelos. Sendo assim, a certeza de que eu sou um sujeito com duas pernas, dois braços e uma cabeça é ilusória, pois não explorei todas as possibilidades para verificar, por exemplo, que não sou uma cabeça dentro de um aquário, vivendo num universo paralelo, cheia de tubos e mantida viva por um computador maluco que me estimula a pensar que tenho um corpo. Raciocínios assim são uma completa forma de *nonsense*. Diga para alguém picado por marimbondo que a dor é apenas uma projeção de sua mente! Repare que os que assim pensam igualam conhecimento com certeza. Se for assim, tudo o que eles falarem também pode ser questionado e jamais respondido. Um diálogo desta natureza termina andando em círculos e qualquer tentativa de conhecer qualquer coisa se torna pueril.

Vejamos mais uma ilustração: imagine que seu amigo tenha na mão uma caixa com 100 cartões de papel, todos vermelhos. Ele então coloca todos os cartões numa urna de loteria e começa a girar. Você tem certeza de que ele tirará um cartão vermelho, pois é isso que a lógica lhe diz. Você tem, em outras palavras, uma certeza absoluta. Mas espere: suponhamos que você não tenha tido oportunidade de olhar cada um dos 100 cartões para ver por si mesmo que todos são vermelhos. E se houver um branco naquele meio? Mais ainda, suponha que o sorteio seja feito à noite e você não ficou o tempo todo vigiando a urna para saber que ninguém de fato mexeu nela introduzindo cartões verdes e amarelos no meio dos vermelhos. Sendo assim, sua certeza nunca será absoluta, pois sempre existirão possibilidades que fogem ao seu controle e conhecimento.

Duvido, porém, que se alguém lhe oferecer um carro para acertar a cor do cartão sorteado, você preferirá não responder ou dirá verde ou amarelo. Você responderá com convicção: "Vermelho"!

Aprecio averiguar as evidências – por isso batizei meu programa de TV com esse nome. Contudo, não posso confundir dúvidas saudáveis com questionamentos *ad infinitum* que não levam a nada senão a uma enganosa busca por evidencialismos.

Neste sentido, há algo muito pessoal e sério que gostaria de compartilhar com você. Estou cansado de ver pessoas se tornarem neuróticas porque se contentam com respostas erradas ou inadequadas para as mais importantes questões da vida. Elas se contentam com refúgios sociais (casamento, carreira, dinheiro, hedonismos) que terminam por fazê-las infelizes de tanto querer ser felizes. Estão tentando saciar a sede com água salgada. Não dá certo. O mar é belo e serve para muitas coisas, mas não para matar a sede.

Se as dúvidas não seguem junto a uma relação pessoal com o transcendente, elas poderão potencializar neuroses e demências como aquelas vistas num mundo acadêmico repleto de grandes cérebros, infantilmente aprisionados a vícios ordinários que destroem sua saúde, sua alma e sua autoestima.

Lev Tolstói foi, sem dúvida, o maior novelista russo de todos os tempos. Autor de clássicos como *Guerra e paz*, ele se tornou um dos escritores mais lidos no mundo inteiro. Autor premiadíssimo. Ele morreu em 1910 e, apesar da genialidade literária, teve uma existência diversas vezes tomada pela dor e pelo desespero emocional. A dificuldade em saber qual o real sentido da vida quase o levou ao suicídio. Nada para ele fazia sentido, de modo que a morte talvez fosse a única resposta para sua inquietação.

Até que Tolstói encontrou dentro de si um estranho senso da existência de Deus que o levou a prosseguir. Veja o que ele escreveu:

Enquanto o meu intelecto estava trabalhando, algo em mim estava trabalhando também, e me impediu de agir [...] posso chamar de uma consciência da vida, que era como uma força que obrigou minha mente a seguir em outra direção e me tirar da situação de desespero [...] Meu coração se manteve definhando com outra emoção consumidora. Não posso chamar isso de outro nome que não de uma sede de Deus. Este desejo de Deus... veio do meu coração.[75]

Tolstói chegou perto. Nos momentos mais desesperadores de sua vida, ele encontrou um novo valor e significado na existência motivada pela "consciência da vida", pelo "desejo por Deus". Essas expressões descrevem a mesma experiência universal da humanidade, que Calvino chamou de *divinitatis sensus*, o senso de Deus. Mas para não ser confundido com um mito ou um fantasma é preciso ter certeza de quem ele é.

Testemunho pessoal

Quando se desenvolve uma relação pessoal com aquele que eu chamaria "Autor da vida", as dúvidas persistem, mas passam a ser circunstanciais, e a certeza torna-se linear. Essa certeza que vem da relação com Deus não é uma crença intelectual baseada na possibilidade de existir alguém lá em cima. É uma comunhão contínua que, por conseguinte, possui evidências de sua realidade e não se limita a elas. É um sentimento que assume legitimamente caráter irrefutável. Ainda que alguns duvidem dele, será real para aquele que o possui.

Eu mesmo já experimentei esse sentimento, mas fica difícil explicá-lo com números, dados ou equações. Talvez uma parábola me ajude a explicitar, ainda que parcialmente, o que sinto. Imagino-me (ou sinto-me) como um garoto que sabe que é amado por seu pai. Há muitas coisas da vida que ele não entende. As noções de apreço ou repreensão paternas nem sempre são claras para aquele que recebe o elogio ou o castigo. Se o pai, porém, é bom e amável alguma explicação existe, ainda que o filho desconheça. O escuro não lhe dá medo, pois, ainda que o candeeiro não permita ver com clareza o rosto de seu pai, a voz rouca contando uma história antes do sono o faz saber que não está sozinho, mesmo depois que o pai se ausentar para seu quarto e apagar a chama. Em situação de perigo, basta gritar por socorro: seu pai está ali ao lado.

---

[75] Tolstói apud William James. *The Varieties of Religious Experiences: A Study In Human Nature* (Nova York: Modern Library, 2002), p. 174.

A história que ele conta toda noite é longa e precisa ser dividida em vários capítulos, que se tornam tão empolgantes quanto a relação entre pai e filho. A cada final, um suspense para o que será contado no outro dia. A cabeça da criança fica cheia de dúvidas: "Como será que o capitão se livrará do Pirata? Onde será que estaria o tesouro perdido que eles estavam procurando?". São perguntas que permanecem, mas não lhe tiram o sono – pelo contrário, estimulam seu espírito a supor possibilidades e esperar ansiosamente o momento em que o pai continuará revelando o enredo.

É assim, nesta parábola, que ilustro minha relação emocional e mental com a dúvida e a certeza. Não sei todas as coisas; e se pretender sabê-las, estarei me revelando o maior dos ignorantes: aquele que nem sabe que não sabe.

Se a ciência fala de "verdades provisórias" eu também falo de "verdades presentes", revelações divinas que podem ser próprias ou mais relevantes para uma época e não para outra. Isso explica as diferenças de pensamento entre verdadeiros cristãos ao longo do tempo. Também ajuda a entender a existência de valores e comportamentos que não são ideias, mas foram circunstancialmente tolerados pela Providência assim como um pai tolera o filho que faz xixi na cama porque ainda é recém-nascido, mas não espera que o faça quando estiver com 20 anos.

Assim, reconheço que não ficaremos para sempre como crianças ternamente colocadas na cama por nossos pais. A natureza urge para que cresçamos e um dia tenhamos de sair de casa e dormir sozinhos. Porém, apenas na aparência. A voz do velho pai continua ecoando na memória, dando-nos a certeza de que somos amados, e, ainda que os brinquedos dos adultos sejam mais caros, e os machucados mais profundos, não somos órfãos de Deus!

Não sou ingênuo a ponto de pensar que todos apreciarão o exemplo dado. Posso imaginar as críticas que alguns estejam fazendo. Entenda o que eu disse como a descrição simbólica de um sabor exótico que experimentei. Minha descrição parabólica não será eficaz a menos que o leitor experimente a mesma sensação, sem nenhum tipo de anestesia palatar, e decida a partir disso se está diante de algo bom ou ruim. Garanto que nunca será algo irrelevante.

Supondo que a admissão de um desejo não ofende ninguém, eu apreciaria muito se alguém lendo isso desse uma chance para Deus se manifestar em sua vida, dando-lhe as certezas de que precisa. Aquele que eu chamo de "Autor da vida" está mais interessado em salvar você do que uma mãe de tirar o filho de uma casa em chamas. Agora, como dizem os ingleses: "It is up to you"!

Capítulo 9
As origens do ateísmo

Como nasceu o ateísmo? Quando ocorreram os primeiros questionamentos à existência de Deus? Pergunto porque, ao que tudo indica, na história humana o sentimento de fé é anterior à noção de descrença. Mesmo porque, é preciso primeiro se afirmar algo para então duvidar dele. É uma questão de lógica, e não somente isso. Mesmo pensadores assumidamente descomprometidos com qualquer crença religiosa admitem que a percepção mental do Sagrado ou da magia antecipa o ceticismo na história da evolução humana.

Mas vamos com calma. Não quero criar discórdias desnecessárias com leitores céticos já no primeiro parágrafo. Sei que não é tão simples assim. Não se trata de dizer quem veio primeiro, "o ovo ou a galinha". Mesmo porque, num contexto apologético, é de se esperar que ambos os discursos, da fé e do ateísmo, reivindiquem para si a anterioridade no sentimento humano. Isto faria do adversário um fenômeno secundário, não natural, algo que veio depois e, portanto, não faz parte da essência humana. Foi artificialmente imposto a ela.

Por outro lado, os evolucionistas otimistas, que leem a teoria de Darwin como sinônimo de progresso constante, argumentam que o que vem depois é sempre melhor do que o que havia antes, pois é a evolução de um princípio primitivo.

A discussão sobre isso é longa, com inúmeras propostas, e não quero cansar você com um histórico detalhado de todas elas. Esta é uma "breve" história do ateísmo – apenas para contextualizar nosso assunto e permitir um posicionamento racional acerca dele.

Tema tabu

Para começo de conversa, o ateísmo é um desses fenômenos sociais difíceis de mensurar historicamente. Dizer quando e por que ele começou não é tarefa fácil, principalmente por se tratar de um assunto tabu. Ateus são muitas vezes tidos por imorais, perigosos, delinquentes. Um estereótipo, convenhamos, sustentado por generalizações e preconceito cegos.

Talvez foi por estereótipos assim que tive tanta dificuldade em achar uma bibliografia adequada sobre o assunto. Mas minha busca encontrou bons resultados. Um dos livros mais completos que achei, descrito como um "resumo" de 762 páginas, foi A *história do ateísmo*, de Georges Minois. Segundo o autor, livros que tratam do tema são tão raros que o mais completo deles, publicado em quatro volumes, foi editado nos anos 1920 na Alemanha e nunca mais atualizado. Trata-se da obra de F. Mauthner, *Der Atheismus und seine Geschichte im Abendlande* [O ateísmo e sua história no Ocidente]. Mais um livro que apreciei muito foi *Do ateísmo ao retorno da religião*, escrito pelo teólogo francês Denis Lecompte[76]. Bem menos denso que o de Minois, ele é importante por apresentar o assunto de maneira distinta, mas igualmente honesta.

Porém, para não transformar este texto numa tediosa resenha de publicações sobre o assunto, deixe-me apenas dizer que houve ainda alguns outros materiais muito interessantes que me ajudaram na formulação deste capítulo. Estes citarei apenas em nota[77].

Pré-história

Normalmente a Pré-história é entendida como aquele período anterior à invenção da escrita e do uso dos metais, denominado pela arqueologia e pela antropologia como Idade da Pedra. A interpretação desse período vai depender do *background* cultural de cada pesquisador.

É que, em termos gerais, muitos entendem que o ser humano é o resultado de um processo evolutivo, contínuo, a partir de formas primitivas, enquanto outros, geralmente religiosos, acentuam que há um hiato, um salto qualitativo muito grande entre o homem e os animais que não pode ser explicado por transformações sucessivas, mas pela diferença entre ambos. Portanto, não é a existência do homem pré-histórico e sim sua natureza que divide opiniões.

Qual seria, pois, a singularidade desse gênero *homo*? Talvez aquilo que uns chamam de consciência "mítica", outros "religiosa", poderia estar no cerne

---

76 Denis Lecompte. *Do ateísmo ao retorno da religião: Sempre Deus?* (São Paulo: Loyola, 2000).

77 D. Berman. *A History of Atheism in Britain: from Hobbes to Russell* (London: Routledge, 1990); M. J. Buckley. *At the origins of modern atheism* (New Haven: Yale University Press, 1987); A. McGrath. *The Twilight of Atheism: The Rise and Fall of Disbelief in the Modern World* (London: Rider Books, 2004); James Thrower. *A Short History of Western Atheism* (London: Pemberton, 1971). Outra referência ainda mais antiga, da qual infelizmente não consegui qualquer acesso, é um livro publicado há mais de três séculos, em 1663, cujo título é *Scrutinium atheismi historico--aetiologicum* [Investigação histórico-etiológica do ateísmo], de Spitzel.

da distinção humana e, portanto, mereceria ser estudado como uma das mais importantes características de nossa raça. Afinal, desconheço qualquer pesquisa comportamental em que alguém conseguiu tirar a banana de um primata (seja ele orangotango, chimpanzé ou lêmure) sob a promessa de que ele receberá infinitas bananas depois da morte. Esse tipo de barganha que troca o agora pelo porvir eterno parece funcionar só com seres humanos. Inclua-se ainda o fato de que somos os únicos, em meio à natureza, a exigir singularidade.

O próprio Thomas Huxley, considerado o "buldogue de Darwin", embora advogasse com fervor a estreiteza genealógica entre o homem e os símios, concluiu seu famoso livro *O lugar do homem na natureza*[78] com uma nota sobre a necessidade humana de encontrar um lugar que lhe seja essencialmente único. Em outras palavras, conforme admissão recente do primatólogo Frans de Waal, desde o bípede implume de Platão até o animal moral de Richard Wright, continuamos como humanidade tentando achar aquilo que nos torna singulares, aquilo que nos faz sentir especiais no universo e nos torne livres da ideia de sermos apenas animais[79].

Se essa distinção é real ou fictícia falaremos em outro momento. Por ora, a questão que interessa é: Seria possível encaixar na linha evolutiva do *Homo erectus*, *Homo-faber*, *Homo sapiens*, a figura adicional do *Homo religiosus* (o que crê) ou do *Homo scepticus* (o que duvida)?

Um pouco de antropologia

Desde a era Darwin, os antropólogos amam dar nomes difíceis para os supostos ancestrais da raça humana, e a lista genealógica muda quase como atualizações de aplicativos. Em todo congresso surge uma nova proposta, e não é difícil perceber ideologias políticas, filosóficas e governamentais por detrás tanto de quem defende a ideia como dos que reagem a ela. Não estou falando de teoria da conspiração. Quem lida com o mundo acadêmico sabe que essas coisas existem!

Quer um exemplo? Hoje é muito comum falar que o homem moderno evoluiu da África, mas, nos anos 1960 isso era inadmissível para grande parte dos antropólogos. O motivo da resistência estava na agenda racista de acadêmicos de renome da época. Em 1962, só para citar um caso, o antropólogo americano Carleton Coon, famoso professor de Harvard, afirmou: "Se a África foi o berço

---

78 Disponível em <http://www.gutenberg.org/ebooks/2931>. Acesso em: 13/08/2017.

79 Frans de Waal. *Eu, primata: por que somos como somos* (São Paulo: Companhia das Letras, 2007).

da humanidade, não passou de um jardim de infância como qualquer outro. A Europa e a Ásia foram realmente nossas principais escolas"[80].

Assim como ele, uma grande leva de antropólogos sociais preferiu falar de um poligenismo a uma origem única da humanidade. Essa ideia de que todos viríamos de um mesmo casal de ancestrais parecia coisa de criacionistas tentando defender a estória de Adão e Eva. Para eles, os seres humanos evoluíram de modo independente em diferentes regiões do planeta, pelo que consideravam legítimo falar em "raças humanas", assim mesmo, no plural, classificando-as, inclusive, em superiores e primitivas.

Sei que alguém poderia dizer: "Mas isso é coisa do passado, as teorias mais recentes já superaram esse discurso racista". Será? Não estou tão seguro disso. Para mim, a genialidade do discernimento temporal não é interpretar a história apenas quando ela se torna passado. É preciso perceber o movimento do tempo enquanto podemos ser testemunhas dele, e não especialistas do que já se foi.

O fato é que a paleoantropologia, isto é, o estudo dos chamados hominídeos, seus fósseis e as evidências deixadas por eles, revela-se um amontoado particularmente complexo de hipóteses isoladas, atualizáveis e, em parte, bem contraditórias entre si.

Esqueça, portanto, aquela figura bonitinha do seu livro de biologia em que a sequência evolutiva é vista de modo linear como se o *Homo ergaster* desse origem ao *Homo erectus*, passando depois para o *Homo habilis*, o *Australopithecus*, o *Neandertal* até chegar ao *Homo sapiens* e ao homem moderno (*sapiens*)[81]. Pior ainda quando esse desenho vem sob o título "Ancestrais do ser humano". Tal tipo de imagem faz persistir a falácia linear de que aquelas figurinhas antropomórficas que estão ali são modelos mais antigos de nós mesmos. Não há base alguma para essa afirmação.

Interessante que quando eu via essa imagem na pré-adolescência eu já me perguntava: "Onde está a mulher nessa linha? Os homens se transformaram uns nos outros assim de uma hora para outra?". A pergunta pode ser ingênua, mas não deixa de ter sentido. Primeiro porque não basta um casal de primatas para garantir a evolução, pois os descendentes também devem ser férteis e acasalar

---

80 Carleton S. Coon. *The Origins of Races* (New York: Alfred A. Knopf, 1962), p. 656.

81 O *Homo sapiens sapiens* é considerado uma subespécie do *Homo sapiens*. As características do *Homo sapiens sapiens* são as que definem o homem moderno. No entanto, desde algum tempo essa denominação deixou de ser usada, uma vez que se descartou o nexo filogenético entre o *Homo neanderthalensis* e o ser humano de hoje em dia. Mas como nossos estudos a partir do DNA estão ressuscitando essa proposta, é possível que a expressão volte a aparecer nos livros didáticos.

entre si ou com parceiros geneticamente compatíveis, o que torna o caso mais complicado do ponto de vista probabilístico. Segundo porque a ausência da mulher não deixa de ser suspeita. Seria este um exemplo de ideologia na ciência? Teríamos aqui um caso de misoginia inconsciente dos primeiros teóricos do evolucionismo? Deixo a pergunta em aberto para que você conclua por si mesmo.

Quebra-cabeça evolutivo

Voltando ao assunto da taxonomia desenhada pelo evolucionismo, as mais recentes propostas dizem que o *Homo sapiens* é a espécie sobrevivente do gênero *Homo*, mas não a única a ter existido. Acredita-se que houve outras que foram se extinguindo com o tempo e o difícil é saber quais delas foram ou não ancestrais do *Homo sapiens*.

Os que advogam a teoria da substituição dizem que a incompatibilidade entre o *Homo sapiens* e os demais grupos fez com que ele evoluísse de modo independente e fosse o único a resistir, ao passo que os demais foram extintos. Por outro lado, existem o que preferem acreditar numa miscigenação das antigas espécies, de modo que o *Homo sapiens* procriou com outros grupos humanoides, como os *neandertais* e o *Homo erectus*. Isso teria acontecido paralelamente, de modo que, ao mesmo tempo em que surgia na África uma linhagem humana descendente de *sapiens* e *erectus*, nascia outra na Europa, fruto da mistura de *sapiens* e *neandertais*. Deste modo, africanos e europeus seriam aparentados, mas não constituiriam uma mesma raça humana.

A polêmica sobre esse assunto ainda permanece. Não existe qualquer consenso acerca de quais grupos deveriam ou não ser considerados espécies em separado e sobre quais deveriam ser subespécies umas das outras. Em alguns casos, isso se dá pelo exagero de afirmações feitas com base numa lacuna de evidências que é a escassez de fósseis que pudessem validar a teoria. Em outros, por causa das diferenças mínimas usadas para distinguir espécies no gênero *Homo* – outro assunto ainda em discussão.

Recentemente, novos estudos sobre DNA têm colocado mais lenha na fogueira. Vários antropólogos temem que a comprovação de uma teoria da miscigenação possa trazer de volta a pandora do racismo ao afirmar uma significativa diversidade genética entre as populações humanas atuais.

Agora imagine a dificuldade, neste cenário nada unificado, de se estabelecer uma teoria para a origem da crença e da descrença humana que seja realmente objetiva (do ponto de vista científico) e agrade a todos. Tarefa difícil, para não dizer impossível.

Subjetivismo em alta

O tema das origens se torna mais delicado quando se percebe que os estudos clássicos neste sentido – tanto os que advogam quanto os que negam a anterioridade da fé – baseiam-se em indícios escassos – fósseis, ferramentas de pedra, pinturas rupestres, que, por sua vez, são interpretados de modo subjetivo por parte do pesquisador moderno.

Por um bom tempo, a partir dos anos 1960, a Nova Arqueologia, também chamada processualismo, buscou com intensa energia encontrar regularidades no comportamento humano que pudessem ser medidas com rigor científico. A abordagem positivista era o sonho de consumo dos arqueólogos, antropólogos e também da sociologia.

Mas os anos 1980 trouxeram consigo um profundo questionamento às pretensões processualistas de se tornar uma ciência exata. Alicerçados nos trabalhos de Ian Hodder, Michael Shanks e Christopher Tilley, esse novo movimento, chamado pós-processualismo, seria uma corrente de diversos segmentos contrários ao processualismo, reveladores da realidade que a interpretação arqueológica e antropológica ainda dissertava de maneira subjetiva, pois o que a verdade apurava a partir do registro arqueológico era muitas vezes relativa ao ponto de vista do pesquisador responsável por escavar os fósseis e apresentar os dados.

O registro rupestre, por exemplo, é uma daquelas facetas com que o arqueólogo pré-histórico se depara no decorrer de suas atividades e que implica maior subjetividade nas diferentes tentativas de análise e interpretação do que estaria por detrás daqueles símbolos. Afinal, seus autores não estão mais vivos para explanarem o que quiseram dizer com aquilo. Já vi a mesma figura rupestre interpretada diferentemente como calendário, cena comum de caça e ritual de iniciação. E o pior é que todas foram tratadas como conclusões científicas a despeito das divergências subjetivas de seus pesquisadores.

Todo esse esforço interpretativo era fruto de uma cooperação entre arqueologia e sociologia, tentando resolver o problema do hiato temporal entre nós e a Pré-história, por meio de observações sistemáticas atuais de comunidades ditas "primitivas" como os esquimós do Alasca e os aborígenes da Austrália.

Importantes teóricos como Émile Durkheim, Lewis Binford e Claude Lévi--Strauss lançaram mão desse método analítico.

Porém, fora a temerária permanência de um discurso racista e colonialista na interpretação dessas culturas – Foucault já alertara quanto a isso, temos ainda o problema do anacronismo e da subjetividade na análise da cultura material. A assimilação de um suposto pensamento de povos pré-históricos a partir do pensamento de grupos éticos atuais ditos "primitivos" é um pulo teórico bastante contestável.

Quer alguns exemplos adicionais de discrepância na análise dos dados? John Lubbock (1834-1913) estudou atentamente povos "primitivos" da Austrália e da Terra do Fogo, concluindo que a humanidade seria basicamente ateia em suas origens, isto é, que o conceito de divindade veio apenas mais tarde na evolução humana[82]. Já Edward Taylor (1832-1917), analisando as mesmas evidências, chegou a uma conclusão contrária, dizendo que o homem é essencialmente religioso desde suas origens e que o animismo seria a forma original de religiosidade humana[83].

Antropologia da religião

Depois de ler longamente os resultados de várias pesquisas sobre religião e o homem "primitivo" (embora eu não aprecie muito essa expressão), resolvi tomar minha posição sobre esse assunto, abdicando num primeiro momento de minhas pressuposições religiosas. O objetivo é tentar ver que conclusões ou hipóteses eu poderia levantar a partir da cultura material disponível, caso eu não tivesse a Bíblia como fonte de informação.

Tal exercício ajuda a iniciar diálogo num campo comum com aqueles que possuem uma cosmovisão diferente da minha. Além disso, me permite criar uma antropologia da religião, ainda que provisória, assumidamente pessoal e esclarecedora de meu pensamento. Eis as conclusões a que cheguei.

1. Não posso assumir uma postura de desprezo em relação a tudo o que se publicou sobre o assunto. Caso contrário, corro o risco de cair numa atitude

---

82 John Lubbock. *The Origin of Civilization and the Primitive Condition of Man: Mental and Social Condition of Savages* (Cambridge: University Printing House, 2014).

83 Edward Tylor. *Primitive Culture* (1871). Disponível em <https://archive.org/details/primitiveculture01tylouoft>. Acesso em: 13/08/2017.

anti-intelectualista e anticientífica. Contudo, há boas razões para ser no mínimo cauteloso ao fazer inferências a partir de materiais ágrafos ou da comparação entre modernas sociedades caçadoras-coletoras e o homem pré-histórico.

2. Está claro, a despeito das divergências interpretativas, que o homem pré-histórico era um ser que abstraía significado espiritual das coisas. Quer seja de uma forma mágica, religiosa ou mítica, ele era definitivamente um ser espiritual ou, pelo menos, "espiritualizante", pois não se contentava com o sentido meramente físico das coisas.

3. De fato, vestígios de religiosidade existem entre os povos primitivos. Ainda que revelados em forma de superstições, magias e rituais animistas esses elementos são a expressão clara de um senso do Sagrado. Se houve mesmo uma "revolução" cognitiva da humanidade eu não sei. Também não posso afirmar cientificamente a realidade de uma revelação divina, mas que a religião parece nascer em conjunto com as primeiras abstrações do *Homo sapiens*, disso não tenho dúvida. O homem pré-histórico (seja ele quem for) passou a crer a partir do momento em que passou a pensar.

4. A tentativa de se negar o caráter religioso ou espiritual dessas evidências talvez esteja na ambiguidade fundamental de qualificar como ateu ou não religioso tudo aquilo que fuja da concepção moderna e ocidental de "religiosidade". Antigas culturas podem ignorar a nossa concepção de Deus, mas isso não significa que não tivessem uma ideia própria do Sagrado.

5. Alguns indícios levam a crer que a mentalidade pré-histórica era monista, mas não conforme o monismo clássico que conhecemos hoje. O homem daquela época não distinguia entre natural e sobrenatural, entre o culto e o trabalho. Havia uma recorrente dedicação da atividade comum à divindade, em reconhecimento à sustentação da vida. Religião e trabalho eram uma coisa só para ele, o que não quer dizer que não soubesse a diferença entre o comum e o Sagrado, entre o santo e o profano. O homem pré-histórico apenas conseguia ver algo que hoje já não é mais admissível na sociedade: o conceito de mundo físico como reflexo de realidades espirituais.

6. Há elementos suficientes para advogar uma qualificação imaterial de certas relações entre o homem e o universo que o rodeava. A clássica evocação do *fascinans* e o *tremendum*, isto é, do fato de estar "fascinado" e de "tremer" diante do Sagrado, é lógica para classificar o sentimento das comunidades pré-históricas.

7. Considerando que as marcas de rituais sagrados estão em toda parte, não é difícil admitir a universalidade de um sentimento religioso nos povos primitivos. Devo, porém, admitir que qualquer tentativa de querer com isso provar uma revelação original de Deus seria, num primeiro momento, um raciocínio abusivo.

8. Se houve mesmo uma gradação evolutiva conforme a teoria de Darwin, a atividade religiosa – contrária ao que afirmam alguns ateus modernos – não foi impeditiva da evolução, pelo contrário, impulsionou-a. Quer tenha surgido no Mioceno ou no Paleolítico superior – conforme as hipóteses que li, o fato é que ir ao topo de uma pedra para oferecer sacrifícios não tornou o clã menos apto à sobrevivência do que o seria se limitassem seu comportamento à caça e a colheita.

9. Pode-se até conjecturar que o sentimento religioso visto na Pré-história seria uma página ultrapassada da evolução e que agora não precisamos mais desse sentimento. Será? Quando ouço antropólogos evolucionistas descrevendo em detalhes a suposta cena de um grupo humano primitivo usando ópio, dançando em torno de uma fogueira e prestando devoção a um feiticeiro e um totem, não posso deixar de imaginar outra cena: alunos daquele mesmo professor correndo, depois da aula, para uma balada muitas vezes regada a maconha e álcool, devotando sua existência a um cantor famoso e a totens modernos como marcas de carro, seriados, filmes, roupa e celular. Ultrapassamos a religião ou apenas mudamos o objeto de culto, mantendo, porém, o rito? Algo a se pensar.

Espero, sinceramente, que esta última análise não ofenda você, que se identificou com a cena descrita. Foi apenas uma leitura social. Afinal, se interpretamos com facilidade a sociedade alheia, não devemos nos ofender de interpretarem também a nossa. Se o homem primitivo tinha uma consciência mítica, o de hoje tem um fascínio pela ficção e pelo marketing. Os totens mudaram de forma, mas continuam os mesmos.

Antes recorria-se ao guru, hoje vamos atrás dos especialistas em mercado, dos descolados, dos midiáticos. Tudo como uma espécie de soro contra o não afeto e a efemeridade da existência. Como nossos ancestrais, queremos com ritos modernos saciar em pequenas porções nossa sede de sentimentos bons. A cada semana uma nova coleção na vitrine, nova temporada do seriado, novas tendências no mercado da moda. Um restaurante recém-inaugurado no centro, um filme legal que estreia nos cinemas. O que seria isso senão seres humanos agindo como fiéis no templo do consumismo?

Não quero, contudo, fazer disso uma tese. Foi apenas uma digressão ou provocação mental, sem pretensões sistemáticas. Afinal de contas não quero ser criticado por cair no mesmo erro processualista a que fiz menção poucas linhas atrás. Não obstante, você há de concordar comigo que usamos com facilidade as coisas, mas não temos a mesma naturalidade para refletir sobre elas e o que significam. O uso parece natural, mas a reflexão tem de ser provocada.

E o ateísmo?

Estou ciente de que as conclusões anteriores parecem não abrir espaço para o ateísmo na Pré-história. De fato, se trabalho apenas com os elementos antropológicos que a arqueologia me traz, fica difícil encontrar evidências de ceticismo ou ateísmo nessa fase da história humana.

Temos indícios apenas daquilo em que se acreditou, mas não daquilo que se negou e, mesmo que o tivéssemos, para que a negação se consolide na história, é necessário que haja antes o elemento a ser negado. É por isso que, na lógica aristotélica, uma proposição ontológica negativa dificilmente será provada.

Fica, é claro, a possibilidade de que as interpretações dadas estejam todas erradas e as externalizações pré-históricas nada tenham a ver com o Sagrado. Mas se assim for, esse sentimento não poderia ser chamado de ateísmo, pois não havia nenhuma divindade para ser negada. Muito menos ceticismo, pois não havia nada para ser descrito.

Além disso, permanece a pergunta: De onde veio o sentimento humano de busca pelo Sagrado? Em que momento e por que ele irrompeu na trajetória da humanidade? Seria uma imposição social como supôs a proposta marxista? Ou uma necessidade do inconsciente como disse Freud? Seja como for, ainda que as implicações religiosas na Pré-história estejam insuficientemente sistematizadas e o estudo antropológico da indiferença espiritual seja inexistente, não vejo problema em admitir teoricamente que o questionamento às crenças religiosas já estivesse presente nas sociedades primitivas.

Se me permitem usar por um instante a Bíblia, é possível perceber no testemunho do Gênesis que a apatia e oposição a Deus já eram vistas desde o princípio da história humana. Caim, os pré-diluvianos, a mulher de Ló, os habitantes de Sodoma são todos representantes de uma antirreligiosidade, ou, pelo menos, de um antagonismo àquela religião revelada por Javé. É claro que a descrição é pejorativa, mas, ainda assim, válida para afirmar que até a Bíblia reconhece o ceticismo e a heterodoxia nos primórdios da humanidade.

Capítulo 10
Ateísmo na Antiguidade

Como foi dito no capítulo anterior, não é tarefa fácil traçar uma cronologia linear do pensamento ateísta. O que se pode dizer é que desde longo tempo já existiam descrentes no mundo, embora fossem sempre uma minoria quase anônima. Daí a dificuldade de mapeá-los na história. Um exemplo clássico foi Jean Meslier (1664-1729), ateu convicto, que permaneceu padre e celebrou missas até o final de sua vida, em 1729. Não me surpreenderei se houver muitos outros Mesliers ocultos na história.

Outro dado importante é que, ao falar de ateísmo na Antiguidade, temos de cuidar para não cometer erros de anacronismo, isto é, transferir artificialmente um dado comportamento para um tempo e realidade que não lhe dizem respeito. Por isso, não se pode descrever a descrença dos antigos de maneira indiscriminada, sem nenhum rigor. Ao apresentá-la, é importante que se explique em que sentido seus proponentes poderiam ou não ser classificados como "ateus".

Poucos talvez saibam, mas no passado os primeiros cristãos foram, oficialmente, declarados ateus pelo império Romano e, por isso, proibidos de exercer sua fé religiosa.

Quem dá essa informação é Atenágoras, crudito cristão de Atenas, que escreveu no segundo século uma apologia ao Imperador Marco Aurélio chamada *Legatio pro Christianis*. O motivo da acusação de ateísmo não era porque os cristãos não aceitassem a existência de Deus, mas porque desprezavam os deuses greco-romanos.

Essa, aliás, foi a mesma acusação sofrida 600 anos antes por Sócrates, um dos maiores pensadores da cultura grega. Ele foi condenado a beber veneno, porque havia corrompido a juventude ao questionar a eficácia e a moralidade dos deuses do Olimpo.

Há ainda que considerar que o ateísmo é uma, mas não a única forma de questionamento de Deus. Temos também os desdobramentos do agnosticismo, deísmo, panteísmo e outras formas de ceticismo que não negam diretamente a existência de uma divindade, mas desconfiam fortemente da descrição da teologia proposta pela igreja. Neste capítulo, exceto por uma breve menção à Mesopotâmia e ao budismo, nosso foco ficará apenas na história clássica ocidental, por questões de objetividade do tema.

O ceticismo de Pirro e Homero

Se hoje devemos ter cuidado em definir alguém como ateu convicto imagine no passado. Vamos pensar no caso de Pirro. Muitos o tratam como pioneiro do ateísmo, com o que eu discordo. Ele viveu em Élida, oeste da Grécia, entre os séculos 4 e 3 a.C. Fez parte do exército de Alexandre, o Grande, e foi um dos primeiros filósofos céticos, fundador da escola pirrorista.

O ceticismo de Pirro, porém, era contra toda forma de dogmatismo, até daquele que descria. Ou seja, muitos que hoje afirmam sem qualquer dúvida que Deus não existe não teriam o apoio dele. Sua postura intelectual estava mais para o agnosticismo empírico que para o ateísmo como entendido hoje. Se Pirro tivesse vivido no século 21 e fosse inquirido acerca da existência de Deus, provavelmente diria que a concepção de um universo criado por um ser transcendente é algo lógico e possível. Porém, também é possível imaginar um cosmo solitário e materialista. Como ambas as hipóteses são verossímeis, mas não verificáveis, é impossível afirmar uma coisa ou outra.

Veja, no entanto, que interessante a visão questionadora de Deus que encontramos em outros textos da Antiguidade Clássica. Nas famosas *Ilíada* e *Odisseia* de Homero, compostas no século 9 a.C., os deuses são descritos como corruptos, vãos, caprichosos e egoístas – seres que, mesmo cultuados, não merecem respeito. Perceba que, embora o autor demonstre acreditar na existência das divindades, exalta mais o heroísmo humano que as desafia e as vence em diferentes situações.

Por isso o poema, em vez de enaltecer o panteão do Olimpo, destaca os heróis humanos e semi-humanos como Ulisses, Aquiles, Agamenon, Heitor e Páris. Salvaguardadas as peculiaridades de cada tempo, arrisco dizer que a literatura homérica foi a primeira grande obra humanista da história ocidental.

O Antigo Oriente

Para representar o mundo do Antigo Oriente, eu elegeria o épico de Gilgamesh. Embora suas origens retrocedam ao segundo ou terceiro milênio a.C., as cópias que temos vêm do século 7 a.C., da biblioteca de Assurbanipal, rei da Assíria.

Portanto, estamos no contexto da Antiguidade Clássica. Ali, semelhante aos textos homéricos, o protagonismo da história recai sobre heróis humanos ou semi-humanos como Enkidu, Utnapishtim e o próprio Gilgamesh. Novamente, percebe-se o poder dos deuses e a predominância humana a despeito disso.

A saga se resume nisso: Gilgamesh era um poderoso rei de Uruk, protegido pelo deus Sol, que se tornou cruel e despótico para com seu povo. Num ato de extrema tirania ele obrigou o povo a construir uma gigantesca muralha em torno de sua cidade. Amedrontados e fatigados, os cidadãos clamaram à deusa Ishtar, que enviou Enkidu para salvá-los. Este herói vivia nas florestas e nada sabia a respeito do homem nem do cultivo da terra. Era o símbolo máximo do ser incivilizado. Seus cabelos longos e emaranhados são descritos no texto como sinal de personalidade rude e mais primitiva.

Ele deveria desafiar e vencer Gilgamesh em um duelo, mas, em vez disso, tornou-se amigo do rei. A amizade de ambos os levou a diversas aventuras, destruindo monstros e harmonizando o mundo. Porém, Ishtar sentiu ciúmes dessa amizade e tentou seduzir Gilgamesh, sabendo que aquele que a amasse morreria. Esse, porém, não aceitou ser seu amante, pelo que ela, em ódio, envenenou Enkidu, infligindo a ele uma doença que o deixou agonizando por dias antes de morrer. Com a perda do amigo, Gilgamesh resolveu ir atrás de novas aventuras, até encontrar Utnapishtim, um homem imortal que lhe revelou a trama divina contra a humanidade: em tempos remotos os deuses decidiram inundar a terra de Shuruppak com um terrível dilúvio. Apenas ele, com algumas pessoas e animais que ele mesmo salvou, conseguiram escapar da enchente, fruto de um capricho dos deuses. Os homens faziam muito barulho e atrapalhavam sua sesta.

Tal construção de argumentos fez o assiriólogo William L. Moran concluir que estamos diante de um verdadeiro relato humanista da antiga Suméria[84]. Ali se pode ver uma insistência tanto nos valores, quanto na limitação do gênero humano. O caráter dos deuses não é descrito de maneira piedosa e o protagonismo do homem em desafiá-los é emblemático.

Budismo: um caso à parte

Não se pode traçar um quadro completo da história do ateísmo, ainda que resumido, sem passar pelo budismo. Não que se trate de um movimento

---

[84] William L. Moran. "The Gilgamesh Epic: A Masterpiece from Ancient Mesopotamia", in *Civilizations of the Ancient Near East*, v. 4, Jack M. Sasson (ed.) (New York: Scribner's Sons, 1995), p. 2.327-2.336.

necessariamente ateísta, afinal de contas continua sendo um seguimento religioso. Contudo, distingue-se em muitas coisas dos cultos tradicionalmente teístas e animistas.

O budismo nasceu no norte da Índia, atualmente o Nepal, no século 6 a.C., com Siddhartha Gautama, mais tarde cognominado Buda (o Iluminado). Ele era um rico príncipe pertencente à família dos *Śākyas* que deixou tudo para buscar a iluminação.

De acordo com seus biógrafos, não era intenção de Buda converter ninguém. Seu intuito era iluminar as pessoas com seus ensinamentos, frutos de sua própria experiência, e deixar que elas mesmas experimentem a luz por si.

Hoje o budismo se espalhou por lugares como Índia, Ásia, Ásia Central, Tibete, Sri Lanka, Sudeste Asiático, bem como China, Myanmar, Coreia, Vietnã e Japão. Embora em menor escala, ele também pode ser encontrado na Europa, na África e nas Américas.

Mas seria o budismo uma religião realmente sem Deus? A resposta é não, por vários motivos. Primeiro vem a questão de ser ou não o budismo uma religião ou apenas uma filosofia de vida. Eu, particularmente, enxergo como religião, pelo menos nas formas que vemos sua prática nos dias de hoje. Digo "formas" porque o budismo está longe de ser um seguimento uniforme. Ademais, as divergências em torno do que realmente Buda ensinou são mais distintas que as ramificações do cristianismo em torno dos ensinos de Jesus.

Além disso, ainda que Siddhartha pretendesse criar um caminho espiritual sem Deus, sentir-se-ia frustrado diante do que se tornou o seu movimento. No antigo Ceilão (atual Sri Lanka) e em Burma (República de Myanmar), ainda há muitos budistas que assumem os ensinamentos daquela forma antiga, tradicionalmente vinculada ao Buda. Porém, no Tibete, na China e em outros países, o budismo tem se tornado uma religião de "muitos 'deuses' e muitos 'senhores'". Buda prometeu tornar o homem livre através do conhecimento. Mas para muitos homens o conhecimento não é o bastante. Eles se sentem na necessidade de adorar, de modo que os deuses foram trazidos de volta para dentro de uma religião que tinha começado pela pretensão de viver à margem de qualquer tipo de divindade.

É claro que se você perguntar a um budista se Deus existe ele dirá que você precisa ver isso por si mesmo. O conceito básico de um Deus eterno, autossuficiente e independente não aparece nos escritos de Buda. Entretanto, embora se esquivem em falar de um Deus pessoal, os budistas não negam sua existência, pois não creem poder afirmar coisas sem comprová-las na prática. Por isso eles preferem dar orientações, e não crenças, embora, às vezes seja difícil diferenciar entre uma coisa e outra. Portanto, é comum dizer que o budismo está mais para religião não teísta do que ateísta, pois não faz menção a nenhuma divindade, porém não nega a existência de nenhuma delas.

O paradoxo de Epicuro

É impossível fazer esse levantamento sem falar de Epicuro. Ele não era necessariamente ateu, mas descria na existência de um Deus preocupado com os seres humanos. Sua filosofia está mais próxima do que Voltaire chamaria no futuro de deísmo – um Deus que existe, é responsável pela existência do universo, mas não se importa com ele.

Um paradoxo atribuído a Epicuro, que voltaremos a comentar, explica por que, em sua concepção, é impossível crer num Deus bom e poderoso, uma vez que lidamos com o problema do mal. Ou Deus quer abolir o mal e não pode; ou ele pode, mas não quer. Se ele quer, mas não pode, ele é impotente. Se ele pode e não quer, ele é cruel. Se nem quer nem pode, é invejoso e impotente: portanto, nem sequer é Deus. Mas se Deus tanto pode quanto quer abolir o mal, como pode haver maldade no mundo? Por que razão é que não os impede?[85]

Império Romano

Dos tempos de Roma, extraímos as figuras de Cícero e Lucrécio, dois grandes pensadores que viveram no século 1 a.C. É claro que o ateísmo como conhecemos hoje também não se encontra presente neles, pois seus deuses também possuem certa forma de "existência", embora muito afastada dos homens. Talvez seria melhor chamá-los de deístas. Contudo, esses dois personagens são reveladores, pois mostram que questionamentos a Deus ou às imagens distorcidas de Deus já é algo que vem de longa data. Afinal todos esses autores não

---

[85] A fonte "original" desta citação está numa obra cristã do século 4 produzida por Lactâncio, o que alguns consideram uma atribuição errada do teólogo cristão. Ela ecoa mais a linha de Carneades que a do epicurismo. Seja como for, ela está na obra *De Ira Dei* 13, 20-21. Cf. William Fletcher, in *Ante-Nicene Fathers*, v. 7, Alexander Roberts; James Donaldson; A. Cleveland Coxe (eds.) (Buffalo: Christian Literature Publishing Co., 1886). Revisado e editado eletronicamente para New Advent por Kevin Knight. Disponível em <http://www.newadvent.org/fathers/0703.htm>. Acesso em: 11/12/2017.

pareciam se revoltar com outra coisa senão a propaganda religiosa que a elite financiava, a fim de sustentar a injustiça e o domínio impiedoso dos povos.

Lucrécio, por exemplo, dizia que a religião era algo inventado pelos líderes para estar a serviço do terror. Cícero, por sua vez, grande advogado e estadista dos dias de Júlio Cesar, entrou em crise existencial depois da morte de sua filha Túlia. Ele então escreveu um livro "sobre os deveres" no qual defendeu que os homens são livres e não devem nada aos deuses. Esses seres divinos não têm o controle algum da história. Nada na vida é certo e seguro, tudo está nas mãos do acaso, não há como fugir disso.

Idade Média

Devido à hegemonia eclesiástica nos tempos medievais, é praticamente impossível encontrar ali pensadores declaradamente ateus ou grupos organizados sob esta bandeira. Se houve, foram poucos e discretos. Metafísica, religião e teologia eram os temas de maior interesse entre os pensadores.

Porém, fragmentos de correntes contrárias ao teísmo oficial da Igreja podem ser vistos nessa época, como, por exemplo, o ceticismo cuja doutrina defende a impossibilidade de se alcançar o "verdadeiro conhecimento", e o naturalismo, segundo o qual quem governa o mundo são apenas as forças naturais. Todos, é claro, vieram do mundo greco-romano.

Acrescente-se a isso o surgimento de algumas concepções heterodoxas do Deus cristão. Elas, de certa forma, conseguiram conviver com a teologia oficial de Roma, embora incluíssem em seu bojo ideias bastante particulares como as definições sobre a natureza, transcendência e cognoscibilidade de Deus. Autores como João Escoto Erígena, David de Dinant, Amalrico de Bena e os Irmãos do Livre Espírito mantinham pontos de vista cristãos, mas com tendências panteístas.

Nicolau de Cusa sustentava uma forma de fideísmo que chamou de *docta ignorantia* (ignorância aprendida), afirmando que Deus está além da categorização humana e que o nosso conhecimento dele é limitado pela conjectura. Guilherme de Ockham inspirou tendências antimetafísicas com a sua limitação nominalista do conhecimento humano para objetos singulares e afirmou que a essência divina não poderia ser intuitiva ou racionalmente apreendida pelo intelecto humano.

Tempos modernos

Todo estudante de história sabe que as definições de períodos, como Idade Antiga, Idade Média etc., são atributos artificiais difíceis de mensurar milimetricamente. Ou seja, não houve um dia em que um europeu fosse dormir na Antiguidade e acordasse no Período Bizantino.

Assim, falamos por aproximação cronológica e conceitual, de modo que os tempos modernos começam com uma série de outros movimentos de singular importância como o renascentismo, o empirismo, a revolução científica etc. Ao que tudo indica, os movimentos ateus ou, pelo menos, desacordados com o teísmo eclesiástico oficial começam aos poucos a sair de seu anonimato e ganhar ares de publicidade.

Entre os séculos 15 e 16, por exemplo, temos o italiano Pietro Pomponazzi, que negou a imortalidade da alma e, ainda veladamente, a existência de Deus. Seu compatriota Maquiavel separou a política da religião e considerou esta última um instrumento do poder.

Nesta época, embora a palavra *atheos* já existisse no vocabulário grego antigo e até no da Bíblia Sagrada (Efésios 2:12), não havia um cognato que a descrevesse como seguimento ou escola de pensamento. Então surgiu no século 16 o termo *ateísmo*. Deve-se esclarecer, porém, que a ideia de um ateísmo positivista só seria sistematizada a partir do século 18, quando pensadores declaradamente descrentes em Deus começaram a ter certa influência política e filosófica, especialmente na Europa posterior à Revolução Francesa.

O que se nota é que o sentimento, mormente reprimido, tornou-se a partir de então um movimento declarado e quase um senso comum dentro de determinados grupos de pensadores. Sua força, no entanto, concentrava-se no território europeu.

A princípio, o intento desses intelectuais era denunciar apaixonadamente mentiras, desmandos e ilusões atribuídos ao cristianismo. Homens como Robespierre, Diderot, Holbach e Marx pretendiam libertar as mentes da influência esmagadora de uma religião que, na visão deles, oprimia e manipulava os povos. Mas o que realmente deu início a esses movimentos modernos da negação de Deus?

O Deus de Spinoza

Baruch Spinoza – nascido em 1632 em Amsterdã, falecido em Haia em 21 de fevereiro de 1677 – foi um dos grandes racionalistas do século 17 dentro da chamada Filosofia Moderna, juntamente com René Descartes e Gottfried Leibniz. Era de família judaica portuguesa e é considerado o fundador do criticismo bíblico moderno.

Sua metafísica é resumida na famosa frase em latim "*Deus, sive Natura*", que, traduzida, significa "Deus ou a Natureza". Há controvérsias se essas palavras deveras vieram dele, bem como se elas intentavam naturalizar Deus ou divinizar a natureza. Porém refletem a forma como ele via Deus na harmonia da natureza vivente, bem como seu pensamento inquisitivo em relação à Bíblia.

Em seu livro *Ética* e no *Tratado sobre a religião e o Estado*, ele delineia a sua concepção de um Deus despersonalizado e geométrico, contrária a todas as formas teológicas de então que viam o Criador como uma entidade, oculta e transcendente, que se revela e age conforme sua vontade soberana. Sua teoria não compartilhava a ideia de um Deus autocrático, que controla a tudo e a todos e se refugia em algum ponto distante da abóbada celeste.

Deus como base de sustentação e a condição subjacente da realidade como um todo. Um Deus imbuído da mais clara evidência e certeza racional; que se autoconstitui como causa de si e de todas as coisas; que se move em função de uma necessidade que lhe é intrínseca e gerada de sua própria essência, a rigor: por meio de processos mecânico-causais e de leis invariáveis, responsáveis pelo total funcionamento e ordenamento do mundo.

Há quem diga que a visão de Spinoza era panteísta, pois iguala Deus à natureza. Logo, ele não seria o criador do mundo, como afirmam as religiões monoteístas, nem o Motor Imóvel de Aristóteles, que a tudo movimenta. Igualmente por não haver uma separação entre corpo e espírito, como afirmou Descartes, Deus seria, nesta concepção panteísta, uma substância única, de modo que todas as coisas que existem seriam variações dos atributos infinitos dessa substância fundamental. Deus é o próprio mundo, Deus é a própria natureza. Nossa mente e nosso corpo finitos são apenas dois atributos dessa substância infinita. Para Spinoza, nós somos, vivemos e nos movimentamos em Deus.

Da mesma forma que aconteceu com Giordano Bruno, Spinoza foi condenado à fogueira por afirmar que o universo é infinito, igualando Deus à natureza. Antes disso, foi expulso da comunidade judaica e condenado ao ostracismo por afirmar que todas as coisas que existem são variações de uma única substância, que é o próprio Deus. Tanto a visão de Giordano como a de Espinosa, embora não sejam ateias, são, de fato, concepções panteístas da natureza. Algo, em princípio, inaceitável para tradição judaico-cristã.

Um abalo na história

No dia 1º de novembro 1755, ironicamente no "Dia de Todos os Santos", o feriado católico foi interrompido por uma das maiores tragédias da história. Foi em Lisboa, Portugal, por volta das 9h40 da manhã (horário local). A cidade foi quase que inteiramente destruída por um terremoto que os especialistas consideram ter alcançado 9 pontos na escala Richter. As regiões de Setúbal e Algarve também sentiram os efeitos sísmicos. Em seguida veio um *tsunami* com ondas de 20 metros de altura atingido até a costa dos Estados Unidos.

Some a isso tudo o fato de Lisboa ser uma cidade oceânica, com áreas de fácil inundação na parte baixa e péssimas condições de construção da época (a maior parte eram casebres de até sete andares). O porto, é claro, ficou submerso juntamente com o centro da cidade de Lisboa.

Nas áreas não atingidas pela inundação, irromperam-se incêndios incontroláveis que duraram pelo menos cinco dias. Os prejuízos foram incalculáveis. Estimativas somam entre 10 e 90 mil o número de pessoas mortas em decorrência da catástrofe.

O terremoto, não obstante, trouxe bem mais do que mortes e destruições físicas. Houve também um abalo filosófico cujas proporções não podem ser medidas pela escala Richter. Do outro lado da Europa, Voltaire, já com duas dezenas de obras publicadas, sentiu o chão de suas convicções tremer juntamente com os efeitos sísmicos.

Onde estaria o grande Criador, Ser Supremo, de bondade e misericórdia, que largou a esmo o mundo deixando tudo isto acontecer? Castigo, dirão alguns! Se é um castigo divino; que se penalizem todos, e não apenas uma parte.

A catástrofe portuguesa realmente fez ruir as concepções que Voltaire tinha do mundo e, na sua genialidade, ele terminou se tornando o precursor de outros questionamentos que certamente vieram como consequência de sua própria decepção com Deus.

Tal coisa, dizia ele, jamais poderia acontecer se a Terra fosse, como até então se pensava, fruto da criação de Deus, regulada por princípios de ordem, cuidado e harmonia. Voltaire, então, responde à desilusão com a mesma força com que esta se apoderara dele.

Para isso usa Cândido (1759), personagem fictício de uma comédia romântica que Voltaire preferiu assinar com o pseudônimo de Monsieur le docteur Ralph (Senhor Doutor Ralph). A Igreja Católica é o principal alvo da obra, através da qual o filósofo francês demonstra com humor que, após o terramoto que assolou Lisboa, só mesmo alguém muito ingênuo, muito cândido, poderia continuar a acreditar que vivia num mundo de bem, regido por bondade e misericórdia.

Num poema intitulado "Sobre o desastre de Lisboa", Voltaire escreveu:

Ó infelizes mortais, ó terra deplorável.
Ó ajuntamento assustador de seres humanos!
Eterna diversão de inúteis dores!
Filósofos alienados que proclamam: "Tudo vai bem".
Venham contemplar essas ruínas horrendas,
esses destroços, esses farrapos, essas cinzas malditas,
essas mulheres e essas crianças amontoadas sob mármores partidos,
seus membros espalhados.
Cem mil desafortunados que a terra devora,
que sangrando, dilacerados, e ainda palpitando,
enterrados sob seus tetos, sucumbem sem socorro,
no horror de tormentas findando seus dias!
Diante dos gritos de suas vozes moribundas,
do horror de suas cinzas ainda crepitantes,
vocês dirão: é a consequência de leis eternas
que um Deus livre e bom resolveu aplicar?!
Vocês dirão, vendo esse amontoado de vítimas:
Deus vingou-se, e a morte deles é o preço de seus crimes?!
Que crime, que falta cometeram essas crianças esmagadas
e sangrentas sobre o seio materno?
Lisboa, que não mais existe, teria mais vícios
que Londres, que Paris, submersas em delícias?
Lisboa está destruída e dança-se em Paris.
Espectadores tranquilos, intrépidos espíritos,
contemplando a desgraça desses moribundos,
vocês procuram – em paz – as causas do desastre.
Tudo vai bem – dizem vocês – e tudo é necessário.

*Por acaso o universo, sem esse abismo infernal,
sem submergir Lisboa, estava sendo pior?*[86]

Voltaire não se tornou ateu. Ele continuava crendo na existência de Deus. Porém, não mais em seu cuidado paternal. Antes seu pensamento, à semelhança de Newton, concebia um universo mecânico que obviamente exigia a existência de um grande engenheiro idealizador de todas as engrenagens cósmicas[87].

O relógio, figura de linguagem usada por Voltaire, demanda a imagem de um relojoeiro cósmico que origina tudo que existe. Contudo, um detalhe passou por seus olhos na ilustração e só veio à tona a partir de uma reflexão sobre a tragédia de Lisboa. O relojoeiro pode fazer o relógio e abandoná-lo. Basta que se dê corda e o mecanismo funcionará por si mesmo. Assim nasceu o deísmo, da ideia de um Deus que dá corda no universo e o deixa funcionado sem intervir em seu mecanismo. Ele fez e abandonou.

A catástrofe foi motivo para equacionar várias outras questões sobre religião, ciência e fé. Novos conceitos filosóficos surgiam buscando encontrar qual o papel do homem na história deste mundo. As grandes interrogações que se punham, pelo menos na Europa das Luzes, poucas décadas antes da Grande Revolução de 1789, eram a prevalência (ou não) da vontade divina e a margem de manobra que o homem tinha para decidir o seu devir. Em síntese – Deus e o homem, quem decide o quê?

Sistematização da descrença

Se analisarmos o ateísmo como uma posição filosófica explícita e sistematizada então devemos dar um salto na história e localizar não suas raízes, mas pelo menos o seu desenvolvimento ou inspiração nas ideias tardias de René Descartes, John Locke e George Berkeley – embora eles também não fossem necessariamente ateus.

Todos esses autores citados, do mesmo modo que os mais antigos, começaram por criticar a imagem de Deus que advinha de uma teologia corrupta como aquela que nasceu na Idade Média, mas ainda tinha sua influência na Idade Moderna.

A Queda da Bastilha, o Iluminismo e a Revolução Francesa foram emblemáticos neste período de transformações mentais. Mais tarde vieram outros como

---

86 Apud Edward Paice. *A ira de Deus* (Alfragide: Casa das Letras, 2008), contracapa.
87 Voltaire. *Tratado de metafísica*. 2. ed. (São Paulo: Abril Cultural, 1978).

Feuerbach, Marx, Darwin, Nietzsche e Freud num crescente rompimento cada vez mais aberto com a religiosidade, especialmente aquela de raízes judaico-cristãs.

Um desdobramento ainda mais radical das ideias originais queria ultrapassar os limites da denúncia e fundar um humanismo oficial, absoluto. Muitos desses pensadores estavam convictos de que baniriam a religião do Ocidente, e a Europa parecia validar esse anseio.

Ao adentrar os limites do século 20, era impressionante o número de igrejas que eram fechadas por falta de membros. A teologia advinda da Alemanha tornara-se cada vez mais liberal e influenciadora de importantes escolas na Europa e nos Estados Unidos. Os sociólogos finalmente respiravam os ares de que finalmente a humanidade fundaria um sistema de governo que fosse o verdadeiro paraíso na Terra, deixando para trás formas opressoras como o feudalismo, a monarquia e, na era marxista, o capitalismo. Sua utopia era a fundação de uma sociedade que devolveria ao homem a liberdade racional que a fé lhe roubou. Este era exatamente o projeto de Feuerbach e seus sucessores.

Era realmente uma convicção ateísta e social que animava os herdeiros do humanismo e positivismo de Comte. A religião realmente parecia fadada ao fracasso. Mas a Segunda Guerra Mundial parece ter frustrado esses prognósticos. O desencanto com a tecnologia e os governos fez os sentimentos religiosos ressurgirem como a fênix, embora bem diferentes do que eram antigamente. Então vieram intelectuais batendo de frente com o ceticismo, alguns bem anti-humanistas, outros nem tanto. Nomes como Chesterton, C. S. Lewis, Tolkien, Teilhard de Chardin começaram a fazer parte da lista de acadêmicos sérios que ainda se apegavam à ideia de Deus.

Assim, a concretização de um paraíso 100% humanístico ficou só na teoria. Deus e os anjos recusaram bater asas e ir embora. O mundo, a despeito das novas propostas neoateístas, continua majoritariamente crente em algum tipo de divindade. O placar está quase 9 a 1 para o teísmo. Vamos comemorar? De jeito nenhum. O expressivo percentual de teístas no mundo, desgraçadamente, não parece oferecer vantagem alguma.

Afinal, se crer em Deus é algo realmente virtuoso, e descrer é um chamariz para castigos, o mundo deveria estar melhor por estar lotado de crentes, certo? O fato é que o planeta está um caos. Ele não parece mais bem gerido por governantes religiosos. Quanto maior o número de religiões, maior o número de guerras, atentados, disputas, corrupção e violência. Será que realmente o ateísmo tem aqui um ponto a favor de seu discurso?

Capítulo 11
Quando crentes viram bandidos

Dizem por aí que contra números não há argumentos. Essa é uma bandeira defendida por muitos estatísticos. Contudo, deve-se levar em conta que a objetividade dos números pode contemplar mais de uma conclusão e, inclusive, induzir ao erro. "Torturem os números que eles confessam" – dizia o título de um livro sobre o exagero e o mau uso da estatística, escrito por Pedro Nogueira Ramos[88].

Lembro-me, por exemplo, de um militante antirreligioso que tentou argumentar, com um exemplo à brasileira, usando uma fala semelhante à de Sam Harris acerca de os presídios terem mais religiosos que ateus cumprindo pena[89], ou seja, os criminosos estão mais no time dos crentes que dos descrentes. Ele então citou uma pesquisa coordenada pelo sociólogo Clemir Fernandes segundo a qual os evangélicos são *incontestavelmente* o grupo mais numeroso e disseminado nos presídios, especialmente do Rio de Janeiro.

O estudo de fato existe, embora não publicado, e tive acesso a ele[90]. O problema é que quem citou o trabalho não mencionou três importantes conclusões a que o próprio grupo de pesquisa e seu coordenador chegaram.

1. Os números mostram que esta predominância acompanha o crescimento populacional dos evangélicos no Brasil, conforme dados do IBGE. O censo de 2000, comparado ao de 2010, revelou um aumento de 61% daqueles que se diziam evangélicos. Trata-se, portanto, de um reflexo populacional, e não uma evidência de que crentes são mais perigosos que ateus.

2. Os dados revelaram ainda uma mudança no perfil dos presidiários, coincidente com o aumento significativo de evangélicos ali. O ambiente, apesar de

---

88 Pedro Nogueira Ramos. *Torturem os números que eles confessam: sobre o mau uso e abuso das estatísticas em Portugal, e não só* (Coimbra: Almedina, 2013).

89 Sam Harris. *Letter to a Christian Nation* (New York: Alfred A. Knopf, 2006).

90 Clemir Fernandes Silva; T. Duarte; R. Santanna; A. L. J. Rodrigues. *Assistência religiosa em prisões do Rio de Janeiro: um estudo a partir da perspectiva de servidores públicos, presos e agentes religiosos* (2015).

ainda conter rebeliões, é sensivelmente menos tenso, tanto para presos como para funcionários.

3. Muitos desses presos se "convertem" durante o cumprimento da pena e isso também decorre do acentuado trabalho que evangélicos fazem nos presídios com o fim de arrebanhar fiéis. Logo, o aumento da população carcerária evangélica também é um reflexo do trabalho social que tais agremiações religiosas fazem tanto nas periferias quanto nos presídios estaduais.

E tem mais, o fato de muitos se identificarem como evangélicos não significa que o sejam de fato. Um dos documentos que sempre se ajuntam aos inquéritos de um detento é o que o ministério público chama de FAP (Folha de Antecedentes Penais), em que há um resumo da vida pregressa do sujeito. Um dos campos é justamente se o preso tinha ou não religião antes de ser preso e que lugares costumava frequentar. Pode ter certeza de que é a minoria das minorias que realmente foi membro assíduo de uma religião no passado. Daí a evidência de que não é a religião que torna o sujeito um criminoso.

Ademais, o título de "convertido" lhe dá certos privilégios ligados ao "bom comportamento". É mais fácil para ele conseguir indulto de Natal, saídas especiais e até liberdade condicional. Fora o fato de que, como crente, ele pode pedir para morar na "ala dos irmãos" – um setor do presídio com risco bem menor de trazer danos à sua integridade física. Quanto à veracidade de sua "entrega a Jesus" – isso já é outra história.

Percebeu, portanto, o erro de se tomar apressadamente números e querer dizer coisas com eles? As cadeias refletem números sociais semelhantes ao que vemos fora delas. Segundo dados do Levantamento Nacional de Informações Penitenciárias (Infopen), há muito mais jovens negros e pobres nas prisões que brancos e ricos. Porém, essa realidade não permite dizer que a cor da pele faz do sujeito mais perigoso ou menos honesto. Percentagens nem sempre validam aquilo que queremos dizer com elas. O estudo estatístico é muito bem-vindo, mas precisa ser tecnicamente elaborado para não induzir ao erro.

Estas observações, contudo, não eliminam outro dilema: vivemos num mundo, sem dúvida, numericamente dominado por religiosos ou, pelo menos, por pessoas que dizem crer em Deus. Os ateus são uma minoria que oscila entre 11 e 13% da população mundial dependendo da fonte e ninguém duvida disso[91].

Seria isso, porém, um motivo de comemoração nas igrejas? Estes dados merecem um culto de ação de graças pela vitória da fé? Em outras palavras, o mundo está melhor, por estar nas mãos de pessoas que se dizem crentes? A resposta parece ser um sonoro não.

Religiosos no comando

Em 1830, um jurista francês chamado Alexis de Tocqueville partiu para os Estados Unidos numa missão acadêmica e, ao mesmo tempo, político--diplomática: ele estava realizando uma pesquisa junto ao sistema penal norte--americano a fim de descobrir por que havia tão poucos crimes e tão poucas prisões. Nos Estados Unidos, na época, havia muito menos violência que na França, a qual, desde a Revolução Francesa, proclamara-se oficialmente um país ateu.

Junto a outro jovem jurista chamado Gustave de Beaumont, Tocqueville aportou em Newport, Rhode Island, no dia 9 de maio de 1831. Durante os onze meses seguintes, ele e seu companheiro fizeram um longo percurso de 7.500 quilômetros dentro do território americano, passando por 18 dos 24 estados que então compunham a União. Partindo de Nova York, foram ao Canadá e, em seguida, a Nova Orleans. Das margens do Rio Mississipi, seguiram para o norte, rumo a Washington, DC. Já em Nova York, novamente, tomaram um navio para a França, em 20 de fevereiro de 1832. No caminho, entrevistaram até mesmo dois ex-presidentes americanos.

Após vários meses de estudo, Tocqueville publicou em 1840 um livro intitulado *A democracia na América*, que foi traduzido para vários idiomas, entre eles, o português[92]. Ele concluiu que a importância que os americanos davam à religião e a uma vida pautada por normas bíblicas era, sem dúvida, o que fazia a diferença.

Ele escreveu:

---

91 Os números aparecem nas pesquisas de Phil Zuckerman (2007), Richard Lynn (2008) e Elaine Howard Ecklund (2010), de acordo com a ONU. Disponível em: adherents.com, *American Religious Identification Survey*, The Pew Research Center, Gallup Poll, *The New York Times*, Good, Nature, Live Science e *Discovery Magazine*>. Acesso em: 15/03/2018.

92 Alexis de Tocqueville. *A democracia na América: sentimentos e opiniões de uma profusão de sentimentos e opiniões que o estado social democrático fez nascer entre os americanos*. Tradução de Eduardo Brandão (São Paulo, Martins Fontes, 2004).

Procurei pela grandeza norte-americana em seus pontos amplos, nos seus extensos rios, em seus campos férteis e nas suas florestas sem fim, mas ela não estava lá. Procurei nas minas cheias de riquezas, no seu vasto comércio mundial, no seu sofisticado sistema de escolas públicas e nas instituições de ensino superior, e também não estava lá. Procurei então no Congresso democrático e na constituição americana e até ouvi discursos inflamados de justiça. Só aí entendi o segredo de sua força e o espírito do seu poder. Os Estados Unidos são grandes porque são bons; se algum dia deixarem de ser bons, deixarão de ser grandes.

O problema com essa declaração tão positiva e otimista em relação à América religiosa é que o cenário hoje está totalmente diferente, mesmo com a religião tão em alta naquele país. Sei que os mais conservadores dirão que a América de hoje não é mais como antigamente, quando a religião ocupava um papel fundamental na família. É verdade! A sensação que temos é exatamente essa. Contudo, os números – novamente os números – mostram que os americanos, mesmo com a evasão das igrejas, ainda são majoritariamente crentes em Deus.

Em um estudo de 2015, quase nove entre cada dez americanos diziam acreditar em Deus e 56% deles afirmavam que a religião teve um papel "muito importante em suas vidas", um número muito maior do que em qualquer outra nação desenvolvida[93].

Sendo assim, apesar da onda de secularismo crescente e da diminuição do compromisso religioso, os Estados Unidos ainda são um país predominantemente cristão. Logo, seguindo as conclusões de Tocqueville, os Estados Unidos deveriam ainda ser um país de princípios morais e baixa criminalidade. Mas o cenário corrente é bem diferente disso.

Os Estados Unidos são o 5º país mais violento dentre os 47 que estão na lista de desenvolvimento humano elevado. Ou seja: têm alto índice de desenvolvimento e, mesmo assim, são bastante violentos[94]. Washington, D.C., tem um

---

93 Disponível em <http://www.pewresearch.org/fact-tank/2015/12/23/americans-are-in-the-middle-of-the-pack-globally-when-it-comes-to-importance-of-religion/> e <http://www.pewforum.org/2015/11/03/chapter-1-importance-of-religion-and-religious-beliefs/#belief-in-god>. Acesso em: 17/03/2017.

94 Disponível em <https://professorlfg.jusbrasil.com.br/artigos/121931738/eua-e-o-quinto-pais-mais-violento-dentre-os-paises-mais-desenvolvidos>. Acesso em: 17/03/2017.

índice de homicídio por arma de fogo maior que a média brasileira[95]. Isso não faz sentido considerando se tratar de um país rico e religioso.

Se eu projetar essa situação americana para o resto do mundo, aí a coisa se complica ainda mais para os religiosos. Afinal, pode-se dizer que vivemos num mundo crente, e não num mundo ateu. Mas em que essa crença majoritária em Deus tem ajudado a melhorar o planeta?

Se for verdade que a religião e a crença em Deus enobrecem o caráter e edificam as pessoas, o mundo, por ter uma maioria religiosa e crente, deveria ser um lugar melhor para viver. Mas não é isso que vemos por aí. E, para piorar, os países mais religiosos são, hoje, os mais violentos. Como explicar isso?

Acabaremos com a Religião?

A essa altura do texto, você já deve ter percebido as implicações por detrás desses dados. Estaríamos melhor sob a égide da religião ou do ateísmo? O que é, afinal, melhor para a sociedade? Um ambiente religioso ou secular?

Cito novamente o caso de Jean Meslier, um padre francês que, revoltado com "os erros e abusos dos governos" e a "falsidade de todos os deuses e religiões do mundo", tornou-se ateu, mesmo celebrando missas e batizados até o fim de sua vida. Numa obra publicada postumamente por ninguém menos que Voltaire, o padre falava com muita força de seu último desejo: "Eu gostaria, e este será o último e o mais ardente dos meus desejos, que o último rei fosse estrangulado com as tripas do último padre"[96].

Por mais forte que sejam as palavras usadas, tanto a frase, como o "padre ateu" tornaram-se referenciais para iluministas posteriores, especialmente ligados à Revolução Francesa.

Denis Diderot foi um desses que, amenizando a violência original da frase, escreveram em linguagem poética que os homens serão livres quando ouvirem melhor a natureza e observarem como ela, com as próprias mãos, "arranca as entranhas do padre/ na falta de uma corda para estrangular os reis"[97].

---

95 Disponível em <https://www.citylab.com/equity/2013/01/gun-violence-us-cities-compared-deadliest-nations-world/4412/>. Acesso em: 17/03/2017.

96 Apud Paulo Jonas de Lima Piva. *Os manuscritos de um padre anticristão e ateu: materialismo e revolta em Jean Meslier* (Tese de doutorado em Filosofia: Universidade de São Paulo, 2004).

97 Denis Diderot. "Et ses mains ourdiraient les entrailles du prêtre, Au défaut d'un cordon pour étrangler les rois", in Les Éleuthéromanes avec un commentaire historique (Paris: Ghio,1884). Disponível em <http://pt.calameo.com/books/00010704468e2883c70c4>. Acesso em: 15/03/2018.

O Marquês de Sade, famoso *bon-vivant* do século 18, também dizia que "a religião é a fonte do despotismo"[98]. Logo, as pessoas iluminadas e esclarecidas deveriam se rebelar contra a religião através de sexo livre, sem nenhuma censura moral ou noção de pecado.

Ao olhar as propostas atuais, percebo que o apelo antirreligioso não ficou restrito ao iluminismo do passado. Em anos recentes, vários autores voltaram a defender a mesma proposta governamental de um mundo sem religião e sem Deus, ainda que muitos julguem isso pura utopia.

Richard Dawkins, aproveitando um dos versos da música *Imagine* de John Lennon, parodiou:

> Imagine um mundo sem religião, imagine nenhum homem bomba, nenhum 11 e setembro, nenhuma Cruzada, nenhum conflito na Irlanda do Norte, nenhuma guerra entre Israel e Palestina. Imagine nenhum Taleban para explodir as estátuas gigantes de Buda no Afeganistão.[99]

Robert Reich, ex-secretário do Trabalho americano no governo Clinton, também deu sua alfinetada ao dizer: "O maior perigo que enfrentaremos no século 21 não será o terrorismo, as epidemias patológicas, a pobreza, a fome ou as guerras, mas sim a crença religiosa"[100].

Não pense que o ataque se destina às formas extremistas de religiosidade. Para alguns proponentes, "religião sem fanatismo é uma impossibilidade lógica", conforme afirmou Timothy Shortell, professor de sociologia do Brooklyn College de Nova York. E ele continua:

> Todo aquele cujo pensamento for enclausurado por este tipo de prisão mental [*i.e.*, a religião] estará susceptível às mais extremas formas de ódio e violência. A fé é, por sua própria natureza, obsessiva e compulsiva. Todas as religiões fomentam sua própria forma de guerra santa. Aqueles cuja devoção é moderada são apenas fanáticos covardes [...] fé, em última instância, é raciocinar como uma criança.[101]

---

98 Marquês de Sade. *La Philosophie dans le boudoir*. Disponível em <https://beq.ebooksgratuits.com/libertinage/Sade_La_philosophie_dans_le_boudoir.pdf>. Acesso em: 17/03/2017.

99 Richard Dawkins. *Deus, um delírio*. Tradução de Fernanda Ravagnani (São Paulo: Companhia das Letras, 2007).

100 Apud Gale Heide. *Domesticated Glory: How the Politics of America Has Tamed God* (Eugene: Pickwick, 2010).

101 Disponível em <http://www.discoverthenetworks.org/individualProfile.asp?indid=2242>. Acesso em: 17/03/2017.

Sam Harris não teve medo de ser processado ao afirmar que:

> o mundo precisa agora de intolerância e não de tolerância [...] o grau em que ideias religiosas ainda determinam as políticas governamentais – especialmente nos Estados Unidos – representa um perigo para todos.[102]

Achou pouco? Numa fala pública, Harris chegou a dizer que se tivesse o poder mágico de fazer desaparecer um dos dois males, o estupro ou a religião, ele não hesitaria em fazer desaparecer a religião[103].

Confesso que às vezes fico sem entender o raciocínio de Sam Harris sobre religião e tolerância. Se você ler os escritos dele e de alguns outros renomados ateus da mesma linha (nem todos são assim, felizmente), verá um ataque descomunal aos extremistas religiosos por causa de sua intolerância para com os que discordam de sua doutrina. Por outro lado, ele também ataca os religiosos moderados por sua tolerância, por exemplo, famílias islâmicas vivendo na Europa ou na América.

Ao mesmo tempo que condena a religião por sua *intolerância*, ele próprio admite não tolerar nenhuma forma de fé. Se tivesse o poder nas mãos, acabaria com todas. Isso é tão paradoxal como se um pianista, por não suportar cantores de rock, fizesse uma campanha para acabarmos com toda forma de concerto. Será que ele percebeu que os pianistas também seriam atingidos por essa proposta? A despeito, porém, do paradoxo, a conclusão de Harris & cia. é óbvia: as crenças religiosas têm de ser combatidas para que a sociedade possa avançar. Que a religião termine para que a humanidade amadureça. Será?

---

102 Sam Harris. *The End of Faith: Religion, Terror, and the Future of Reason* (New York: W.W. Norton & Co., 2004).

103 Jörg Blech (October 26, 2006). "The new atheists: Researchers crusade against American fundamentalists", *Spiegel on-line*>. Acesso em: 20/05/2015.

Capítulo 12
A incoerência da fé

Sobre o fato de o mundo ainda ser maiormente religioso e mesmo assim perverso, deixe-me tecer alguns comentários breves sobre o cristianismo, que é a fé que professo. Acho muito "interessante", para usar um eufemismo, a postura incoerente de muitos cristãos neste século em que vivemos.

Por que expor aqui esse tipo de análise? Por dois motivos. Primeiro porque pela minha experiência com pessoas não religiosas, o que observei na maioria dos contextos que vivi foi que minha fé foi respeitada por colegas que não participavam dela. Sei que esta não é a experiência de todos. Há muitos religiosos hostilizados por descrentes e vice-versa. Talvez eu tenha tido mais sorte que alguns, não sei, mas o fato é que não me recordo de nenhuma vez em que fui chacoteado por tomar suco de laranja enquanto meus colegas tomavam cerveja. Eles pareciam conviver bem com minha abstinência alcoólica.

Havia uma coisa, porém, que eles não suportavam, e diversas vezes comentavam comigo: o assunto da incoerência. "Tudo bem que o fulano sabatista não possa se reunir no sábado para fazer o trabalho de grupo, por causa da religião dele. A gente muda para outro dia. Mas encontrar o mesmo fulano sexta feira à noite[104] numa balada agarrando uma menina, isso não dá para entender".

Isso é muito sério e talvez seja um grande motivo para muitos não quererem saber de igreja. Percebi que em muitas instâncias, nós, cristãos, não seremos criticados por aquilo que cremos, mas por aquilo que fazemos e deixamos de fazer. Para ser muito honesto com você, tenho cá meus receios de que os religiosos se tornem o maior argumento de muitos para não quererem saber de Deus. "Se Jesus é como você, ironizou um descrente, prefiro tocar na banda do anticristo".

A segunda razão por que faço essa análise é para que você veja que o cristianismo, pelo menos como entendo da Bíblia, admite e incentiva uma autocrítica. Não somos alienados. Relembro aqui o que disse nos primeiros capítulos quando abrimos o diálogo neste livro.

---

[104] Para boa parte dos que observam o sábado como dia sagrado, este começa não à meia-noite, mas ao pôr do sol de sexta-feira.

Não se trata de um texto acusatório. É, repito, uma *autocrítica* que faço e convido você a pensar nela comigo. Se se sentir melhor assim, digo aos que não são religiosos, imagine que estou pensando em voz alta e permitindo que você ouça. Ou, quem sabe, desabafando com um amigo.

Para os religiosos que me leem, entendam que não estou fazendo nada além de colocar em prática o próprio método bíblico. Afinal de contas o que constitui a maior parte da narrativa dos profetas, senão confissões de culpa coletiva, admoestações ao povo e anseio por mudança?

Se todo cidadão agisse como os profetas bíblicos em relação às questões sociais, talvez assuntos como drogas, violência e desonestidade fossem tratados de um modo diferente. Não seriam apenas números de estatística, muito menos remédio para sintomas.

Eles não se limitariam a mandar dependentes químicos para clínicas de tratamento. Assim, como quebraram os ídolos de Baal, baniriam das mídias todo incentivo ao uso de entorpecentes, seja por meio de um cantor famoso ou de uma atriz com carinha de anjo. Não teriam medo do politicamente correto. Ficariam firmes pelo que é ético ainda que caíssem os céus. Mas não temos uma nação de profetas e não é da sociedade comum que quero falar. Meu assunto, como disse, é o cristianismo e a autocrítica que faço dele.

Propagandas de Cristo

Se tem um negócio que, a despeito de crises, gera muitos resultados é a publicidade e propaganda. Um marketing bem-feito pode dar muito lucro, mas também muito prejuízo.

Há vários casos de empresas que perderam grande quantia de dinheiro por causa de um comercial que não saiu direito. Um caso, porém, não se deveu ao trabalho dos publicitários, mas ao garoto-propaganda. A gafe do protagonista lhe custou patrocinadores e muito dinheiro, mais de 1 milhão de dólares em prejuízo. Estou falando do nadador americano Ryan Lochte, que foi pego mentindo nas Olimpíadas do Rio 2016. Ele inventou um assalto à mão armada, apenas para esconder do público uma noite de farra fora do alojamento.

Quando estourou o escândalo, marcas parceiras caíram fora do patrocínio, entre elas a Speedo. O episódio feriu a credibilidade do atleta e causou problemas para o time americano. Nenhuma marca queria mais ser vista como patrocinadora do Pinóquio das piscinas.

Das Olímpiadas para Bíblia, não é muito diferente em relação ao cristianismo. O apóstolo Paulo declarou certa vez que os cristãos seriam "o bom perfume de Cristo" (2Coríntios 2:15). Não creio que esteja cometendo nenhum erro hermenêutico se disser que isso equivaleria hoje a dizer: "os cristãos são (ou deveriam ser) a boa propaganda de Cristo". Mas nem sempre é assim.

Não sou perfeito, mas procuro sempre me lembrar de que minha vida pode ser a única Bíblia que muitos leem fora da igreja e, dependendo da situação, isso pode não ser muito bom. Daí a responsabilidade daqueles que dizem crer em Deus.

Já ouvi falar que Gandhi dizia não ser cristão por causa dos cristãos. A princípio julguei ser frase de Internet, como as milhares falsamente atribuídas a Clarice Lispector, Einstein, Charlie Chaplin, John Lennon e outros. Mas depois de ver que vários biógrafos de Gandhi confirmam o dito, resolvi dar mais atenção a ele e me arrepiei ao ver o contexto que o envolveu.

Tudo começa com o trabalho de um missionário metodista, Eli Stanley Jones, que partiu para a Índia em 1907 a fim de pregar o evangelho. Ao chegar lá, ele se dedicou às classes mais baixas da população, incluindo os *dalits* – como faria posteriormente Madre Teresa de Calcutá. Por se envolver ativamente com grupos assistenciais, ele acabou fazendo amizade com muitos líderes do movimento de libertação da Índia, dentre eles, um certo Sr. Gandhi, que ainda não havia se tornado o famoso "Mahatma", isto é, a Grande Alma. Em várias de suas obras, mas especialmente o *Mahatma Gandhi: An Interpretation* (1948), é possível encontrar excertos de sua correspondência pessoal com o grande libertador da Índia. Sua franqueza ao falar do cristianismo é estarrecedora.

Mesmo sendo considerado um Billy Graham da Índia – um título, a meu ver, anacrônico –, Jones não escondeu o fato de que fora ali para pregar Jesus e saíra de lá com a sensação de que foi Gandhi quem o evangelizou, tornando-o um promotor do pacifismo. Tanto que Jones foi indicado em 1948 para o Prêmio Nobel da Paz por seu trabalho de reconciliação na Ásia, África, e entre o Japão e os Estados Unidos.

Veja o que Jones escreveu sobre o amigo e líder indiano: "Deus faz uso de muitos instrumentos; e Ele pode ter recorrido ao Mahatma Gandhi para cristianizar um cristianismo não cristão"[105].

Agora perceba o caos de um mau exemplo. Jones conta que uma vez Gandhi considerou se tornar cristão e chegou a frequentar uma igreja metodista, mas

---

105 E. Stanley Jones. *The Christ of the Indian Road* (London: Hodder & Stoughton, 1925), p. 86.

a igreja era feia, irmãos sonolentos durante o sermão... naquela atmosfera fria e indiferente, [ele] foi compelido a desistir de frequentar aquela igreja [...] – Aquela decisão que Gandhi tomou afetou o destino de quatrocentos milhões de pessoas na Índia.[106]

É que Jones pensava que, por causa de sua influência no país, se Gandhi houvesse se tornado seguidor de Jesus Cristo, talvez a Índia fosse hoje o maior país cristão do mundo.

Um episódio, ocorrido na África do Sul, em pleno regime do *Apartheid*, tornou a rejeição de Gandhi pelo cristianismo ainda mais acirrada. Os detalhes abaixo foram publicados na *Christianity Today*. Jones não conta todos os detalhes, mas aponta para sua historicidade:

> Quando [Gandhi] era um jovem advogado, ele ficou atraído pela fé cristã, pois tinha estudado a Bíblia e os ensinamentos de Jesus. Estava explorando seriamente a possibilidade de tornar-se um cristão, quando decidiu assistir a um culto em uma igreja local. Mas, assim que subiu os degraus, o ancião da igreja, um sul-africano branco, barrou seu caminho na porta.
> – Aonde você pensa que vai, *kaffir* [tratamento pejorativo dado aos negros e estrangeiros]? – perguntou o ancião em um tom de voz beligerante.
> Gandhi replicou:
> – Eu gostaria de assistir ao culto, aqui.
> Mas o ancião rosnou:
> – Não existe lugar para *kaffirs* nesta igreja. Fora daqui ou eu chamarei meus assistentes para atirá-lo escada abaixo[107].

Depois de um episódio desses, fica difícil dizer alguma coisa que amenize a situação, não é mesmo? Mas, ao que parece, Gandhi, embora negasse a possibilidade de se tornar um cristão, não perdeu a admiração pelos ensinos de Jesus, especialmente o Sermão da Montanha.

Quando ele e Jones se encontraram pela primeira vez, o missionário não hesitou em perguntar-lhe o que os cristãos poderiam fazer para que o cristianismo fosse mais naturalmente aceito na Índia, e não mais identificado com uma cultura de opressão, vinda de um governo estrangeiro. Veja o que ele respondeu:

---

106 E. Stanley Jones. *A conversão* (São Paulo: Imprensa Metodista, 1984).

107 O episódio é descrito em <http://www.christiantoday.co.in/article/mahatma.gandhi.and.christianity/2837.htm; veja também: E. Stanley Jones. *Gandhi: An Interpretation* (New York: The Abingdon Press, 1958), p. 73ss.

– Em primeiro lugar eu gostaria de sugerir que todos vocês, pastores, missionários e cristãos, vivessem mais à semelhança de Cristo. Que vocês pratiquem a vossa religião sem adulterá-la ou torcer a sua mensagem. Que vocês amem mais e enfatizem o amor, pois o amor é a mensagem central do cristianismo. Estudem mais a religião alheia e procurem por alguma coisa boa que possa existir nelas, no sentido de serem mais simpáticos com aqueles que são diferentes.[108]

Arautos ou palhaços?

Quando fazia o mestrado com os padres Jesuítas eu li o livro *Introdução ao cristianismo*, de Joseph Ratzinger, escrito antes de ele se tornar o papa Bento XVI[109]. Já na introdução, ele conta uma parábola descrita originalmente por Kierkegaard, um grande filósofo do século 19, sobre um palhaço e seu desafio de alertar a todos sobre um incêndio que começara.

> Certa vez houve um incêndio num circo ambulante na Dinamarca. O diretor mandou imediatamente o palhaço, que já se encontrava vestido e maquilado a caráter, para a vila mais próxima, para que buscasse ajuda, advertindo de que existia o perigo de o fogo se espalhar pelos campos ceifados e ressequidos, com risco iminente para as casas do próprio povoado. O palhaço correu até a vila e pediu aos moradores que viessem ajudar a apagar o incêndio que estava destruindo o circo. Mas os habitantes viram nos gritos do palhaço apenas um belo truque de publicidade que visava levá-los em grande número às apresentações do circo; aplaudiam e morriam de rir. Diante dessa reação, o palhaço sentiu mais vontade de chorar do que de rir. Fez de tudo para convencer as pessoas de que não estava representando, de que não era um truque e sim um apelo da maior seriedade: tratava-se realmente de um incêndio. Mas a sua insistência só fazia aumentar os risos, achavam excelente a sua performance – até que o fogo alcançou de fato a vila. Aí já era tarde, e o fogo acabou destruindo não só o circo, como também o povoado.

Na aplicação de Ratzinger, o palhaço seria um teólogo que tenta alertar ao mundo moderno usando uma roupagem medieval que não traz credibilidade alguma, ou seja, o desafio é apresentar ao mundo de hoje uma mensagem que

---

108 E. Stanley Jones. *Gandhi: An Interpretation* (New York: The Abingdon Press, 1958), p. 51,52.

109 Joseph Ratzinger. *Introdução ao cristianismo. Preleções sobre o símbolo apostólico* (São Paulo, Herder/Loyola, 1970), p. 9.

tem trajes e pensamentos da Antiguidade. Muito bem ponderado. Contudo, tomo licença para ir em outra direção. O problema da estória, a meu ver, não está com na mensagem nem na roupa, mas no mensageiro. Ele sempre se portou como palhaço, falou como palhaço, viveu de tirar gargalhadas das pessoas e agora que precisa falar sério, ninguém lhe dá atenção.

Assim também será comigo e com todos os que professam servir a Deus. Tomando novamente o cristianismo como estudo de caso: todas as vezes que falo de Cristo, mas não vivo como ele viveu, pareço um palhaço com uma mensagem certa. O fogo pode até ser verdadeiro e o perigo iminente, mas tudo não passará de uma grande piada.

Sei que existem os que zombam por puro amor da zombaria. São doentes emocionais que, por fugirem da responsabilidade, não conseguem levar nada a sério. Contudo, isso não olvida a realidade de que minha conduta pode fazer da cruz objeto de escárnio.

Citando um trecho do profeta Isaías, Paulo escreveu aos cristãos de Roma: "Como está escrito: O nome de Deus é blasfemado entre os povos, por causa de vocês" (Romanos 2:24).

Cristianismo sem Cristo

A primeira coisa que percebo, com muita tristeza, é que muitos se dizem seguidores de Cristo, mas nem sabem direito quem ele foi. Outros dizem amar a Jesus, mas odeiam esse negócio de igreja e a consideram uma péssima ideia. Há alguns anos houve um lema da juventude alemã, que chegou a virar tema de livro. Eles diziam "Jesus sim, igreja não". Nos Estados Unidos também é crescente o número dos que se adequam ao chamado *churchless christianity*, isto é, um cristianismo sem Igreja. Veja que curioso o título de um panfleto sobre política americana: "Eles odeiam o cristianismo, mas amam Jesus". Isso para mim soa como "eles odeiam jogar bola, mas amam o futebol".

Você já deve ter percebido que não vinculo moralidade a uma questão de crença, especialmente no sentido de que um ateu não possa ser considerado moral. Contudo, também não posso negar que a percepção de Deus ou a negação de sua existência modelam muito nossas atitudes e motivações. Uma pessoa que vive sem Deus não faz caridade pelos mesmos motivos de alguém que vive com ele. Ambos podem ser igualmente caridosos – disso não resta dúvida –, mas o arrazoado de um não será o mesmo do outro.

Agora, se posso ser muito honesto com você, o que temo não é tanto o ateu teórico – aquele que admite sinceramente não crer em Deus. Ele é honesto com sua descrença. O que me preocupa é o ateu prático – aquele que diz crer em Deus, mas vive como se Deus não existisse. A falta de honestidade neste segundo caso é muito perigosa, pois gera neuroses e incoerências comportamentais. Talvez seja por isso que, embora vivamos num mundo crente, as pessoas agem como se Deus não estivesse aqui desaprovando o comportamento delas.

Deixe-me reproduzir com minhas palavras uma parábola contada por Philip Yancey no livro *Perguntas que precisam de resposta*[110]: De modo muito poético, o autor se pergunta como seria uma sociedade que descobrisse para além de qualquer questionamento que não há Deus, não há céu, nem salvação eterna?

Tal sociedade entenderia que a vida é só essa e não há outra; logo, a juventude seria mais valorizada que a velhice, pois não há futuro melhor para ansiar, o esporte seria uma obsessão nacional, as capas de revistas exibiriam rostos sem rugas e corpos perfeitos, a imagem e a estética estariam acima da ética e o lema de todos seria "aproveite o dia de hoje antes que se arrependa" e a ética hedonista: "não resista às tentações, pode ser que não tenha uma segunda chance".

Yancey continua imaginando uma cidade com cada vez mais crimes, mais hedonismo, e maior medo da morte, pois este e o fim absoluto de tudo. Então ele termina de modo irônico, agradecendo por viver num país que, ao contrário daquela cidade, acredita em Deus, no céu e na salvação! Mas, como eu disse, ele foi irônico, pois é exatamente assim que nossa sociedade se encontra. A pergunta óbvia é: Vivemos realmente numa sociedade que professa sua fé?

O conhecido psiquiatra Karl Menninger escreveu um livro cuja tradução do título é "O que foi feito do pecado?"[111]. Nele o autor comenta a paradoxal atitude da modernidade em relação às questões morais. Ele observa que os desvios de comportamento atuais são estranhamente explicados ou justificados a partir de questões mentais ou psicológicas como se não existisse pecado. Os vícios não são mais combatidos, são tolerados e compreendidos.

Alguém violento, assassino, ladrão pode ser até um bandido, mas nunca um "pecador". Os mais emotivos dirão que o delinquente é sempre e simplesmente uma vítima da sociedade ou de traumas de infância. Mas nunca alguém que está "pecando" contra a lei de Deus. Isso, para o Dr. Menninger, era paradoxal

---

110 Philip Yancey. *Perguntas que precisam de respostas*. Tradução de Cláudia Ziller Faria (Rio de Janeiro: Textus, 2001).

111 Karl Menninger. *Whatever Became of Sin?* (New York: Hawthorn Books, 1973).

numa sociedade que se dizia religiosa. É como se as pessoas não mais pecassem, entende?! Esse livro foi escrito há mais de quarenta anos. Se o autor estivesse vivo hoje, ficaria mais perplexo ainda diante da crescente perda de valores morais. Especialmente nas igrejas.

Embora seja religioso, repito mais uma vez a visão nietzschiana da morte de Deus, se puder lê-la como o anúncio de uma morte circunstancial e filosófica. E vou mais longe! Concordo, honestamente, com o fato de que, em muitas instâncias, houve igrejas e agremiações religiosas que ajudaram a celebrar o culto fúnebre de Deus, como se ele houvesse mesmo morrido para seus membros.

Às vezes, vejo a indiferença espiritual e me pergunto: Não é exatamente isso que Nietzsche descrevia? Lembro-me do personagem louco que aparece no *A Gaia Ciência*, gritando angustiosamente pelas ruas: "Deus morreu! Deus morreu!". Aparentemente, ele era o único a se importar com isso. Desvairado, o louco adentra várias igrejas e ali entoa o seu *Requiem aeternam deo* ou "o descanso eterno de Deus". O *Requiem* era um tipo de missa fúnebre em latim. "Acompanhado até a porta e questionado energicamente, ele retrucava sem parar apenas o seguinte: 'O que são ainda afinal estas igrejas, senão túmulos e mausoléus de Deus?'."[112]

A impressão que fica é que, embora o mundo não tenha teoricamente comprado a proposta do ateísmo, aceitou "ativamente" que Deus não existe. Por isso agem como crianças travessas quando os pais não estão em casa. Aprontam, quebram e bagunçam, depois põem a culpa no gato da vizinha. Provavelmente seja esse o enfoque da pergunta de Cristo: "Quando vier o filho do homem achara fé na Terra?" (Lucas 18:8).

---

112 Friedrich Nietzsche. *A Gaia Ciência*. Coleção Obra-prima de cada Autor (São Paulo: Martin Claret, 2003). Aforismo 125.

Capítulo 13
Caça às bruxas

Em 1996, Nicholas Hytner dirigiu o filme *As Bruxas de Salém*, que fez muito sucesso, principalmente entre o público adolescente. Era uma história ambientada no século 17, quando meninas apaixonadas fizeram um feitiço e, sendo descobertas, foram acusadas de bruxaria. O que se segue dali em diante é uma série de histerismos e acusações em que muita gente inocente foi morta acusada de um crime religioso que nunca cometeu.

Poucos talvez saibam, mas a prática de caça às bruxas aconteceu mesmo e a história de Salém não foi inventada. De uma só vez, a pequena aldeia puritana acusou mais de 200 mulheres e alguns homens de serem feiticeiros, e, desses, pelo menos 20 cidadãos e cidadãs foram mortos queimados, enforcados ou por afogamento. Depois de algum tempo, o governo admitiu que matar essas pessoas foi um engano e até buscou maneiras de indenizar as famílias das vítimas, porém, tarde demais, a repercussão do processo dura até hoje.

De fato, qualquer questionamento ou descrença em relação a uma crença institucionalizada sempre foi visto de modo muito negativo, mesmo quando não se trata de ser ateu, mas apenas de descrer do credo oficial imposto. Neste sentido, os que mais sofreram nas mãos de autoridades religiosas foram os próprios religiosos que tinham uma compreensão diferente da fé.

Veja o caso dos cátaros, albigenses, dos seguidores de Pedro Valdo. Judeus foram vítimas da inquisição espanhola promovida por reis católicos, e a lista não para por aí. Há pouco tempo folheei um excelente livro de Frans Leonard Schalkwijk intitulado *Igreja e Estado no Brasil Holandês (1630 a 1654)*[113]. Ali o autor mostra como Domingos Fernandes Calabar, tratado como o mais vil traidor dos portugueses, foi por fim garroteado e esquartejado não por questões meramente políticas, mas por ter se convertido ao evangelho pregado pelos holandeses reformados. Para que ninguém saia impune, não posso deixar de lado o triste episódio envolvendo João Calvino, reformador protestante, e a

---

113 Frans Leonard Schalkwijk. *Igreja e Estado no Brasil holandês (1630 a 1654)* (São Paulo: Cultura Cristã, 2004).

execução na fogueira do médico Miguel de Servet, condenado em 1553 por não acreditar na Trindade.

E aqui, permita-me dizer, há uma imprecisão histórica de autores ateus como George Minois, que, a despeito de sua monumental obra historiográfica, afirma que os descrentes sofrem há séculos a perseguição de religiosos, o que constitui, hoje, "uma pesada herança passional [...] a palavra ateu ainda carrega um vago odor de fogueira"[114]. A imprecisão reside não no que foi dito, mas no que falta dizer. É que declarações como esta criam um quadro monolítico de crentes constantemente perseguindo descrentes que lutam pela liberdade de não crer.

Ora, quando se fala em fogueira e ateísmo, desconheço na história relatos processuais de perseguição em massa contra ateus ou condenações à heresia do ateísmo. Os mártires geralmente eram cristãos marginalizados e judeus que criam em Deus de um modo diferente daquele institucionalizado pela Igreja. Logo, se há também ateus neste meio, digo-lhes que são bem-vindos ao grupo dos perseguidos, contudo, saiba que eles não constituem a maioria, muito menos as únicas vítimas do sistema. Mesmo cientistas como Galileu e Giordano Bruno não foram condenados por seu ateísmo (pois eles criam em Deus), mas por sua visão de ciência. Se querem liberdade para descrer, devem igualmente lutar pela liberdade de religião que estes mártires corajosamente defenderam.

Por isso me preocupo com certas militâncias que de modo declarado ou subliminar desejam não a liberdade de expressão, mas a imposição de um conceito. Algumas delas que se identificam com a causa ateísta querem mais que o direito de não serem segregadas, desejam ganhar o mundo para o seu lado e acabar com qualquer movimento que discorde das suas ideias.

É assim que entendo escritos como os de Feuerbach. Ali percebo a presença de um elemento "libertador" da humanidade que perpassa toda sua obra. O autor não quer defender o direito de um simples exercício mental de ateísmo. Sua intenção é acabar com a religião ou matar os deuses, a fim de que o homem possa ascender finalmente. Essa é a conscientização criada pela filosofia feuerbachiana[115] e alguns ditos neoateus que ouço hoje, embora busquem um mínimo de linguagem politicamente correta, terminam sugerindo o mesmo, ao propor um reducionismo antropológico que tem como condição *sine qua non* para o progresso a cura dessa doença chamada religião. Como

---

114 Georges Minois. *História do ateísmo – os descrentes no mundo ocidental, das origens aos nossos dias* (São Paulo: Editora Unesp, 2014).

115 L. Feuerbach. *Preleções sobre a essência da religião* (Rio de Janeiro: Vozes, 2009).

propôs Michel Onfray, "o ateísmo não é uma terapia, mas uma saúde metal recuperada"[116]. Ora, não se pode dar à loucura o mesmo direito de existir que o da sanidade. A uma se preserva, à outra procura-se extinguir.

Logo, não creio que muitos ateus queiram apenas liberdade para viver em paz sua descrença, o que querem é uma imposição de seu ateísmo. Para eles *qualquer religião é como uma versão Nescau do crente Toddynho*, só tem um pouco mais de marketing, mas no fim é a mesma coisa.

Lembra o que Estados ateus, como a China de Mao e a União Soviética de Stalin, fizeram a muitos crentes por sua fé? Portanto, não quero negar que religiosos perseguiram a descrentes. Apenas entendo que não há legitimidade histórica em ateus reclamarem somente para si o direito de expressarem sua descrença – como se isso lhe seja atualmente proibido.

Primeiro porque creio que tenho os mesmos direitos de expressar minha fé sem ser atacado por isso. Segundo porque desconheço qualquer país de maioria cristã que tenha proibido um autor ateu de publicar seus livros ou apresentar suas palestras. Só o tratado de ateologia de Michel Onfray vendeu mais de 200 mil exemplares na primeira edição e não vi nenhum bispo queimando seus livros em praça pública. Aliás, que livro defendendo o ateísmo foi queimado durante a Idade Média e Moderna? Que eu saiba, eles queimavam livros de heresias, mas principalmente Bíblias! Isso mesmo, o livro mais destruído em praça pública de todos os tempos foi a Bíblia, e não um tratado de ateísmo.

Guerra Santa?

Toda vez que ouço ou leio uma notícia sobre atentados ou guerras no Oriente Médio, identificadas como "guerra santa", não posso deixar de anotar a imprecisão desse título. Para começo de conversa, não existe "guerra santa". Guerra é guerra e ponto final. Nem Deus gosta disso (mais adiante falarei das guerras na Bíblia).

Ademais, o Ocidente tem uma compreensão equivocada de "guerra santa". De acordo com William Cavanaugh, autor do livro *Myth of Religious Violence* (2009), existe uma falsa dicotomia inventada pela modernidade ocidental, segundo a qual temos sempre de classificar as ideologias entre religiosas e

---

116 Michel Onfray. *Antimanual de filosofia* (São Paulo: Edaf, 2005), p. 30.

seculares[117]. A partir disso definem que motivações religiosas tendem a ser mais violentas que as seculares.

Porém, temos aqui um grave problema de anacronismo, pois tal distinção não existia nos tempos antigos, nem nas atuais culturas do Oriente Médio. Querer usar tal critério para classificar algo fora deste contexto ocidental moderno seria o mesmo que usar a velocidade média da Fórmula 1 para julgar se cavalos romanos eram ou não velozes de fato.

Não existe na Antiguidade Clássica nada que possa expressar uma ideia de guerra religiosa *versus* guerra civil ou secular. O mais próximo que chegamos deste conceito – e ainda assim muito distante do que se diz hoje em dia – é a referência a uma guerra pelo controle de um santuário grego (Delfos). Ela é mencionada por Tucídides[118] e Aristófanes[119], que a chamam de *hieros polemos*, "guerra do santuário". Mas essa é a única atestação que temos em grego desde os tempos clássicos adentrando o período bizantino e depois dele.

Já a expressão "guerra santa" (do latim *bellum sacrum*) foi uma invenção da Idade Média, de uso raro, ligada especialmente ao contexto das Cruzadas e da guerra aos albigenses. Nem por neologismo ou semântica, ela teria algo a ver com o uso moderno ou as verdadeiras razões por detrás de muitas batalhas rotuladas artificialmente com esse nome[120]. Existe hoje um vasto debate sobre a causa das guerras ao longo da história e, ao que parece, as motivações religiosas seriam a menor hipótese a ser aventada. Muito à frente delas estariam razões étnicas, políticas, econômicas e, acima de tudo, a sede de poder.

Até a palavra *jihad*, tantas vezes traduzida por "guerra santa", não comporta linguisticamente esse conceito. *Jihad* significa apenas *luta, empenho, esforço*

---

117 W. Cavanaugh. *The Myth of Religious Violence: Secular Ideology and the Roots of Modern Conflict* (Oxford: Oxford University Press, 2009).

118 Tucídides. "Guerra do Pel. i: 112", in *Historia de la Guerra del Peloponeso. Obra completa* (Madrid: Editorial Gredos, 1990/1992).

119 Aristófanes. "As Aves 556", in *As Aves*. Tradução, introdução, notas e glossário de Adriane da Silva Duarte. Edição bilíngue (São Paulo: Hucitec, 2000).

120 James R. Ginther. *The Westminster Handbook to Medieval Theology* (Westminster: John Knox Press, 2009), p. 112; Patricia Crone. "One Wonders if Medieval Latin Bellum Sacrum is not more Likely to Lie behind the Modern Term", in *Medieval Islamic Political Thought*. New Edinburgh Islamic Surveys (Edinburgh: Edinburgh University Press, 2004), nota 18.

pessoal[121]. A aplicação do termo à "morte dos infiéis" é uma interpretação adicional e partidária que não está originalmente inserida no termo.

O mesmo se dá com a expressão "guerra religiosa". Normalmente os autores a definem como um conflito causado por divergências de credo, mas essa é outra concepção artificial. Religião nem é uma palavra de origem bíblica, mas latina (*religio*). Seu sentido tem a ver com uma virtude pessoal de adoração a Deus, e não com "doutrinas teológicas". Somente a partir do século 17 é que religião passou a englobar a ideia de conteúdo de fé. Chamar, portanto, uma guerra da Antiguidade de "religiosa" é tão anacrônico como chamar de supermercado um comércio de frutas da antiga cidade de Roma.

Culpemos a religião!

Ignorando, porém, todo esse contexto histórico e linguístico, autores como Dawkins, Hitchens, Harris, Reich, Diderot e outros insistem em apelar para o tema da guerra em nome de Deus como "evidência" de que as religiões são a raiz de todos males do mundo. A religião seria, em síntese, a causa mestra da violência humana, argumenta Hitchens, embora ele mesmo não mostre nenhum exemplo causal que vincule violência e fé[122].

Sua tese, numa frase, é que as religiões fazem mais mal do que bem à humanidade. Aliás, para alguns, elas não fazem bem nenhum. Tentar encontrar algo de bom nas religiões seria como buscar nutrientes num prato de *junk food* devorado às pressas. Pode até ter alguma proteína ali, mas os malefícios são tão grandes que não vale a pena se alimentar daquilo.

O argumento básico são novamente os números. "A religião", afirmou Harris, "tem explícita e literalmente causado milhões de mortes nos últimos dez anos"[123]. Considerando que isso foi dito por ele no livro *A morte da fé*, publicado em 2004, fiquei tentando descobrir qual teria sido a fonte da informação. Pesquisei no decênio 1994-2004, período em que a religião matou *literalmente* milhões de pessoas, e não pude encontrar nada que sustente isso.

---

[121] "Jihad: A Misunderstood Concept from Islam – What Jihad is, and is not". Disponível em <http://islamicsupremecouncil.org/understanding-islam/legal-rulings/5-jihad-a-misunderstood--concept-from-islam.html>. Acesso em: 15/03/2017.

[122] Christopher Hitchens. *God Is Not Great: How Religion Poisons Everything* (New York: Twelve, 2007), p. 18.

[123] Sam Harris. *The End of Faith: Religion, Terror, and the Future of Reason* (New York: W.W. Norton & Co., 2004), p. 26.

Harris dá exemplos geográficos de onde essa matança religiosa teria ocorrido: Palestina (judeus *versus* mulçumanos), Bálcãs (ortodoxos sérvios *versus* católicos croatas); Irlanda do Norte (protestantes *versus* católicos), Caxemira (hindus *versus* mulçumanos), Sudão (mulçumanos *versus* cristãos animistas), Nigéria (mulçumanos *versus* cristãos), Irã e Iraque.

Ora, vamos com calma analisar o que ele diz: em primeiro lugar, se você fizer as contas de quantas pessoas morreram nesses lugares desde o início dos conflitos até hoje não chegará nem perto de 1 milhão de vítimas[124]. Sei que números de guerra nem sempre são precisos, mas ainda que eu duplique os dados oficiais não chego ao montante citado por Harris. Novamente fico me perguntando de onde ele tirou os milhões que menciona sendo mortos em apenas uma década!

Não pense, contudo, que meu raciocínio se limita a números, pois seria muito desumano e pueril de minha parte. Que sejam 20 os mortos em nome da religião, ainda assim seria algo deplorável. Estatísticas podem amenizar o quadro, mas não anulam realidades de injustiça que precisam ser denunciadas. A questão aqui é descobrir se realmente a religião é causadora de tantos assassinatos e genocídios.

Neste ponto, chamou-me a atenção que nenhum dos estudos técnicos sobre a história das guerras em geral arrisca afirmar taxativamente que a religião é propulsora do sentimento de matança da humanidade. Os que fazem tal afirmação, como no caso de Harris, devem admitir que se apoiam não em evidências científicas, mas em sugestões "autoevidentes", isto é, sugestões que são verdadeiras apenas na aparência, mas carecem de validação científica.

Posso, por exemplo, afirmar que o *videogame* e o cinema tornaram a juventude mais agressiva e que esses entretenimentos são responsáveis pela violência juvenil de nossos dias. Porém, sem um estudo comprobatório que ampare esta conclusão, minhas palavras não passam de uma impressão leiga e nada mais.

---

124 Dados sobre a quantidade de mortos em conflitos podem ser obtidos em fontes como: Aleksey G. Arbatov (ed.). *Armaments, Disarmament and International Security* by SIPRI Yearbook 2011 (Oxford: Oxford University Press, 2011); Milton Leitenberg. *Deaths in Wars and Conflicts in the 20th Century*. Cornell University Peace Studies Program, Occasional Paper #29 (Center for International Security Studies at Maryland, School of Public Policy, University of Maryland, College Park, MD, 3. ed., 2006). Disponível em <http://www.clingendael.nl/sites/default/files/20060800_cdsp_occ_leitenberg.pdf>. Acesso em: 24/03/2017; Jacob Bercovitch; Richard Jackson. *International Conflict: A Chronological Encyclopedia of Conflicts and Their Management 1945-1995* (Washington: Congressional Quarterly, 1997); <http://www.scaruffi.com/politics/massacre.html>, Acesso em: 10/02/2017 e <http://necrometrics.com/wars21c.htm>, acesso em 24/03/2017.

Semelhante àquela de nossos ancestrais que julgavam ser perigoso misturar leite com manga!

Do mesmo modo, a conclusão de Harris & cia. acerca da relação entre religião e guerras não passa de "achismo" e quem concluiu isso foram autores não religiosos de um estudo sociológico publicado na revista *Skeptic*[125]. Mesmo não sendo religiosos ou defensores da fé, eles criticam diretamente o argumento autoevidente de Sam Harris que não levou em conta outras análises mais pertinentes dos dados. Para quem não sabe, essa revista é a menina dos olhos de muitos ateus, por causa de sua linha editorial contrária aos discursos da religião.

As aparências enganam

Sei que talvez algum leitor ainda não esteja aceitando a crítica. Você vê os atentados islâmicos, a história da inquisição, os conflitos da Irlanda do Norte e tudo parece indicar que a religião foi, sem sombra de dúvida, a responsável por tudo isso, mas não foi.

O que existe aqui é um argumento de aparência ou o que chamamos em lógica de falácia por causa falsa. Ela acontece quando alguém supõe rapidamente que a relação real ou percebida entre duas coisas significa que uma é a causa da outra. Em latim isso é expresso pela frase *cum hoc ergo propter hoc* – com isso, logo, por causa disso.

O fato de duas coisas estarem acontecendo juntas ou uma em sequência da outra nem sempre quer dizer que uma é a causa da outra! Existem outras possibilidades, por exemplo, de que haja uma causa comum para ambas ou, ainda, que nenhuma relação exista entre elas, senão uma coincidência factual. Ilustrando: um palestrante aponta para uma série de gráficos que mostram o aumento do número de estupros na cidade de São Paulo em relação às décadas de 1930 a 1950. Depois mostra como a partir dos anos 1960 as mulheres passaram a vestir minissaia e calça comprida. Logo, conclui, com ares de triunfo, que o fato de as mulheres usarem roupas curtas é a causa principal dos atuais casos de estupro. Se elas se vestissem decentemente, os estupros não haveriam aumentado. Ora, esse sujeito se esqueceu de anotar que em países mulçumanos adeptos do uso da burca também há um crescente número de estupros. Um dado que por si só desfaz o silogismo dele.

---

125 Ben Purzycki; Kyle Gibson. "Religion and Violence: An Anthropological Study on Religious Belief and Violent Behavior", in *Skeptic* 16.2 (2011): 24-29.

Para que você não pense que o exemplo anterior foi inteiramente fictício, veja como essa aparente combinação de fatores gera estereótipos no povo: uma pesquisa divulgada em 2014 pelo Instituto de Pesquisa Econômica Aplicada (Ipea), órgão do governo brasileiro, mostrou que 58,5% dos entrevistados concordavam totalmente (35,3%) ou parcialmente (23,2%) com a frase "Se as mulheres soubessem como se comportar [incluindo no vestir], haveria menos estupros"[126]. Triste é ver pessoas cultas como Sam Harris caindo no mesmo erro apenas por questão de retórica antirreligiosa.

Violência e fé

Embora não compartilhe todas as ideias da autora Karen Armstrong, respeito muito o modo acadêmico como ela procura defender seus pontos de vista acerca da religião. Num recente trabalho intitulado *Fields of Blood: Religion and the History of Violence*[127], ela traça um registro histórico não só da tradição cristã, mas também do budismo, hinduísmo, judaísmo, confucionismo e outros, desde seu começo, anotando como elementos de combate foram atrelados a certas observâncias do Sagrado. Conquanto guerras façam parte da história das religiões, Armstrong não encontrou qualquer indício de que a violência através dos tempos – especialmente a violência moderna – possa ser diretamente atribuída à religião.

Mais recentemente, outra pesquisa foi feita, chegando-se à mesma conclusão. Quem a realizou foi o Institute for Economics and Peace (IEP), entidade internacional que se dedica aos estudos sobre a paz, além de prestar serviços de consultoria para a Organização das Nações Unidas (ONU). De acordo com o estudo, 30 dos 35 conflitos armados registrados no planeta em 2013 até contavam com elementos religiosos como uma de suas causas. Contudo, eles não eram o motivo principal: 86% dos confrontos estouraram pela influência de mais de uma razão, como a oposição ao governo, ao sistema econômico, à ideologia política ou social daquele país.

De fato, explica a pesquisa, foi constatado que 15 casos tiveram como causa as tentativas de mudar o sistema vigente de governo para um sistema islâmico.

---

126 Disponível em <http://g1.globo.com/brasil/noticia/2014/03/para-585-comportamento-feminino-influencia-estupros-diz-pesquisa.html>. Acesso em: 24/11/2014.

127 Karen Armstrong. *Fields of Blood: Religion and the History of Violence* (New York: Alfred A. Knopf, 2014).

Portanto, as motivações por trás destes casos são consideradas de cunho religioso pelo IEP e também de caráter opositor.

"Curiosamente, a religião por si só não foi a única causa de sequer um conflito armado em 2013", avaliou o IEP[128]. O estudo mais uma vez desmistificou os conceitos que invariavelmente ligam uma coisa à outra. Isso, porém, não nega a realidade de que a religião, como qualquer outro organismo social, possa absorver elementos de beligerância, o que não significa ser a causa dela. Qual seria, pois, a causa do ódio e da violência generalizada?

Não em nome de Deus!

Poderia citar ainda muitos outros autores, principalmente ateus, que afirmam taxativamente não ser possível classificar uma guerra como "secular" ou "religiosa", mesmo que haja questões religiosas envolvidas no conflito. Também não se pode dizer que a religião seja o motivo impulsionador da violência humana.

Neste ponto, para ser honesto com o leitor, também não posso deixar que passe por verdadeiro o argumento usado por alguns apologistas cristãos de que apenas 6% das guerras ocorridas no mundo seriam, de fato, religiosas[129]. As fontes que se usam para afirmar isso não trazem esse dado. Desconhecem-se estudos que possam afirmar qualquer percentual neste sentido[130].

O máximo que os estudos revelam é que, em muitos casos, os que participam das guerras podem até fazê-lo por motivos religiosos, mas quem as inicia o fazem por razões outras que nada têm a ver com a religião. Ou seja, ainda que o sentimento religioso seja usado como propaganda pelos combatentes, não é a "causa primordial" da deflagração militar[131].

---

128 Disponível em <http://exame.abril.com.br/mundo/a-religiao-e-a-maior-causa-de-guerras--atuais-nao-exatamente/>. Acesso em: 15/12/2015.

129 Veja por exemplo: <https://www.str.org/articles/debunking-the-religious-wars-myth#.WtoLg0xFxy0>. Acesso em: 24/03/2017; Alan Lurie. "Is Religion the Cause of Most Wars?", in *Huffington Post* (Updated June 1, 2012). Acesso em: 30/03/2014.

130 Alan Axelrod; Charles Phillips. *Encyclopedia of Wars, 3 volumes* (New York: Facts on File, 2005); Gordon Martel. *The Encyclopedia of War* (Malden e Oxford: Wiley-Blackwell, 2012), 5 vols.

131 Gordon Martel. *The Encyclopedia of War*, p. xxii.

A culpa é do Sagrado

Sei que com o fim da Guerra Fria o número de conflitos envolvendo países mulçumanos aumentou exponencialmente ou, pelo menos, chamou mais a atenção da mídia ocidental. Por isso, os antirreligiosos batem tanto nesta tecla. Afinal de contas, não foram ateus que promoveram o ataque às torres gêmeas ou os atentados em Paris, Berlim e Istambul. É claro que medo do terrorismo, após o 11 de setembro e o radicalismo dos que se infiltram na Europa para fazer atentados agregam valor exponencial à retórica do argumento.

Daí, como comentei anteriormente, os casos atuais de "explosões em nome de Allah" são projetados para o passado e usados para explicar a inquisição, as torturas medievais e a maior parte do derramamento de sangue, testemunhado pela humanidade, ou seja, tudo em nome da fé, tudo em nome de Deus!

Ora, que muitos absurdos, assassinatos e horrores foram praticados por líderes religiosos ninguém duvida, a história está aí repleta de exemplos. É inegável a quantidade de males feitos sob um suposto mandato divino. Mas daí a dizer que a religião é a raiz de todos os males e que sem ela nada disso existiria é pura especulação.

Duvida? Então acompanhe meu raciocínio. Quando a sociologia começou a dar seus primeiros passos após a Revolução Francesa, a grande busca de seus pioneiros era a criação daquilo que Thomas More já havia chamado de *Utopia* em 1516 – uma sociedade perfeita, símile à *República* idealizada por Platão.

Muitos, seguindo no que já havia sido preconizado por More, permitiam à religião ocupar um lugar positivo e atuante nesta sociedade imaginada, em que todos viveriam em cooperação e justiça. Um lugar onde "ninguém possua coisa alguma, mas todos sejam igualmente ricos"[132]. A ideia era uma sociedade igualitária, sem propriedade privada e repleta de liberdade religiosa.

Mas Augusto Comte, um dos principais idealistas do novo sistema, começou aos poucos a romper com parte desse planejamento. Enquanto More criticava apenas os autoritarismos do Rei (especificamente Henrique VIII) e os desmandos da Igreja Anglicana, Comte já demonstrava uma relativização da importância da religião na sociedade.

Embora a atividade religiosa fosse uma necessidade existencial humana, a evolução da sociedade demandaria para Comte uma superação e um abandono das crenças à medida que saíssemos dos estados teológico e metafísico e atingíssemos o estágio científico ou positivista. Sua última obra, *Sistema de*

---

132 Thomas More. *Utopia* (New York: Dover Thrift Edition, 1516/1997), p. 128.

política positiva (1857)[133], discute essa questão, afirmando que a forma atual de religião, com suas crenças e organização oficial, era incompatível com a sociedade perfeita por ele idealizada. O motivo era sua herança do estado teológico e militarista, caracterizado pela força, pelo dogma e pelo comando irracional.

Outros pensadores seguiram na mesma linha, buscando levar o tema da utopia para o lado da política, e chegaram ainda mais longe. Eles saíram do campo da teoria social, arriscando emplacar uma nova modalidade de governo com viés fortemente secularizado, sem espaço para a religião. A revolução Russa foi, sem dúvida, um dos mais significativos movimentos nesta direção.

Sendo uma das maiores soberanias da Europa, a Rússia passou a ter condições políticas e militares de dominar uma grande extensão de terras. Sua esfera de atuação era imensa. Assim com a queda dos czares e a adoção das filosofias marxista e leninista, a Rússia passou a exportar uma ideologia nova e radical de governo que se espalhou pela Eurásia tanto pelo argumento quanto pela força armada. Suas raízes ideológicas estavam nas filosofias de Feuerbach, Hegel e os já mencionados Marx e Lenin.

Criou-se, portanto, um sistema governamental que rejeitava a religião ao defender inteiramente um entendimento materialista/dialético da natureza. A religião, é claro, seria o "ópio do povo", expressão usada por Marx no sentido de que ela levaria as pessoas a aceitarem passivamente o sofrimento, na esperança de uma vida melhor no paraíso. Por isso, entendiam que, para o progresso da então criada União Soviética, a religião deveria ser abolida[134].

Foi um momento ideológico muito marcante, pois nem mesmo a Revolução Francesa, que dialogou estreitamente com ideais humanistas, se tornara um movimento 100% ateu. Muitos de seus líderes ainda nutriam fé em algum tipo de divindade, mesmo que fosse um Deus distante conforme propunha o deísmo de Voltaire.

Mas a proposta do "marxismo leninista" era de que um verdadeiro socialismo deveria se fundar num Estado e numa sociedade necessariamente ateístas, ou seja, a estrada do socialismo, para aquela corrente, demandava a morte a Deus.

---

133 Augusto Comte (1854). *Système de politique positive publié entre 1851 et 1854*. Collection: "SUP – Les Grands Textes" (Paris: Les Presses universitaires de France, Troisième édition, 1969).

134 Dimitry V. Pospielovsky. *A History of Soviet Atheism in Theory, and Practice, and the Believer*, v. 1: A History of Marxist-Leninist Atheism and Soviet Anti-Religious Policies (New York: St. Martin's Press, 1987).

Finalmente o Estado Ateu

A antiga União Soviética foi a oportunidade dos teóricos ateus de criarem um Estado livre das mazelas da religião. Em outras palavras, eles já tiveram sua proposta concretizada na história não só na União Soviética, mas também na China de Mao Tsé-Tung, na Albânia de Enver Hoxha e na Coreia do Norte. A pergunta óbvia seria: A vida nesses países foi melhor sem religião? A violência diminuiu?

Vamos deixar a resposta com Rudolph Rummel, politólogo, falecido professor de ciências políticas da Universidade do Havaí. Rummel, sem dúvida, foi uma das maiores autoridades do mundo sobre mortes em massa, causadas por regimes políticos, especialmente aqueles declaradamente ateus, sem vínculo algum com a religião.

Autor de vários livros e artigos científicos, Rummel se surpreendeu com os números encontrados. Somente o comunismo soviético-russo assassinou por tiro, enforcamento, fome, congelamento ou tortura um total de aproximadamente 170 milhões pessoas – incluindo idosos e crianças[135]. E olha que isso foi em apenas 73 anos de regime! Já o massacre religioso da Inquisição Espanhola, que durou muito mais tempo (1478 a 1834), ceifou a vida de aproximadamente 341 mil pessoas, um número bem menor que os dados soviéticos[136]. Quem ceifou mais vidas?

Rummel chegou a sugerir um neologismo para descrever o horror dos massacres em nome das políticas de governo. Em vez de falar de genocídio, que para ele era um tanto vago, preferiu usar o termo não dicionarizado *democídio* – a matança em nome do partido[137]. Nenhuma dessas mortes, sequer, teve motivação religiosa. Pelo contrário, a religião estava banida da agenda desses ditadores.

Que podemos concluir?

A essa altura você já percebeu que se formos comparar os números, mesmo com a dificuldade de se classificar um conflito em religioso ou não religioso, a situação não melhora para o lado dos ateus. Assassinatos assumidamente em nome de uma causa antirreligiosa foram muito maiores que os cometidos em nome da fé. Em valores absolutos, o maior matador não foi um papa, um

---

135 R. J. Rummel. *Death by Government* (New Brunswick: Transaction Publishers, 1994), p. 9.

136 Paul Johnson. *A History of the Jews* (New York: Harper & Row, 1987), p. 226.

137 J. Rummel. *Statistics of Democide: Genocide and Mass Murder since 1900* (Münster: Lit Verlag, 1999).

inquisidor espanhol ou um Emir mulçumano. Foi o ditador ateu Mao Tsé-Tung, que mandou nada menos que 77 milhões de compatriotas para a cova rasa.

Logo, o que se conclui é que existe violência nos governos religiosos e também ou maior nos governos ateus. Portanto, não posso dizer que o ateísmo ou a religião sejam a causa principal ou isolada dos conflitos. Talvez o motivo da violência esteja em outro lugar: na natureza humana. Afinal de contas, qual é o elemento comum em todas as guerras, senão o ser humano?

> De onde vêm as guerras e pelejas entre vós? Porventura não vêm disto, a saber, dos vossos deleites, que nos vossos membros guerreiam? Cobiçais, e nada tendes; matais, e sois invejosos, e nada podeis alcançar; combateis e guerreais, e nada tendes (Tiago 4 1:2).

Os psicólogos se dividem quanto à origem da maldade humana se seria ela inata ou aprendida. Mas com uma coisa todos concordam. O ser humano opta, em meio ao ambiente que vive, que rumo ético tomará em sua vida. Se não houvesse o tão discutido "livre-arbítrio" – infelizmente negado por alguns deterministas – jamais encontraríamos na sociedade nazista pessoas que, resistentes a Hitler, ajudassem clandestinamente judeus.

Por mais que haja influências do ambiente, é a decisão individual de cada um de nós que determinará as escolhas éticas que fazemos. O meio influencia, mas não determina, tanto é que vemos pessoas de bem morando no meio de traficantes e pessoas eticamente desprezíveis ocupando apartamentos de luxo. Se me permitem o jargão religioso, sei que todos somos falhos e pecadores, mas alguns se tornam perversos e isso é algo que não se deve tolerar. Existe perdão para o pecador arrependido e condenação para o perverso impenitente.

Fecho este capítulo com as palavras de Viktor Frankl, psiquiatra austríaco-judeu, sobrevivente do campo de concentração de Auschwitz:

> O ser humano não é uma coisa entre outras; coisas se determinam mutuamente, mas o ser humano, em última análise, se determina a si mesmo. Aquilo que ele se torna – dentro dos limites dos seus dons e do meio ambiente – é ele que faz de si mesmo. No campo de concentração, por exemplo, nesse laboratório vivo e campo de testes que ele foi, observamos e testemunhamos alguns dos nossos companheiros se portarem como porcos, ao passo que outros agiram como se fossem santos. A pessoa humana tem dentro de si ambas as potencialidades; qual será concretizada, depende de decisões e não de condições.[138]

---

138 Viktor E. Frankl. *Em busca de sentido, um psicólogo no campo de concentração* (Petrópolis: Vozes/Sinodal, 1991).

Capítulo 14
Compensa falar de Deus?

Confesso que fico admirado com os céticos que leram este livro até aqui. Explico a razão de meu espanto. Alguém destituído de fé poderia conjecturar que não valeria a pena ler minhas considerações por um motivo óbvio: religião, fé e Deus não são assuntos que lhe interessam muito e, portanto, seria perda de tempo tentar entender por que *um crente continua crendo*.

De fato, por questões de especialidade e foco de estudos, eu não tenho interesse em determinados temas como, por exemplo, a culinária da ilha de Java. Posso até assistir a um documentário a respeito ou ler um artigo num avião, mas apenas por questões de cultura geral. Pior ainda se estiver falando de algo que eu considere pueril ou cultura inútil. Eu dificilmente teria interesse num livro intitulado "Por que creio nos elfos", isto é, aquelas criaturinhas místicas que supostamente moram na floresta e têm poderes mágicos. Tenho prioridades de leitura e esta não estará na lista, principalmente levando em conta que não creio em elfos.

Mesmo em se tratando de áreas sérias de estudo que não fazem parte de meu rol de preferências, tenho de selecionar o que leio, pois não dá para repousar os olhos em tudo que é publicado. Por exemplo: recentemente, foi divulgado na imprensa especializada e popular que os físicos puderam, finalmente, confirmar a teoria das ondas gravitacionais de Albert Einstein. Como não sou da área, evidentemente não tive a mesma empolgação de um pesquisador do Laboratório Nacional de Astrofísica (LNA). Portei-me, confesso, como alguém que não acompanha seriados e encontra um fã de *Game of Thrones* me dizendo que na nova temporada o garoto Greyjoy se reencontrará com Jon Snow pela primeira vez desde que se voltou contra os Starks, sua família de criação. Como esperado, o bastardo não aceitará isso de mão aberta.

Ao ouvir essa revelação, consigo imaginar que se trata de algo importante na trama, mas como não acompanho o seriado não sei ao certo qual a profundidade do que ele diz. No caso das ondas gravitacionais de Einstein, sua descoberta abre a possibilidade de conhecer melhor o ciclo das estrelas e o modo como se formam os buracos negros. O universo será estudado de um modo totalmente novo.

Como não acompanho todos os capítulos desse recorte do saber, reservo-me à condição de leigo e fico apenas na admiração, sem me envolver muito no debate. Afinal, todos somos leigos em alguma coisa. Não podemos dominar profissionalmente todos os assuntos. Se eu conversar com um físico sobre um novo achado da arqueologia ou uma nova interpretação dos escritos de Wittgenstein, talvez ele também fique no campo da admiração, sem ter muito o que dizer.

Não quero com isso insinuar que diferentes áreas não possam dialogar ou que somente especialistas podem opinar sobre determinado assunto. Isso seria exagerar meu argumento. O ponto aqui é que há conhecimentos fúteis ou importantes que podem ocorrer paralelos à minha vida, sem que eu interaja com eles ou me posicione a seu respeito. A neutralidade neste caso não causa prejuízo algum em minha existência. Posso viver meus dias completamente alheio a esses temas que isso não modificará em nada minha trajetória.

Contudo, existe uma diferença marcante entre *Game of Thrones*, ondas gravitacionais, elfos e o tema de "Deus". Primeiro, porque Deus não é uma especialidade acadêmica para ficar restrito a um grupo de teólogos, apenas, tanto é que as livrarias e redes sociais estão repletas de ateus sem formação teológica ávidos para debater temas bíblicos. Por mim tudo bem desde que sejam coerentes com as fontes e admitam que não sabem grego, hebraico ou como fazer exegese!

Em segundo, Deus é tema diferente porque não se trata de uma cultura localizada que interessa apenas ao povo de determinada região; não estou falando da centralidade dos elfos na mitologia escandinava – o assunto "Deus" é muito mais amplo que isso. A realidade ou não desse Ser Supremo e daquilo que ele representa (caso exista, é claro) tem relação direta com aquilo que somos, fazemos e valorizamos, bem como com os motivos pelos quais agimos quer como indivíduos ou como sociedade.

E não caiamos na velha máxima de que futebol, religião e política não se discutem. Contrariando esse dito popular, as redes sociais se enchem de debates acalorados sobre esses três temas e não é raro encontrar situações em que a rede se transforma num agressivo ringue de ideias.

Que me importa?

Deixe-me explorar melhor esse conceito da importância do tema de "Deus". A questão que interessa aqui é que a fé em algum tipo de divindade não é como a crença num elfo escandinavo. A história do Sagrado (ainda que alguns a considerem mito) permeia a história da humanidade em todos os tempos e em todas as culturas. Entre nas caravelas de Cabral e verá que os índios que aqui havia já cultuavam divindades. Vá com Marco Polo ao Extremo Oriente e se surpreenda pela religião já estar lá há muito tempo.

Sei que a religião constitui um organismo plural e diversificado, mas isso não contradiz o fato de que seja um fenômeno universal. Esta não é uma conclusão de crentes sem cultura. Autores renomados como Émile Durkheim, Sigmund Freud, Carl G. Jung e Lévi-Strauss já diziam isso.

Lothar Käser apresenta o que parece ser um consenso da etnologia moderna: a despeito do surgimento de países oficialmente ateus como China, França e Rússia, a religião ainda é considerada um fenômeno universal, presente em todas as culturas[139]. O ateísmo, por sua vez, constitui uma manifestação de cunho mais individual ou no máximo uma opção sociopolítica, posterior ao rompimento com a fé. Do ponto de vista cultural, todas as coletividades sociais apresentam manifestações religiosas e a crença é o fator natural comum a todas elas.

Ainda que muitos filósofos atuais tenham abandonado o argumento do *consensus gentium*, isto é, afirmar que a crença universal em Deus comprova sua existência, desconheço qualquer contra-argumentação séria que negue o fato de que existe naturalmente uma inclinação humana para o Sagrado. Ou seja, no DNA de todas as mais diferentes culturas até agora mapeadas pela antropologia, está registrada a força do rito e da atividade sagrada, seja ela qual for[140].

Logo, a ideia de divindade não parece ter surgido a partir de um grupo de homens que, reunidos numa sala secreta, resolveram criar *Deus* e vender o conceito para um povo supostamente ateu. Não se trata de uma Coca-Cola inventada e posta no mercado. O conceito está conosco desde os tempos mais remotos da humanidade.

É certo que existem muitas "versões de Deus" (algumas de gosto bastante duvidoso). Mas até os que se opõem à religião admitem que a ideia original de divindade não parece ter sido criação de seres humanos.

Neste ponto preciso apenas esclarecer um aspecto importante, que é a diferença entre a busca instintiva de Deus e manifestação religiosa. A religião para mim (e aqui sigo o pensamento de Viktor Frankl) é apenas uma manifestação

---

139 Lothar Käser. *Diferentes culturas* (Londrina: Descoberta, 2004), p. 187.

140 Thomas Kelly. "Consensus Gentium: Reflections on the 'Common Consent' Argument for the Existence of God", in Clark and VanArragon (eds.). *Evidence and Religious Belief* (Oxford: Oxford University Press, 2011), p. 167-196.

da dimensão espiritual, mas não a determinação dela. É impreterível considerar que essa realidade em sua característica essencialmente humana expressa a busca ontológica por um significado.

A tese de Durkheim

Talvez alguém argumente que Émile Durkheim concluiu diferentemente, afirmando que embora as crenças religiosas estejam no centro do primeiro sistema de representações do ser humano, elas nada teriam a ver com a ideia de Deus ou de vida eterna. Seriam apenas representações dualísticas do mundo e da sociedade.

Mas vamos devagar com a proposta para não cair no argumento por autoridade. Durkheim realmente fez um grande trabalho na tentativa de demonstrar que os fatos sociais têm existência própria e independente daquilo que pensa e faz cada indivíduo em particular. Embora todos possuam suas "consciências individuais", seus modos próprios de se comportar e interpretar a vida, pode-se notar, no interior de qualquer grupo ou sociedade, formas padronizadas de conduta e pensamento. Essa constatação está na base do que Durkheim chamou consciência coletiva. Esta foi uma proposta realmente fascinante.

As formas elementares da vida religiosa[141], lançado originalmente em 1912, foi seu tratado mais importante de sociologia da religião. Mas há quem diga que ele transcendeu o elemento religioso, tornando-se um livro de sociologia do conhecimento e da moral.

Contudo, em que pese a contribuição de seu *insight*, Durkheim não está isento de críticas. Embora não seja um especialista em sociologia, permita-me tecer alguns comentários que também são esboçados por outros autores.

Sabe-se que Durkheim elegeu o sistema totêmico australiano como suporte empírico de sua investigação sobre os fundamentos coletivos da crença religiosa. Ele queria encontrar traços comuns que permitissem criar uma teoria das origens da religiosidade humana em diferentes grupos étnicos.

O que seria, portanto, o sistema totêmico australiano? Trata-se de um tipo de religião comum entre os aborígenes que tem como ponto central a figura de um totem, isto é, um objeto sagrado que funciona como um talismã para determinados grupos sociais. Ele pode ser um animal, uma pedra, um brasão

---
141 É. Durkheim. *As formas elementares da vida religiosa* (São Paulo: Martins Fontes, 2003).

ou um poste esculpido com figuras antropomórficas, como aqueles vistos em tribos indígenas dos Estados Unidos e do Canadá.

Durkheim entendeu que os elementos religiosos dos aborígenes não simbolizavam o mundo transcendental, mas a própria sociedade e os valores materiais tornados objetos de culto. Eram imagens religiosas do universo, retiradas das representações que as sociedades fazem de si mesmas. Assim, o sagrado não é originalmente algo que tem a ver com uma divindade acima dos homens. Tratava-se, antes, de uma força primitiva derivada da coletividade. Os brasões religiosos seriam, portanto, um símbolo do próprio clã.

O totemismo, neste sentido, seria uma espécie de religião sem deus e serviria para demonstrar a tese de que o traço distintivo do pensamento religioso em todas as partes é representar o mundo "em dois domínios, um que compreende tudo o que é sagrado, e outro que compreende tudo que é profano". Ambos, porém, têm a ver com o universo em redor, e não com uma busca por divindades espiritualmente superiores.

Durkheim entendeu que esses grupos da Austrália poderiam ser estudados de modo científico, oferecendo características comuns que serviriam como uma espécie de padrão do comportamento humano. Mas aí que nasce o primeiro de seus problemas.

Ele fez a pesquisa numa época em que estava em moda a busca por padronizações do comportamento humano que hoje se demonstraram bem inferiores àquilo que prometiam. Foi uma tentativa, vista posteriormente no processualismo, de se estudar a atividade humana, utilizando-se de metodologias positivistas. Seu intento era explicar cientificamente a religião, a partir de supostos fenômenos sociais oriundos de observações comportamentais de determinados agrupamentos étnicos. O problema, no entanto, com esta abordagem é a desconsideração ao fato de que as pessoas não foram feitas em série como se fossem automóveis. Os comportamentos, mesmo aqueles coletivos, se mostram particulares e pouco previsíveis. Essa é uma abordagem que não dá mais conta da realidade social.

Imaginava-se, de modo geral, que a tarefa do sociólogo com relação à religião deveria ser examinar as forças sociais que dominam o crente, concebidas enquanto um produto direto dos sentimentos coletivos.

Outro problema é que Durkheim ainda respirava um ar eurocentrista, segundo o qual o chamado "homem branco" emitia juízo de valores sobre culturas ditas "primitivas" e as analisava sob uma ótica que nem sempre era a mesma do analisado. Por exemplo, o que para um observador europeu seria um rito de iniciação, para o nativo poderia ser um ato penitencial. As análises não escapavam ao subjetivismo prévio do observador. Logo, poderiam ser anacrônicas em relação à verdadeira identidade do símbolo.

Para piorar, ao que tudo indica, Durkheim não contatou pessoalmente todos os grupos citados, mas valeu-se de um trabalho prévio de Spencer e Gillen, antropólogos que se ocuparam de um conjunto de tribos australianas. Porém, mesmo estes não foram observadores diretos de tudo que escreveram. Em muitos casos, eles utilizavam impressões fornecidas por viajantes, comerciantes e missionários. Ou seja, não era um trabalho de primeira mão, mas um amontoado de impressões sobre impressões que pouco espaço deram para a voz do próprio sujeito pesquisado.

Durkheim ainda tomou por pressuposto que o "totemismo" seria a forma mais simples e primitiva de religião. Logo, a partir dela, ele poderia traçar a evolução da sacralidade humana e fundamentar uma teoria.

Evidentemente, essa ideia de "simplicidade" é possivelmente um dos pontos mais frágeis e mais contestados de sua proposta, podendo ser considerada um resquício das concepções evolucionistas que ainda faziam parte do imaginário sociológico e antropológico da época e que, por isso mesmo, soa como uma ofensa às consciências contemporâneas[142].

O antropólogo Van Gennep, que também pertencia à escola francesa de Durkheim e foi pioneiro na abordagem etnográfica comparada, não poupou críticas ao colega, afirmando que um culto a uma entidade impessoal seria inconcebível, sobretudo entre os grupos mais primitivos[143].

E finalmente, Lévi-Strauss também criticou bastante a obra de Durkheim denominando sua teoria de reducionista, projetista de imagens não reais[144]. Toda a grandeza e debilidade da pesquisa durkheimiana encontra-se exatamente nos pressupostos com os quais ele trabalha.

---

142 Raquel Weiss. *Durkheim e as formas elementares da vida religiosa* (Debates do NER, ano 13, nº 22, 2012), p. 95-119; M. C. C. Zanini. *Totemismo revisitado: perguntas distintas, distintas abordagens* (Hábitus: Goiânia, v. 4, n. 1, jan./jun. 2006), p. 513-533.

143 A. van Gennep. *L'etat actuel du problème totémique* (Paris: Leroux, 1920), p. 50.

144 C. Lévi-Strauss. *Totemismo hoje* (Petrópolis: Vozes, 1975).

A origem de Deus

O que se conclui de tudo? Que a despeito de existirem muitas fábricas de deuses para todos os gostos, o "conceito de divindade" pode ser sistematizado pelo homem, mas nunca criado por ele. Seria como os astrônomos que podem estudar as estrelas, mas jamais as produzir. A crença no divino não parece ter certidão de nascimento. Suas origens coincidem com o surgimento da humanidade, e é exatamente aí que tal conceito não pode passar despercebido. Ele influencia a vida de todos, seja para um lado ou para o outro.

Se a existência de Deus ou deuses for um mito, ela precisa urgentemente ser combatida, para o bem de todos. Afinal é uma mentira contada há séculos, afetando a vida de todos nós. Mas se for verdadeira, precisa ser abraçada por quem tiver bom senso. Não seria sensato viver alheio a Deus. Seria como brincar na praia fingindo que o *tsunami* não está vindo!

Logo, não posso ficar neutro em relação a esse assunto, como se isso fosse coisa de somenos importância. Ou corro para Deus ou combato sua existência. É uma questão de coerência e bom senso. Neutralidade é um termo que não pode existir nesta questão.

Ainda que alguns argumentem com John Locke que a ideia de Deus e sua crença não é inata ao ser humano (tenho cá minhas dúvidas em relação a isso), deverão, pelo menos, fazer coro com Marx, Durkheim e Freud de que existe uma abertura humana para o transcendente que precisa ser explicada, ainda que com argumentos naturais. Marx enfatizava a mistificação, Freud a compensação e Weber, a secularização. Seja como for, ninguém está livre do fenômeno religioso ou, se preferir, da busca transcendental. Eu sei que existem religiões que se denominam como não necessitadas de um conceito de Deus (que também não sejam durkheimianas). Refiro-me a rigor a seguimentos como daoismo, confucionismo e budismo. Elas, no entanto, têm o sentido da transcendência. E é justamente por terem um agudo sentido da transcendência que querem ultrapassar a determinação de um deus pessoal". Sendo assim, como veremos no próximo capítulo, as pessoas podem até dispensar conceitos humanos de Deus, mas ninguém escapa da ideia da Transcendência!

Capítulo 15
Ninguém escapa da transcendência

Meus leitores ateus, céticos e agnósticos não podem ignorar toda a bagagem cultural e profundamente humana da ideia de Deus. Ninguém escapa da transcendência. Faz parte ontológica do gênero humano perceber que sua existência é parte de algo maior que ele mesmo, que a vida não é completamente acidental e inútil. Nossa razão tem fome de propósito e sede de significado. É como um buraco negro, nem a luz consegue escapar de sua gravidade.

Sei que muitos céticos negarão o que digo, talvez até por uma questão de autoafirmação, rebeldia, sei lá. Mas, ouvindo o discurso e os argumentos de vários ateus, nutro a forte percepção de que, se houver mesmo um Deus bom, justo e salvador, que trará o paraíso para a Terra, os de sã consciência achariam isso uma maravilha. Imagine um planeta onde não haverá mais morte, nem pranto, nem dor. O fim eterno do sofrimento, da desilusão, do tédio. Se houver a mínima possibilidade de que isso ocorra, até os ateus de bom senso poderão fazer uma oração muito sincera que diria: "Senhor, que tu existas! Amém!".

Quer fazer um teste? Raciocine comigo, pegue um grupo de materialistas radicais que neguem qualquer evento ou propósito acima da materialidade. Eles são pessoas espertas que adoram postar comentários antirreligiosos e encurralar crentes com perguntas capciosas. Só trabalham com dados científicos, números e evidências. Não aceitam superstições, medicina alternativa e ainda dispensam as preces feitas em favor de si mesmos.

São pessoas, enfim, que se definem como tendo coragem de viver a realidade como ela é, sem rodeios nem embelezamentos espirituais. Para elas a vida é apenas um traço entre duas datas. Quem dá sentido a esse traço somos nós mesmos, vivendo da melhor maneira que pudermos e buscando ao máximo desfrutar a felicidade antes que o tempo passe e seja tarde demais.

Até que, certo dia, um dos membros do grupo recebe um laudo de câncer do mais agressivo que se pode imaginar. Suas chances sobreviver são mínimas. Contudo, assim que ele compartilha a má notícia com os colegas do grupo, provavelmente a maioria ignorará as estatísticas acerca dessa doença e lhe dirá frases de efeito do tipo: "Tenha bom ânimo, você vai sair dessa", "Estamos juntos", "Força, amigo, não desanime", "Estou torcendo por você".

Ora, seria esse comportamento coerente com sua filosofia de vida? Óbvio que não! Não digo que o desejo de o amigo viver mais tempo seja o problema aqui. A questão é que, racionalmente falando, desejo e realidade não deveriam estar em rivalidade. O primeiro deve submeter-se ao segundo para evitar colocações não realistas. O simples motivo pragmático de não permitir que o amigo fique totalmente depressivo não justifica a negação de realidade como eles a entendem. Caso contrário estariam fazendo justamente o que mais criticam na religião – iludindo alguém com falsas esperanças para que ele não se sinta pior.

Se não existe Deus, nem realidade alguma acima do universo material em que vivemos, "torcer pela recuperação de um amigo" é tão inútil quanto orar em prol de um ente querido. Seria o mesmo que sacudir um pouco mais a urna já misturada, achando que isso aumentará suas chances de ganhar o prêmio. Se tenho 1 cupom em mil, essa será minha chance matemática não importa quantas vezes revirem os papéis que estão ali dentro. Seria estatisticamente estúpido pedir para girar novamente a urna.

Na cena imaginada, seria mais coerente com os princípios filosóficos do grupo dizer algo do tipo: "Bem, já que você tem poucos dias de vida, então aproveite, meu amigo. O que pretende fazer no pouco tempo que lhe resta? Se quiser posso lhe dar algumas sugestões de como aproveitar seus últimos dias ou tirar uma licença para você não morrer sozinho. Um detalhe importante: se for viajar, sugiro que não vá para muito longe, nem para fora do país, pois será mais caro pagar o traslado de seu corpo do exterior. Já fez um seguro de vida para deixar para sua esposa? A propósito: você se importa se eu não te devolver o taco de golfe que me emprestou? Afinal, você não vai mais precisar dele. Outra coisa: deixe claro se quer ser cremado ou enterrado, pois pode ser que nos momentos finais você perca a consciência e fiquemos na dúvida sobre seu último desejo. Qualquer coisa, conte comigo, somos seus amigos e queremos fazer de tudo para que você tenha um final de existência feliz".

Frio demais? Não creio. Talvez irônico, mas bastante realista. A comparação pode até parecer exagerada, mas não é falaciosa. Seu objetivo foi chamar a atenção da discrepância entre o que se afirma no momento da calma e o que se faz na hora da dor. Disseram certa vez, numa piada, que *ninguém é hétero quando a barata é voadora*, e eu digo que ninguém é 100% materialista quando a morte bate à sua porta, afetando a si ou a um ente querido. Se fosse, ele não temeria ler o resultado dos exames. Afinal, todos vamos morrer um dia, não há nada de novo nisso. É só uma questão de saber quem vai primeiro.

Se a morte é um processo natural – a religião que tenta negar isso – então pessoas mais esclarecidas não deveriam ter nenhum receio dela. A naturalidade da morte deveria torná-la mais palatável, pelo menos é o que entendo ao ler a ironia de autores como Saramago, que procura tratar o fim da vida com humor, expressando a inutilidade da existência. E, por favor, não bata no peito dizendo que não tem medo de morrer, que isso é coisa para religiosos. Eu não disse "medo", disse "receio", angústia do dia em que ela chegará para você ou para alguém que você ama.

Veja se não é assim: em condições normais ninguém tem receio de dormir, comer, fazer sexo ou usar o banheiro. São coisas normais da natureza e, por isso mesmo, não deveriam causar nenhum espanto a não ser por tabus sociais. Porém, no quesito "morte" parece que a dita evolução fez uma piadinha de mau gosto criando um paradoxo existencial: não somos imortais, mesmo assim, não queremos deixar de existir. Tal dilema parece indicar que algo não está funcionando de acordo com o projeto. O carro projetado para correr a 300 km/h não está conseguindo passar dos 100! Tem coisa errada aí.

Expectativas fantasiosas?

Dizem por aí que a morte é a única convicção da vida. Contudo, contrariando essa certeza, todos, crentes ou não, queremos desesperadamente encontrar uma alternativa para ela, como se pudéssemos adiá-la indefinidamente. "Sabemos que não vamos viver eternamente, mas sempre temos a expectativa da vida", tanto é que ninguém consegue imaginar sua morte ou sua não existência. Sempre que nos imaginamos mortos, na verdade visualizamos nosso eu vivo em algum lugar, assistindo de camarote ao que ocorre no mundo dos vivos. O estado da inconsciência não alcança nossa imaginação. E não somente isso. Nossa mente possui uma forma quase contínua de tentar driblar a fria realidade em que vivemos. Precisamos o tempo todo de algo que dê sentido ao sofrimento ou que possa nos prevenir dele, mesmo sabendo que tal coisa talvez não exista.

Nem os mais prodigiosos escapam disso. Conta-se que o prêmio Nobel Niels Bohr, o maior nome na física do século 20, depois de Einstein, tinha uma ferradura pendurada na porta de sua casa. Um amigo lhe perguntou se ele realmente acreditava que aquilo traria sorte para sua vida. Ele respondeu que não, mas que haviam lhe dito que a coisa funciona mesmo assim, então ele resolveu "arriscar". Isso soa tão contraditório como se alguém dissesse: "não sou supersticioso, pois isso dá azar".

Ainda que a resposta tenha sido uma ironia do cientista, o fato é que a ferradura estava lá. Tal comportamento é hoje confirmado por vários artigos indexados que demonstram como a magia e a superstição persistem no raciocínio até mesmo de físicos, químicos, geólogos e acadêmicos do MIT. Ao serem colocados em situações controladas de pressão emocional, esses intelectuais céticos demonstraram alta tendência para anexar desígnios transcendentais a eventos naturais. Seria algo do tipo: *a casa pegou fogo para ensinar-lhe uma lição*[145].

Por mais contraditório que pareça, há pessoas supostamente "descrentes" que ainda alimentam algum tipo de crença supersticiosa como: receio de fantasmas, busca astrológica, noção de karma, reencarnação e telepatia. Outros tentam se apoiar em representações sociais que nada têm a ver com as igrejas, mas que podem ser psicologicamente qualificadas como "religiosas": torcer por um time, tornar-se vegano, fazer ioga, entrar para um partido político.

Há pouco tempo, o antropólogo Ryan Hornbeck, de Pasadena, Califórnia, descobriu indícios de que o *videogame on-line World of Warcraft* estaria assumindo uma função espiritual para muitos jovens na China. Segundo o autor da pesquisa, "o *game* parece oferecer oportunidades de desenvolver alguns traços morais que a vida comum na sociedade contemporânea não consegue"[146]. Veja que ele estava falando da China, onde os jovens podem estar sendo preparados para tudo, menos para acreditar em Deus.

A pergunta que nos resta é: Por que o inconsciente humano insiste tanto em correr para a transcendência, mesmo com uma mente treinada para negar qualquer coisa além da materialidade?

Esta foi apenas uma pergunta retórica. Só para reflexão mesmo. Não caia no erro de sugerir uma resposta apressada, isso não seria nada acadêmico. Os

---

145 Kelemen et al. "Professional Physical Scientists Display Tenacious Teleological Tendencies", in *Journal of Experimental Psychology: General* (Nov. 2013); Lindeman et al. "Atheists Become Emotionally Aroused When Daring God to Do Terrible Things", in *International Journal for the Psychology of Religion* (2014); Willard; Norenzayan. "Cognitive Biases Explain Religious Belief, Paranormal Belief, and Belief in Life's Purpose", in *Cognition* (Nov. 2013); Bering. "Intuitive Conceptions of Dead Agents' Minds", in *Journal of Cognition and Culture* (2002).

146 Disponível em <https://www.engadget.com/2014/02/12/anthropologist-delves-into-world-of--warcraft-as-a-parallel-to-re/>. Acesso em: 24/05/2017.

dados levantados até agora apenas *demonstraram* a realidade do *persistente raciocínio transcendental humano*, mas não deram a razão dele. Logo, esperamos trabalhos futuros que possam dizer o porquê de tudo isso. Por ora resta-nos a intuição e somente ela. Embora, para ser honesto com você, não esteja certo se as pesquisas de campo algum dia conseguirão dar uma razão absoluta para esta insistente busca por significado, mesmo por parte de pessoas céticas. Este é um tema que estaria além das estatísticas.

Supersentido

Houve, a bem da verdade, uma tentativa de dar uma explicação científica para esta constante busca por significado. Ela veio do pesquisador ateu Bruce Hood, professor de psicologia comportamental na Universidade de Bristol, Inglaterra. Quando vi na livraria seu livro *Supersentido: porque acreditamos no inacreditável*, comprei sem pestanejar. Interessava-me ver o que um cético teria a dizer sobre o assunto. A primeira coisa que me chamou a atenção no livro foi que, diferentemente de outros autores como Richard Dawkins, Hood concluiu que as crenças supersticiosas são inevitáveis e até benéficas ao ser humano.

Hood não está sozinho em seu raciocínio. Outros acadêmicos de renome concordam com ele. A própria *Nature* trouxe certa vez o artigo de um professor de antropologia da Universidade de Washington chamado Pascal Boyer, que disse:

> O pensamento religioso parece ser o caminho da última resistência para nossos sistemas cognitivos [...] a descrença, pelo contrário, geralmente é uma ação deliberada, um esforço contra nossa disposição natural cognitiva [...] algo em nossa constituição cognitiva nos predispôs para a fé.[147]

Mas é importante dizer que Hood diferencia crenças religiosas de crenças seculares. Estas últimas seriam universalmente aplicáveis em todas as sociedades, enquanto as primeiras seriam específicas de determinada cultura. É a superstição secular inata que predispõe o indivíduo para a crença religiosa. Assim, o que eu chamo de abertura para o transcendente (adiante falarei sobre isso), ele chama de *supersentido*.

De acordo com o autor, na infância o supersentido é parte integrante de nosso modo de ver e processar o mundo em redor. É ele que nos faz ter medo do escuro, do bicho-papão. Trata-se de uma proteção de nosso inconsciente

---

147 P. Boyer. "Religion: Bound to Believe?", in *Nature* (2008): vol 455: 1038-39.

que nos leva a raciocinar sobre "aspectos invisíveis" do mundo ao nosso redor. Ao fazer isso, começamos a desenvolver a base das noções sobrenaturais que terão mais tarde poder sobre nossa vida quando nos tornamos adultos.

O curioso, segundo a conclusão de Hood, é que todas essas conexões da infância continuarão sempre no fundo da nossa mente "nos empurrando em direção ao sobrenatural". Neste ponto da leitura fui obrigado a me perguntar por quê. Afinal de contas, tudo que li até agora sobre desenvolvimento da criança, de Freud a Piaget, não esquecendo Vygotsky, fala de "etapas superadas" – crenças e valores que são importantes na infância, mas precisam ser amadurecidas para um desenvolvimento sadio do ser humano. A propensão ao sobrenatural, contudo, não vai embora. Apenas muda de temática e insiste em ficar. Por quê?

Hood afirma que isso se dá por causa do modo como raciocinamos. Nossa mente evoluiu para organizar e enxergar estruturas. Assim, buscamos padrões em tudo – seria como na infância olhando nuvens que se transformam em rostos e animais. Isso continua na forma de um receio, na sensação de *déjà-vu* ou nas vezes em que uma coincidência parecia ser mais que coincidência. Assim, como temos dificuldade em pensar em eventos aleatórios, nós sempre buscamos ordem, causas e consequências.

Essa explicação, para mim coloca em xeque o próprio método do livro. Quem pode garantir que os padrões de raciocínio humano observados pelo autor não seriam "ilusões" de sua própria mente predisposta a ver uma estrutura sistêmica onde não existe? Afinal o que ele fez senão organizar a episteme humana numa teoria que faça sentido?

Apesar disso, me deliciei com as descrições que ele faz de suas pesquisas. Em cada uma delas ele mostra como pessoas, inclusive céticas, são inevitavelmente propensas ao sobrenatural, à superstição e ao inacreditável. Mesmo entrevistados, ateus demonstraram asco em vestir o suéter de um *serial killer* ou morar numa casa onde uma pessoa foi morta. Isso, confesso que achei incrível. Meu único problema com as conclusões de Hood, como já disse, são as perguntas às quais ele não responde. Se o sobrenatural é apenas um modo de entender o mundo (e não é real), por que então não conseguimos nos livrar desse sistema de crenças? E Hood? Para poder apontar algo como resultado do supersentido, ele mesmo tem de ter se livrado dele, certo? Deveria ser como um espectador no teatro que, diferentemente da plateia, consegue ver os fios ocultos que o mágico usa no truque de levitação.

Por outro lado, se o supersentido é algo saudável, então aquele que o superou ou perdeu – para poder perceber a ilusão do outro – tornou-se deficiente, pois não teria mais consigo esse elemento vital. Bem, são coisas para se pensar. Por enquanto, permaneço com a certeza de que diagnosticaram nossa propensão ao transcendente, mas não deram razão dela.

Deus: termo em desgaste

Se eu transformasse a palavra "Deus" num livro que traçasse a história do termo desde sua criação até a semântica dos nossos dias, teria de escrever muitos capítulos de contradições e ironias. Recordo-me, por exemplo, quando aprendi no seminário que o livro bíblico de Ester custou a entrar no cânon, porque era o único texto hebraico/aramaico que não trazia o nome de Deus (JHVH). Deixar de mencionar textualmente o Altíssimo era uma falha grave naqueles tempos.

Depois veio a técnica de se escrever o nome de Deus com reverência, trocando-se até a tinta e a caneta, como demonstram alguns antigos manuscritos da Bíblia. Hoje os judeus tendem a escrever D'us, assim dessa maneira, talvez para manter a tradição do respeito pelo nome divino.

Há, inclusive, uma tradição também judaica de que o nome "Deus" (ou D'us) uma vez escrito num pedaço de papel não pode ser apagado, pois isso seria um sacrilégio. Uma discussão moderna desse assunto levou aos rabinos a questão se também era proibido apagar o nome uma vez que fosse escrito na tela do computador. A solução foi mais criativa que a problemática: considerando que um texto manuscrito contém santidade, mas a tela do computador não (nem me perguntem de onde tiraram isso), então não há problema em teclar o "*del.*" e apagar o nome depois de tê-lo digitado. Mas não faça isso num pedaço papel![148]

Eu particularmente discordo dessa forma de "santificar o nome de Deus", mas não quero desdenhar de quem age dessa maneira. O ponto aqui que me interessa ressaltar é como a situação muda rapidamente de um contexto para o outro. Se eu estiver fora do ambiente religioso, a sugestão será diametralmente oposta, serei orientado a apagar o nome de Deus e não mais o mencionar, principalmente se estiver numa escola pública ou numa aula de biologia, falando da evolução das espécies! A hipótese de Deus não é bem-vinda nestes círculos.

---

148 Disponível em <http://pt.chabad.org/library/article_cdo/aid/1547780/jewish/Cuidados-com-Dus.htm>. Acesso em: 15/03/2018.

Até mesmo em cursos como Sociologia das Religiões, vejo às vezes a troca deliberada do nome "deus" por formas menos diretas como "ícone", "espaço sagrado", "divindade", "religiosidade", tudo para evitar o nome do Altíssimo e transformar a aula num culto religioso. Paradoxalmente, porém, os nomes "deusa", "Zeus", "Oxóssi", "entidade" são bem-vindos, principalmente o primeiro, por carregar uma bandeira de libertação feminina.

Embora eu não esteja nem um pouco convencido de que vivemos academicamente numa era "pós-teísta", reconheço, de fato, que o termo "Deus" é um vocábulo dúbio e desgastado. É claro que eu o uso quando estou num ambiente religioso, mas numa conversa fora de ambiente religioso prefiro evitá-lo num primeiro momento, justamente por causa do preconceito e da dubiedade que ele carrega.

Não sei se é verdadeira a anedota que contam de um interlocutor que perguntou a Einstein se ele cria ou não em Deus, ao que o gênio respondeu: "Diga-me primeiro o que você entende por 'Deus' e, somente depois disso, poderei dizer se creio ou não nele!". Sendo ou não real, o episódio me faz pensar se hoje eu não teria de dar a mesma resposta antes de entrar num debate qualquer envolvendo religiosidade. Afinal, dependendo do que meu amigo incrédulo entende por Deus, pode ser que – naquele contexto – eu seja tão ateu quanto ele.

Deixe-me explicar melhor as razões de minha cautela com o termo. Aos religiosos que me leem, entendam que o faço com profundo respeito pelo Altíssimo, afinal, sou seguidor dele!

Em primeiro lugar, percebo que a palavra Deus se tornou, hoje, um nome de produto que pode conter diferentes marcas. Ilustrando o que quero dizer, pegue aquela famosa esponja de aço que se usa para limpar a pia da cozinha e pergunte às pessoas comuns como aquilo se chama. Poucas falarão "esponja de aço". A maioria dirá "Bombril". Veja, "Bombril" é uma marca, não o nome do produto. Considerando que há várias "esponjas", corre-se o risco de pegar uma de qualidade péssima e mesmo assim chamá-la de "Bombril". Nem todo Bombril é da Bombril, assim como nem toda Gilete é da Gillette. De igual modo, nem todo "deus" é Deus!

Muitos deuses

Quando falo que creio em Deus, não estou dizendo que creio em Zeus, Poseidon, Thor, muito menos no Deus racista da Ku Klux Klan ou qualquer outro que ordene explodir um carro-bomba na porta de uma escola. Na verdade, existe apenas um "Deus" que me separa dos ateus que conheço por aí, pois, no que diz respeito aos demais, sou tão descrente quanto qualquer um deles. Sei que ao dizer isso muitos vão argumentar sobre a imagem negativa do Deus do Antigo Testamento e que razões teria para adotar uma divindade negando a existência de outras. Mais à frente falarei disso.

Por ora, o que importa dizer é que, principalmente hoje, torna-se quase um imperativo acrescentar um genitivo ou um aposto ao nome de Deus. É importante esclarecer que estou falando do Deus da Revelação cristã – e mesmo esse pode apresentar diferentes conceitos.

Seria um equívoco pensar que todos que falam de Deus estão falando do mesmo ser. Há os que apelam para o fenômeno natural: Netuno, o senhor das águas; Plutão, soberano dos infernos. Isso sem contar o deus de Espinoza – realidade panteística que não passa de um mecanicismo natural. Definitivamente, as crenças não têm por objeto a mesma entidade.

Outro problema com a palavra Deus é o excessivo subjetivismo que a acompanha. Há muitos que forjam para si um "deus" à sua imagem, conforme sua semelhança, e procuram de todas as formas forçá-los aos demais. Um Deus às vezes moralista, às vezes liberal, enfim, um produto feito sob medida, ao gosto do freguês. É muito conveniente adorar um Ser Supremo que gosta exatamente do que eu gosto e reprova tudo aquilo que detesto. Seria quase como assumir, eu mesmo, o trono do universo.

Veja a pérola que encontrei a esse respeito nos escritos de Malebranche, um filósofo cartesiano francês que morreu no início do século 18:

> A palavra 'Deus' é equívoca, infinitamente mais do que se possa imaginar... há quem imagine que ama a Deus, mas efetivamente ama apenas o fantasma que ele próprio forjou.[149]

Mais recentemente, Martin Buber, outro conceituado filósofo, refletiu sobre a questão ecoando a mesma ideia do desgaste semântico da palavra Deus:

> Nenhuma outra palavra, diz ele, tem sido tão vituperada, tão mutilada [...] as raças humanas [sic] a têm despedaçado com suas facções religiosas; têm matado e morrido por ela, ostentando as marcas de seus dedos e seu sangue [...] Desenham bonecos e põem neles o nome de Deus.[150]

---

149 Nicolas Malebranche. *Traité de morale* (Paris: Vrin, 1939), I, III, 2.

150 M. Buber. *Eclipse de Dios* (Buenos Aires: Nueva Visión, 1984), p. 13.

Antes que alguém pense que citações desse tipo signifiquem um desrespeito de minha parte para com os diferentes credos da humanidade, deixe-me dizer que no meu código de valores pessoas devem ser respeitadas, mas ideias podem ser questionadas, criticadas ou até combatidas. Sei que nem sempre é fácil separar ideias de pessoas, mas isso não deve impedir um diálogo respeitoso, porém honesto.

Finalmente, a transcendência

Tudo o que escrevi até aqui foi apenas para justificar por que, em alguns contextos, prefiro evitar a palavra Deus, pelo menos como introdução a qualquer tema. Não é por vergonha da minha crença ou para enganar meu interlocutor. É uma questão de clareza e prudência. Nestes momentos recorro a outro termo, para mim, momentaneamente mais apropriado: *transcendência*. O que vem a ser isso?

Sempre tive um apreço por esta palavra, *transcendência*. Ela me fascinou desde os anos em que cursei graduação em Teologia e depois Filosofia. Cada curso, é claro, dava uma ênfase diferente, mas todas interligadas entre si. Originalmente, o termo tinha um sentido de *transpor algo, ultrapassar os limites de uma realidade*. Logo, transcendência e seus cognatos (transcender, transcendental, transcendente) seriam a crença de que existe algo além do sistema em que estou inserido, mas em constante relação com ele.

É importante, porém, esclarecer alguns termos para que não os empreguemos de modo descontextualizado. Transcendente e transcendental, por exemplo, não são sinônimos perfeitos como muitos imaginam. A filosofia de Kant foi pioneira na tentativa de distingui-los. Ambos são conceitualmente importantes para a filosofia, possuindo significados complementares, porém distintos. O primeiro refere-se a tudo que, embora ultrapasse o imediato, pode ser alcançado pela experiência humana, isto é, por meio dos nossos sentidos, aprendizado, cosmovisão. Já o segundo termo tem a ver com aquilo que transcende a experiência, mas que pode ser pensado, desejado, enfim, alcançado por meio da intuição.

Embora Deus e a realidade espiritual caiam dentro desse segundo termo, é importante dizer que o "transcendental" não está relacionado exclusivamente a um caráter místico ou contemplativo. Pode ser aplicado sem reserva àquilo que é real, mas ultrapassa a explicação lógica e o formalismo da ciência. Afinal o que são muitas hipóteses senão a explicação do que ainda não foi inquestionavelmente explicado?

O ser humano que questiona mostra sua abertura à transcendência. Por exemplo, a busca pelo sentido da vida, a existência de Deus, a busca pela origem do universo, são questões que conectam o ser com aquilo que está além de suas possibilidades e seu controle porque transcende sua vontade. Tudo que está fora do seu campo de atuação é transcendente. Logo, negar essa realidade supramaterial seria o mesmo que admitir a queda das maçãs de Newton, negando, porém, a força da gravidade.

Capítulo 16
Intuição racional

Kant dizia que todo conhecimento humano começou com intuições, passou daí aos conceitos e terminou com ideias. Logo, não é ilógica a conjugação filosófica entre intuição, lógica e razão, embora muitos pensem que o correto seria intuição, inocência e fé.

Há muitos preconceitos sobre a intuição, mas penso que ignorar qualquer comentário a respeito seria arriscar a continuidade do meu raciocínio. Afinal, não posso prever que tipo de leitor estarei tendo e pode ser que alguém de mente mais científico-laboratorial seja tentado a fechar o livro a partir do momento em que usei "intuição" neste título e associei a razão a ela. Intuir parece religioso ou filosófico demais para alguém de mente científica. Logo, seria inadequada para defender racionalmente uma realidade supra material.

O interlúdio explicativo, porém, seria muito pobre se resumido a um ou dois parágrafos. Por isso preferi logo abrir um novo capítulo. Depois desse "interlúdio técnico", poderemos continuar nossa trajetória pelo assunto da transcendência.

O ponto que discutiremos aqui é quanto à validade ou hierarquia dos conhecimentos obtidos, especialmente aqueles adquiridos pela ciência, pela intuição e pelo senso comum.

O pressuposto de muitos autores, tanto filósofos quando cientistas, é que há uma hierarquia de saberes que supõe que os coletivos superiores produzem conhecimentos nobres, enquanto os coletivos tidos como inferiores produzem saberes comuns.

Veja o caso do chamado conhecimento popular ou vulgar em oposição ao conhecimento científico. O primeiro é uma forma de conhecimento do tradicional herdado, sem uma apuração ou análise metodológica que o sustente. Ele não precisa de muitas explicações, pois é uma apreensão passiva de uma suposta realidade acrítica que, além de subjetiva, é superficial.

Já o segundo, o saber científico, preza pela apuração e constatação dos fatos apresentados. Busca por leis, sistemas, previsões lógicas com base na experimentação e nos resultados controlados. Não se contenta com explicações sem provas concretas. Seu raciocínio se baseia no método rigoroso e na experimentação moldada pela racionalidade. A distinção de ambos os conhecimentos pode ser vista na diferença assumida entre um cidadão comum discutindo no bar da esquina e um cientista político discursando na universidade. Este certamente sabe mais do que aquele.

Ambos estão falando do governo e o cidadão comum tem até algumas observações verdadeiras sobre a "coisa pública". Ele é habituado aos casos particulares de falta d'água no seu bairro e pesados impostos que paga. Sabe *o que é* para ser feito. Já o cientista político conhece o *porquê* das coisas e é por isso que se destaca no campo dos saberes. Seu olhar é mais técnico, amplo e moldado numa lógica de xadrez. Um vê apenas a peça e a movimenta aleatoriamente. O outro joga com antecipações, possibilidades e contempla o tabuleiro como um todo.

Não tire, porém, conclusões precipitadas, crendo que o saber técnico é inquestionável. A gestão do conhecimento não é tão simples assim. Não se trata de preto no branco. Se a verdade dos fatos fosse tecnicamente tão óbvia, todos os especialistas seriam unânimes em seus dizeres, e erros não seriam cometidos pelos mais expertos no assunto.

Isso não significa, também, uma relativização das competências acadêmicas ou da especialização em determinados setores. Não se pode diminuir a importância da educação na vida de um povo. Todos têm sua relevância e suas limitações. Afinal de contas, há tempos se sabe que uma especialidade sozinha não produz conhecimento útil, a menos que dialogue com os pares e com outras áreas (interdisciplinaridade).

A ignorância nossa de cada dia

Todos somos leigos, o que nos diferencia é o objeto de nossa ignorância. O grande Einstein admitia com frequência, em sua correspondência com Freud, as dificuldades que tinha em compreender as obscuras regiões da vontade e do sentimento humano. Freud, por sua vez, não captava as nuances básicas da Teoria da Relatividade[151].

É muito prejudicial a mistura entre conhecimento e soberba. Creio que foi Einstein que dizia que "o primeiro dever da inteligência é desconfiar dela mesma". Não pense que estou atacando apenas os acadêmicos e intelectuais,

---

[151] Disponível em <http://www.public.asu.edu/~jmlynch/273/documents/FreudEinstein.pdf>. Acesso em: 07/06/2015.

pois, mesmo no mundo do conhecimento comum, a ignorância pode ser bastante agressiva.

Para deixar claro o que não estarei defendendo neste capítulo, deixe-me dizer que não concordo com aquela visão religiosa, segundo a qual a intuição religiosa (entendida exclusivamente como teologia) estaria acima da filosofia e da ciência. Neste padrão cognitivo, as duas últimas seriam determinadas *ad hoc* pela primeira. Assim, o filósofo e o cientista deveriam ser sempre corrigidos pelo teólogo. Não acho que esse é o caminho.

Para mim há situações em que um saber será mais adequado que outro, mas não absolutamente superior ou absolutista, negando a contribuição que venha dos demais. Não se trata de abandonar a taxonomia convencional, que me diz ser o morcego um mamífero, e ficar com a Bíblia, que diz ser ele uma ave (Levítico 11:19 e Deuteronômio 14:18). Nem tampouco negar qualquer possibilidade de diálogo entre ciência e religião.

Todos conhecem a analogia do gato preto no quarto escuro, usada para demonstrar as diferenças entre a ciência de um lado e as demais formas de conhecimento do outro. Já atribuíram essa parábola a Voltaire, Rabelais, Comte. Sinceramente não sei quem a originou, mas sua ironia ácida seria mais ou menos assim:

Os filósofos são aqueles que vivem num quarto escuro procurando um gato preto.

Os metafísicos são aqueles que vivem num quarto escuro procurando um gato preto que não existe.

Os cientistas são aqueles que acendem a lanterna e comprovam que não há gato algum.

Os teólogos são os que vivem afirmando que acharam o gato.

Será que a caricatura procede? Em parte sim, em parte não. Aristóteles já observava o risco existente também do lado investigativo: "Procurar a prova de assuntos", dizia ele, "que já possuem evidência mais clara do que qualquer prova pode fornecer é confundir o melhor com o pior, o plausível com o improvável e o básico com o derivativo"[152].

---

152 Aristóteles. *Física*, Livro VIII, 3 in Physics, books V-VIII. Trad. de P. H. Wicksteed & F. M. Cornford. (Cambridge: Harvard University Press, 1980). (edição bilíngüe, grego-inglês – LoebClassical Library).

O entendimento das coisas pressupõe entender as evidências, e cada problema demanda uma investigação e competência específicas. Às vezes não se acha o gato, não porque ele realmente não exista, mas porque o buscam com instrumentos inadequados, no lugar errado. Nem sempre a ausência da evidência significa evidência da ausência. Sendo assim, e quando a análise material não dá conta da investigação? Como devemos proceder? Como saber se realmente há alguma chance de o gato estar lá?

O despertar da ciência

Desde os tempos mais antigos, a humanidade já investigava a natureza de um modo, digamos, "científico". Os egípcios, chineses e babilônios já haviam desenvolvido tremendamente a matemática, a astronomia e os cálculos probabilísticos. Basta ver a precisão arquitetônica de seus monumentos (pirâmides, calendários astronômicos) ou a proximidade espantosa de seus cálculos sobre tamanho, forma e peso do planeta Terra.

Não obstante, aquela que hoje chamamos de Ciência Moderna é um movimento recente na história da humanidade. Surgiu no século 16 por intermédio de figuras como Galileu Galilei, Nicolau Copérnico e Isaac Newton. Suas raízes, contudo, estão ligadas ao período renascentista do fim do século 14 e meados do século 15. Nesta ocasião, a Idade Média estava chegando ao seu limite temporal, deixando um saldo negativo para os novos tempos que se seguiam.

A corrupção quase milenar da Igreja, somada ao surgimento do racionalismo, combinou para minar a credibilidade daquela poderosa instituição religiosa, que por séculos havia dominado as diretrizes do conhecimento. Até então, o ambiente do saber era orientado pelas diretrizes eclesiásticas ensinadas na *Universitas*, que era a instituição oficial de ensino da Idade Média. Já falei dela num capítulo anterior. Este modelo escolar surgiu no século 11, primeiramente em Oxford, Bologna e Paris. Depois, espalhou-se por toda a Europa afetando profundamente as formas de compreensão da realidade. Nesta ocasião, o significado básico de *cultura* (*colere*) vinha de um ambiente agrícola e sacerdotal que, na verdade, antecedia o surgimento do cristianismo. Era a busca de uma relação estável com a terra e com o deus que a protegia. Daí as expressões latinas: *colere terram*, cultivar a terra, de onde vêm as palavras agricultura, colônia, agricultor, monocultura etc., e *colere deos loci*, cultivar (ou cultuar) o deus da terra, de onde vêm as palavras culto, cultivo, ocultismo.

O interessante é que alguns destes conceitos vinham diretamente do paganismo e adentraram ao ambiente cristão graças ao sincretismo provocado pela união entre igreja e império romano. Toda esta dominação eclesiástica medieval, juntamente com a insígnia *ora et labora* (reze e trabalhe), acabou produzindo uma época de profundas trevas morais, espirituais e tecnológicas para a Europa. Não é por menos que Henri Matisse se referia à Renascença como o fator conseguinte à "decadência"[153]. As artes, as letras e até o conhecimento bíblico, que pareciam haver morrido no mesmo naufrágio do Império Romano (em 476), começaram, finalmente, a renascer depois de um longo e terrível período chamado "Idade Média".

Hoje há muitos autores que tentam redimir a Idade Média, criticando qualquer rotulação relacionada à idade das trevas ou do obscurantismo. Este não é um debate que nos interessa neste exato momento. Contudo, é notório que, em termos tecnológicos, há uma grande diferença entre a Europa Medieval e aquela que conheceu o experimentalismo da Idade Moderna.

Só para se ter uma ideia da estagnação que se perpetuou por séculos, é sabido que, geralmente, as leis científicas necessitam de uma medida de tempo para serem observadas. Ora, até ao século 16, os relógios eram raros e não se encontravam em nada melhores que aqueles usados nos tempos do grande Egito. O próprio Galileu, já no século 17, teria de usar uma clepsidra (relógio d'água) para medir o tempo que um corpo levaria para descer num plano inclinado. O sistema do qual ele se valeu era o mesmo usado no Egito nos tempos da 18ª dinastia, isto é, em 1450 a.C.

A anotação dos números era outro transtorno. Embora os algarismos arábicos já fossem conhecidos desde o século 10, seu uso não estava generalizado até a chegada da Idade Moderna. O costume, demarcado pela Igreja, era a utilização dos algarismos romanos, que impediam a realização de cálculos mais complexos envolvendo frações ou a divisão de números maiores que mil. Dividir MDXXIX por VII só seria possível com o uso de uma estranha prancheta cheia de bolas e conhecida pelo nome de ábaco. Professores de Oxford não puderam definir o conceito de velocidade porque ainda não havia na matemática da época os métodos de cálculo infinitesimal.

Assim, a entrada da mentalidade científica nos séculos 16 e 17 trouxe uma rápida mudança na paisagem social europeia. Com o fim do feudalismo,

---

153 Henri Matisse. "Statements to Tériade", 1936, in *Art in Theory* 1900-2000, Charles Harrison; Paul J. Wood (eds.) (Oxford: Blackwell, 2002).

intensificou-se o desenvolvimento capitalista e a revolução comercial, que, até então, era rudemente ligada à circulação de mercadorias.

No ano de 1687, Sir Isaac Newton desenvolve a teoria gravitacional e a publica no seu *Principia* sugerindo uma ideia mecanicista do cosmo. Como teólogo que era, ele ainda via Deus como a causa primeira deste motor. Mas essa hipótese não predominaria na geração dos novos físicos.

Mudança de rumos

Com o fim da idade Média, os intelectuais europeus começaram a entrar em contato com fortes elementos de questionamento à fé religiosa. Foi uma verdadeira mudança de paradigmas que trouxe uma nova cultura: capitalista na economia, clássica nas artes e literatura, científica na atitude em relação à natureza e bíblica em relação à teologia (protestantismo).

O fracasso das Cruzadas trouxe uma rápida decadência do feudalismo com conseguinte renascimento comercial e urbano. Os burgueses passaram a ter o poder e a ameaçar até mesmo o sistema monárquico, que vivia da Igreja e dos feudos.

O advento de novas correntes filosóficas mudou os modos de compreensão da realidade: racionalismo (Descartes); empirismo (Francis Bacon); iluminismo (inglês de Locke, Berkeley e Hume; francês de Voltaire; alemão de Leibniz; e italiano de Beccaria).

As ideias centrais do Iluminismo eram basicamente estas:

1) O homem não é um depravado inato;
2) O objetivo da vida é a própria vida, e não a vida depois da morte;
3) A condição essencial para a boa vida na terra é a libertação da mente dos homens da ignorância e da superstição;
4) Se for libertado da ignorância e da superstição e dos poderes arbitrários do Estado, o homem é capaz do progresso e da perfeição.

A descoberta da célula em 1670 foi outro elemento que levou os homens a migrarem de uma visão metafísica/universal para uma visão dialética da realidade, em que o individualismo é colocado acima de qualquer coisa[154]. É que, por ter cada célula uma identidade própria, tornou-se difícil falar de princípios universais para o ser humano, que é constituído delas. Somos um conjunto de singularidades.

Além disso, a futura descoberta das leis de conservação no século 18 (Lavoisier) sugeriria pela primeira vez uma explicação racionalista de eternidade: nada desaparece, apenas se transforma. A noção de juízo divino que direcionava comportamentos finalmente se tornara algo bastante inofensivo. Para fechar esse escopo de rupturas não se pode esquecer da Revolução Francesa, que foi o maior movimento de oposição às estruturas religiosas. O resultado de tudo isso foi muito bem resumido por Rubem Alves:

> Houve um tempo em que os descrentes eram raros. Tão raros que eles mesmos se espantavam com a sua descrença e a escondiam, como se ela fosse uma peste contagiosa [...] Mas alguma coisa ocorreu. Quebrou-se o encanto. O céu, morada de Deus e seus santos, ficou de repente vazio. Virgens não mais apareceram em grutas. Milagres se tornaram cada vez mais raros, e passaram a ocorrer sempre em lugares distantes com pessoas desconhecidas. A ciência e a tecnologia avançaram triunfalmente, construindo um mundo em que Deus não era necessário como hipótese de trabalho. Na verdade, uma das marcas do saber científico é o seu rigoroso ateísmo metodológico: um biólogo não invoca maus espíritos para explicar epidemias, nem um economista os poderes do inferno para dar contas da inflação, da mesma forma como a astronomia moderna, distante de Kepler, não busca ouvir harmonias musicais divinas nas regularidades matemáticas dos astros.[155]

Assim, paulatinamente, o ensino técnico e mecanicista começou a ganhar novo impulso, desafiando as antigas tradições filosóficas e os dogmas religiosos. A ciência moderna surgiu de modo imperialista e, sobretudo, antidogmático e antirreligioso. Sua base é o experimentalismo por meio do qual se pretende dar todas as explicações do universo que nos cerca.

---

154 Em 1665, o cientista Robert Hooke cunhou o termo "célula" antes que qualquer célula viva houvesse realmente sido vista. Só na década 1670, Van Leeuwenhoek criou lentes potentes. Em 1673, ele abriu um novo protótipo podendo observar células (adotando termo de Hooke). A teoria celular só começou a se desenvolver em 1831. Nesse ano, o botânico Robert Brown observou o ponto de controle da célula, denominando-o "núcleo", e identificou essa estrutura como o elemento comum de todas as células vegetais. Logo os núcleos foram descobertos em células animais, e o fluxo do "protoplasma" foi observado em células vivas em 1835.

155 R. Alves. *O que é religião* (São Paulo: Abril Cultural, 1981), p. 8.

Some-se a isso um apelo ao naturalismo, quase em rechaço às concepções espirituais da realidade. O homem foi entendido como um fruto da natureza, de modo que deve estudar e ser estudado com métodos naturais, e nunca religiosos ou filosóficos. Estes passaram a ser conhecimentos de segunda categoria.

E a intuição?

Não foi apenas a religião que foi escanteada pela compreensão exclusivamente científica. A filosofia, e mais especificamente a metafísica, tornaram-se objeto de descarte no ambiente dominado pelo tecnicismo positivista e cientificista. Julgava-se que os problemas filosóficos não eram reais e a metafísica não fornecia nenhum objeto real de conhecimento, nem um método seguro a ser aplicado. São saberes, portanto, ineficazes e pouco proveitosos.

Foi exatamente aí que a intuição – mecanismo preferido dos filósofos – pegou carona no trem da metafísica e quase foi parar no abismo. Não foi necessariamente execrada, pois alguns ainda se valiam dela como forma de raciocínio. Afinal, intuição fora o sentimento fundamental da filosofia em todos os tempos. Desconsiderá-la seria negar as bases do pensamento dedutivo. Porém, foi colocada em segundo plano. A intuição foi tratada como as rodinhas de bicicleta que, embora válidas na infância, são dispensáveis ao ciclista adulto.

A bem da verdade, no entanto, houve alguns cientistas e matemáticos que persistiram em falar bem dela. Blaise Pascal, por exemplo, referia-se à intuição como o produto da capacidade da mente de fazer muitas coisas ao mesmo tempo. Einstein, por sua vez, falou da mente intuitiva como um "dom sagrado e a mente racional como um servo fiel".

O problema com a intuição é que ela dispensa os anos de ensino coroados por um título acadêmico ao final do programa. Trata-se, antes, de um ato cognitivo simples, único, em que o indivíduo pode pressupor coisas sem necessariamente possuir um conhecimento empírico do assunto. Uma mãe, por exemplo, que mesmo sem qualquer informação concreta sente que seu filho não está bem, ou o indivíduo desprotegido, que percebe uma sensação de perigo.

O pensamento intuitivo não necessita de conceitos racionais ou avaliação específica do objeto de sua percepção. Trata-se de um conhecimento claro, direto, imediato da realidade sem auxiliares cognitivos. Através dela, pode-se captar sem muito esforço a realidade de um elemento apresentado. Por isso que, etimologicamente falando, intuição significa ver e conhecer (do latim *intuere* = ver). Essa é a característica mais evidente desse modo de conhecer a realidade.

O oposto disso é a mentalidade técnico científica que caracterizaria o racionalismo moderno. Seu processo é marcado por cinco características básicas que fogem à observação intuitiva:

1) Coerência. Na base da iniciativa científica deve haver a intenção de produzir resultados palpáveis que contribuam para a evolução da humanidade.
2) Matemática (já proposta por Newton como a Bíblia da nova ciência) seria a linguagem moderna para descrever as experiências.
3) A necessidade de experimentos empíricos é fundamental para que haja ciência, pois esta se realiza na apropriação da natureza.
4) A eficácia da teoria é feita pela repetição observada que confirma ou nega seus pressupostos.
5) Verificabilidade. A ciência moderna exige que o discurso, para ser válido, tenha de ser universal.

Assim, as ciências naturais arvoraram por muito tempo ser a única forma de representação precisa e adequada da realidade. Aquela que pela excessiva especialização das áreas e compartimentalização do saber ofereceria a explicação causal dos fenômenos e para onde concorreriam.

Por sua ampliação e especificação temática, a ciência teria a superioridade absoluta sobre toda e qualquer outra forma de conhecimento humano. A isso deu-se o nome de cientificismo positivista.

Desafiando a exclusividade científica

Coube a Henri Bergson, filósofo francês, uma das contestações mais contundentes contra o exclusivismo do pensamento positivo, que a seu tempo se tornara estreito e dogmático[156]. Toda sua proposta estava voltada para a defesa da legitimidade do pensamento filosófico como apreensão de uma realidade não perceptível por métodos laboratoriais.

---

156 Henri Bergson. *Introduction à la Métaphysique* (Paris, Éd. Payot & Rivages, impr. 2013). Veja também Henri Bergson. *O pensamento e o movente. Ensaios e conferências* (São Paulo: Martins Fontes, 2006) – este é em grande parte uma republicação da obra anterior, mas com diferenças editoriais importantes.

À semelhança de outros pensadores modernos (digo especialmente os existencialistas), ele se colocou na linha de frente contra o racionalismo exagerado que dominou as carreiras acadêmicas, desde a segunda metade do século 19 até as primeiras décadas do século 20. Seu principal mérito foi preconizar a intuição ou consciência como uma espécie de fio condutor que leva a "viver por dentro" os objetos do conhecimento.

O raciocínio baseado nas ciências empíricas tem sua validade, disso não há dúvida. Mas apenas permite descrever os objetos e exprimi-los de maneira simbólica, pois a linguagem é um rótulo artificial para dar nome às coisas. Consequentemente, as teorias expressas por cientistas, assim como os dogmas expressos pela religião, têm apenas valor relativo, pois não atingem a realidade profunda e autêntica do ser. Esta limitação natural só pode ser ultrapassada mediante a intuição.

Deixe-me dar um exemplo desse modo de conhecer intuitivamente a realidade e sua relação com as ciências naturais. O tempo existe ou não? Sei que a pergunta parece idiota, mas quem já leu teóricos da física sabe que não é. Enquanto no universo de Newton o relógio do tempo era "britânico", isto é, preciso, na física de Einstein ele se tornou relativo e ilusório. Hoje nem mesmo a passagem do tempo pode ser garantida pela ciência.

Parece louco? Veja, nós dividimos o tempo em três dimensões: passado, presente e futuro. Certo? Também marcamos a passagem em segundos, minutos, horas, meses, anos e séculos. Mas você há de convir que somos nós que inventamos esses códigos cronológicos para adaptar o que percebemos "intuitivamente" a uma realidade sensível. O tempo, contudo, seja ele o que for, não tem essas divisões.

Veja de forma mais simples. O futuro não existe porque não chegou, certo? E o passado também não existe porque já passou? O que sobra? O presente, que a cada nanossegundo se torna passado e, portanto, também não existe da maneira empírica como imaginamos.

Contudo, a despeito disso, temos uma clara sensação temporal que, contraditoriamente, nos leva a dizer que o tempo existe, pelo menos de uma forma sensorial. Sendo assim, como sabemos que ele existe? Pela experiência laboratorial? Por conceitos matemáticos? Não! Pelo puro e simples exercício da intuição, ou seja, a percepção de que há coisas que não posso tocar, delimitar ou medir, senão por meios artificiais, simbólicos ou análogos.

O que faz um cientista?

O que o homem faz em sua ciência é reinventar a existência para adaptá-la à sua realidade. Nós remodelamos o universo fragmentando-o para caber na nossa compreensão do que está em redor. Assim, fazemos certas descobertas e as moldamos em instrumentos rígidos, correndo o risco de achar que eles abarcam a única realidade que existe ou que a realidade cabe em instrumentos e o que está fora deles é ilusão.

Os que assim procedem – especialmente os positivistas mais apaixonados – agem como crianças colecionando água do mar em baldes e afirmando ser tolice qualquer afirmação de existência de um oceano. O que se existe e merece ser discutido é o que cabe dentro de baldes enfileirados na praia, o resto é devaneio filosófico.

Mas, como afirmou Bergson, esta é uma faculdade humana de fabricar "instrumentos destinados a fabricar outros instrumentos" (*des outils à faire des outils*) e, no final das contas, ela não consegue representar a realidade tal como essencialmente o é. O conhecimento fica na superfície das coisas, é apenas um saber instrumental que só tem significado prático ou imediato.

O que mais me impressiona nisso tudo, e continuo com o pensamento de Bergson, é que, ignorando por completo qualquer camisa de força imposta por intelectuais cientificistas, o espírito humano (outra noção intuitiva) impele a mente para as regiões intocáveis da realidade. Sentimos uma necessidade ontológica de nos achegarmos ao ser sem o intermédio de fórmulas matemáticas, dados empíricos ou qualquer outra abordagem fragmentária e quantitativa. Queremos contato imediato com o "real" não susceptível a números, estatísticas e dados.

Como você acha que um biólogo explica seu amor incondicional por um filho com paralisia cerebral? Como você acha que um físico descreve sua emoção ao ouvir a oitava sinfonia de Beethoven? Ou ainda, como será que um estudante de química, convencido do materialismo científico, justificaria sua paixão por aquela menina que o despreza? Certamente não será com dados empíricos, estatísticas, muito menos com artigos de revista indexada. Eles podem negar o valor da intuição humana, mas foi ela que possibilitou esses saberes.

Tocando a realidade

Intuição, portanto, neste sentido não é um tiro no escuro, como vulgarmente alguns poderiam entender. Estamos falando de uma faculdade da mente que permite perceber realidades metafísicas não alcançáveis pelos cinco órgãos sensoriais. Mas alguém dirá: espere, é com os órgãos sensoriais que o biólogo toca no filho, o físico ouve Beethoven e o químico contempla a moça. Sim, essas ações, no entanto, são fruto de um princípio prévio a esse exercício que não pode ser mensurado por outra coisa senão a intuição.

Veja, o pai toca o filho, o físico ouve Beethoven e o químico vê a menina. Contudo, o que os faz sentir o que sentem quando tocam, ouvem e veem? A sinapse? Claro que sim, mas o que provoca a conexão que a produziu? Que princípio universal é esse que nos dá noções de belo, grandeza, ternura, vontade? Sinapses de aprendizado podem ser provocadas pelo estímulo, mas o que estimula os sentimentos mais profundos e humanos? Um bebê pode corresponder ao cuidado que lhe é dado, entretanto, existe um sentimento anterior a qualquer estímulo e que ele já nutre no útero daquela que o está gerando. Ninguém nos ensina a amar, sorrir, chorar. Nós já nascemos com essas faculdades. De onde elas vêm? Como podemos percebê-las, senão por sentimentos não empíricos?

Veja, um estudo físico pode descrever geograficamente uma cidade X. Pode falar de suas ruas, seu plano urbanístico, sua história, seu momento político. Um livro pode ser escrito acerca dela com todo o rigor investigativo. Não obstante, o sentimento de alguém que passou sua infância e tem boas lembranças do lugar não pode ser medido pela trena do arquiteto ou pelas observações do engenheiro. Ele é real, porém, ultrapassa os limites do rigor acadêmico e não pode ser alcançado por nenhuma precisão científica.

Podemos conceituar o belo, o amor, a ternura, a felicidade, mas, ainda que apresentemos códigos de valores que ilustrem esses princípios, devemos compreender que eles existem a despeito das convenções. Sei que o conceito de felicidade diferencia entre o que pensa o homem do campo e um adolescente que mora em Nova York. Contudo, a felicidade como princípio existe independentemente disso. Ela pode ser retratada de diferentes modos. Como princípio, no entanto, é uma existência pura e fluida sem hiatos ou intermitências. Uma realidade, como disse Bergson, *durée purê*, ou seja, "puramente durável", "contínua e inteiriça".

Esses princípios contínuos, unos e reais são metafísicos e só podem ser comunicados de modo simbólico, análogo e fragmentário. A questão é como atingi-los de modo autêntico e não deturpado? Negando-os ou ignorando-os, sei que não é. Por isso insisto em valorizarmos racionalmente a capacidade da intuição. Este instinto, como definiu Bergson, é uma espécie de "simpatia pelo espiritual" e eu gostei dessa expressão. Ela me leva a fazer uma sondagem que só tem sentido emotivo quando coincide com aquilo que possuo de mais sublime e inefável – o desejo por algo que se revela na natureza, mas está além dela.

Outros questionadores

O que Bergson falou acerca da linguagem e sua ambiguidade nata, mesmo a linguagem científica, foi também expresso na teoria crítica de Foucault. Ele dizia que o regime de produção científica na sociedade contemporânea também está indissociavelmente vinculado às relações de poder, travadas não apenas entre si, no interior do campo de discursos, como também no domínio não discursivo. Assim, o caráter científico de determinados saberes, ou seja, a posição dominante que ocupam na hierarquia das cátedras, é o que lhes permite produzir "verdades científicas".

Ainda que o tema não seja central na obra de Foucault, sem dúvida o *status* do científico, a hierarquização das formas de conhecimento do mundo por ele presumida e as relações de poder que aí estão imbricadas foram questões atingidas por suas análises. Logo, é mais uma vez a precisão e exclusividade do conhecimento científico que estão sendo colocadas em pauta.

Se voltarmos uns 130 anos antes de Foucault, podemos encontrar outro interessante questionamento feito, desta vez, por Arthur Schopenhauer, um dos paladinos da metafísica moderna[157]. À semelhança de Foucault, ele também era ateu e acho interessante que, a despeito disso, ambos os autores valorizem a intuição como modo autêntico de apreender uma realidade que não perpassa necessariamente pelos crivos da observação empírica. Para ele o mundo fenomenal é o produto de uma cega, insaciável e "maligna" (?) vontade metafísica. Seu pessimismo filosófico explica o porquê de alguns adjetivos usados por ele.

Schopenhauer também admite que a ciência é mera representação do mundo "em si". Mas considerá-la a única forma legítima de admitir a realidade é uma abstração arbitrária e unilateral. Existe em nós, diz o autor, outra força, uma resistência interior em aceitar a redução de tudo o que existe a uma mera representação.

---

157 O que falarei aqui de Schopenhauer eu tiro principalmente de seu livro *O mundo como vontade e representação*. Disponível em <http://www.egov.ufsc.br/portal/sites/default/files/anexos/24881--24883-1-PB.pdf>. Acesso em: 15/03/2018.

O que precisamos, portanto, é sair do campo das representações, admitir os princípios da razão que advêm da experiência externa e ultrapassar os limites das formas do intelecto. Portanto, o ponto de partida do conhecimento metafísico está nessa encruzilhada entre as experiências externa e interna.

Acho interessante quando ele diz que "todo o homem toma os limites de seu próprio campo de visão como os limites do mundo". Não posso ler isso sem deixar de pensar naqueles que à semelhança de Yuri Gagarin negam as realidades divinas só porque foram ao céu e não viram Deus lá em cima. Sei que Schopenhauer não cria em Deus, porém não estou aqui preso ao que ele concluiu, mas ao que eu posso inferir dos *insights* que ele teve. Isso é fazer uma leitura crítica de um clássico.

As experiências interna e externa, segundo o autor, traduzem-se no próprio corpo e eu também gosto disso. Não se trata de um endosso a qualquer tipo de platonismo dicotômico do ser humano que para mim é *indivíduo*, isto é, não divisível.

A elaboração do conhecimento metafísico, por almejar um sentido último da representação ou que a ultrapasse, leva o sujeito, através de seu próprio corpo, a algo cujo domínio não é o saber, mas o intuir. O saber, para ele, se iguala à representação abstrata de algo, conforme os conceitos produzidos pela razão. Mas, mesmo neste caso, a representação precisará de algo fora dela mesma que possa legitimá-la. Ainda que esse algo seja outro conceito, este também buscará um ponto de apoio que não pode ser ele mesmo, e no final dessa cadeia o que encontraremos será uma "representação intuitiva" que impreterivelmente passa pelo nosso corpo.

Não é o saber, pois, que proporcionará o sentido último da representação, mas a atividade intuitiva, e por ser corpórea ela não se identifica com algo necessariamente místico, mas acima de tudo "real". Schopenhauer chega a dizer que ela é "empírica".

Realmente eu estava dias atrás assistindo a uma entrevista em que determinada psicóloga explicava como o amor foi "detectado" através de ressonâncias cerebrais. A pesquisa consistia em colocar um número de indivíduos numa máquina de tomografia que mapeava o cérebro e mostrar passo a passo fotos de pessoas, animais crianças etc. Quando eles viam a imagem de alguém por quem estavam apaixonados, as funções cerebrais se alteravam instantaneamente. Havia estímulos específicos em determinadas áreas do cérebro e a produção de substâncias como feniletilamina e oxitocina (os hormônios do amor) aumentava exponencialmente.

Agora vamos colocar em prática o que disse Schopenhauer. O que essa pesquisa fez foi apenas *descrever* com representações convencionais os efeitos de um princípio não identificado senão intuitivamente chamado "amor". Aliás, até esse nome é uma convenção descrita pelos pesquisadores da psicologia. Uma convenção excelente, eu diria, mas que não seria senão outro exercício limitado ao terreno das representações.

Arrisco dizer que se Schopenhauer visse essa pesquisa ele não faria uma análise muito diferente da minha. Talvez pudéssemos sugerir juntos (embora sejamos discordantes no quesito "Deus") que o indivíduo pensante admita a possibilidade de outro caminho que não o da mera representação. Esse caminho é o da intuição que se abre para o transcendente.

O valor da ciência

Tudo o que escrevi anteriormente não tem por objetivo criar uma disposição anticientífica (espero não ser acusado disso). Meu intuito – e creio que dos demais que citei – é colocar a ciência, a filosofia e a teologia em seu devido lugar, abrindo também espaço para a intuição e a metafísica. Todas são formas distintas, porém válidas, de se alcançar um objetivo comum, que é conhecer a realidade e expressá-la da melhor maneira que pudermos. Sozinhas poderão fazer muito pouco, em conjunto serão maravilhosas. Que seria da música se os corais só aceitassem barítonos? É na consonância e na dissonância que se compõem as grandes sinfonias.

Existem fórmulas físicas que demonstram que entre algumas notas musicais há uma frequência harmônica diferente das outras. Elas causam uma sensação de instabilidade ao nosso ouvido, ou um pouco de tensão. Consonâncias são as notas que se casam perfeitamente entre si, sem deixar uma sensação estranha, de desafinação, enquanto as dissonâncias são aqueles intervalos que parecem soar meio estranhos. De qualquer forma, pessoalmente afirmo que os acordes dissonantes são os que embelezam e enriquecem uma partitura.

Assim também deveria ser o mundo do conhecimento. Cientistas, filósofos, teólogos e leigos, unidos na busca do saber. Haverá concordância em tudo? Claro que não. A analogia das dissonâncias também se aplica neste caso. Não foi o irreverente Nelson Rodrigues que disse que "toda unanimidade é burra"? Concordo com isso. Nelson Rodrigues tem razão, mas nem sempre. Não posso me dizer apreciador da literatura que ele produziu, mas endosso esse aforismo, pondo em prática outro pensamento que aprendi como pertencendo a Santo Agostinho: "No essencial devemos ter unidade, no não essencial, podemos ter liberdade, mas em tudo devemos ter caridade" (*"In necessariis unitas, in non necessariis libertas, in omnibus caritas"*)[158].

Ainda voltarei a tratar da relação entre os saberes neste livro. Por ora, contento-me em lembrar, a favor da filosofia e da metafísica (intuição), que hoje é sabido haver uma gama de conhecimentos e propostas que simplesmente não perpassam pelos caminhos do método convencional científico. Negar essas realidades é fechar os olhos para fingir que o Sol não existe.

---

158 Essa frase, com redações ligeiramente diferentes, já foi atribuída a Agostinho, a Comenius e ao autor alemão Peter Meiderlin (também conhecido como Rupertus Meldenius). O que nos interessa aqui é a profunda essência espiritual do dito também redigido na forma *in necesariis Unitatem, in non-necessariis Libertatem, in utrisque Charitatem.*

Capítulo 17
Tocados pelo absurdo

Mais do que *crença* ou *disposição mental*, permita-me dizer que a transcendência, na verdade, é uma busca constante por significado. Fomos dotados de uma desesperadora fome e sede de propósitos. Não basta viver, temos de saber qual o sentido da vida. O grande drama é equacionar esse desejo por clareza com a frieza do silêncio existencial.

"Meu reino por um cavalo!" – gritava Ricardo III, após a derrota na Batalha de Bosworth. Quantas vezes, em meio às lutas de uma inquietação mental, lembrei-me desse episódio de Shakespeare e pensei: *Daria o reino e o cavalo por uma verdade*. Fiquei aliviado ao perceber que não estava sozinho nesta inquietude, nesta busca por razões e significados.

Um encontro com Camus

Lembro-me do fascínio que tive ao ler pela primeira vez os escritos de Albert Camus. Seus dilemas tinham semelhanças com os meus, embora por fim tenha optado pela crença, enquanto ele, não sei dizer. É difícil afirmar com certeza se Camus era ateu ou agnóstico e se morreu nesta condição.

Supostos diálogos entre ele e um pastor chamado Howard Mumma foram publicados postumamente, nos quais o pensador francês afirmava ter alguma inclinação para o teísmo bíblico:

> Estou quase em uma peregrinação, buscando algo para preencher o vazio que estou experimentando, e ninguém sabe [...]. Desde que comecei a ler a Bíblia, sinto que existe alguma coisa. Não sei se é pessoal ou se é uma grande ideia ou influência poderosa – mas existe algo que pode trazer novo significado a minha vida. Eu certamente não tenho esse algo, mas ele está lá. Nas manhãs de domingo, ouço que a resposta é Deus.[159]

Seriam verdadeiras e exatas essas palavras? Difícil afirmar. Sou meio cético em relação a supostas conversões de pessoas famosas, ocorridas à hora da morte

---

159 Howard Mumma. *Albert Camus e o teólogo* (São Paulo: Carrenho, 2002), p. 104, 105.

e testemunhadas apenas por algum crente que disse ter estado com elas. De qualquer forma, posso reservar um espaço mínimo para a possibilidade desse diálogo. Afinal, é difícil extrair da obra de Camus um quadro inequívoco de sua filosofia, especialmente quanto à existência de Deus.

Olivier Todd, numa biografia de Camus, o descreveu como "denso, epigramático e de clareza enganosa"[160]. Por isso me limito a afirmar sua genialidade, que, aliás, lhe conferiu o Prêmio Nobel de literatura em 1957, e, acima de tudo, sua coragem acadêmica. Sim, coragem. Se tivesse tido a oportunidade de conhecê-lo, certamente não concordaria com tudo o que ele diria, mas isso não me impediria de cumprimentá-lo por sua ousadia.

Digo "ousadia" porque ele não temeu admitir a sede de significado, numa época em que os ecos do materialismo ainda predominavam nos corredores da universidade francesa. Só para lembrar, quando o materialismo surgiu no século 19 sua proposta era expurgar o mundo de suas concepções teológicas e transcendentais. Assim, qualquer busca por significado que soasse "etérea" poderia custar sua reputação entre os pares.

Sem receio algum, Camus debruçou como uma criança inquieta diante das trivialidades que o lançavam para questões existenciais. No *Mito de Sísifo*, sua mais brilhante obra, ele fala, de modo poético e sem muitos rodeios, como o cotidiano é desafiado pela sensação de *absurdo*[161].

Ele fala da tediosa rotina de bonde, horas na fábrica ou no escritório, horário de almoço, fim de expediente, bonde novamente... trecho que repito, só para lembrar que algumas coisas não mudaram tanto assim em 60 anos! Tudo parece uma mesmice, até que, diante de uma vida com cores de mecanicidade, o sujeito (eu e você) se vê confrontado pela sequência de uma preposição e um pronome interrogativo que juntos formam a palavra "por quê?", equivalente a "por qual razão?" – se é que existe uma "razão".

Aí, depois do questionamento instantâneo que surge sem ter sido convidado, vem a "lassidão" ou a "preguiça" diante do fato de existir. Viver dá muito trabalho! Assim o inegável cansaço de vida desperta a consciência de que algo não está certo. Neste momento, somos confrontados com uma nova tomada de consciência e um desafio: Compensa viver? O dilema se limita ao

---

[160] Olivier Todd. *Albert Camus, uma vida* (São Paulo/Rio de Janeiro: Record), 1998.
[161] Albert Camus. *O Mito de Sísifo* (São Paulo: Record, 2004).

reestabelecimento ou ao suicídio. Sentimentos comuns a todas pessoas e que perpassam a estranheza do absurdo.

O que é o absurdo?

Deixe-me explorar o sentido etimológico de absurdo: *ab* = intensidade + *surdus* = desafinado, fora de tom, dissonante. O sentido que temos hoje advém da noção original de que um som ou música assim é "sem sentido, tolo, incongruente". Ora, se o absurdo é um descompasso musical, como perceber o desafino se não há partitura que indique o verdadeiro tom. E como haveria partitura se não há compositor?

O *absurdo* no pensamento de Camus apontava para aquele mesmo sentimento que eu e você temos de que "leucemia" e "minha filha" não deveriam pertencer nunca à mesma frase, por mais que a gramática o permita. De onde vem essa sensação de repúdio a certas situações como esta? Por que o diagnóstico de leucemia causa tanto desconforto, se tudo, afinal de contas, tudo, não passa de uma questão de loteria genética e não há nenhuma razão maior por detrás do "sorteio"? Por que não conseguimos ser racionais para lidar com o câncer quando ele afeta alguém que amamos?

Espero que ninguém responda apressadamente que isso é uma questão de "instinto de sobrevivência", porque isso não basta. Vários debates já foram empreendidos e teorias levantadas nesta temática (aptidão, adaptabilidade, gene egoísta), nenhuma das quais deu conta da realidade dos fatos.

Que o desejo de sobrevivência é um instinto de todos os seres vivos, disso não tenho dúvida. Mas empregar essa leitura para justificar todo desconforto e explicar as razões que envolvam a ira, a emoção e o sentimento do ser humano em face da vida e da morte não me parece muito vantajoso. É algo no mínimo perigoso, especialmente se for usado para justificar as diferenças de gênero e até mesmo a violência. Por isso, prefiro continuar na contemplação do absurdo.

Afinal de contas, se tudo é uma questão de natureza das coisas, as vicissitudes da vida não deveriam nos incomodar tanto. É neste ponto que eu me encontro no mesmo barco que Camus, quando o ouço dizer que se sentia angustiado, repleto de desejo por clareza e significado num mundo cuja existência não oferecia nem um nem outro... "Por isso mesmo", concluiu ele, "começar a pensar é começar a ser atormentado"[162].

---
162 Albert Camus. *O Mito de Sísifo* (São Paulo: Record, 2004), p. 18.

Pensamento novo? De jeito nenhum, já dizia o sábio Salomão, mil e oitocentos anos antes dele: "O saber é o enfado da carne" (Eclesiastes 12:12).

Ao falar sobre o absurdo e o suicídio, Camus lembrava o paradoxo entre Galileu, que quase morreu porque acreditou em algo, e outros que morrem por desacreditar de tudo. O mais curioso ou irônico é que a verdade científica de Galileu, que pôs sua vida em risco, era algo profundamente irrelevante para a população comum. Pode ser importante para quem tem mente científica. Mas que importa ao camponês, ao político ou religioso se é a Terra que gira em torno do Sol ou vice-versa? Compensava morrer por isso, perdendo os poucos anos de que dispunha? Não seria esse um problema fútil diante da urgência de se aproveitarem os minutos de uma ampulheta que não para? Compensa, por outro lado, viver, fingindo que não morreremos, se tudo acabará um dia?

Avaliando os dois exemplos dados, Camus conclui brilhantemente que – a menos que exista um sentido superior para a vida e possamos encontrá-lo – toda relativização da existência mergulha numa imensa contradição e, novamente, *absurdo*; mártires que morrem porque acham que a vida vale a pena e pessoas que se suicidam porque acham que a vida não vale a pena. Gente que se mata ou se deixa matar justamente pelas ideias (ou seriam ilusões?) que supostamente proporcionariam uma razão real de viver. Lembrando que o que para uns se chama "razão de viver" pode, ao mesmo tempo, ser para outros um excelente motivo para a morte.

Fuga da realidade

O despertar de consciência provocado em mim é confrontado com o desafio de abrir o poço da verdade e enfrentar respostas que podem ser indigestas. O problema, como pontuou T. S. Eliot, é que "a humanidade não consegue suportar por muito tempo a realidade"[163].

Ficamos como Dorothy tentando desesperadamente ver algum poder especial no Mágico de Oz, mesmo quando estamos convencidos de que ele é apenas um operador de truques.

Se eu pudesse encontrar pessoalmente Abraham Maslow, o criador da Pirâmide de Maslow, e fazer uma crítica respeitosa ao seu trabalho, eu diria: "Sua hierarquia teórica das necessidades humanas é muito interessante, sua

---

[163] Apud Peter Kreeft. *Buscar sentido no sofrimento* (São Paulo: Loyola, 1995), p. 37.

escala, no entanto, deixou de fora o principal anseio de todos. No topo dela deveria estar a necessidade de achar *o sentido da vida*".

Mas para achar esse sentido, é preciso refletir, pensar com calma, ter a coragem de voltar, se preciso for. Sair do caminho costumeiro. Nossa geração, no entanto, parece ter perdido o poder da reflexão, do autoquestionamento. As velhas questões "quem sou", "para onde vou" e "o que estou fazendo aqui" foram substituídas por trivialidades que ocupam a maior parte de nosso exercício mental. O novo modelo de carro, a situação do campeonato mundial, a atriz que foi fotografada com novo namorado.

Os celulares e fones de ouvido viraram uma extensão do corpo humano. Jovens e adultos não conseguem ficar mais sem ouvir música ou mandar mensagens pelo WhatsApp. As crianças podem até ter medo do escuro, mas os jovens passaram a ter medo do silêncio.

Agora entendo o velho ditado que dizia "não paro, pois se parar eu penso e se pensar eu choro". Para muitos, fugir da realidade tornou-se o melhor remédio contra a dor existencial. Cito novamente Camus:

> Sobre este ponto já foi dito tudo e o mais decente é resguardar-se do patético. Mas é sempre surpreendente o fato de que todo mundo viva como se ninguém 'soubesse'. Isto se dá porque, na realidade, não há experiência da morte. Em sentido próprio, só é experimentado aquilo que foi vivido e levado à consciência. Aqui, pode-se no máximo falar da experiência da morte alheia.[164]

De fato, todos sabemos que vamos morrer, mas agimos como se isso não fosse uma realidade. Compramos produtos que prometem imortalidade, juventude eterna, saúde perfeita. Ouvimos música que nos levam ao êxtase. Buscamos entretenimentos e vícios que nos fazem esquecer...

Dê uma olhada nos comerciais. Faça uma análise crítica deles. O que corpos sarados de moças e rapazes numa praia têm a ver com creme dental e refrigerante? Sinceramente não sei, mas uma propaganda como essa fez os fabricantes aumentarem exponencialmente suas vendas. Duvido que conseguiriam os mesmos resultados apenas com o produto apresentado nas mãos de um idoso doente. É como se as pessoas realmente acreditassem que o uso daquela marca lhes dará o instante eterno de felicidade que aquele comercial parece promover.

---

[164] Albert Camus. *O Mito de Sísifo* (São Paulo: Record, 2004).

As gerações podem ser agora denominadas por letras (X, Y, Z e outras que estão chegando), mas todas mantêm exatamente este ponto em comum: problemas existenciais que levam muitos a fugir da realidade. A geração X, desencantada por causa das guerras, fugiu para o sexo livre, a explosão populacional (*Baby Boom*) e o LSD. A geração Y, maiormente criada sem regras e em lares desfeitos, refugiou-se na tecnologia e no futuro orgástico que ano após ano se distancia ainda mais de nós.

Finalmente, a geração Z, completamente ilhada nas redes sociais. Alguém chegou com ironia a dizer que essa é a geração que se encontra no Face, namora pelo Skype, junta pelo Instagram, bota chifre pelo Snapchat e termina pelo WhatsApp. Daqui a pouco vão procriar via bluetooth e os filhos nascerão pela impressora 3D.

Isso sem contar que os modelos mudam com tanta rapidez que não será motivo de admiração que até a publicação deste livro alguns desses itens já estejam em desuso. Até pouco tempo falava-se em Orkut e Twitter, e em poucos anos já não se falará mais em e-mails...

Mas existe algum problema com essa fuga? Afinal, se a realidade é tão dura, não seria melhor viver dopado? Por que sofrer com uma restauração dentária, se podemos receber uma anestesia antes?

Para não parecer tão radical – não sou assim tão adepto do realismo – deixe-me dizer que todos podemos ter nossos "momentos" de recreação, que funcionam como válvula de escape para uma realidade doente. Mas não confunda recreação com diversão. A primeira promove um renovar de energias, um hiato de descanso entre uma e outra batalha. A segunda demanda a divergência da realidade, um tangenciamento dos problemas que pode ser perigoso, principalmente por negligenciar a busca por soluções. A diferença pode parecer semântica, mas não se resume a isso.

Quando fugir da realidade se torna um hábito constante, mesmo que exercido em atitudes simples como um "furar constante do sinal vermelho" ou "mentir para sair mais cedo", a tendência é prejudicar a saúde mental que nos mantêm alerta contra a manipulação e o abuso. Distúrbios mentais, loucura, esquizofrenia, psicose etc. (que definitivamente não são a mesma coisa) têm em comum que todos estão relacionados com um maior ou menor grau de persistente fuga da realidade.

Confrontando a alienação

Se sua vida fosse uma luminária que precisa estar acesa, quantas horas do dia ela fica em *off*? A quantidade de tempo apagada pode ser benéfica para a lâmpada e para o consumo de energia, mas não vale para sua existência. O desligamento de consciência de si e do mundo pode ser muito perigoso. É como um carro parado por meses na garagem. No dia que precisarmos dele com urgência, pode ser que não funcione, mesmo que tenha combustível.

O que essa metáfora quer dizer é que as progressivas formas de alienação funcionam muito bem até o momento em que somos confrontados por um desafio maior do qual não temos como escapar. Pode ser uma separação, um luto, um dilema ético.

Um texto da Bíblia me chocou muito quando o li pela primeira vez. Está em Eclesiastes 7:2: "Melhor ir à casa onde há luto, que ir a uma casa onde há festa". Ora, esse versículo pode ser tudo, menos interessante. Você consegue imaginar um amigo mandando um WhatsApp para você dizendo: "Cara, vai rolar o maior velório hoje na casa do Zé. Vamos!"? Só se você estiver louco!

Talvez se eu olhar por outro ângulo, pode ser que consiga captar a intenção do autor bíblico – que, apesar do pessimismo digno de Schopenhauer, não era nenhum sádico ou masoquista. A vida precisa ser refletida para ser bem vivida. Porém, devido à nossa natureza e constituição, dificilmente (para não dizer "nunca!") alguém refletirá sobre os problemas do mundo numa balada com os amigos, ao som de um *rap* ou sertanejo universitário, a menos, é claro, que esteja na fossa, mas isso é outra história. O máximo que ele fará nesse meio ambiente é repetir a melodia sem nenhuma tomada de consciência do que aquilo realmente significa.

Até o dia em que esse mesmo indivíduo recebe do médico um diagnóstico de câncer ou perde uma pessoa que ama, vítima de um acidente automobilístico. Quem nunca viu, num velório, pessoas próximas ou distantes do morto se entreolharem em lágrimas, fazendo perguntas existenciais dignas de um seguidor de Sartre? Até quando precisaremos da morte para valorizar a vida? Até quando precisaremos do sofrimento para aprender a viver? São perguntas que merecem ser refletidas! Fugir não é o melhor remédio.

A sede continua

Se posso acrescentar outro elemento à questão da nossa relação com a realidade e a busca por significado, posso dizer que meu próprio ser clama por algo maior. É como se eu não coubesse em mim mesmo.

A atitude do ser humano em naturalmente questionar sobre o mundo e a realidade em redor mostra sua abertura para a transcendência, para uma realidade que está fora de nossa individualidade e que vai mais além daquilo que somos, vemos ou sentimos. Nosso olhar contempla o horizonte, mas nossa intuição diz que existe algo além dele que não podemos ver, algo que atravessa e ultrapassa o limite contemplado.

Os cães olham para a Lua e podem até uivar diante dela, mas não fazem perguntas sobre o cosmos. Não adianta quão realista alguém tente ser, ninguém aceita, em sã consciência emocional, definir a vida como um intervalo entre duas datas. Não é questão de ter medo, mas de nutrir uma expectativa de viver mesmo quando se sabe que não é eterno. Lembro-me de uma entrevista de Chico Anysio[165], que, depois de tornar pública sua descrença em Deus, afirmou: "Não tenho medo de morrer, tenho pena". Em outras palavras: morrer é, por um lado, natural e, por outro, não. Nossa mente resiste a essa ideia.

De onde será que vem isso? Mais uma vez lembro-me do Eclesiastes que diz: "Deus colocou a eternidade [ou o desejo dela] no coração do homem" (Eclesiastes 3:11). Mesmo quem não concorda com a Bíblia há de convir que Salomão e Chico Anysio disseram o mesmo com outras palavras, e ambos concluem que viver é difícil e morrer é chato!

Não quero julgar a subjetividade de ninguém, entretanto, tenho cá minhas dúvidas quando alguém diz não se importar. A declaração pública de que a vida é bela por ser apenas um intervalo entre o agora e o inevitável não parece condizente com aquilo para o qual nossa *psichê* parece projetada. Soa como demência.

Não pense que tais palavras sejam poesia de religiosos. Até mesmo quem não frequenta missas ou cultos pode se embriagar de emoção ao contemplar de perto as cataratas do Niágara ou de Foz do Iguaçu. A imensidão da transcendência é uma experiência emocional que pode ser vivida por todos. Seja diante do nascimento de um filho ou num observatório astronômico.

---

165 Entrevista concedida ao programa Fantástico da TV Globo, em 28 de agosto de 2011.

Isso me faz lembrar do filme *Gravidade*, estrelado por Sandra Bullock, quando, à deriva no espaço, fez tanto a personagem quanto a audiência refletirem sobre a vida humana no planeta Terra. Esta foi uma verdadeira experiência da transcendência.

Sei, é claro, que existem pessoas completamente alienadas da realidade e que fogem tanto dela ao ponto de não estar nem um pouco preocupadas com o sentido da vida. A grande questão, no entanto, é que um indivíduo até pode, em sua solidão individualista e alienante, viver sem significado. Mas uma sociedade, jamais. Logo, a lógica permanece: continuamos buscando o sentido da vida!

Até mesmo Richard Dawkins foi obrigado a admitir a força da transcendência sobre os seres humanos ao tentar, ele mesmo, apresentar uma leitura ateística do assunto no seu livro: *The Magic of Reality* [A magia da realidade], lançado em 2011. O mais interessante é que ele dedica essa obra ao seu falecido pai – a quem chama de *querido* –, mas a dedicatória que, vista pelos olhos do materialismo puro, perde todo o sentido, uma vez que a morte é o fim de todas as coisas e o "homenageado" nunca receberá essa demonstração de carinho. Ao que me parece (digo com todo respeito pelo sentimento de luto), a dedicatória de Dawkins ao seu falecido pai não é coerente com o ateísmo que ele advoga. Dedicar algo a quem já não existe e nunca voltará a existir é uma tentativa desesperada do subconsciente de substituir o nada por alguma coisa.

É exatamente por causa dessa desesperada busca por sentido que procuramos respostas existenciais. Nossa abertura para o transcendente nos compele a dar significado às coisas. E não seria justamente isso que nos torna "humanos"? Os animais sofrem com a morte, mas não filosofam sobre ela, nem constroem "mausoléus" para os que se foram. Nós, contudo, por causa da transcendência, construímos monumentos, fazemos obras de arte, música, poesia, coisas, enfim, que deem um significado para nossa existência. Queremos um sentido para o fato que ultrapasse o seu contexto imediato. Algo que vá além do próprio acontecimento.

Aí entramos num dilema. É que uma coisa não pode ter sentido em si mesma a menos que seja infinita e eterna. Todo sistema fechado só tem sentido fora dele. Essa é uma premissa, até agora não refutada, que já fora assumida por vários pensadores como Ibn Rushd, filósofo no século 12, Gödel, Wittgenstein e Jonathan Sacks. Mas o que essa premissa teria a ver com "Deus"? Veremos isso no próximo capítulo.

Capítulo 18
Sistemas abertos, fechados e isolados

Se compreendi bem o que dizem os físicos, existem na natureza três tipos de sistemas. O aberto, em que se verifica troca de energia e matéria com o meio que o envolve. O fechado, no qual ocorre apenas transferência de energia, mas não de matéria, e o isolado, em que não há nenhuma permuta de energia nem de matéria. Exemplo: um copo d'água tapado é um sistema fechado, pois se colocado num freezer a água vai congelar (troca de energia), mas não vai sair dali e nada vai entrar, a menos, é claro, que se rompa o lacre.

Agora, se esse mesmo copo estiver numa caixa térmica inviolável, ele será um sistema isolado, pois o que já não trocava matéria agora não trocará nem energia. Você pode colocar a caixa térmica no polo norte que a água dentro do copo não mudará sua temperatura. Finalmente você abre o lacre do copo e começa a derramar leite quente ali dentro. Aí ele se torna um sistema aberto, pois tanto a temperatura (energia) quanto a água (matéria) são alteradas a partir da interação com elementos exteriores.

Pois bem, no que diz respeito ao significado de um sistema e sua obrigatória condição externa, o que disser de um valerá para os três. A menos que algum deles seja infinito e eterno, seu entendimento final só pode vir de uma realidade que esteja fora deles mesmos. O conhecimento pode vir de dentro (sentido imediato), mas o reconhecimento (sentido último) só pode vir do exterior.

Tudo isso é extraordinário, e agradeço aos físicos pela elaboração desse conhecimento. Contudo, percebo que existe uma ênfase maior nas pesquisas sobre o sistema, que é visto como porção limitada do universo onde ocorre a interação de vários elementos de forma organizada. Trabalha-se muito o universo como um sistema composto de subsistemas menores e suas relações entre si.

O tema é válido, reconheço, e talvez mais condizente com os limites da verificação humana. Mas a filosofia não teme trabalhar com pressupostos dedutivos; logo, eu queria pensar um pouco mais no cosmo e seu significado. Sei, no entanto, que é difícil afirmar se ele constitui um sistema fechado ou isolado – não encontrei ninguém que o definisse como aberto.

Os físicos ainda debatem muito sobre esse assunto. Aparentemente, não existe nenhuma troca de energia entre o universo e qualquer outro sistema exterior, pelo que é possível afirmar (sem criar problema com os astrônomos) que estamos, no mínimo, em situação de isolamento físico, e as leis da termodinâmica apontam neste sentido.

Vi uma palestra certa vez em que um físico mencionou o deslocamento de algumas galáxias numa certa direção dentro do "nosso universo". Elas estariam, aparentemente, se deslocando todas em uma mesma direção, como se estivessem sendo puxadas por alguma coisa. Mas o próprio palestrante admitiu não ser possível ainda predicar sobre qualquer coisa além das bordas do nosso universo.

De fato, somos ainda ignorantes acerca da estrutura última do cosmos, mas tudo indica que, se não formos um sistema fechado, somos, pelo menos, um sistema isolado. Em ambas as situações, isolamento ou fechamento, necessitamos de algo externo que nos confira significado. Afinal, seria um contrassenso afirmar que o universo dá sentido a si mesmo. Seria o mesmo que tentar desvincular a moeda de um país de seu tesouro nacional.

Como você deve saber, para o dinheiro ter valor, o Banco Central precisa ter lastro, ou seja, um depósito em ouro que serve de garantia ao papel-moeda. Nas operações do nosso mercado financeiro, lastro são os títulos dados em garantia de uma operação de *open market*. Assim, não se pode simplesmente sair fabricando cédulas sem ter a garantia de ouro nos cofres do Banco Central, pois esse dinheiro não teria valor algum. Para o dinheiro valer alguma coisa, tem de haver um lastro correspondente que está fora do papel-moeda.

Imagine, portanto, o universo como um papel-moeda cósmico. Para que tenha valor, tem de existir um lastro fora dele, caso contrário, suas cédulas são apenas de mentirinha!

Olhe lá fora

Não quero de modo algum invalidar as pesquisas feitas sobre os subsistemas do universo. Fazê-lo seria idiotice! Mas ainda insisto no perigo de sermos como crianças que, ao passar de carro pelo Grand Canyon, perdem o espetáculo de fora por ficarem fixas num joguinho de celular. O sentido de nosso cosmos está fora dele! Quero que essa frase martele em sua cabeça como um *jingle* de supermercado.

Para animar, mais um exemplo, adaptado de Jonathan Sacks: imagine que um extraterrestre aficionado pelo nosso planeta esteja observando atentamente um terráqueo fazendo compras. O indivíduo observado usa seu cartão de crédito em todos os lugares por onde vai e com ele adquire um monte de coisas. Basta entregar o cartão ao vendedor, e o que ele deseja é entregue na hora: flores, comida, remédio, combustível, presentes de Natal, tudo. O extraterrestre então desce até à Terra e pede ao humano que lhe mostre seu cartão a fim de que ele descubra como aquilo funciona. O terráqueo que não tinha medo de Ets entrega o cartão, mas esclarece que não adianta nada examinar aquele pedaço de plástico, pois o que lhe confere sentido está fora dele. O cartão é um sistema fechado (pois tem forma e limites, físicos e simbólicos), logo, o que lhe confere valor e significado são os bancos, o sistema financeiro, os créditos e o dinheiro que estão do lado de fora do cartão.

Ora, considerando:

– que nosso universo é, segundo as últimas descobertas da física, um sistema fechado ou isolado,
– que temos sede de significado,
– que esse significado não pode estar no universo em si, mas fora dele,

concluímos, das duas, uma:

a) existe uma realidade transcendental, eterna e infinita, além do universo que confere significado a ele,

ou,

b) o universo é tudo o que existe, existiu e existirá enquanto existir. Logo, nossa busca por sentido é uma ilusão. Não existe nada fora dele que nos confira significado.

Não consigo encontrar outra opção para esse dilema. Os que afirmam a primeira opção, tentando negar a possibilidade de Deus, apelam para a ideia de que talvez haja um superuniverso, do qual o nosso não seja mais do que uma pequena parte e onde possam existir outros universos-ilha, num espaço infinito onde possam se expandir sem limites. Esta é a famosa proposta dos multiversos. Ora, mesmo quem a propõe deve admitir que tal ideia ou qualquer sugestão que derive dela é pura especulação, ainda que defendida por um ou outro cientista. Não há evidência alguma que aponte nesta direção. A resposta *científica* mais honesta sobre o que há além do universo seria "não sabemos".

Se nos limitamos às observações laboratoriais, às regras argumentativas de Stuart Mill, ao falseamento de Karl Popper ou ao método clássico de Francis Bacon, nossas afirmações acerca do que está fora do cosmos poderão até possuir alguma lógica argumentativa. No entanto, sua base última será a fé (falando de religiosos) ou a especulação (falando de descrentes). Não vejo como ser academicamente honesto e negar essa admissão.

Real *versus* circunstancial

É imperativo reafirmar o pressuposto: para que nossa existência tenha um sentido real, e não apenas circunstancial, tem de haver algo "fora" que confira esse significado. Não adianta cair na onda do desdém debochado dizendo: "não estou nem aí para o sentido da vida, isso não me preocupa". Você pode até dizer isso, mas, segundo estudos sérios da psicologia, os que negam a sede de significado estão mentindo ou estão mentalmente doentes. Até Richard Dawkins admite isso[166]. A questão dos neoateus não é negar a busca humana por significado, é afirmar que esse significado dispensa a ideia de Deus. Mas sobre isso falaremos mais adiante. Vamos primeiro citar o que os estudiosos dizem.

Michael Steger, um psicólogo e diretor clínico da Universidade Estadual do Colorado, descobriu que muitas pessoas são beneficiadas quando descobrem seu papel e que sua vida faz parte de um sistema maior que elas mesmas[167]. Sua pesquisa demonstrou que aqueles que possuem um senso de sentido da vida são mais felizes e satisfeitos no seu dia a dia, e são também menos suscetíveis a depressão, ansiedade, problemas cardíacos, além de se envolverem menos em comportamentos de risco.

Assim, acreditar num sentido da vida e encontrá-lo é como tomar as vitaminas certas para se ter melhor saúde. Aí vem o dilema, para que o benefício físico seja real as vitaminas têm de ser de verdade. Não existe efeito placebo neste caso. Ou o sentido que buscamos existe, ou ficaremos à mercê de uma neurose coletiva, buscando significados existenciais de mentirinha. Neste aspecto, os

---

166   Disponível em <https://richarddawkins.net/2015/04/using-science-not-religion-to-find-your-purpose>. Acesso em: 15/03/2018.

167   M. F. Steger; J.-Y. Shin; Y. Shim; A. Fitch-Martin (in press). "Is meaning in life a flagship indicator of well-being?", in A. Waterman (ed.), *Eudaimonia* (Washington: APA Press, 2013).

céticos que descobriram a realidade dos fatos (de que não existe um propósito final para o universo, que tudo é obra do acaso e do determinismo físico) são os mais afetados, pois não possuem nem a ilusão para anestesiá-los.

Quando levo esse assunto para a análise de céticos e ateus, descubro dois grupos muito nítidos. Talvez até polarizados. Há os que negam o propósito real da vida, e os que o admitem, mas não aceitam misturar isso com qualquer noção de divindade transcendental.

Jean-Paul Sartre, apenas para citar, avançou em seus conceitos de existencialismo afirmando que a perspectiva de todo significado e propósito nasce do indivíduo[168]. Greg Epstein, autor do curioso livro *God: What a Billion Nonreligious People do Believe* [Deus: em que acreditam um bilhão de não religiosos], defende a tese de que é uma questão de dignidade buscar um sentido para a vida que ultrapasse o conceito de Deus.

Obituário de Deus

Talvez a divergência ateísta, entre os que negam o sentido e os que o defendem sem a necessidade de Deus, se deva à marca pós-moderna de pessimismo nietzschiano, mesclada a uma profunda fragmentação dos absolutos. "Deus morreu" – declarava o louco personagem da *Gaia ciência*. Mas não morreu sozinho. Com ele foram os valores, as certezas, a convicção. Até mesmo a razão, tão exaltada pela modernidade, conheceu seus momentos de crise.

Não foi apenas o *super-homem* que nasceu das cinzas de Deus. Niilismos se insurgiram sobre todo e qualquer princípio gerador de equilíbrio, ordem e sobriedade. É assim que interpreto os escritos de Nietzsche e outros autores como Schopenhauer, Dostoiévski e Mainländer, os quais a seu tempo anunciaram o óbito divino e as consequências de seu falecimento filosófico. Nietzsche, só para lembrar, não anuncia a morte de Deus como triunfo, e sim como tragédia.

Foi um grande desapontamento para o Ocidente descobrir que a ciência não daria conta de todas as demandas sociais dos seres humanos. Nem mesmo os neopositivistas do círculo de Viena conseguiram preencher as lacunas deixadas pelo obituário divino.

Tolstói foi um que tentou inutilmente buscar na ciência as razões existenciais que o convencessem de que a vida merecia ser vivida. As pesquisas laboratoriais respondem a muitas perguntas, disso não resta a menor dúvida. Mas

---

168   J.-P. Sartre. *Existentialism and Human Emotions* (New York: Philosophical Library, 1957).

elas não foram capazes de responder à inquietação última do pensador russo, e nem mesmo à minha.

Jerry Fodor, psicólogo e especialista em filosofia da ciência, escreveu: "A ciência é acerca de fatos, não normas; ela pode nos contar como nós somos, mas ela não pode nos contar o que está errado em como nós somos"[169].

Veja, não entenda que, com isso, estou desmerecendo o método científico e tudo que ele proporcionou. Em muitos debates entre ciência e religião vejo exageros e absurdos em ambos os lados. Uns fazem caricatura da religião e outros respondem fazendo uma paródia de ciência. Para começo de conversa, a dicotomia "religioso *versus* cientista" é um bom exemplo de falso dilema, há muitos religiosos que também são cientistas.

O que questiono é o cientificismo, com sua crença dogmática na autoridade do método científico e seus resultados. Para mim, seria mais atual um trabalho conjunto entre as áreas de modo que ciência, teologia e filosofia pudessem trabalhar simultaneamente. Afinal, preciso da ciência para me dizer como o mundo é, da religião para dizer como deveria ser e da filosofia para provocar o pensamento a esse respeito.

No tocante à busca existencial, note que estou falando de procurar o significado último de todas as coisas. Não estou dizendo que ateus e céticos não podem ser bons, honestos e motivados. O que quero dizer é que, se eu optar pelo ateísmo, serei obrigado a admitir que todos os signos serão sempre artificiais, mesmo aqueles éticos. Nada é em si verdadeiro, bom ou proveitoso, pois o universo é sem sentido.

Sei que existem momentos históricos de amor, misericórdia, emoção, mas estou me referindo àqueles elementos que ultrapassam a circunstância. Aquilo que, apesar de histórico, vai além do tempo e do espaço, rumo ao transcendental.

Senso sem sentido

É muito complicado, para mim, aceitar a proposta paradoxal de encontrar sentido num universo sem sentido. É como buscar tempero numa comida sem sal. Mas é isso que me sugerem propostas atuais como a do badaladíssimo astrofísico Lawrence Krauss, autor do livro A *Universe From Nothing* [Um universo do nada]. Segundo o autor, o universo surgiu do nada, por mero acaso.

---

[169] Disponível em <https://www.lrb.co.uk/v29/n20/jerry-fodor/why-pigs-dont-have-wings>. Acesso em: 15/03/2018.

Trata-se de um princípio instável que sempre acaba reagindo sem precisar da interferência de um Deus. Sendo assim, conclui o próprio autor, não há propósito evidente para o universo. A vida no nosso planeta não passa de mero acidente. Podemos até tentar entender como o universo veio à existência, mas não teremos como identificar um objetivo evidente.

Porém, em que pese o discurso da falta de significado cósmico, o próprio Lawrence Krauss convida as pessoas a deixar a religião de lado e refletir sobre as belezas desse universo acidental e sem propósito. Ele argumenta que é justamente essa falta de significado último que deveria nos atrair para a felicidade. O propósito e o significado de nossa vida deveriam ser criados por nós. Isso me deixou confuso. Observe atentamente o que está sendo proposto; que eu contemple uma tela manchada, cheia de borrões sem nenhum propósito, um quadro surgido ao acaso, não pintado por ninguém que, por isso, não apresenta intencionalidade alguma na pintura. São só borrões acidentais. Nem mesmo a mão de uma criança pode ser imaginada por detrás daquilo. Depois de horas contemplando o quadro, eu mesmo devo dar um sentido para ele e para a sensação que tive, olhando fixamente para um monte de nada. A sugestão é que eu saia feliz e extasiado como se houvesse visto a *Mona Lisa* de Da Vinci ou uma *Femme* de Monet. Isso não faz sentido.

Krauss sustenta que essa felicidade de ver algo no nada nos dá mais poder. A felicidade advinda disso é fruto da convicção de que não somos governados por um ditador universal – aqui ele cita Christopher Hitchens (famoso ateu autor do livro *Deus não é grande*).

Existem dois erros básicos nesta argumentação: primeiro que a alcunha de ditador universal dada a Deus é de foro muito íntimo. Creio em Deus e não me sinto pressionado em nada por qualquer tipo de ditadura universal. Dizer que todos os crentes servem ao Criador por medo do fogo eterno é de uma leviandade tal que quem argumenta assim demonstra grande desconhecimento do que significa ser religioso para a maioria das pessoas.

Em segundo lugar, Krauss parece não ter lido Nietzsche e o que ele fala das consequências da morte de Deus e do surgimento do super-homem. Achar que a ausência de um tutor nos deixa livres para fazer o que quisermos é anárquico e sem fundamento. Até parece filosofia de adolescentes que supõem ser mais felizes se os pais sumirem e deixarem a casa e a geladeira só para eles. Até que surgem os problemas e eles não sabem o que fazer sozinhos. Lembra-se do filme *Projeto X – uma festa fora de controle*? É assim que vejo na prática a ideia de felicidade proposta por Krauss.

Autores assim apresentam uma definição muito estranha para a existência humana. Para eles, a história da humanidade pode até ter algum direcionamento mínimo devido às nossas escolhas e planejamentos. Mas ela será, em última instância, apenas um emaranhado de coincidências, acidentes e incidentes. Não existe planejamento universal, nem propósito. A história não caminha para lugar algum. Todo significado que atribuímos para as coisas é apenas circunstancial. Nossa busca por sentido, uma ilusão.

Prefiro trabalhar com outra hipótese, de que o sentido que busco seja real e venha de algo que está além do universo conhecido. Minha opção, no entanto, não é uma escolha gratuita. É uma questão de lógica. Tudo, absolutamente tudo, que gera carências vitais num sistema tem de existir fora dele, do contrário sua realidade nunca será concretizada.

Exemplos: a carência que tenho de possuir um carro importado não é vital em meu organismo, logo, posso passar a vida toda com essa frustração que isso não impedirá o meu existir. Contudo, a carência que tenho de oxigênio é vital, se esse elemento químico não existisse na atmosfera, eu jamais poderia ter sido gerado. Pelo menos não no formato em que estou. Mas aí já seria outro, e não eu.

Em suma: carências vitais demandam realidades ontológicas, sejam elas de cunho físico ou emocional. Seria estranho nascer carente de significado e este não passar de um artifício.

Admito, no entanto, que existe um argumento que o ateísmo poderia apresentar neste momento:

– considerando que uma pessoa que crê em Deus tenha encontrado esse sentido da vida,
– considerando que a grande maioria da população mundial crê em Deus,
– considerando que o mundo parece perdido e sem ter encontrado esse significado,

por que cogitar que Deus seria a resposta dessa busca ontológica humana? Se fosse, as pessoas deveriam ser mais bem resolvidas, pois a maioria diz crer nele. Apenas uns poucos ateus e céticos ficariam às cegas buscando um significado, por se recusarem a buscar a Deus. Mas não é isso que vemos por aí. O que deu errado? Seria realmente Deus o significado que estamos buscando?

Capítulo 19
O sentido de tudo

Normalmente, o mundo da ciência e da investigação é um território fechado. Os acadêmicos que se destacam entre seus pares, por uma contribuição importante, ficam geralmente enclausurados no universo dos artigos indexados e bibliografia que pouca gente lê. Alguns poucos, porém, conseguem romper os limites da universidade e virar celebridade entre os de fora.

É o caso de Einstein, conhecido mundialmente pela língua exposta, cabeleira despenteada, bigode robusto e uma vaga referência à palavra "relatividade". Também é o caso de Stephen Hawking, falecido em 2018, que se tornou de personagem dos Simpsons a tema de filme nos cinemas. Ambos trabalharam em áreas polêmicas da física, cujos resultados podem obrigar os autores a reescreverem todos os livros até agora produzidos e, talvez, voltarem para a sala de aula. De fato, o assunto é efervescente.

Nós, público leigo, tendemos a pensar que esse mundo dos físicos é bem preciso, objetivo e de muitas ideias consensuais. Mas não é bem assim. Só para você ter uma noção, uma das coisas mais estranhas descobertas há poucas décadas é que existem praticamente duas físicas diferentes. Uma macrocósmica, a da relatividade geral de Einstein, e outra microscópica, a da mecânica quântica, que explica as menores partículas até hoje conhecidas como os quarks e os léptons (que formam os prótons, neutros e elétrons).

O problema é que essas físicas são como Caim e Abel. O que vale para uma não serve para a outra. Por exemplo, no mundo macrocósmico, tudo que é maior que um átomo está sujeito às leis da física, especialmente a gravidade, que tanto para Newton quanto para Einstein era a força que determinaria a história e o futuro do universo. Isso parece fazer sentido considerando que desde a sustentação da Terra na órbita do Sol, até o cair de uma maçã, tudo se orienta pela atração gravitacional e pelas leis da inércia. É uma questão de ação e reação.

Contudo, quando você se dirige ao mundo subatômico, é diferente. As coisas não são necessariamente atraídas para o centro de nada, não se pode dizer com certeza a posição de nenhum elemento. Nunca saberemos, por exemplo, onde estão os elétrons de um átomo. É algo estranhíssimo, mas é verdade. Alguns elétrons somem de um lugar e reaparecem em outro como se fossem teletransportados. É impossível saber que caminho eles seguiram. Ah, e esqueça esse assunto de a luz ser a maior velocidade do universo, isso não vale para o microcosmo.

O jeito, com tanta imprecisão de resultados, foi criar uma nova lei chamada Princípio da Incerteza, de Heisenberg, e admitir que era necessário descobrir outras leis – diferentes daquelas até agora conhecidas que pudessem lidar com essa realidade.

O desafio, portanto, hoje, é elaborar uma fórmula, uma teoria que unifique logicamente ambas as físicas e ofereça uma explicação unificada para os fenômenos que ocorrem em cada uma delas. Em outras palavras, um conceito que justifique as origens e o funcionamento do universo, que revele o seu objetivo – pelo menos em termos físicos e cosmológicos.

Por isso muitos físicos atuais tentam propor algo que poderia ser chamado de "Teoria do Tudo". Uma equação que englobe o máximo possível de fenômenos com base no menor número possível de conceitos independentes e relações arbitrariamente pressupostas. Esse já era um velho anseio nutrido desde os dias de Napoleão, quando Laplace, seu mais famoso ministro, escreveu:

> Um intelecto que em um certo momento pudesse conhecer todas as forças que estabelecem a natureza em movimento, e todas as posições de todos os temas que essa natureza compõe, se esse intelecto fosse também tão suficiente para apresentar esses dados em uma análise, que pudesse unir em uma simples fórmula os movimentos dos grandes corpos do universo e o muito pequeno átomo; para esse tipo de intelecto nada será incerto e o futuro como o passado seria o presente para esses olhos.[170]

Percebeu? Por isso acho que não cometo nenhum sacrilégio em dizer que a busca por uma teoria de tudo é, em última instância, mais uma busca humana por significado, propósito e sentido.

Que falem os números

Deixe-me continuar esse diálogo revelando uma frustração: fui um aluno medíocre em matemática e isso é um trauma que carrego até hoje. Era uma

---

170 Pierre-Simon Laplace. *Essai philosophique sur les probabilités* (Edinburgh: Edinburgh Review, Longmans, Green & Co., 1814), introdução.

relação de amor e ódio, confesso, com aquele algo, definido por Lakatos, como "às vezes claro e por vezes vago... que é a matemática".

Tenho profunda admiração pela genialidade de Gauss, as descobertas de Euclides, a lógica de Leibniz. Fiquei extasiado ao assistir *Uma Mente Brilhante*, filme estadunidense de 2001, baseado na história real de John Nash, que, rejeitado e diagnosticado como esquizofrênico pelos médicos, formulou um teorema que comprovou sua genialidade e lhe conferiu um Prêmio Nobel.

Mas a admiração foi sempre a distância, como um amor platônico. Eu tinha verdadeiro pavor de fazer contas. Cheguei a pensar, após ouvir uma palestra sobre distúrbios de aprendizagem, se eu não teria sido uma criança com *discalculia*, isto é, portadora de um distúrbio semelhante à dislexia, só que em vez de afetar o processamento de letras e sons, o faz com números e contas.

Seja como for, ainda que não seja um "matemático" hoje, isso não me impede de falar um pouco dela e usar seus conceitos em minha busca por entendimento. Pelo contrário, sou até compelido a isso. Se valer a máxima de Leibniz podemos dizer que:

> Sem matemática nós não podemos penetrar profundamente na filosofia. Sem filosofia nós não podemos penetrar profundamente na matemática. Sem ambas nós não podemos penetrar profundamente em nada.

E fico muito tranquilo quanto a isso, pois, quer seja ela linguagem ou uma ciência (exata ou inexata) – há muita discussão a esse respeito – posso seguir a proposta de Wittgenstein de que:

> A matemática é um método lógico... As proposições da matemática são equações, portanto pseudoproposições. A proposição matemática não exprime pensamento algum... De fato, nunca precisamos de proposições matemáticas na vida, mas as empregamos apenas com o fim de, a partir de proposições que não pertencem à matemática, tirar conclusões que se expressam em proposições que tampouco lhe pertencem.[171]

A matemática se baseia na atividade humana, mas tem uma natureza linguística e não está calcada em uma intuição básica, como queria Brouwer. Há pontos comuns entre o intuicionismo e o pensamento de Wittgenstein, a propósito da matemática. Pois é exatamente esse elemento da intuição que quero

---

171 L. Wittgenstein. *Tractatus logico-philosophicus*. Tradução de José Arthur Giannotti (São Paulo: Companhia Editora Nacional/Editora da USP, 1968), 6.2 e 6.211.

discutir com você. Mas, antes, preciso fazer uma digressão histórica, a fim de colocar a proposta dentro de um contexto.

Ciência do possível?

No item anterior, fiz uma ligeira menção da disputa quanto à natureza real da matemática, se é uma linguagem ou uma ciência, se é, de fato, exata ou não. Dizem por aí que contra os números não há argumento. Contudo, a própria história da matemática mostrou que a coisa não é bem assim.

Para começo de conversa, a expressão "ciências exatas" mostra-se, às vezes, mais pedagógica que real, pois leva em conta as aptidões e interesses do pesquisador. Por isso há quem divida as áreas propondo falar de ciências formais – que seriam a lógica, a aritmética e a matemática de modo geral e as ciências "empíricas" – que seriam a física, a química e a biologia.

Acontece, porém, que o escopo das ciências formais são proposições cuja verdade ou falsidade não estão necessariamente baseadas em "provas absolutas", mas em uma necessidade de se fazer certas afirmações não verificáveis, que fazem todo sentido. Exemplo: podemos tomar a linha imaginária do postulado de Euclides e dizer que ela pode ser estendida infinitamente em ambas as direções. O problema é: Como provar isso? Nunca encontrei em nenhuma universidade alguém com uma régua infinita dos dois lados, capaz de confirmar e testemunhar que, de fato, é assim. Contudo: Quem em sã consciência pode dizer que isso é uma mentira?

As ciências empíricas seriam, em tese, mais "mundanas", isto é, suas proposições geralmente derivam da observação, análise, repetição de experiências com resultados similares etc. De modo simplificado, o primeiro grupo é mais dedutivo e o segundo indutivo.

Mesmo assim, os matemáticos adoram provas e muitos se ofendem se sua área for chamada apenas de linguagem. O teorema de Pitágoras, argumentará um mais apaixonado, não é verdadeiro ou falso por consenso ou intuição. Sua verdade é demonstrada. Logo, é ciência. Lembremos, porém, que o teorema de Pitágoras está dentro do sistema geométrico euclidiano que não pode prescindir da intuição porque não pode ser inteiramente comprovado, mas apenas enunciado por ser lógico e fazer sentido.

Provável ou improvável?

Muito do que é dito "matematicamente" gravita em torno dos cinco postulados geométricos de Euclides que claramente são verdades, mas não podem ser provados. Essa é a grande frustração dos matemáticos que por 2.500 anos conseguiram demonstrar a razoabilidade e necessidade das suposições de Euclides, mas não as comprovar.

No início do século 20, no entanto, um clima de otimismo pairou sobre o universo dos números. É que os maiores matemáticos da época – Bertrand Russell, David Hilbert e o próprio Wittgenstein, no começo de sua carreira, – estavam convencidos de que a evolução do saber os levaria em breve a formular uma "teoria de tudo" unificada que finalmente resolveria todas as pontas soltas das equações, axiomas e teoremas.

Na verdade, foi Hilbert que deu o pontapé inicial desse otimismo, ao apresentar, em 1900, um surpreendente trabalho resumindo as 23 questões numéricas ainda "em aberto", as quais, depois de resolvidas, dariam por completo todo o escopo da matemática. Lembre-se de que, nesta ocasião, o mundo acadêmico ainda respirava os ares do positivismo de Comte, não só em seu otimismo quanto ao progresso da ciência, como também em seu imperativo de que a construção do conhecimento se daria pela apreensão física do mundo, buscando descobrir as leis gerais que regem os fenômenos observáveis. Desta forma, trabalhavam as ciências naturais e deveriam trabalhar as ciências humanas e a matemática, a fim de terem um reconhecido *status* acadêmico.

O incentivo de Hilbert pareceu, a princípio, ter dado certo, uma vez que desencadeou um esforço geral da comunidade científica para resolver as 23 questões que faltavam, e grande parte delas foi, de fato, resolvida.

Até que em 1931 veio o banho de água fria trazido pela publicação de um artigo assinado por Kurt Gödel, matemático austríaco, segundo o qual uma única Teoria de Tudo será algo eternamente impossível. A universidade de Princeton deu grande apoio ao texto "Sobre as Proposições Indecidíveis" e sua descoberta foi, finalmente, chamada de "O Teorema da Incompletude".

De modo formal ele disse:

> Qualquer teoria efetivamente gerada, capaz de expressar aritmética elementar, não pode ser tanto consistente quanto completa. Em particular, para qualquer teoria formal consistente e efetivamente gerada, que prova

certas verdades aritméticas básicas, existe uma afirmação aritmética que é verdadeira, mas que não pode ser provada em teoria.[172]

Agora vou tentar simplificar para que possamos entender melhor o enunciado. Pegue um livro acadêmico qualquer: pode ser de física, matemática, química, qualquer um. Coloque-o em cima de uma mesa e trace um círculo imaginário em torno dele. Nada, absolutamente nada do que está naquele livro pode ser provado sem fazer referência a uma realidade que está fora do círculo. Logo, se você morasse dentro do livro, ou estivesse preso a ele, poderia fazer afirmações assumidas como verdade, mas não poderia verificá-las nem prová-las.

Gödel criou sua prova começando com o famoso "paradoxo do mentiroso". Já ouviu falar nele? O paradoxo do mentiroso é uma brincadeira lógica cujas raízes são buscadas desde os dias de Epimênides (ca. 600 a.C.). Imagine que eu lhe diga "estou mentindo agora" e pergunte: "Essa afirmação é verdadeira ou falsa?". Aqui você tem um paradoxo, pois se disser que é falsa, estará dizendo que o que falei é verdade, que não estou mentindo agora. Então já não é falsa. Por outro lado, se disser que é que é verdade, que estou mentindo agora, então já não é verdadeira.

Lembro-me agora de Miguel de Cervantes explorando isso nas páginas de Dom Quixote de la Mancha. Sancho Pança, o fiel escudeiro de Dom Quixote, havia se tornado governador de uma ilha com uma lei muito curiosa. O guardião da ilha deveria perguntar a cada visitante o motivo da visita. Se o sujeito respondesse a verdade, tudo estaria bem. Mas caso mentisse, seria enforcado. Até que num belo dia apareceu um visitante que respondeu que visitava a ilha para ser enforcado! E agora? Ele deveria ou não ser enforcado? Se não o enforcassem, ele teria mentido, logo, deveria ser enforcado. Mas se o enforcassem, ele teria falado a verdade e sua sentença seria injusta. Difícil, não e mesmo? Na história de Cervantes, o governador foi bonzinho e libertou o visitante.

Aproveitando parte da teoria de Wittgenstein, Gödel (que não se sentiu bem compreendido pelo colega) converteu o paradoxo do mentiroso numa fórmula matemática e concluiu, a partir dela, que toda e qualquer afirmação requer um observador externo que a valide. Caso contrário, por mais lógica que seja, ela será sempre uma proposição incompleta. Nenhuma afirmação sozinha pode completamente provar a si mesma.

---

172 K. Gödel. *On Formally Undecidable Propositions of Principia Mathematica and Related Systems*. Tradução de Martin Hirzel (27 de novembro, 2000). Disponível em <http://www.research.ibm.com/people/h/hirzel/papers/canon00-goedel.pdf>. Acesso em: 23/05/2017.

Gödel teria provado a existência de eternos improváveis, ou seja, que existem verdades matemáticas indemonstráveis ou, mais forte ainda, que a verdade ultrapassa a demonstrabilidade. Wittgenstein reagiu a isso por considerar que eram expressões de uma confusão filosófica. Mas o que ele critica em Gödel é, primariamente, a própria pretensão de se provar matematicamente uma verdade metafísica, como se o teorema tivesse demonstrado uma tese filosófica. Não se pode afirmar que a sentença de Gödel provava o realismo matemático.

No entanto, à medida que se tenta fundamentar a matemática na própria matemática, percebe-se que o exercício gera uma série de círculos sobre círculos intermináveis, o que nos faz, mais cedo ou mais tarde, deparar com uma proposta como a de Gödel que, neste aspecto, foi compartilhada por Wittgenstein: "Nenhum sistema pode demonstrar a si mesmo. Logo, o que justifica definitivamente a um sistema tem de estar fora dele"[173].

Algo além

Por muito tempo, durante o século 15, a Espanha foi a verdadeira senhora dos mares. Por possuir vastas terras em colônias nas duas costas do Mediterrâneo, ela julgou que não havia mais nada para ser conquistado. Tal mentalidade foi imortalizada em moedas da época. Numa das faces, foi cunhada a imagem das Colunas de Hércules, na extremidade oriental do Estreito de Gibraltar, que, segundo a mitologia, foram erigidas pelo próprio herói grego. Ao redor das colunas, estava supostamente a inscrição latina *nec plus ultra*, que quer dizer "nada mais além". Aquelas colunas fixavam não apenas o limite geográfico além do qual nada mais se esperava descobrir, mas determinavam também uma disposição mental de acomodação ao que já fora realizado.

Mas aí vieram homens como Cristóvão Colombo, que teve a ousadia de desafiar o sistema racional de seu tempo e navegar para além das Colunas de Hércules. Com grandes riscos, eles partiram para singrar "mares nunca dantes navegados". O resultado? Encontraram um novo mundo nunca antes imaginado e tornaram obrigatória a atualização das moedas. Embora as colunas permanecessem ali estampadas, talvez para lembrar-lhes de seu erro, a inscrição foi modificada. Não havia mais a expressão *nec plus ultra*, era o que agora se lia, e todos entendiam o sentido de "mais além".

---

173 Camila Jourdan. "As observações de Wittgenstein sobre o teorema de Gödel". *Philósophos – Revista de Filosofia 18* (2):61-104 (2014). Disponível em <https://www.revistas.ufg.br/philosophos/article/view/17864>. Acesso em: 21/05/2017.

Foi mais ou menos isso que a filosofia Wittgenstein destacou. Procuramos instintivamente algo além da materialidade e do racionalismo, algo que esteja além das nossas "Colunas de Hércules". Ele ressaltou que, em nossos estabelecimentos de ordenações inteligíveis da realidade, usamos sempre a linguagem (verbal e matemática) para formular teorias e, portanto, não podemos explicar como nossas teorias são capazes de explicar o que consideramos realidade sem gerar paradoxos. Novamente, vale a o dilema de Sancho Pança.

Poderíamos até recorrer a outra teoria, mas isso geraria uma série infinita de teorias. Sendo assim, podemos até elaborar teorias sobre o universo, a vida e o mundo, e não há nenhum problema nisso. Mais ainda, essas teorias poderiam ser testadas para saber se são verdadeiras ou falsas. Contudo, sempre dependeremos de um medidor externo, algo fora da própria teoria que a valide.

Não tem como elaborar teorias sobre o que nos permite elaborar teorias, isso seria andar em círculos. Seria como testar o teste com o próprio teste. Entendeu a confusão? O Inmetro pode até dar certificado de qualidade para determinado produto, mas seria sem sentido se o Inmetro qualificasse a si mesmo.

Escrevi tudo isso para chegar a essa conclusão de que o sentido de um sistema estará sempre fora dele. Só para esclarecer, quando digo "sistema", refiro-me a um conjunto de elementos interdependentes que unidos formam um todo organizado. O universo, portanto, é um sistema no qual estamos inseridos e do qual procuramos compreender o significado.

Mas espere um pouco. Veja o que escreveu Isaac Asimov:

> Tenho fé e crença em mim mesmo. Acredito que o universo é compreensível dentro dos limites das leis naturais e que o cérebro humano pode descobrir estas leis e compreender o universo. Creio que qualquer coisa além das leis naturais é completamente desnecessária.[174]

---

174 Isaac Asimov. *Counting the Eons* (London: Grafton Books [Collins], 1983), p. 10.

Capítulo 20
Supermercado da fé

Dentre as muitas coisas que me impressionaram em Londres está a coleção de estátuas colocadas na fachada externa da Abadia de Westminster, considerada representante dos "mártires cristãos do século 20". Ali estão figuras interessantes como Martin Luther King Jr., que lutou contra a discriminação racial nos Estados Unidos, e Oscar Romero, morto a tiros numa missa em El Salvador em 1980.

Mas confesso que nenhuma me impressionou mais que a de Dietrich Bonhoeffer, talvez porque fosse um teólogo e eu já tivesse lido seus livros. Ele era um pastor luterano que foi morto pelos nazistas por ser um dos poucos clérigos que tiveram coragem de, estando na Alemanha, se levantar contra Hitler.

Nascido em berço esplêndido, Bonhoeffer caminhava para uma carreira brilhante como teólogo, até que passou a considerar três coisas que mudaram o rumo de sua vida: O que significa ser discípulo de Cristo? Qual o papel social do cristianismo? O que é a vida, na perspectiva daqueles que sofrem? Foi esse o tripé que formou sua teologia e custou-lhe a própria vida.

Dentre as coisas que ele escreveu na prisão, enquanto aguardava o enforcamento, está o conceito de que o cristianismo precisa ser mais que um clube de oratórias sacras. A igreja não deve se preocupar apenas com seus interesses, esquecendo-se do mundo que a cerca. Ela deve servir as pessoas, no modelo de Jesus, o "homem para os demais".

Foi um milagre que seus ensaios e reflexões sobrevivessem à censura da Gestapo. Afinal eles haviam fechado o seminário onde ele ensinava e proibido suas preleções. Mas das antigas aulas e anotações no cárcere originou-se o mais conhecido de seus livros: *Discipulado*[175]. Nele, Bonhoeffer acusou os cristãos de buscarem a "graça barata", que garantia uma salvação na base da barganha, mas não fazia exigências reais às pessoas, envenenando, dessa forma, "a vida de seguir a Cristo". Ele desafia os leitores a seguir a Cristo até a cruz, a aceitar "a graça de alto preço", da fé que vive em solidariedade com as vítimas de

---

175 Dietrich Bonhoeffer. *Discipulado* (São Leopoldo: Sinodal, 2004).

sociedades sem coração. A graça, concluiu ele, é de graça, mas não pode ser barateada. Cuidemos com o mito da graça barata.

Talvez esteja na hora de os crentes relerem as anotações de Bonhoeffer. Afinal o que vemos hoje discutido por muitos sociólogos, teólogos e cientistas da religião é o desastroso fenômeno do "supermercado espiritual", que vem tomando conta da sociedade ocidental[176].

Espiritualidade em alta

Durante séculos, o racionalismo defendeu a ideia de que pessoas inteligentes precisavam ser secularizadas. Agora, porém, a tendência parece ser que "pessoas inteligentes precisam ser espirituais". Há até quem diga que devemos buscar uma "espiritualidade secularizada", se é que isso faz algum sentido[177]. Seus proponentes referem-se a ela como uma busca pela transcendência sem o arcabouço da religião. Seria uma espécie de filosofia da espiritualidade, desenvolvendo mais as relações do indivíduo com a natureza (meio ambiente), seu semelhante e consigo mesmo, sem muita ênfase na relação com Deus.

O fato é que, de um modo ou de outro, secularizado ou tradicional, a busca por espiritualidade coincide com uma verdadeira febre de consumismo religioso. Menor na Europa, mas muito presente nos demais continentes, especialmente África e América Latina.

Esta foi, realmente, uma marcante guinada, sobretudo, no comportamento ocidental. Porém, longe de ser motivo de pura comemoração, devemos ter em conta que tal realidade oferece oportunidades, mas também desafios e perigos para quem vive nessa primeira parte do século 21. Não esqueçamos que a febre religiosa trouxe consigo o fanatismo, os ataques terroristas, a incoerência entre piedade retórica e cristianismo prático. Logo, a situação é, principalmente, de alerta.

---

176 S. Aupers; D. Houtman. "Beyond the Spiritual Supermarket: The Social and Public Significance of New Age Spirituality". *Journal of Contemporary Religion* 2 (2006): 201-222; Paul Heelas; Linda Woodhead. *The Spiritual Revolution: Why Religion is Giving Way to Spirituality* (Malden: Blackwell, 2005).

177 Robert C. Solomon. *Spirituality for the Skeptic: The Thoughtful Love of Life* (Oxford: Oxford University Press, 2002).

Sociedade de consumo

Embora o consumismo seja naturalmente ligado ao mundo ocidental moderno e pós-moderno, ele é, sem dúvida, um fenômeno universal de raízes bem mais longínquas. Antigos tratados comerciais datados do terceiro milênio antes de Cristo já ofereciam evidências de que, muito antes do surgimento da moeda, o comércio e a troca de mercadorias eram uma constante nas relações diárias das primeiras civilizações mesopotâmicas e do Egito.

Não obstante, conforme acentua Bauman, existe uma diferença entre esta antiga atividade de "consumo" e o "consumismo" atual. Pela primeira, entende-se uma necessidade humana saudável, presente em todas as épocas. Já a segunda seria a disfunção daquela atividade anterior, que muda a matriz da ordem social das mãos dos produtores para as mãos dos consumidores[178]. Tal fenômeno foi gerado juntamente com o capitalismo no fim da Idade Média, mas só se firmou como modelo de sociedade a partir da Revolução Industrial no século 18.

Antes, o consumo levava as pessoas a adquirirem apenas aquilo que lhes fosse necessário para a sobrevivência. Porém, atualmente, criou-se a cultura do descartável e das falsas necessidades. O indivíduo é compelido a gastar tudo o que tem (e até o que não tem) em produtos muitas vezes supérfluos.

Não é por menos que a tônica de muitas propagandas e convencer você a ficar insatisfeito com o que tem. O mais bonito, mais atual, mais requintado estará sempre na vitrine à sua espera para fazê-lo realmente feliz. Isto, é claro, até que surja o novo modelo. Aliás, você já percebeu que não compramos as coisas para possuí-las, e sim para desgastá-las? Quanto mais rápido for o descarte, melhor para o comércio. Por isso que as grandes marcas não podem ultrapassar o título de "modelo DO ANO".

Tudo isso começou no século 19. De fato, o mundo nunca mais foi o mesmo após a Revolução Industrial. De lá para cá, o surgimento das indústrias permitiu uma massificação de produtos que não era possível no período artesanal. Logo, com o potencial mercantil da produção em série, iniciou-se uma verdadeira competição pelo consumidor, que agora era atraído por uma nova modalidade, o marketing.

O cidadão comum começou a ser envolvido por uma trama de imagens, formas e sons que o levava a moldar sua existência, consciente ou não, por

---

178 Zygmunt Bauman. *Vida para consumo: a transformação das pessoas em mercadoria* (Rio de Janeiro: Jorge Zahar, 2008).

este novo modo de fazer e sentir. Como bem definiu Martin Lindstrom: "Para estudar o ser humano atual, não precisamos nos valer apenas da biologia, mas, sobretudo, da "buy.ology" ou "ciência do consumo" – um trocadilho intraduzível entre os homófonos biology e buy.ology[179].

Mercado e religião

Dany-Robert Dufour, autor do livro *Le Divin Marché*, ressalta que o mercado não é invenção dos mercadores ou burgueses, mas dos teólogos[180]. Ele se refere mais propriamente ao moralista escocês Adam Smith (1723-1790), considerado por muitos o pai da economia moderna e o principal teórico do liberalismo econômico.

Na verdade, Smith estaria mais para filósofo especulativo do que para teólogo propriamente dito. Sua ideia de divindade era mecanicista e pluralista. Em muitos de seus escritos, Deus é tratado apenas como um item do senso comum. Por essa razão, os pesquisadores Screpanti e Zamagni concluem que a reflexão econômica de Adam Smith já nasce autônoma em relação à teologia, nomeadamente a teologia moral[181].

Não se pode, contudo, entender essa autonomia como sinônimo de total ruptura das correntes religiosas protestantes que formaram a maioria destes pensadores. Ainda é válida a clássica tese de Tawney de que pensamentos oriundos diretamente da Reforma Protestante exerceram um profundo peso nas mudanças sociais que deram origem ao mercado e ao consumismo moderno[182].

No calvinismo, por exemplo, embora houvesse um incentivo para a busca de uma vida simples, sem ostentação e longe dos prazeres do mundo, também era corrente a ideia de que Deus predestinou alguns não apenas para a salvação, mas também para a riqueza material já aqui neste mundo. Não obstante, os calvinistas entendiam que um cristão predestinado à fortuna deveria usar seus recursos como investimentos, e não como desfruto. Esta era exatamente a bandeira inicial do capitalismo, a qual acabou modificada pela força do consumismo.

---

179 Martin Lindstrom. *Buyology: Truth and Lies about why we Buy* (New York: Doubleday/Crown Publishing Group, 2008).

180 Dany-Robert Dufour. *Le Divin Marché: la révolution culturelle libérale* (Paris: Denoël, 2007).

181 Ernesto Screpanti; Stefano Zamagni. *An Outline of the History of Economic Thought* (Oxford: Clarendon Press, 1995).

182 Apud David S. Landes. *A riqueza e a pobreza das nações* (Lisboa: Gradiva, 2005).

Adam Smith era herdeiro de uma época em que o conceito de racionalismo substituiu progressivamente a ideia de revelação divina. Logo, a economia e o Estado moderno, embora inspirados em conceitos religiosos, tornam-se separados um do outro (*i.e.*, secularizados) e a noção de santidade pessoal cedeu lugar à santidade dos bens e propriedades. Por isso a teoria da "mão invisível" que rege o mercado, apresentada por Smith, possui tanto uma dimensão religiosa quanto secular, no que diz respeito ao seu conjunto de valores éticos e morais.

Seja como for, esses dados não invalidam, mas reforçam a leitura que Dufour faz de Smith e da cultura mercadológica liberal. Dufour faz questão de acentuar que a expressão "divino mercado" usada no título de seu livro não deve ser entendida como uma metáfora. Trata-se de um conceito literal, postulado na ideia de que existe uma religião natural (que não é necessariamente a religião bíblica), que faz do mercado consumidor o novo deus erguido nos altares da sociedade contemporânea. Resta saber os riscos e desafios que esse quadro apresenta aos religiosos da atualidade que se põem ao trabalho de refletir honestamente sobre sua fé.

O consumidor espiritual

Com o fim da Segunda Guerra Mundial, os Estados Unidos inauguraram um programa de fácil acesso ao crédito, que colocou mais combustível no comportamento consumista e na disputa pelo consumidor/cliente em potencial. Este combustível, aos poucos, foi tomando conta do mundo inteiro, especialmente a partir dos anos 1980 e 1990, com os novos rumos da globalização.

Uma vez que as organizações religiosas também sejam ligadas a práticas econômicas (dízimos, ofertas, aquisição patrimonial etc.), a emergência dos sistemas de economia globalizada passou a ver nas igrejas um enorme potencial de consumo que também poderia ser explorado. Criou-se a ideia de que religião e espiritualidade devem ser construídas não apenas com saúde e vida devocional, mas principalmente com bens materiais.

Então surgiram as *megachurches*, os pregadores televisivos ao estilo *showman*, as teologias da prosperidade e, finalmente, os investidores especializados em atender a esta nova fatia do mercado que é o "cliente religioso". Daí a formação e exportação de expressões comerciais norte-americanas como *spiritual supermarket, spiritual marketplace, spiritual customer, spiritual client* etc.

Um dos grandes perigos que este contexto de mercado espiritual oferece é exatamente o surgimento do "consumidor espiritual", que se assemelha em muitos pontos com o consumidor comum.

Uma parábola escrita no século 18 por Bernard de Mandeville ilustra o princípio do mercado e do consumidor moderno (e o consumidor espiritual por extensão). Seu título era "A colmeia resmungona" ou "A fábula das abelhas" e nela o autor faz uma notória comparação entre as abelhas e a sociedade humana. Sua irônica conclusão, que figura como "moral da história", era a de que "os vícios privados fazem a virtude pública" e era exatamente esse conceito que serviria de impulso para o consumismo que se seguiria. A alegoria de Mandeville foi uma obra de vital importância dentro do contexto da economia clássica, tendo sido comentada, inclusive, por Adam Smith, que transformou o termo pejorativo "vício" em um eufemismo mais aceitável como "amor-próprio" e "ambição".

O fato é que o mercado percebeu no consumidor de hoje um sujeito acrítico e pós-neurótico. Compreender e refletir não lhe interessa mais, pelo contrário, o entedia. Ele quer é se divertir. Sendo assim, o marketing em muitas instâncias se torna uma promoção da anomia: a única regra a ser seguida é a de que o cliente sempre tem razão, ainda que esteja errado em seus conceitos. Afinal, ele consome e o mercado precisa de seu consumismo para sobreviver. Um círculo vicioso em que um alimenta o outro.

Lamentavelmente, esta realidade adentrou as igrejas. Muitos religiosos, talvez sem o perceber, começaram a se portar mais como "clientes" que como membros do corpo de uma agremiação de fé. Falando especificamente do cristianismo, a noção de pecado, culpa e redenção praticamente evaporou-se de muitos púlpitos. Se antes a tônica dos grandes pregadores era: "Venha a Jesus, você, que se sente um pecador", a nova homilética conclama: "Venha a Cristo, você, que tem problemas na empresa, no casamento, na sua vida profissional". Desfaz-se a figura soteriológica do Filho de Deus, para dar lugar a imagens mais "atualizadas" de Jesus como psicólogo, consultor de negócios, orientador profissional, animador de auditório etc.

Aquele que o cristianismo antigo descreveu como Redentor da humanidade tem seu papel reduzido à função de um "técnico" que resolve todos os problemas desta vida. O céu, a salvação e a vida eterna, conquanto não ausentes no novo cenário, terminam definitivamente colocados num segundo plano no momento de atrair e doutrinar os novos crentes.

Relações de fé

O consumidor espiritual não é necessariamente um religioso frio na fé. Ele geralmente crê em Deus, busca a espiritualidade e até chega a desempenhar algumas atividades da vida religiosa. Se houver uma campanha financeira da igreja, ele não tem problemas em contribuir, afinal de contas, seu sentimento é de alguém que quer sustentar o clube a que pertence, e ele se sente assim um verdadeiro empreendedor cristão.

Embora seja subjetivo e até perigoso julgar as intenções pessoais de um doador/contribuidor, é fato enquanto alguns que entregam seus dízimos, pactos e ofertas como fruto de uma fidelidade cristã realmente acreditam que aquela agremiação é séria e usará sua doação para um fim nobre. Você pode não acreditar nisso, mas há muitas agremiações religiosas sérias que vivem de doação e usam eticamente o dinheiro que lhes é repassado. Não tome a parte pelo todo.

Contudo, há muitas que se portam como empresas corruptas, e os doadores, enganados ou não, doam seu dinheiro como "investidores" em um negócio. Eles querem a bênção que supostamente virá como fruto daquilo que puseram diante do altar.

Assemelham-se a empresários que apadrinham um time de futebol ou que se tornam sócios de um clube, pagando as cotas mensalmente. Apenas para citar um exemplo bíblico, temos a distinção feita por Cristo entre as grandes quantias dadas pelos adoradores do templo e as singelas moedas oferecidas por uma viúva pobre. Ali não é a quantidade nem o ato de dar que estariam em questão, mas a intenção com a qual a oferta é depositada. Os ricos investiam no templo como *sócios*, mas a mulher o fazia como *serva*, reconhecendo a Deus como dono de tudo o que ela tinha, inclusive sua própria vida (Lucas 21:1-4).

Deus precisa do dinheiro da viúva? Claro que não! Seria idiotice pensar assim. Mas raciocine deste modo: Deus também precisa do meu recurso para resolver a fome do mundo. Ele poderia fazer isso sozinho, mas por alguma razão o céu resolveu contar comigo – o que sinceramente encaro como privilégio. Assim, o milagre pode operar do seguinte modo. Superando o egoísmo natural que todos nós possuímos, um poder fora de mim me impele a sair de minha zona de conforto, tomar o pão que antes só alimentaria minha fome e dividi-lo com meu irmão que está faminto. O que antes era $1 = 1$, agora se torna $1 = 2$. Lembrando, é claro, que "pão" é um termo simbólico. O que muitos precisam às vezes é de um simples abraço, um gesto de carinho ou um ato de perdão.

Foi Cristo que disse que aquilo que eu fizer ao menor dos meus irmãos será como se estivesse fazendo por ele mesmo. Por favor: permita-me citá-lo para você – ainda que você não acredite no juízo final. Apenas veja a força social dessas palavras e o que está implicado nelas:

> Quando o Filho do homem vier em sua glória, com todos os anjos, assentar-se-á em seu trono na glória celestial. Todas as nações serão reunidas diante dele, e ele separará umas das outras, como o pastor separa as ovelhas dos bodes, e colocará as ovelhas à sua direita e os bodes à sua esquerda.
> Então o Rei dirá aos que estiverem à sua direita: 'Venham, benditos de meu Pai! Recebam como herança o Reino que lhes foi preparado desde a criação do mundo. Pois eu tive fome, e vocês me deram de comer; tive sede, e vocês me deram de beber; fui estrangeiro, e vocês me acolheram; necessitei de roupas, e vocês me vestiram; estive enfermo, e vocês cuidaram de mim; estive preso, e vocês me visitaram'.
> Então os justos lhe responderão: 'Senhor, quando te vimos com fome e te demos de comer, ou com sede e te demos de beber? Quando te vimos como estrangeiro e te acolhemos, ou necessitado de roupas e te vestimos? Quando te vimos enfermo ou preso e fomos te visitar?'.
> O Rei responderá: 'Digo-lhes a verdade: o que vocês fizeram a algum dos meus menores irmãos, a mim o fizeram'.
> Então ele dirá aos que estiverem à sua esquerda: 'Malditos, apartem-se de mim para o fogo eterno, preparado para o diabo e os seus anjos. Pois eu tive fome, e vocês não me deram de comer; tive sede, e nada me deram para beber; fui estrangeiro, e vocês não me acolheram; necessitei de roupas, e vocês não me vestiram; estive enfermo e preso, e vocês não me visitaram'.
> Eles também responderão: 'Senhor, quando te vimos com fome ou com sede ou estrangeiro ou necessitado de roupas ou enfermo ou preso, e não te ajudamos?'
> Ele responderá: 'Digo-lhes a verdade: o que vocês deixaram de fazer a alguns destes mais pequeninos, também a mim deixaram de fazê-lo' (Mateus 25:31-45).

Que analogia profunda! Interessante que a menção à tarefa pastoral de separar bodes e ovelhas é de uma sutileza tal que somente quem percebe as entrelinhas da ironia de Cristo pode captar. É muito comum ver até hoje no Oriente Médio pastores beduínos cuidando de bodes, cabras e ovelhas, todos num mesmo rebanho! Porém, quando escurece ou quando há escassez de alimento, os bodes não podem ficar junto das ovelhas por uma razão muito simples: eles comem tudo, mesmo depois de estarem satisfeitos. Não deixam nada para as ovelhas nem para ninguém. Na verdade, rebanhos de cabras têm concorrido em alto grau para o extermínio dos arbustos na região da Síria meridional. Não há animais mais impeditivos do crescimento das plantações do que cabras, bodes e pragas de gafanhotos.

Se me permitem uma aplicação sociológica das palavras de Cristo, não estaria aí uma boa denúncia contra os países ricos de maioria cristã que se tornaram os bodes e gafanhotos do mundo? Eles domesticaram Deus e, por isso, agem como se fossem os únicos filhos do Reino com direito a participar da mesa de Cristo. Os demais são filhos do diabo ou criaturas de Deus, mas nunca filhos dele. Achou exagerada a conclusão? Então veja essa interessante comparação feita anos atrás por uma agência missionária internacional[183]. Se pudéssemos reduzir a população mundial em uma aldeia com precisamente 100 pessoas, com todas as proporções demográficas permanecendo as mesmas, teríamos as seguintes características:

- A aldeia global teria 61 asiáticos, 13 africanos, 12 europeus, 9 latino-americanos e 5 pessoas dos Estados Unidos e Canadá;
- 50 seriam homens e 50 seriam mulheres;
- 25 seriam brancos, 75 seriam de outras etnias;
- 33 seriam cristãos e 67 seriam não cristãos;
- 80 viveriam em casas precárias;
- 16 seriam analfabetos;
- 50 seriam subnutridos e 1 estaria morrendo de fome;
- 33 não teriam acesso a água potável;
- 39 não teriam acesso a saneamento básico;
- 24 não teriam eletricidade (a maioria dos 76 que teria, somente usaria eletricidade para luz durante a noite);
- 57 pessoas não teriam acesso à Internet;
- 99 não teriam formação universitária;
- 2 estariam próximos do seu nascimento;
- 1 próximo da morte.

Agora o mais drástico que me faz pensar na advertência de Cristo:

---

183 Disponível em <www.missaocrista.org.br>. Acesso em: 04/09/2017.

- 48 viveriam com menos de 60 dólares por mês;
- 20 viveriam com menos de 30 dólares por mês;
- 5 pessoas apenas controlariam 32% dos recursos de todo mundo e se o almoço comunitário fosse uma grande pizza de cem fatias, 20 pessoas comeriam ou desperdiçariam sozinhas 80 fatias, e os 20 pedaços restantes seriam para os outros 80 cidadãos que ainda não comeram nada.

Trágico como pode parecer, essa é a realidade. Se quiser posso dizer em termos percentuais para ficar estatisticamente mais elegante: simplesmente, 80% do consumo privado mundial é abocanhado por 20% da população mundial residente nos países mais ricos, o que faz "sobrar" para 80% da população (5,6 bilhões de pessoas), residente nos países mais pobres e em vias de desenvolvimento, apenas 20% da produção mundial. Apenas os Estados Unidos, com 4,5% da população mundial, consomem 40% de todos os recursos disponíveis[184].

É claro que esse consumo em larga escala é sinônimo de degradação dos ecossistemas naturais. Em contrapartida, o aumento da produção industrial desses "primos ricos" envolve mais poluição, maior quantidade de lixo não reciclável e menos ambientes naturais preservados, o que compromete, sobremaneira, a qualidade de vida de todos.

Não por acaso, etimologicamente a palavra "consumir" significa "esgotar", exatamente como fariam os bodes da parábola de Cristo. Enquanto os mais ricos exageram no consumo, os mais pobres sofrem de perto as consequências do desequilíbrio ambiental. Nada mais justo do que Deus um dia separar ovelhas de bodes – uma ação, aliás, que já passou da hora de acontecer!

Por que esse Deus não faz nada? Ainda é um pouco cedo para eu entrar nesta temática, mas posso adiantar duas anedotas que ilustram essa questão. Uma delas é de um velho zombador que, desafiando a fé ingênua de um menino, disse:

– Ai, guri! Fiz um monte de coisas erradas ontem e desafio seu Deus a me destruir. Dou um minuto para ele mandar um raio na minha cabeça – gargalhava ele enquanto olhava um velho relógio de pulso.

– Pode guardar seu relógio, tio. O ponteiro do relógio de Deus é maior que o seu e o minuto dele demora mais para acabar. Mas pode ficar tranquilo que ele anotou o seu pedido!

---

184 Disponível em <http://www.revistaecologico.com.br/noticia.php?id=200>. Acesso em: 08/09/2017.

Em escatologia – disciplina teológica que fala do juízo final – dizemos que "ainda não" não significa "nunca". Haverá o dia, eu acredito nisto, em que Deus virá, conforme diz o Apocalipse, "destruir os que destroem a Terra" (Apocalipse 11:18). Neste ínterim, é claro, somos tentados a questionar por que Deus não faz nada. Aí entra a segunda anedota. Ela vem de uma tirinha de *Calvin e Hobbes* (no Brasil *Calvin e Haroldo*). O menino e o Tigre de pelúcia conversam olhando as estrelas. Calvin pergunta:

– Por que Deus não faz nada para ajudar a acabar com a fome e o sofrimento neste mundo?

Haroldo responde:

– Não tenho coragem de fazer esse tipo de pergunta a ele.

– Por quê? – indaga Calvin.

– Tenho medo de que ele me pergunte a mesma coisa – arrematou o tigre.

Ao escrever isso, lembrei-me de um trecho de Carlos Drummond de Andrade ("Poema de Sete Faces") que dizia:

Meu Deus, por que me abandonaste
se sabias que eu não era Deus
se sabias que eu era fraco?

Tomo a ousadia de parafrasear o gênio e digo igualmente:

– Irmão, por que me abandonaste? – diria o necessitado. – Se sabias que eu era humano como você. Se sabias que eu era fraco como você e precisava de sua ajuda!

Embora eu acredite que Deus aja, não creio que o faça de maneira clara todo o tempo, muito menos que o faça com exclusividade. Teologicamente falando, caso Deus exista, ele em si mesmo se bastaria, mas preferiu contar conosco. A passividade cristã é um balde de lama jogado na proposta de Cristo. Se Deus realmente existe, ele espera de cada um de nós que sejamos instrumentos de transformação em nossa geração. Não apenas religiosos inativos à espera de um reino que, deste jeito, nunca virá.

Os bonzinhos do inferno

Dizem que foi o controverso São Bernardo de Clairvaux (1090-1153) – teólogo e místico católico da Idade Média – que disse pela primeira vez a frase: "De boas intenções o inferno está cheio". Seja ou não dele, o que importa é que a partir do momento em que uma afirmação se torna dito popular, ela já não tem mais dono, pertence ao povo e até sua aplicação está sujeita às vicissitudes da semântica.

Assim, o que posso apreender desse velho ditado é que *piedade* religiosa não é sinônimo de *sinceridade* religiosa. Assim como muitas violências feitas em nome de Deus nada têm a ver com ele, existem muitos discursos "bonitinhos" que igualmente não possuem relação alguma com o céu, por mais floreados que estejam de anjos, trombetas e moralidades.

Em relação ao dito de Cristo citado anteriormente e as intenções pelas quais fazemos o bem, conheço uma antiga parábola que ilustra bem esse princípio:

> Era uma vez um rei amado por sua sabedoria e virtude que, sentindo-se envelhecer, achou por bem decidir qual dos três filhos herdaria o trono. Assim ele convocou os possíveis herdeiros à sua presença e disse:

– Estou cada vez mais sem forças para continuar reinando e desejo hoje determinar qual de vocês me sucederá. Para isso, vou submetê-los a uma prova. Que cada um saia agora levando consigo provisão para o dia, devendo retornar ainda hoje, ao anoitecer, trazendo para mim a coisa mais valiosa do reino. Aquele cuja descoberta for considerada maior e mais digna receberá a coroa.

Assim saíram os príncipes à procura da coisa mais valiosa. O mais velho resolveu procurá-la na capital do reino, deduzindo que uma coisa valiosa e importante só poderia estar lá. O segundo, entretanto, dirigiu-se para os castelos vizinhos, pensando em seus amigos para ajudá-lo a fazer a descoberta. Enquanto isso o caçula, despreocupadamente, atravessou a cidade e encaminhou-se para o campo, onde morava um garoto amigo que, havia pouco tempo, perdera o pai e agora enfrentava sozinho a dura tarefa de lavrar a terra.

Ninguém ali podia imaginar o que se passava na mente e no coração do jovem príncipe. Foi um dia longo e trabalhoso para os três irmãos, que, ao anoitecer, regressaram ao palácio, trazendo o resultado de um dia de buscas.

Diante do pai e da corte ali reunida, o mais velho apresentou um cofre de ouro cravejado de pedras preciosas, pertencente ao mais antigo agiota do reino.

O segundo entregou-lhe um pedacinho de renda finíssima, obra de que uma princesa das imediações.

Tudo ia muito bem, mas restava ouvir o príncipe caçula.

– O que você encontrou, filho? – indagou o rei ao mais jovem.

– Nada. Absolutamente nada, meu pai. Na verdade, eu nem tive tempo para me ocupar nessa procura. Parei no campo do garoto órfão, que preparava a terra para semeadura, e o ajudei no desempenho da tarefa, porque sua mãe estava doente e a terra precisava ser resolvida para receber os grãos de cereais. Assim acabei perdendo a noção do tempo e por isso estou de mãos vazias.

– Não, meu filho – declarou o pai –, você trouxe a coisa mais valiosa do meu reino: as marcas de um trabalhador digno e os frutos de um amor desinteressado. Minha coroa e o meu reino, a partir de hoje, serão seus.

> Todos os demais príncipes também deveriam ter boas intenções em relação aos necessitados do reino, mas isso não era sua prioridade. Eles paravam nas boas intenções. Portavam-se como um obeso que não leva a sério o conselho médico da dieta urgente. Ele olha para a balança, depois para o hambúrguer e decide que começará na próxima segunda sua mudança alimentar – algo, aliás, que ele já afirmou duas semanas atrás.

Mercenários da fé

Sei que muitos devem estar pensando: *Esses exemplos valem para questões de assistência social. Não tenho problema em ajudar aos pobres, minha questão é dar dinheiro para líderes religiosos engordarem suas contas bancárias.* Como fica, eticamente, o sustento de padres e pastores com dinheiro dos fiéis?

Existem, de fato, muitos "profissionais da fé" que agem de má-fé. Não falar disso é negar o óbvio. Aliás, de acordo com um texto bíblico datado de aproximadamente 700 anos antes de Cristo, já havia naquele tempo os mercenários de Deus. Diz o texto atribuído ao profeta Ezequiel:

> Filho do homem, profetiza contra os pastores de Israel; profetiza, e dize aos pastores: Assim diz o Senhor DEUS: Ai dos pastores de Israel que se apascentam a si mesmos! Não devem os pastores apascentar as ovelhas? Comeis a gordura, e vos vestis da lã; matais o cevado; mas não apascentais as ovelhas. As fracas não fortalecestes, e a doente não curastes, e a quebrada não ligastes, e a desgarrada não tornastes a trazer, e a perdida não buscastes; mas dominais sobre elas com rigor e dureza (Ezequiel 34:2-4).

Seguindo aos tempos do Novo Testamento, vemos o mesmo dilema vivenciado nos dias do apóstolo Paulo, importante pioneiro do cristianismo primitivo. Ao falar de sua fidelidade ao cumprimento do que ele considerava um "chamado divino", Paulo faz um contraste entre seu ministério e o de outros líderes cristãos que, já em seu tempo, agiam como cidadãos de má índole que, às ocultas, realizavam suas ilegalidades. Ele diz:

> [...] rejeitamos as coisas que por vergonha se ocultam, não andando com astúcia nem falsificando a palavra de Deus; e assim nos recomendamos à consciência de todo o homem, na presença de Deus, pela manifestação da verdade (2Coríntios 4:2).

Dentre esses, estavam mercadores de vinho que adulteravam seu produto antes de vendê-lo aos consumidores mais desavisados. Esse era um grande problema na Roma antiga e Paulo aproveita tal situação para ilustrar o que queria dizer. Plínio, o Velho (23-79 d.C.), reclamava da grande quantidade de vinho falsificado que havia em Roma. Segundo ele, nem os nobres sabiam se o que bebiam era vinho genuíno.

No capítulo 2:17, Paulo igualmente menciona os que viviam "mercadejando" a Palavra de Deus e agora fala dos que com "astúcia" a "adulteravam", isto é, a falsificavam, antes de apresentar ao povo. Esse jogo de palavras (mercadejar e adulterar) será posteriormente usado pelo Satírico Luciano de Samosata (120-180 d.C.) em sua crítica a filósofos de má índole que "vendem suas lições como *mercadores* de vinho, muitos deles *adulterando*, enganando e oferecendo falsas medidas" (Hermotimus 59).

O verbo grego *doloô*, usado tanto por Paulo quanto por Luciano, é relacionado ao termo "dolo" em português e originalmente significava algo como diluir uma ânfora de vinho em maior quantidade de água para diminuir a concentração e servir a mais pessoas. Embora os gregos e romanos tivessem o costume de beber vinho diluído em água, o excesso de mistura representava um engodo. Um grafite romano falava de uma viagem enganosa como um garçom que servia água e bebia vinho não diluído.

Paulo aqui não estava, aparentemente, fazendo nenhuma apologia ao consumo de álcool. Este não era o seu tema. Ele se apenas aproveitou de uma situação comum para ilustrar seu ponto de vista. A sociedade sofria com os que, às escondidas, adulteravam o vinho, e a igreja, com os que, às escondidas, adulteram a Palavra de Deus. Paulo diz que trabalhava à luz do dia, podendo ser visto por todos, não às escondidas. Nem diluía, às ocultas, a Palavra de Deus com acréscimos desnecessários ou palavras vãs como faziam muitos de seu tempo.

Como você pode ver, o problema dos mercenários da fé vem de longa data. Logo, tanto ontem como hoje, temos duas maneiras de resolver a questão: a primeira seria negando a qualquer líder religioso o direito de receber um salário que venha de dízimos e ofertas. A segunda seria separando o joio do trigo, em reconhecimento de que há pessoas dignas desse soldo que vivem em harmonia com os princípios de um chamado especial para o serviço.

Pastores assalariados?

Raciocine deste modo: Quem você acha que paga o salário de assistentes sociais, médicos e advogados públicos? Seu imposto, é claro. Agora você já parou para pensar quantos desses profissionais exercem mercenariamente sua função? A mídia sempre traz escândalos de corrupção no funcionalismo público, mas isso não implica dizer que o sistema está errado ou que todos os servidores do estado são corruptos.

Nossa história, por exemplo, tem uma considerável lista de notáveis brasileiros que foram, com muito orgulho, funcionários públicos. Entre eles estariam: Machado de Assis, Lima Barreto, Manuel Antônio de Almeida, Graciliano Ramos, Augusto dos Anjos, Carlos Drummond de Andrade e outros.

A ideia por detrás do princípio religioso da manutenção de clérigos é a mesma do funcionalismo público: fazer com que alguns profissionais dediquem tempo integral de seu ofício para atender àqueles que não têm como pagar particularmente por este ou aquele serviço essencial. Por isso, diferentemente dos que recebem um salário por serviço prestado ao cliente, estes são mantidos pelo recolhimento da contribuição de todos.

Assim também os que cuidam dos cultos, da assistência espiritual da comunidade religiosa etc. Eles, em tese, são separados para oferecer um serviço gratuito de cuidado do rebanho de Deus. Cabe ao líder administrar as coisas da igreja, preparar bons sermões, visitar os necessitados, organizar a assistência social etc. Dá muito trabalho ser um pastor ou padre. Antes de me tornar professor universitário, eu cuidava de algumas igrejas e sei a trabalheira que isso dá. Não estou reclamado, apenas informando.

Se a dedicação do ministro será de tempo integral ou parcial, isso depende de cada contexto. No entanto, creio ser justo que o recolhimento geral das ofertas sustente suas necessidades pessoais, a fim de que ele possa se dedicar ao trabalho pastoral de maneira mais efetiva. Em outras palavras, ser mantido pelos fiéis a fim de que possa usar seu tempo e talentos para servir à comunidade, e não enriquecer a custa dela.

Não é questão de vadiagem. Como disse, cuidar seriamente de um rebanho demanda muita energia. Pregações, visitas a hospitais, administração dos recursos, servir como missionário em regiões de conflito, oferecer assistência social aos presos, tudo isso são apenas algumas poucas atividades desse complexo ofício.

Sei que alguns podem fazer as mesmas coisas de modo voluntário, nas horas vagas. Contudo, é vital que haja aqueles de dedicação integral. É bonito ver um médico dedicando duas horas por semana para visitar presos e oferecer ajuda, como fazia Drauzio Varella. Contudo, na hora de um acidente, o cidadão não pode contar com um voluntário esporádico. Precisa ter certeza de que há um plantonista ou cirurgião permanente no hospital preparado para atendê-lo. Não dá para manter um sistema inteiro apenas como voluntários, a realidade é mais complexa que isso.

O mesmo se dá nas questões religiosas. Para você pode não valer nada a presença de um clérigo no seu leito de morte, mas diga isso para aquela velhinha que está prestes a morrer e tem como consolo a presença de um padre ou pastor trazendo-lhe a unção quando ela mais precisa. Alguém, enfim, que não precisa pedir licença do serviço para levar oração até ela. Pelo contrário, ele está ali para isso. Para atendê-la como Cristo e os apóstolos fariam.

Assim, o tempo que estes profissionais de capelania trabalhariam para ganhar seu sustento é dedicado integralmente ao serviço religioso de uma comunidade. Nada mais justo que os que ali congregam os mantenham com suas doações. Fora, é claro, o fato de que parte desse dinheiro deva ser destinado a outras atividades como manutenção do prédio, salário do zelador, assistência social, contas de água, luz, telefone etc.

Assim como a cobrança de impostos é justa para pagar professores, médicos, advogados e outros servidores públicos que, em contrapartida, oferecem seus préstimos à sociedade sem cobrar honorários adicionais, o mesmo se dá com líderes religiosos. A diferença é que os impostos são obrigatórios e cobrados pelo Estado, ao passo que as ofertas são voluntárias e solicitadas pelas igrejas de acordo com a consciência do membro/doador.

Se o mau exemplo de alguns mercenários da fé invalidar esse princípio, de igual modo deverei demover minha credibilidade de outras instituições como a escola, a saúde, o esporte, pois o número de escândalos envolvendo esses setores é sem paralelo. Mesmo assim, desconheço um desportista, por exemplo, que deixe de investir recursos próprios em seu time por causa do um cartola oportunista.

Teatro e *fast-food* espiritual

Concluo este capítulo com uma nota de perdão aos não religiosos. Sei que não tenho qualquer procuração pública para pedir desculpas em nome de todos os religiosos. Porém, o faço no sentido de mostrar que não tenho uma visão romântica das igrejas. Num capítulo adiante falarei sobre o papel e a importância desse elemento social chamado "igreja". Por ora, no entanto, revelo a consciência de que a igreja pode ter um papel de relevância ou obstáculo no diálogo com aqueles que não creem.

Lembrando que religião é um organismo vivo, constituído de pessoas comuns, relembro a figura do consumidor espiritual que abriu essa conversa. Ele geralmente aprecia uma igreja de espetáculos, com entretenimento de qualidade, mas com valor espiritual barato. Como um *sommelier* em relação ao vinho, ele é um apreciador de bons sermões, com boa concatenação de ideias e conforto espiritual garantido. Muitos, na verdade, até dispensam a "boa concatenação" de ideias. Afinal, não querem pensar, preferem o espetáculo mesmo.

Falando especialmente das religiões evangélicas, o teólogo Augustus Nicodemus afirmou:

> Há muito show, muita música, muito louvor – mas pouco ensino bíblico. Nunca os evangélicos cantaram tanto e nunca foram tão analfabetos de Bíblia. Nunca houve tantos animadores de auditório e tão poucos pregadores da palavra de Deus.[185]

São pessoas que não admitem uma igreja que lhe repreenda os pecados ou torne difícil sua existência num mundo relativista e pós-moderno. Elas querem um show, não uma demanda por contínua transformação pessoal. Amam passar por sócios de um clube da fé. Sentem-se clientes de Deus, não servos do evangelho de Cristo – especialmente no que diz respeito à caridade em relação aos mais necessitados.

---

185 Disponível em <https://www.facebook.com/AugustusNicodemusLopes/posts/640208709364877>. Acesso em: 03/09/2017.

A instituição chamada igreja, por sua vez, corre o risco de querer pagar qualquer preço para a manutenção desses consumidores espirituais que a sustentam. Afinal de contas, o cliente sempre tem razão e o mercado deve atender às necessidades do consumidor – ainda que muitas delas sejam necessidades artificiais criadas pelo próprio marketing para montar um círculo vicioso no qual o consumidor alimenta a indústria e a indústria alimenta o consumidor. Aí cria-se um grande argumento para a proposta ateísta. Como crer se os que creem não vivem como crentes?

John Drane, de maneira muito bem-humorada, chamou esse fenômeno de "McDonaldização" da Igreja. Sua expressão foi adotada de um livro anterior do sociólogo George Ritzer, *The McDonaldization of Society* ["A McDonaldização da sociedade"], publicado em 1993. Na obra de Ritzer, a famosa franquia de alimentos é usada como alegoria para sistematizar a força motora do mundo ocidental que anda à velocidade do *fast-food*. Hoje, tudo o que tem sucesso deve ser eficiente, calculável, previsível e controlável.

O problema é: À luz de que esses adjetivos são avaliados? Qual é o padrão do controlável, do cálculo? No campo comercial, o padrão é o mercado e o cliente, mas e no campo religioso? Essas são questões que deveriam merecer maior atenção daqueles que dizem acreditar em Deus. Quando a evidência de Deus se mistura com o modo como alguns crentes lidam com sua crença, o ateísmo realmente adquire um bom argumento para afirmar suas colocações.

Capítulo 21
O ser e o existir

Quando a filosofia surgiu na Grécia seus pensadores tinham por objetivo suprimir o mito e questionar o sistema vigente, sobretudo, em Atenas. Dentre os inimigos ideológicos dos pré-socráticos, estavam os poetas também conhecidos como rapsodos, uma espécie de artista popular ou cantor que ia de cidade em cidade encenando e recitando poemas mitológicos a fim de entreter o povo com fantasias.

Para os filósofos, esse entretenimento era sinônimo de alienação coletiva que só beneficiava os políticos e a nobreza. O povo era um joguete nas mãos dos poderosos e o mito alimentava a tudo. Por isso não se podia mais aceitar esse sistema. Filosofia e poesia eram conceitos que, em tese, se repeliam nos tempos da Grécia antiga. Platão chega a dizer que a poesia não poderia ser considerada nem arte, muito menos conhecimento[186]. A crítica, é claro, tem um contexto específico, não necessariamente aplicável a Manuel Bandeira, Cecília Meireles ou Cora Coralina!

Não obstante a divergência entre filósofos e poetas no passado, é interessante que um dos mais primitivos textos filosóficos de que temos conhecimento veio justamente na forma de um poema chamado "Os fragmentos", de Parmênides. Escrito no 5º século a.C., o texto traz a descrição imaginária de uma viagem que o filósofo teria feito até a presença de uma deusa a fim de obter conhecimento e sabedoria. No fragmento 6, ele escreve uma sentença grega de difícil interpretação, cujo conteúdo inspirou os principais debates sobre a essência do ser e da realidade. Uma possível tradução seria: "É preciso dizer e pensar nisto: aquilo que é, existe!"[187].

---

186 Platão é um autor reconhecidamente difícil de interpretar e deve-se dizer que algumas vezes ele usa o papel inspirador do rapsodo e importa elementos da poesia para dentro de sua própria filosofia. Veja: Paulo Pinheiro. "Poesia e filosofia em Platão", in *Anais de Filosofia Clássica* 2/4 (2008): 40-58.

187 Para o texto grego e as possíveis traduções e interpretações do *Poema de Parmênides* veja: Pierre Aubenque, (ed.). *Étude sur Parménide – Le poéme de Parménide: Text, traduction essai critique* (Paris: Librairie Philosophique J. Vrin, 1987), p. 24; Joaquín Llansó, (ed.). *Poema Parménides* (Madrid: Ediciones Akal, 2007), p. 36 e 37; Giovanni Casertano. "A verdade, o verdadeiro e o falso em Parmênides", in *Kriterion – Revista de Filosofia*, 48/16 (jul./dez. 2007), versão eletrônica disponível em <http://www.scielo.br/scielo>.

Olhando assim, *grosso modo*, a frase parece estranha e sem sentido. Um jogo de palavras típico de um bêbado que não sabe o que está dizendo. Sua reflexão, no entanto, toca no cerne de um dos mais importantes mistérios da humanidade, o qual, a meu ver, conduz inevitavelmente ao debate da existência de Deus, referindo ao mistério da existência. As coisas existem, mas por que existem? Por que estamos aqui?

Interpretando com minhas próprias palavras a intrincada sentença, o que Parmênides quis dizer foi o seguinte: pelo que percebo, é certo que existe alguma coisa, senão eu não me importaria com ela. "Afinal de contas, não posso conceber a inexistência nem descrever o não-ser. Mas vejo que há alguma coisa, existe algo do ser e isso é incrível!".

O assunto é tão sério que foi criada uma cadeira na filosofia apenas para estudar a essência do ato "ser". Ela ficou conhecida como *ontologia* (do grego "ontos", ser + "logia", estudo) – o estudo do ser. As coisas são, mas o que significa ser? Por favor, acredite no que vou dizer: isso não é papo de filósofo pirado. Vale a pena meditar sobre a existência. O que é existir? Como podemos saber se algo existe ou não? Essas perguntas me ajudaram muito em minha busca por respostas.

A questão da existência

A existência e o mistério de "estar aqui" são temas que mexem muito comigo. Como admirador longínquo da física, lembro-me das aulas do Ensino Médio, quando o professor dizia que o chão da sala em que pisávamos era feito de alguns dos mesmos átomos que constituíam o corpo de um ser humano vivo. Contudo, aqueles átomos são, como alguns cientistas têm demonstrado, compostos em sua maior parte de "nada". As partículas subatômicas dentro daquela minúscula "vastidão" de nada se movem à velocidade da luz num campo de probabilidades que podem não ser nem daqui nem de lá e, ainda assim, de ambos. Confuso? Bem-vindo ao mundo da física quântica!

Se isso deu nó em sua cabeça, saiba que na minha também. Mas podemos ainda piorar o conceito. Essa "realidade atômica" me leva a concluir que nós existimos por causa de partículas infinitesimais velozes se movimentando dentro de uma minúscula vastidão de nada. Pode-se ainda teorizar que existam uma infinidade de dimensões menores, prontas para serem descobertas *ad infinitum* e possuidoras de tremenda quantidade de energia compartimentalizada, capazes de destruir bilhões de Nagasakis e Hiroshimas, se forem novamente mal utilizadas.

A ideia de Lavoisier

Lavoisier, considerado o fundador da química moderna, tentou resolver o mistério da existência com a frase "na natureza nada se cria, nada se perde, tudo se transforma". Tal enunciado, na verdade, não é dele, mas do poeta latino Titus Lucretius Carus (96-55 a.C.), que se baseou nas ideias do filósofo grego Epicuro (341-270 a.C.).

Embora algumas descobertas mais recentes desmintam essa hipótese, Lavoisier quis defender a ideia de um universo eterno, confundido com o próprio ser de Deus. Sua proposta era uma espécie de panteísmo químico. Criador e criaturas se misturam numa só substância de encontros e desencontros em que um elemento se uniu com outro, criando moléculas, organismos complexos e assim por diante.

Numa mistura de espiritualidade e materialismo, a proposta evade a questão de existir ou não Deus. Isso parece secundário no organograma lavoisiariano. Nossa origem não é do nada, pois as substâncias que nos produziram sempre estiveram presentes no universo, ainda que não neste formato. Logo, a morte não será necessariamente o nosso fim, assim como o nascimento não foi o nosso "começo". Assim como éramos uma coisa diferente do que nos tornamos depois de nascer, continuaremos existindo em outra forma de existência.

O problema, para mim, com essa proposta (atraente a muitos materialistas que conheço) é o que faço com essa entidade chamada "consciência". Nesta ótica de continuidade existencial em meio a infinitas transformações – o leão que devora o novilho será o capim que alimenta o rebanho – é inevitável saber qual a relação entre mim e minha consciência de mim mesmo. Somos uma consciência? Somos o que pensamos? Somos o que realizamos? Somos momentos? Somos uma linguagem, que nos permite perceber tudo isso? Somos átomos? Um amontoado gigantesco de átomos? Ou ainda somos apenas uma ilusão?

Desculpem a ironia, mas dispenso o consolo que advém dessa ideia materialista. Imagine num velório alguém consolando o outro e dizendo: "Calma, meu amigo, sua amada esposa, que está neste caixão, continuará viva em nossos corações. Sempre lembraremos seu rosto, suas atitudes. Além disso, ela vai continuar existindo por aí – ao menos de algum jeito – na forma de átomos. Seu cadáver será consumido por bichos, pelo tempo, pelo que for; mas pequenos pedaços dela passarão adiante, na barriga de um verme nojento, que irá digeri-lo e transformá-lo em mais matéria – átomos – para virar outra coisa. Enxugue, pois, suas lágrimas e se console com essa versão materialista de consolo. Ela é muito melhor e mais racional que a estupidez religiosa de céu, ressurreição e paraíso".

Afinal de contas, somos átomos? Consciência? Ou uma mistura inseparável de ambos?

Provocações mentais

Todas essas provocações anteriores seriam, em linhas gerais, uma introdução ao conceito e à problemática da existência, essa rainha totalitária que chegou sem ser convidada e está aí queimando os neurônios daqueles de mente inquieta. Que as coisas existem não resta a menor dúvida, mas por que existem? Que ditadura seletiva é essa que permite a existência de algumas coisas, e não de outras? Por que há algo em vez de nada? Essa última pergunta voltará à baila num capítulo posterior. Em suma: Como posso estar certo de que não estou iludido em minha visão do mundo em redor? O que é isso que chamamos de "realidade" e os filósofos chamam de "ser"?

Por falar em filósofos, o assunto da existência tornou-se mais complicado para mim quando entrei em contato com autores como Kierkegaard, Schopenhauer, Heidegger, Sartre e outros que não somente sugerem, como me convenceram de que ser e existir não são a mesma coisa. Daí o título dado no início deste capítulo.

Considerando que eles não são exatamente unânimes na apresentação do tema, portanto deixe-me dar uma definição própria – partilhada por outros, é claro – que permitirá maior clareza no uso do conceito.

Partindo do simples para o mais complexo, posso ilustrar a distinção entre ser e existir a partir da afirmação de que sou mais que um cachorro, isto é, o meu ato de ser é mais complexo que o do animal, e o do animal é mais complexo que o de uma planta. O homem casa, pensa, escreve, domina; o animal não. O animal, por sua vez, chora, tem medo, interage; a planta não. Assim, sou mais que um cachorro, e o cachorro mais do que a planta, porém nenhum de nós (eu, cachorro e planta) existe um mais do que o outro.

O "ser", portanto, é um princípio ativo, atemporal que considera as coisas apenas na sua essência, isso é, naquilo que a faz ser aquilo que é, sem suas características históricas. Por exemplo: o que faz o ser humano ser "humano", independentemente de sua raça, nome, nacionalidade, crença, grau de instrução etc.

Já o existir implica estas últimas características que defini como "históricas". Trata-se, portanto de um elemento constantemente atualizado pelo tempo e o espaço. Ser "humano" é minha essência, meu ser. Ser brasileiro e cristão fazem parte da minha existência, pois posso deixar de ser ambas as coisas e continuo sendo "humano", independentemente do tempo e do lugar. Posso mudar de nacionalidade e religião, mas não posso mudar de "humanidade"; esta estará sempre comigo, enquanto viver, independentemente do tempo ou do local em que eu esteja.

Agora entenda que ser e existir, embora não sejam sinônimos, são elementos que andam juntos. É a junção de ambos que promove nossa realidade histórica. Se não existíssemos, não seríamos e vice-versa. Entenda, porém, que ao existir; nós compomos o mundo, preenchemos um lugar no espaço e uma realidade no tempo. Mas o "ser" é a nossa peculiaridade, aquilo que, a despeito de qualquer semelhança, nos faz únicos. Nossa existência está em constante mudança, mas nosso ser permanece.

Neste sentido, "essência" é outra palavra que pode substituir o vocábulo "ser" e é a essência que caracteriza nossa primeira identidade ontológica. Por exemplo, uma caneca existe, com uma cor e um formato específicos, mas o que ela é? Para que serve? Por que foi fabricada?

Imediatamente surge a pergunta seguinte: O ser é e existe como? Por que e de onde surgiu essa existência como tal ou tal ser? No caso da caneca a resposta se torna ligeiramente simples; fabricaram-na para esse fim. No caso do ser humano e do próprio universo, a questão é mais delicada, principalmente se trabalharmos com a hipótese de um não-ser de Deus. Mas sobre isso falarei num capítulo mais adiante. Por ora interessam apenas as abordagens introdutórias dos conceitos metafísicos.

Ser ou não ser?

Sei que toda essa conversa de ser e existir traz à memória a famosa frase de Shakespeare: "Ser ou não ser, eis a questão". O teatro a popularizou numa cena em que Hamlet segura a caveira de Yorick, o falecido bobo da corte, e então começa a filosofar. Na verdade, porém, os dois atos estão bem distantes um do outro na peça original. O enredo, como quase toda obra de Shakespeare, é uma sequência de tragédias, assassinatos, traições e amores proibidos. Finalmente é o dilema ético entre o amor e a vingança que leva o personagem a se perguntar pelo ser e o não ser. O sentido original da peça, portanto, seria uma questão moral, antes de ser uma questão filosófica. Vou, neste ponto, pedir licença aos especialistas, para fazer uma releitura metafísica do texto.

Embora originalmente "ser" e "não ser" seriam uma opção para Hamlet, na metafísica isso se torna um falso dilema. Você pode escolher se continua existindo ou não, mas você não pode escolher o seu ser. Você simplesmente é, não há o que fazer quanto a isso a não ser atualizar a sua existência. Deixar, por exemplo, de existir como um fracassado e me tornar um sujeito bem-sucedido.

Mesmo que o crânio de Yorick pertença a outra cena, deixe-me imaginar Hamlet refletindo sobre ele. Ali estava o resto mortal de alguém que fez todo mundo sorrir. Ele tinha energia, amigos, família. Cometeu erros e acertos e no fim terminou do mesmo modo que todos. Morto! Será que tudo acaba assim? Somos mesmo ou não somos? Eis a questão! Estamos aqui por um pouco de tempo e tudo acabou ou podemos dar asas ao nosso anseio íntimo de viver para sempre uma vida com significado? Se ao final tudo que resta são ossos em meio à terra, sempre acabando assim, que adianta agir certo ou errado, se no final qualquer soma dará o mesmo resultado? Afinal, o que somos nós?

A natureza da existência

A primeira regra de conceito do ser é a lei da não contradição. Uma coisa não pode ser e não ser ao mesmo tempo. Este é um princípio enunciado desde Aristóteles e, apesar de algumas críticas modernas, ele ainda me parece bem razoável e condizente com nosso pensamento e a realidade. Por exemplo, eu sei que uma carga elétrica é uma propriedade que pode ter duas variantes, a positiva e a negativa, ao mesmo tempo. Mas note, ela não pode ter carga e não ter ao mesmo tempo. São coisas bem diferentes. Uma coisa não pode ser toda vermelha e toda amarela no mesmo instante[188]. Nunca poderei entender uma contradição ontológica. A soma $2+2=9$ não é um princípio lógico-cognitivo. Posso até afirmar que $2+2=9$, porém, não posso entender isso, porque o ente não pode ser contraditório.

O princípio da não contradição é conhecido de maneira natural e espontânea por todos os seres racionais a partir da experiência com o mundo exterior, ou seja, ele é manifesto por si mesmo a todos. Até uma criança sabe diferenciar

---

188 Tuomas E. Tahko. *A lei da não contradição como princípio metafísico*. Tradução de Gregory Gaboardi. Disponível em <http://criticanarede.com/metafisicadopnc.html>. Acesso em: 28/05/2017.

quando sua mãe está aqui e quando não está. Uma coisa que é evidente não se prova, se percebe. Assim enxergamos a realidade, não há outro meio.

Outra coisa que precisamos entender é a natureza do existir. Como você sabe, a maioria dos verbos pode ser transformada em substantivos que dão uma ideia linear da ação. Por exemplo: "ele *agenda*" pode virar "ele é um *agente*"; "ele *teme*", "ele é um *temente*". E o verbo ser? Como transformar a frase "ele é" numa forma substantivada? Simples: "ele é ENTE", isto é, aquele que está sendo.

Assim todas as coisas que existem são seres e entes. A pedra é um ser, o cachorro é um ser, eu sou um ser. No entanto, essa noção de ser e de ente não é uma noção genérica. Tudo é radicalmente um ente e um ser. Mas as coisas não são iguais. A pedra é um ser inanimado, o cachorro é um ser animal, e eu, um ser humano.

Uma forma adicional de se referir ao ente, sem nenhuma atualização existencial, é chamá-lo de substância, do latim *subjectum*, isto é, o que está por baixo sustentando o ser. Trata-se de uma realidade cuja essência e natureza competem ao ser em si, e não a outro. Em outras palavras: é aquilo que garante que eu seja eu, e não você. Sou único no universo, não há outro de mim. Mesmo o clone seria alguém com o meu DNA, mas não seria eu.

Nesta substância, essência ou ser, assentam-se os acidentes que dão forma ao ato de existir. Acidentes seriam: minha cor (que pode ser mudada), minhas células (que se renovam periodicamente), minha inteligência (que pode ser desenvolvida ou atrofiada), meu biótipo (que pode engordar ou emagrecer).

É na substância que se assentam os acidentes e, juntos, eles adquirem a forma e a visibilidade material do ser. Preste a atenção e veja se não é assim mesmo. A cor é um acidente, certo? O acidente não existe senão na substância, logo, não existe o "azul", existem coisas "azuladas", uma tinta, uma luz, um elemento colorido.

Não obstante, são os acidentes em conjunto com a substância que tornam o ser visível. A substância não pode ser vista diretamente, nem analisada empiricamente. Ela é um dado da mente, reconhecida pela inteligência, e não pelos sentidos. Posso tocar nos acidentes que estão na substância, mas não nela apenas.

Deixe-me transformar isso numa parábola para facilitar o assunto para você.

A mulher que não se conhecia

Conta-se que uma mulher sonhou certa vez que havia morrido no dia do juízo. Havia uma longa fila diante de Deus e seu nome estava numa interminável lista de chamada.

– Dona Fulana de Tal – chamou com tom forte um arauto juiz.

Ela se aproxima do grande Deus e ouve o Poderoso lhe perguntar:

– Quem é você?

– Sou a mulher do prefeito – respondeu ela.

– Perguntei quem é você, não com quem está casada.

– Sou a mãe de quatro filhos e um deles já é médico.

– Perguntei quem é você, não quantos filhos tem.

– Sou a professora da escola.

– Perguntei quem é você, não qual sua profissão.

E foi assim sucessivamente. Qualquer resposta que ela desse parecia não estar respondendo satisfatoriamente à pergunta divina: Quem é você?

– Sou católica.

– Perguntei quem é você, não qual a sua religião.

– Sou uma pessoa que vai sempre à missa, ajuda os pobres e participa de um coro beneficente.

– Perguntei quem é você, não que boas ações você pratica.

É evidente que ela não conseguiu ser aprovada e acordou com a desesperada sentença de condenação. Então, depois de ter passado o susto do pesadelo, a mulher se levantou e tomou a decisão de investigar quem de fato ela era[189].

Essa ilustração até que lembra o diálogo de Alice com a Lagarta em *Alice no país das maravilhas*. Ambas, a seu modo, tinham dificuldade de dizer quem eram por causa das mudanças que sofriam. Assim se dá com nossa essência. Falamos coisas acerca dos nossos acidentes, mas não temos como falar de nossa essência. Até mesmo a matéria se constitui algo seguindo uma forma.

Existe, no entanto, algo além disso, e a prova maior é que os acidentes mudam, atualizam e continuamos existindo a despeito disso. Posso, por exemplo, mudar todas as células de meu corpo de modo que o rosto, a pele, o tamanho e toda a minha materialidade atual não sejam os mesmos de quando eu tinha 5 anos de idade. Ainda assim, eu continuo sendo eu.

Somos seres incrivelmente indissociáveis – eu particularmente creio no ser humano como *indivíduo*, isto é, como ser não divisível. Mesmo assim, o grande mistério é que – para lembrar a parábola *acima* – não temos acesso ao que as coisas são em si mesmas, mas apenas à aparência que conseguimos captar e pensar.

---

189 Adaptado de Víctor Codina. *40 nuevas parábolas* (Madrid: Ediciones Paulinas, 1993).

A única vantagem que me permite ter algumas certezas da realidade é, como dizia Kant, o fato de que nós, seres humanos, a despeito da subjetividade, possuímos os mesmos padrões básicos de pensamento. Só discordo quando ele contraditoriamente relativiza essa vantagem – talvez para fugir do conceito tradicional de Deus – afirmando que nossos conceitos metafísicos não são a estrutura real do universo, mas as estruturas da nossa razão e o modo como ela opera e tenta entender o mundo[190].

A meu ver, se há padrão, há desígnio e se há desígnio, há uma mente inteligente por detrás do processo. Mas ainda é cedo para entrar nesse assunto. Por ora, basta dizer que a metafísica, como o próprio nome diz, impele o pensamento *para além da física*, demandando uma realidade além daquela simplesmente observável.

Como conhecer a realidade?

Sei que essa dificuldade ou impossibilidade de predicar sobre a essência das coisas gera grandes dificuldades. Por isso, Górgias, já no 5º século a.C., levantava a bandeira antiontológica, negando a realidade do ser. "O ente", dizia ele, "não existe, mas mesmo que existisse não poderia ser conhecido, e mesmo que fosse conhecido, esse conhecimento não poderia ser transmitido por meio da linguagem"[191].

A conclusão, no entanto, de Górgias, apesar de não ontológica e antimetafísica, soa mais convincente que a de Kant. A despeito de sua concepção trágica da realidade, em que a linguagem não evoca senão as aparências, ele reabilitou as expressões humanas ao afirmar a identidade entre o real e a manifestação. A gramática pode não dar conta da realidade, mas, dentro do seu escopo semântico, ela faz o seu melhor de modo que a aparência termina se tornando legítima.

Para Górgias, é impossível superar o fato de que a realidade está dilacerada pelas contradições e pela regionalidade – cada povo chama as coisas a partir do

---

190 Immanuel Kant. *Crítica da razão pura*. Tradução de J. Rodrigues de Merege. Edição Acrópolis disponível em <https://www.marxists.org/portugues/kant/1781/mes/pura.pdf>.

191 O texto original do *Tratado do Não-Ser* não chegou até nós, mas duas paráfrases suas: uma na obra de Sexto Empírico e outra num pequeno tratado anexo à obra de Aristóteles que sabemos hoje não ser da autoria do próprio Aristóteles. Cf. o texto de Górgias em: Sexto Empírico. Complete Works. 4. ed. Tradução de R. G. Bury. (London: Harvard University Press, 1987); o elogio à Helena pode ser visto em <https://www.academia.edu/4204039/APRESENTA%C3%87%C3%83O_E_TRADU%C3%87%C3%83O_DO_ELOGIO_DE_HELENA_DE_G%C3%93RGIAS_DE_LEONTINOS>.

idioma que possui. Contudo, é possível, através da linguagem, nomeadamente a poesia e a arte, efetuar esse encontro com o real ainda que de forma provisória. Portanto, o papel da poesia seria criar a ilusão, mas uma ilusão desejável e boa. Só esta criaria a coerência mental a que Górgias chama de justiça e sabedoria.

Particularmente, não posso endossar tudo o que Górgias diz, mas sou inclinado a reconhecer os limites e dubiedades da linguagem humana. Aliás, o que são os idiomas senão convenções semióticas? Chamar uma maçã de "maçã" é mera conveniência humana e regional. Não houve nenhuma revelação celestial dizendo que esse seria o nome daquela fruta e todos os demais (*apple, manzana, pomo, appel*) seriam um erro. Nenhum título atribuído pode ser considerado parte essencial de um ser. Logo, existe um abismo intransponível entre realidade e linguagem.

Como, aliás, expressou o poeta australiano Les Murray sobre o significado da existência:

Tudo exceto a linguagem
sabe o sentido da existência.
Árvores, planetas, rio, tempo
não sabem nada além disso.
Expressam isso
momento após momento, como o universo.

Mesmo esse tolo desse corpo
vive isso em parte e teria
completa dignidade nisso
não fosse pela liberdade ignorante
dessa minha mente que fala.

Limites semânticos

Em que pesem as imprecisões, dubiedades e limites da linguagem, ela é a única forma que temos de interagir com nossas emoções e o mundo exterior – ainda que por meios semióticos. É impossível haver pensamento reflexivo sem uma linguagem para expressá-lo ou mesmo para dar-lhe forma em nossa mente. É absurdo dizer que no processo evolutivo um antecedeu o outro.

Predicados da linguagem

Seja como for, a linguagem humana nos permite predicar sobre as coisas por três vias possíveis, lembrando, é claro, que predicar é dizer algo acerca de um sujeito.

Univocidade. O que digo de um vale integralmente para o outro. Por exemplo: a macieira é uma árvore *frutífera*. A pereira é uma árvore *frutífera*. O adjetivo de uma serve igualmente para a outra.

Equivocidade. O que digo de um não serve definitivamente para o outro. Exemplo: fiquei tocado ao ver um homem cego e seu *cão*. A beata saiu correndo, pois cria que o sujeito estava possuído pelo *cão*. O sentido de cão, é claro, tem um significado bem distinto do primeiro para o segundo caso, pelo que não podem ser em nada comparados um com o outro, embora se trate do mesmo vocábulo.

Analogia. É um meio termo entre os anteriores. O que digo de uma coisa pode ilustrar, mas não repetir, em essência, o que significaria o ser do outro. Não é unívoco, nem equívoco, é análogo. Trata-se de realidades que se assemelham no ser (pois estão aí), mas se desassemelham na essência e no modo de ser. Posso antecipar que, caso haja alguma chance de existir um Deus – nos moldes exigidos pela ontologia do universo –, o único discurso que se poderia fazer dele seria por analogia. Mas isso também é assunto para mais adiante.

Por ora, basta dizer que o homem que pergunta, que questiona o que é a essência, descobre que sua dúvida é uma faca de dois gumes. Ela mostra, por um lado, a fragilidade da linguagem humana para descrever precisamente a realidade. Por outro, aponta a possibilidade de existir algo além daquilo meramente perceptível e provisoriamente conceituado.

Heidegger, ao comentar esse fenômeno, dizia que o ser questionador e suas perguntas entram numa relação nada óbvia. Ora, não seria exatamente essa a marca de nossa humanidade, propor instintivamente a pergunta pelo sentido do ser?

Foi, aliás, a capacidade de pensar e perguntar que fez com que Descartes, imerso numa montanha de dúvidas, conseguisse um filete de luz para fundamentar o conhecimento humano em bases sólidas e seguras. Para tanto, elevou a dúvida à potência máxima, utilizando o ceticismo como método, sem, contudo, assumir posição cética. Ele questionou todo e qualquer conhecimento aceito como correto e verdadeiro. Duvidou até mesmo da certeza de que o outro que estava à sua frente fosse, de fato, real. E se estivesse apenas dentro de um sonho e as imagens que via fossem uma projeção de sua mente? Alguns brincam que ele antecipou o enredo de *Matrix*.

Havia, porém, algo que Descartes não poderia questionar. Ainda que tudo em redor fosse uma ilusão, para que essa ilusão existisse em sua mente ele mesmo deveria existir em algum lugar, projetando o ilusório. Assim, sua capacidade de pensar e questionar era a prova de que, pelo menos ele, existia. Posso duvidar de tudo, concluía ele, mas não posso duvidar de minha existência: *Cogito, ergo sum* – "Penso, logo, existo!" Ou *Dubito, ergo cogito, ergo sum*: "Duvido, logo penso, logo existo".

Obrigado, Descartes, por nos ensinar que das dúvidas pode surgir uma certeza!

Unicórnios e cavalos

Falta ainda um detalhe para fechar este capítulo: Como diferenciar o real do ilusório? Como saber que cavalos existem e unicórnios não? Que o átomo é uma realidade e Deus uma ilusão? Qual é o critério da existência e da não existência?

Essas e outras perguntas feitas nesta seção serão importantes para a hipótese da existência ou não de Deus. Digo isso, porque há afirmações religiosas que, se não forem bem molduradas, poderão ser facilmente refutadas. Por exemplo: dizer que Deus existe porque sua existência é uma necessidade – precisamos dele para que nossa vida tenha sentido – não leva muito adiante. Existe uma diferença entre real e ideal. Um médico na zona de conflito poderia dizer que, para salvar o soldado ferido, precisaria transportá-lo de algum modo para um hospital em menos de 30 minutos. Porém, pelo menos naquela situação, tal necessidade não faz do objeto uma realidade. Se tal episódio ocorresse na Roma antiga, nenhum tipo de helicóptero ou ambulância existiria para atender à situação de emergência. A necessidade pode pressupor a realidade, não necessariamente demandá-la.

Outro exemplo: se eu conceber em minha mente o projeto de um novo livro, tal exercício mental aponta apenas para um ser em potencial. O "ser" do que se projeta, no caso, o novo livro, só virá a existir quando for publicado. Esse, aliás, é um dos sentidos que usamos para distinguir o ser do existir. Real é diferente de potencial. Mas alguém pode sugerir: A existência potencial do livro já não é um tipo de realidade? Neste caso haveria diferentes tipos existência ou é possível ter um ser e mesmo assim não existir? E ser real é o mesmo que ser verdadeiro? Quando afirmo que algo é falso, estou necessariamente dizendo que aquilo não existe?

Deixe-me começar aludindo mais uma vez ao clássico filme *Matrix* e outro parecido chamado *A origem*, estrelado por Leonardo DiCaprio. Já há muitos anos ambos foram lançados no cinema, o primeiro em 1999, o outro em 2010. Contudo ainda são muito conhecidos do grande público.

Pois bem, o Matrix traz como enredo a existência de um mundo real e extremamente cruel, controlado por máquinas, em que seres humanos são mantidos inertes, dormindo numa bolha, sobrevivendo vegetativamente como se fossem plantas.

Um programa operacional monumental – o *Matrix* – cultiva seres humanos para extrair deles energia suficiente para se manter atuante como inteligência artificial dominante. Em troca, os seres humanos recebem os estímulos cerebrais como se vivessem normalmente, mas estão todos presos numa realidade virtual. Fora da mente, na verdade, todos vegetam. Nada daquilo que veem, sentem ou vivem – incluindo nascer e morrer – está realmente acontecendo.

O outro filme, *A origem*, tem uma proposta distinta, porém metafisicamente semelhante. O enredo todo é montado na ideia de intervenção de uma droga capaz não de retirar uma informação, mas de implantar um pensamento na mente das pessoas. Assim elas começam a sonhar com aquilo que foi implantado nelas. É claro que há toda uma luta do inconsciente montando e desmontando estruturas, o fato é que a percepção da realidade fica à mercê de uma experiência ilusória, e o mais agravante: os sonhos têm camadas; sonho abaixo de sonho. Deste modo, Cobb, o personagem principal, e seus colaboradores conseguem viajar entre as camadas de sonho. Basicamente é como se os indivíduos sonhassem enquanto estavam sonhando. Assim, as ilusões da mente seriam como andares de um edifício sendo os de baixo os mais próximos do inconsciente. Enquanto sonhamos, no primeiro andar, que estamos curtindo uma praia, podemos no térreo sonhar ao mesmo tempo que estamos numa cena de guerra. O enredo do filme elabora então um modo de atingir os lugares mais secretos da mente humana, podendo arquitetar um falso mundo cheio de objetos impossíveis.

No final, o filme deixa o telespectador no suspense de saber se o próprio Cobb, invasor de sonhos, não estaria, ele mesmo, preso num mundo virtual. Isso me lembra muito do aforismo retórico de Edgar Allan Poe: "É tudo isso que vemos e parecemos; nada além de um sonho dentro de um sonho?".

Como você pode ver, ambos os filmes são de ficção científica, que remetem a questões metafísicas como as que acabamos de apresentar. Não são necessariamente iguais, mas análogos às percepções filosóficas levantadas por Descartes e, antes dele, por Platão, quando este apresentou o seu Mito da Caverna. Ali, na parábola do discípulo de Sócrates, estaria o engano de vidas aprisionadas diante de sombras ilusórias, frutos de um mundo de aparências, dominado pela predominância da percepção sensível, porém equivocada, das coisas. Enfim, fala-se do conflito entre o imaginário e o real na cabeça dos indivíduos.

Teoria da existência

Para não complicar mais o assunto com excessiva lista de perguntas (uma acaba puxando outra), vamos definir uma teoria da existência. O que seria necessário para configurar algo como existente? – de novo, outra pergunta!

Existem diferentes teorias sobre o que é a existência em si mesma. Seria muito complicado expor cada uma delas. Assim, vou apresentar alguns critérios gerais que, a meu ver, respondem razoavelmente bem à questão e deixar com você a decisão pessoal sobre o assunto.

Em primeiro lugar, precisamos definir o grau e a temporalidade do ser. Por exemplo: um livro idealizado existe enquanto potência, mas não existe em ato. Ele ainda não foi publicado! Assim, ele não está na mesma forma de existência de um *best-seller* há anos vendido nas livrarias.

Nesta mesma hierarquia existencial, posso dizer que o livro potencial existe mais do que o manuscrito X queimado na destruição de Constantinopla, porque o primeiro já cumpriu sua existência factual e não pode mais ser recomposto. Virou cinzas. Este segundo, porém, pode se tornar realidade e permanecer por muito tempo.

Precisamos, igualmente, ser consistentes em explicar o que poderia ou não ter existido e com o que poderá um dia vir a existir. Que critérios usaremos para dar limites à possibilidade daquilo que não vemos? Pode ser a lógica do desconhecido; os romanos do tempo de Nero não imaginavam a existência das ondas gravitacionais. Ou pode ser a lógica da intuição; a quarta dimensão que ninguém vê.

Aqui temos também de lidar com o delicado assunto das possibilidades. Como saber que o unicórnio não existe e nunca existiu em lugar algum? Não se pode ignorar essa questão a não ser sob o risco de negar algo apenas pela limitação do conhecimento. Por outro lado, não se pode dar asas a ela ao ponto de possibilitar qualquer devaneio ou incoerência.

Sei que o critério de devaneio e incoerência também é bastante humano e, portanto, sujeito ao julgamento da história. Para os europeus era um devaneio de Colombo a busca por novas terras, e hoje sabemos que ele estava certo e a maioria errada. É curioso como a história está repleta de pessoas que especulam ideias consideradas bizarras que, anos depois, acabam se tornando verdades científicas.

Mesmo reconhecendo esta realidade, prefiro me apegar aos critérios lógicos, embora com parcimônia, pois quero ser racional, mas não racionalista. Dizendo isso de forma metafórica, sei que médicos erram, mas cair nas mãos de um médico especialista ainda é mais seguro que nas mãos de um curandeiro. Um carro com travas pode ser roubado, mas dá mais trabalho para o ladrão e é justamente por isso que travo as portas depois que estaciono.

O que eu quis dizer com esses exemplos é que, considerando que minha mente, embora falível, é o melhor critério que tenho para interagir com a realidade, não posso me abster de uma lógica mental que conduza meu raciocínio. Caso contrário, posso cair na falácia do "tudo é válido" e isso não me leva a lugar algum. Não posso trabalhar com absurdos mentais que neguem a lei da "não contradição". Jamais chegarei ao sul indo sempre para o norte.

Há um trecho de Camus, em diálogo imaginário com Kierkegaard, que resume bem meu sentimento neste sentido:

> Kierkegaard pode gritar, avisar: "Se o homem não tivesse uma consciência eterna, se, no fundo de todas as coisas, só tivesse um poder selvagem e fervente, produzindo todas as coisas, o grande e o fútil, no turbilhão de paixões obscuras, se o vazio sem fundo que nada pode preencher se ocultasse sob as coisas, o que seria então a vida, senão o desespero?". Este grito não pode deter o homem absurdo. Buscar o que é verdadeiro não é buscar o que é desejável. Se, para fugir da pergunta angustiante "O que seria então a vida?" é preciso se alimentar, como o asno, das rosas da ilusão, antes que se resignar à mentira o espírito absurdo prefere adotar sem tremor a resposta de Kierkegaard: "o desespero". Afinal, uma alma determinada sempre acaba se saindo bem.[192]

Sei que pareceria mais sensato como crente eu ficar com o "salto de fé" kierkegaardiano, e não com o absurdo de Camus. Mas não posso me esquecer,

---

192 Albert Camus. *O Mito de Sísifo* (Rio de Janeiro: Record, 2010), p. 54.

ao ler a proposta de Kierkegaard, de que não tenho como saltar, se não houver uma plataforma debaixo dos meus pés. O salto pode até ser no escuro, mas a base que o permite tem de ser sólida e visível. Por isso, neste aspecto, prefiro o pensamento absurdo camursiano: a esperança que vem da intuição. Sim, sou assumidamente um ser-absurdo que não se detém diante do desafio, nem se alimenta de ilusões para enfrentar a realidade. Como você deve estar notando, traço meus pensamentos como um queijo feito de várias vacas. Não consigo me ater a um livro só. Sou do seguinte tipo, para citar livremente Tomás de Aquino: "temo o homem de um livro só" (*timeo hominem unius libri*).

Talvez seja ainda cedo para revelar isso a você, mas não consigo, por tudo que li, meditei, imaginei, conceituar a descrença senão como uma fórmula para o desespero. Talvez isso decorra, pelo menos em parte, do encontro que tive com esses vários autores. Não vejo, sinceramente, como possuir a menor margem para determinadas esperanças existenciais senão na crença, pelo menos aquela intuitiva de que existe uma realidade metafísica.

Existe um conflito entre minha sede existencial e a realidade em redor. Uma deseja a imortalidade, a felicidade eterna e de todos. A outra me mostra a contingência, o fracasso certeiro no fim da carreira (afinal, até o mais bem--sucedido dos homens morre e perde entes queridos). Não há, repito, como ter esperanças existenciais sem algum tipo de crença espiritual para ampará-las.

Quando digo "esperança existencial" não estou me referindo a melhorias sociais, consciência ecológica, libertação dos oprimidos ou igualdade de direitos. Essas são esperanças circunstanciais que têm um limite aquém daquela vontade da existência. Estou falando daquela sede do baile que não acaba mais.

Parafraseando a música *The Road Goes on Forever* de Robert Earl Keen, estou à procura da estrada que segue para sempre e a festa que nunca termina, ou seja, somos seres com necessidade real e ontológica de buscar algo além dessa existência. A questão, portanto, é: Essa realidade que almejo existe? Se é um devaneio, de onde ela vem? Se Deus é uma ilusão, por que nascemos iludidos?

Contrassensos conceituais

Muitos insistem numa exposição de certos elementos de teorização existencial que, a meu ver, são contraditórios em si. Por isso, dão pouco valor argumentativo à existência ou não de um ser. Alguns materialistas radicais, por exemplo, disseram certa vez que o critério da existência é estar localizado num tempo e num espaço específico. Sendo assim, Deus – que para os cristãos seria onisciente a supratemporal – não poderia existir, pois estaria ontologicamente fora do tempo e do espaço. Mas espere um pouco. Se a existência se resume a uma localização espaço temporal, então o próprio tempo e o espaço seriam uma incoerência, pois eles não podem existir em si mesmos. O espaço não pode conter o próprio espaço nem o tempo o próprio tempo. Logo, tudo é uma ilusão. Por outro lado, se tudo é uma ilusão é preciso haver uma mente que produza a ilusão e seja iludida por ela. E essa mente, estaria onde e quando? Vê-se novamente a noção de ser, tempo e espaço. A discussão, portanto, volta à estaca zero e caímos num círculo vicioso.

Prefiro ser mais simples e admitir que a existência não pode ser medida por apenas um critério porque as coisas se encontram no ser, mas se diferenciam na existência, pois nem tudo existe do mesmo modo. Porém, uma coisa é certa: a existência real de algo deve produzir diferença real no mundo e na percepção. Além disso, ela deve existir em si mesma para fazer tal diferença. Portanto, a teoria da existência não pode violar as leis fundamentais da lógica: Identidade (P = ou # de Z); não contradição (P não pode ser ao mesmo tempo Z); e terceiro excluído (P é verdadeiro ou falso, não pode ser os dois).

É importante, também, falar do modo de existência de uma excelência ontológica que Quentin Smith, fazendo alusão a Plantinga, chama de "santidade metafísica"[193]. Sugiro também chamá-la de existência-mãe ou existência-genitora, pois todas as demais existências têm de partir dela.

Deixe-me explicar isso melhor para você. Se o que existe (refiro-me a tudo o que está em redor, tempo, espaço e as coisas que eles contêm) um dia começou, preciso de uma causa para o seu começo, do contrário, ele não tem sentido. Não dá para falar de um tiro sem um atirador, de uma jogada sem um jogador. Ações pressupõem sujeitos e o começo da existência foi uma ocorrência ativa.

Mas calma, não estou dizendo que isso prova que Deus é o criador de tudo. Não vamos dar ao argumento força maior do que ele possui. Estou apenas refletindo a realidade lógica de que uma existência com começo implica outra existência anterior sem começo que a justifique. Caso contrário, cairei num infinito retrocesso e mais à frente veremos que ele é uma impossibilidade ontológica.

---

[193] Quentin Smith. "An Analysis of Holiness", in *Religious Studies* 24 (1988): 511-28. Devo a este autor parte da sistematização que farei a seguir.

Coisas não surgem do nada

A afirmação "do nada, nada se faz" será mais bem explorada num capítulo adiante. Porém, preciso agora lançar mão deste conceito lógico para estabelecer outro ponto de minha argumentação. Minha questão reside, por mais paradoxal que pareça, sobre a natureza e a existência do nada. Quando digo nada, refiro-me ao *nothingness* do inglês. Termo de tradução impossível, mas que significaria algo como o nada absoluto. A ausência de qualquer coisa que seja, o vazio completo.

Sei que muitos a exemplo de Kant poderiam achar perda de tempo, um pseudoproblema, mas não creio que seja. Ainda que o nada, como acentuou Bergson[194], seja uma categoria mental inconcebível e inconsistente, o debruçar da mente sobre o mistério do existir evoca por contraponto o vislumbre do não existir. Porém, a invocação serve apenas para concluir que realmente o nada absoluto simplesmente não pode existir. Para isso, valho-me das críticas feitas pelo já citado Bergon, em companhia de outros como Carnap, Munitz e Wilson, sobre o conceito físico e filosófico que às vezes se dá ao nada a fim de torná-lo algo e justificar sua existência[195].

Todos esses autores, a seu modo, entendem que o conceito de nada, isto é, da não existência de qualquer coisa, é internamente inconsistente. A existência de algo (o mundo, por exemplo) não requer explanação porque não é contingente. Ou seja, ela não ocorre por acaso ou de maneira acidental. Sempre haverá fatores prévios que precipitam os acontecimentos.

Assim é impossível conceber uma imagem mental de aniquilação total a qualquer tipo de existência. A partir do momento que algo surge, o nada absoluto se torna uma incongruência. Seguindo a linguagem do *Principia Mathematica*, de Whitehead, e Bertrand Russell, Wilson formula a questão desta maneira: "O universo existe" assim como 'há (existe) um X tal que X é idêntico a si mesmo'"[196]. Essa realidade não pode ser falseável, pois é impossível falsear a realidade de que existe algo em vez de nada. Afinal se há algo a ser observável (ainda que ilusório) ou alguém que observe, a não existência já está por si comprometida.

---

194 H. Bergson. *Creative Evolution Mineola* (New York: Dover Publications, 1998).

195 Gary Toop. "Milton Munitz and the Question of Existence", tese de doutorado disponível em <http://www.collectionscanada.gc.ca/obj/s4/f2/dsk1/tape9/PQDD_0007/NQ40390.pdf>.

196 Apud Gary Toop, p. 24.

É claro que as argumentações dadas por esses autores vão muito além do que resumi nestas poucas palavras. Também devo admitir que pelo menos Munitz não assume uma resposta teísta para a questão do porquê de o mundo observado existir afinal. Para ele, esta é uma questão misteriosa, inevitável, porém, irrespondível[197].

Contudo, isto para mim é irrelevante num primeiro momento. O argumento não permite dizer: o mundo existe porque Deus criou. Não! Meu ponto aqui é o seguinte: quer Deus exista ou não, nada pode haver além dos limites da existência, e a realidade da existência anula o princípio de um nada absoluto.

A única coisa que eu acrescentaria é uma nota de advertência aos idealistas que pretendem reduzir tudo ao ser-conhecido. Eles não percebem que para isso eles precisariam primeiro estabelecer o ser do conhecimento, o que obviamente aponta para um ser prévio ou além do descortinado. Caso contrário, toda descrição pode cair num niilismo radical. Por outro lado, o realismo clássico também erra quando concebe o conhecimento como uma propriedade, função restrita ao ser já existente. Nós, humanos, persistimos numa eterna busca do ser e de nós mesmos, e anular possibilidades fronteiriças seria agir como se a busca houvesse chegado ao seu limite final.

É muito provocativo o contraste que Victor Hugo faz no musical *Les Misérables* entre a negação e a afirmação universal:

> Todas as estradas estão bloqueadas a uma filosofia que insiste em reduzir tudo à palavra "não". Para o "não" há apenas uma resposta que é o "sim". O niilismo não tem qualquer substância. Não existe tal coisa como um nada absoluto. Tudo é algo. Nada é nada. As afirmações, mais que o pão, são a necessidade vital da humanidade.[198]

Tal debate se tornará ainda mais interessante quando dialogarmos sobre os começos do universo. Por ora, quero oferecer apenas uma introdução ao problema: De acordo com Mário Novello, um dos maiores cosmólogos da atualidade, o mistério da existência associado ao tema das origens do universo é, sem dúvida, o maior objeto que a ciência pode tratar[199].

---

197 Milton K. Munitz. *Mystery of Existence: an Essay in Philosophical Cosmology* (New York: Appleton-Century-Crofts, 1965).

198 Victor Hugo. *Les Misérables*, 1862, pt. 2, bk. 7, ch. 6.

199 Mário Novello. *O que é cosmologia? A revolução do pensamento cosmológico* (Rio de Janeiro: Jorge Zahar Editor, 2006).

O que havia antes do cosmos? Essa é a questão. Para dizer que não havia nada, devo entender que estou me referindo ao nada absoluto, certo? Não estou me referindo ao vácuo nem ao vazio, que são propriedades distintas do *nothingness*.

O vácuo é um espaço não preenchido por qualquer matéria, mas que pode conter campos elétricos, pseudomagnéticos, gravitacionais, luz, radiação etc. Pode também ser atravessado por partículas não materiais mediadoras das interações. O vácuo possui energia e suas flutuações quânticas podem dar origem à produção de pares de partícula e antipartícula.

O vazio seria um espaço em que não houvesse sequer matéria, campos (não gravitacionais) ou radiação. Mas no vazio haveria ainda o espaço, isto é, a capacidade de caber algo, ainda que não houvesse nenhum objeto para preenchê-lo. Todo o espaço, mesmo que não contenha matéria, é preenchido por campo gravitacional.

O nada absoluto é distinto disto. Nele não existe o espaço, isto é, não há coisa alguma nem um lugar vazio para caber algo. Não existem leis físicas que possibilitem o surgimento de nada. Nem gravidade, conservação de energia, aumento de entropia ou mesmo a própria passagem do tempo. Sendo o espaço o conjunto dos lugares, isto é, das possibilidades de localização, sua inexistência implica a impossibilidade de conter qualquer coisa, ou seja, não se pode estar no nada. O nada é, pois, um não lugar, um não ser. Se no princípio era o nada, por que hoje existe um "algo"?

Um conto para ilustrar

Tomo licença para citar textualmente uma ilustração muito oportuna, infelizmente anônima, que encontrei numa rede social[200]. Ela mostrará de modo muito didático por que o nada absoluto é uma impossibilidade lógica:

> Imagine que você tem um quarto muito grande. Ele está completamente isolado de tudo e é quase do tamanho de um campo de futebol. O quarto está trancado permanentemente; não tem portas nem janelas e nenhum buraco em suas paredes.
> Dentro do quarto não há *nada*. Um "Nada Absoluto". Nenhuma partícula sequer. Não há ar. Não há poeira. Não há luz. É um quarto selado cujo interior está na total escuridão.

---

200 Disponível em <http://www.suaescolha.com/existencia/nada/>. Acesso em: 04/09/2017.

Bem, você pensa: *E se eu tentar criar uma fagulha dentro do quarto?* Então haveria luz nele por um rápido momento e isso já transformaria o Nada Absoluto em **alguma coisa**. Sim, mas *você* está fora do quarto. Então, isso não seria possível.

Então você diz: E se eu tentar teletransportar algo para dentro do quarto, como faziam naquele desenho animado *Os Jetsons* ou no *Jornada nas Estrelas*? Mais uma vez, isso não seria possível, porque você estaria usando coisas que estão do lado de fora do quarto.

Aqui está novamente o dilema: você deve colocar alguma coisa dentro do quarto usando somente o que está dentro do quarto. Só que, nesse caso, dentro do quarto não há nada.

Bem, você diz: talvez uma pequenina partícula, em algum *tempo*, possa surgir dentro do quarto.

Existem três problemas com essa teoria: Primeiro, o **tempo** por si só não **faz** nada. As coisas acontecem no decorrer do tempo, mas não é o tempo que faz que elas aconteçam. Por exemplo, só esperar 15 minutos para assar biscoitos não vai dar em nada... Não são os 15 minutos que irão assá-los, e sim o calor do forno. Se você deixar os biscoitos sobre o balcão por 15 minutos, eles não irão assar sozinhos.

Na nossa ilustração, temos um quarto completamente isolado com o Nada Absoluto dentro. Esperar 15 minutos não irá mudar, de maneira nenhuma, a situação. Bem, você diz: E se esperarmos longos períodos de tempo? Um longo período de tempo é simplesmente um amontoado de segmentos de 15 minutos colocados juntos. Se você esperasse por um longo período de tempo com seus biscoitos em cima do balcão, iria o tempo assá-los?

O segundo problema é este: *Por que* algo iria simplesmente "surgir"? É necessária uma razão para isso acontecer. Já que só existe o Nada Absoluto dentro do quarto, o que impediria que tudo continuasse como está: no nada? Sabe-se que não existe nada que faça as coisas surgirem sem razões, visto que as "razões" têm de vir do interior do quarto.

Bem, você diz: Será que uma minúscula partícula não teria mais chances de se materializar do que algo grande como uma bola de futebol?

Isso revela o terceiro problema: tamanho. Assim como o tempo, tamanho é algo abstrato e relativo. Imagine que temos três bolas de futebol variando de tamanho. Uma tem 3 metros de diâmetro, outra tem 1 metro e outra é do tamanho normal. Qual delas é mais provável de aparecer dentro do quarto? A bola de tamanho normal? Não! Seria a mesma probabilidade para todas as três. O tamanho não importa. A questão não é o tamanho. A questão é: Pode *alguma* bola de beisebol de *qualquer* tamanho simplesmente "aparecer" dentro do nosso quarto selado e vazio? Se você acha que nem a menor delas poderia simplesmente aparecer dentro do quarto, não importa quanto tempo passasse, então você poderia concluir que o mesmo valeria para um átomo. Tamanho não é a questão. A probabilidade de uma partícula minúscula surgir sem motivo algum não é diferente de uma geladeira se materializar sem causa alguma!

Agora vamos esticar, literalmente, a nossa ilustração adiante. Vamos pegar o nosso grande quarto escuro e tirar suas paredes do lugar. Vamos ampliar o quarto em todas as direções infinitamente. Agora, não existe nada do lado de fora do quarto, porque o quarto é tudo o que existe. Ponto final. Nesse quarto grande e infinito não há luz, não há poeira, não há partículas de nenhum tipo, não há ar, não há elementos, não há moléculas; ele é o Nada Absoluto. De fato, podemos chamá-lo de Nada Absoluto.

Mais uma pergunta: Se, realmente, há trilhões de anos existisse o Nada Absoluto, não existiria hoje também o Nada Absoluto? A resposta é sim, visto que qualquer coisa – não importa quão pequena – não pode surgir sem razões do Nada Absoluto. O que isso nos diz? Resposta: O Nada Absoluto nunca existiu. Por quê? Porque se o Nada Absoluto *alguma vez* existiu, *ainda* hoje existiria! Se o Nada Absoluto tivesse existido não haveria nada além dele que causasse a existência das coisas.

Porém, alguma coisa existe. Na verdade, muitas coisas existem. Você, por exemplo, é algo que existe, algo de muita importância. Por essa razão, você é prova de que o Nada Absoluto nunca existiu. Agora, se o Nada Absoluto nunca existiu, isso significa que sempre houve um tempo em que pelo menos Alguma Coisa sempre existiu. O que seria esse "Alguma Coisa"?

Propriedades da existência genitora

Pois bem, o modo de existência da excelência metafísica ou existência genitora é a realidade de alguma coisa que seja possuidora inegociável das propriedades de permanência, independência, necessidade lógica, indispensabilidade e reflexividade. Esses elementos estão para a existência como jogadores estão para o jogo. Não é apenas um deles, mas o conjunto de todos, que perfaz o time. Um jogador sozinho é apenas um elemento solitário. Uma propriedade destituída das outras não pode sozinha evidenciar a existência de um ente.

Vamos, então, começar pela permanência. A existência por excelência não precisa ser definida como atemporal – embora ela exista antes do tempo que conhecemos –, mas omnitemporal, ou seja, ela existe necessariamente em cada presente temporal, mas, ao mesmo tempo, não está circunscrita a ele.

Veja como o tempo mensurável que conhecemos é apenas uma potencialidade de elementos passageiros que, em realidade, acabam não existindo. Falamos de passado, presente e futuro, certo? Pois bem, o passado já não existe porque passou. O presente, como não para, está em constante processo e a cada fração de segundo ele se transforma em passado. Logo, sua existência não pode ser sensorialmente testemunhada. É como se ele também não existisse. O futuro, para completar as dimensões sensorialmente perceptíveis, também não existe porque ainda não chegou.

Assim, estamos falando de um princípio existencial que demanda uma eternidade, que existe sempre e constantemente no presente externo, o agora em vigor. Tudo o mais, isto é, aquilo que existe contingentemente em alguns momentos e em outros não, definitivamente não condiz com essa realidade que estamos descrevendo.

A segunda propriedade da existência genitora é a independência. Já me referi rapidamente a ela ao mencionar sua não circunscrição ao tempo, o que não faz dele atemporal. Em linhas gerais, isso quer dizer que tal existência não depende de nenhuma outra existência contingente. Ela existe por si mesma. Por ser eterna, ela não é derivada por nenhuma outra nem dependente de nada externo ao seu próprio ato de ser.

Vamos pensar na teoria dos multiversos (da qual eu mesmo sou incrédulo). Alguns autores ateus – como veremos mais à frente – se agarram a essa ideia de que existem infinitos universos para resolver a questão causal da nossa própria existência, ou seja, eles dizem que nosso universo é filho de outro universo. Se assim fosse, esse universo que nos gerou seria excelente em relação ao nosso e, para isso, teria de ter existência independente de nós – pois nos gerou. Contudo, não teria independência em si mesmo, pois seria gerado por outro e assim por diante.

Novamente, para não cair no absurdo do retrocesso infinito, minha mente é obrigada a intuir e enunciar uma existência totalmente *absoluta*, isto é, completamente solta e independente de todas as demais coisas que existem. As outras dependem dela, mas ela não depende de nada nem ninguém.

Como dissemos anteriormente, a sistematização dessa realidade genitora é um ato da intuição racional. Não é algo que possa ser mensurado em laboratório. Nascemos com uma pré-compreensão do infinito, mesmo que nenhum de nós o tenhamos experimentado. É como se o nosso inconsciente fosse um antivírus programado de fábrica para detectar ameaças no computador. Assim que instalado, ele começa automaticamente a fazer a varredura. Nunca antes ele viu qualquer vírus cibernético, não houve simulações. Mas seu programa age como se eles realmente existissem e começa a buscar arquivos suspeitos.

Sei que alguns acharão absurda a comparação, considerando que somos humanos e estou falando de um antivírus. Contudo, o paralelo não é exclusivamente meu. São vários os cientistas que comparam a mente humana a uma máquina pré-programada de fábrica para agir dessa e daquela maneira. A diferença é que o que a máquina faz "automaticamente", nós fazemos "instintivamente".

Assim, poderíamos dizer que a existência genitora tem de ser uma necessidade lógica. Não pode ser uma convenção acadêmica ou elemento cultural. Sem ela estamos lidando com a impossibilidade lógica de existir. Logo, ainda que eu falasse de multiversos, essa realidade teria de estar presente em todos eles, pois são contingentes e demandariam uma causa superior a eles mesmos que tornaria possível sua existência.

Com isso em mente, posso passar para a quarta propriedade da existência genitora por excelência: ela tem de ser indispensável para a existência de tudo que está fora dela. O contrário disso é a existência localizada: algumas coisas dependem dela para surgir, mas não tudo em redor, e mesmo o que surge não depende dela para continuar existindo. É como um pai sem o qual não haveria o filho. Mas ele não é responsável único pela criança, muito menos pelas coisas que existem fora daquela criança – a árvore, o Sol, outras crianças. Além disso, a criança uma vez nascida pode continuar sua existência mesmo que o pai seja exterminado. O que temos, portanto, é uma existência semissupérflua, pois gera algo (porém não sozinha), mas não pode gerar o todo nem ser mantenedora *sine qua non* da existência do que gerou.

Finalmente, a reflexividade, que é um retorno ao argumento inicial. É a realidade do existente supremo não sendo, não é outra coisa que não a existência da *própria existência*. Mas para que as demais existências pontuadas por um início tenham sua razão de existir, esse existente supremo tem de ter uma realidade existencial não comparável aos demais seres contingentes e consequentes, pois ele, por ser acima de tudo, inclusive do princípio temporal, não demanda causa que dê razão de seu existir. Ele, para mim, seria o único elemento capaz de preencher aquela questão existencial misteriosa, inevitável, porém, irrespondível de que falou Munitz.

Ele não pode ser o próprio universo, pois causou o surgimento deste. Tem de ser onipresente, pois produziu o espaço (logo, não é circunscrito por elementos espaciais). Tem de ser eterno, pois antecede o surgimento do tempo e, finalmente, lógico, pois causou a informação e o pensamento.

Se quiser chamar esse "ser" de Deus ou por qualquer outro nome, fique à vontade. Por enquanto os títulos são apenas um jogo de palavras. O que importa é acertar a existência desse Autoexistente Supremo, necessário para justificar a existência da existência.

Não é por menos que, ao lidar com esse problema, Munitz admitiu: "Minha cabeça dói quando penso demais sobre a existência"[201]. Eu acrescentaria: meu coração palpita quando falo sobre ela. Sabe por quê? A existência aponta a possibilidade de busca. Talvez não seja esse o caminho, mas só saberei quando chegar lá.

Por isso a pergunta que encerra este capítulo seria: Se apontar para o universo a antena dessas propriedades necessárias à existência, encontrarei eco para meu pedido de resposta? Existe algum princípio absolutamente transcendental que possa corresponder a estas propriedades? Achar a resposta para isso significa achar finalmente a razão para uma possibilidade de Deus.

---

201 Milton Munitz. *Does Life Have a Meaning?* Frontiers of Philosophy (Buffalo: Prometheus Books, 1993).

Capítulo 22
Há alguém lá em cima?

De vez em quando eu me lembro de um curioso sonho que tive em minha infância. Este realmente deve ter sido um episódio semiótico que mexeu muito com meu inconsciente, porque não é comum nos lembrarmos dos sonhos depois que acordamos, ainda mais um sonho tido décadas atrás. Eu deveria ter menos de cinco anos de idade, pois me recordo que isso ocorreu antes de começar a frequentar a escola primária de meu bairro. Pois bem, no sonho eu estava em minha casa quando começaram a cair pedras no quintal, uma verdadeira chuva de pedras. Quando saí para ver o que era aquilo, uma senhora (que não me recordo quem foi) apontava para o céu e me dizia que Deus estava voltando, por isso choviam pedras. A cena a seguir ainda me é bastante nítida: eu olhava para o alto e via a silhueta acinzentada de alguém no meio das nuvens de chuva erguendo várias vezes os braços como se estivesse regendo uma orquestra.

Sem querer entrar em qualquer mérito místico, espiritual ou psicológico da questão, deixe-me dizer que aquela fora uma experiência muito agradável. Cito-a aqui somente para introduzir um encontro imaginário entre a criança que fui e o adulto que me tornei.

Na infância as coisas tendem a ser mais simples e concretas em relação à experiência religiosa. Na fantasia da época eu pensava que, se houvesse um meio de construir um foguete de cacarecos igual ao do Visconde de Sabugosa, personagem infantil de Monteiro Lobato, eu poderia subir até as nuvens e pousar nelas. Para mim, elas seriam sólidas o bastante para aguentar o meu peso e de meu foguete. Uma vez lá, era só gritar pelo nome de Deus, que ele em pessoa ou santo qualquer apareceriam para conversar comigo. Óbvio, não é? Mas se isso fosse verdade os crentes realizariam cultos em aviões, e não em Igrejas!

Hoje percebo que as coisas não são tão simples assim. Ando constantemente de avião e, para tristeza da criança que fui, posso assegurar que as nuvens não são acolchoadas de algodão como a imagem daqui de baixo parecia supor. Não fui tão alto quanto Yuri Gagarin, mas posso quase repetir parte daquela frase atribuída a ele que teria dito em meio à sua viagem orbital: "A Terra é azul e eu não vi Deus aqui". Em meus voos, eu também nunca vi fisicamente aquela silhueta cinza do meu sonho de criança. Seria tudo uma mera fantasia? Seria Deus tão fictício quanto o Visconde de Sabugosa e meu foguete imaginário?

A criança e o adulto

Foi para resolver esse dilema que me propus a dialogar com minha infância e descobrir quais sentimentos adquiridos nela eu devo banir, corrigir ou apenas atualizar. Daí a ideia de um diálogo imaginário entre o adulto e a criança. Minha inspiração para isso veio dos primeiros ensaios de Jung. Sei que ele foi se tornando excessivamente místico ao longo de sua carreira e nutro minhas reservas quanto às suas conclusões finais inspiradas na alquimia. Contudo, isso não tira o mérito de alguns brilhantes *insights*, especialmente do início de sua carreira.

Sobre a relação entre a criança e o adulto, Jung escreveu algo que, confesso, mexeu muito comigo. Ele diz: "No adulto está oculta uma criança, uma criança eterna, algo ainda em formação e que jamais estará terminado, algo que precisará de cuidado permanente, de atenção e de educação"[202].

Para Jung, a criança seria um arquétipo de mediação destinada a "compensar as unilateralidades da consciência"[203]. Juntando, pois, esse conceito analítico e alguns pressupostos que encontrei na teologia, cheguei à conclusão de que longe de ser algo "superável" a infância precisa ser constantemente revivida. É ela que me faz lembrar de coisas importantes que a fase adulta tende a esquecer, especialmente a religiosidade e a sede de Deus.

Não sei se Milton Nascimento leu Jung ou teve coincidentemente uma ideia semelhante à minha, só sei que quando ele cita numa de suas canções, "Bola de meia, bola de gude", a figura simbólica de uma criança habitando seu coração adulto e lhe estendendo a mão nos momentos difíceis, está expressando justamente o sentimento que muitas vezes experimento:

Há um menino, há um moleque
Morando sempre no meu coração
Toda vez que o adulto balança
Ele vem pra me dar a mão...

---

202 Carl Gustav Jung. *O desenvolvimento da personalidade* (Petrópolis: Vozes, 1998), p. 175.
203 Idem. *Os arquétipos e o inconsciente coletivo* (Petrópolis: Vozes, 2000), p. 165.

Seria possível, portanto, travar um diálogo saudável entre aquelas sensações infantis e minhas experiências racionais da fase adulta? Será que uma parte convenceria a outra? Ou ambas terminariam a conversa brigadas sem jamais chegarem a um acordo? Seria racionalmente sensato supor um diálogo assim?

Muitos pensam filosoficamente que a maturidade humana deva ser a superação da infância. Descartes é um exemplo clássico deste tipo de raciocínio e, se eu seguisse sua cartilha, teria de romper com minha infância para dar início à minha carreira intelectual[204]. Os conceitos de Deus, neste caso, seriam parte da meninice, logo, eles também se tornariam um entrave para minha autonomia racional.

Mas nem todos os teóricos que li chegaram à mesma conclusão cartesiana. No auge do Iluminismo, Rousseau compreendeu que, ao contrário da proposta de Descartes, nós deveríamos desconfiar da racionalidade do adulto. Longe de ser apressadamente descrita como o momento da falta, da privação de discernimento ou da exacerbação de fantasias, a infância poderia ser o germe da nova razão que libertaria a humanidade dos males que a própria razão lhe proporcionou[205].

Embora eu não concorde com todas as ideias de Rousseau (e sei que se estivesse vivo ele também não concordaria com as minhas), neste ponto, posso dizer que preferi seguir o seu *insight* ao de Descartes e, se me permitem uma breve menção bíblica, devo lembrar que Jesus também afirmou que para entrar no Reino de Deus deveríamos começar como crianças (Lucas 18:17).

É provável que este seja um dos graves problemas do homem moderno: o completo desligamento de sua infância. Você já notou que à medida em que nos tornamos adultos aumentam nossas dificuldades em fazer novos amigos? Prepare uma lista dos amigos mais íntimos que você já teve. Não valem conhecidos nem colegas. Estou falando dos melhores amigos, aqueles que poderiam ser descritos como um irmão que você pôde escolher. Ora, eu não me surpreenderia se 90% deles forem amizades que você fez ainda na infância, quando os medos de rejeição e os preconceitos eram, provavelmente, menores que os de hoje.

Portanto, não estou seguro de que o melhor caminho para minha maturidade seria abandonar *a priori* minha fé adquirida na infância. Ela pode ser muito válida para mim. É lógico que, para evitar devaneios, sou obrigado a colocar esta mesma fé à prova e verificar se ela é algo essencial e sadio que amadureceu

---

204 René Descartes. *O discurso do método* (São Paulo: José Olympio, 1960), p. 45-53.

205 Jean-Jacques Rousseau. *Oeuvres complétes* (Paris: Gallimard, Bibliothèque de la Pléiade, 1959-1995), 4:242ss.

comigo ao longo dos tempos, ou se é uma tolice que merece ser extirpada para meu espírito raciocinar de maneira mais livre.

Voltando a falar do sonho

Ainda me pergunto de onde foi que eu tirei aquela imagem do "retorno de Deus ao mundo", que apareceu em meu sonho de criança. Afinal de contas, não nasci num berço religioso que divulga esse ensinamento e nem me recordo de tê-lo ouvido antes daquele tempo.

Mas fique tranquilo, pois não serei apressado em dar um significado místico para aquela experiência. Admito a possibilidade de alguém que minha memória não registrou ter falado disto antes e ter influenciado meu inconsciente a transformar a mensagem num sonho que, por qualquer razão, foi significativo para mim. Creio que um psicólogo daria mais ou menos esse veredito. Afinal já aprendi com Aristóteles e Tomás de Aquino que, contrário à antropologia platônica, o conhecimento não é inato, nem adquirido antes de nossa fecundação. Tudo o que sabemos veio, de alguma forma, de fora para dentro de nossa mente, ainda que – como dizem os teóricos modernos – algumas aquisições epistemológicas tenham ocorrido enquanto ainda estávamos em formação no ventre materno.

A pergunta persiste: Há alguém lá em cima, que não sejam astronautas consertando satélites ou aeromoças servindo barrinhas de cereal? Deixe-me destrinchar um pouco mais a questão: a imagem que muitos têm de religiosos conservadores é a de pessoas desinformadas, com baixo nível de escolaridade, oriundas de escolas inexpressivas e, por fim, munidas de pouco ou nenhum poder reflexivo. É claro que existem religiosos cultos, qualquer ateu ou cético bem informado reconhece isso. Contudo, a maioria desses religiosos – inclusive muitos teólogos – já não acredita mais naquela "velha e feliz história" da igrejinha paroquiana do interior. Eles estudaram a fio grego e hebraico. Leram os clássicos e se depararam com os questionamentos da Modernidade. Seria impossível continuar mantendo aquele sistema piedoso de crenças que tinham quando entraram para o seminário. Como definiu o teólogo Karl Rahner, "um dos maiores problemas da fé hoje é: Como pode o homem moderno sinceramente crer?"[206].

De fato, uma pesquisa feita por Jeffrey Hadden, sociólogo da Western Reserve University de Cleveland, Ohio, envolvendo 7.400 pastores protestantes, indicou que o número daqueles que acreditavam na ressurreição corpórea

---

206 Bernard Sesboüé. *Karl Rahner, itinerário teológico* (São Paulo: Loyola 2004), p. 29.

de Cristo oscilava entre 13 e 51% dos entrevistados – dependendo é claro da religião de cada um deles[207]. Isso significa algo em torno de 40% dos graduados em teologia admitindo não crer mais nesta crucial doutrina do cristianismo. O curioso é que muitos deles continuam pregando sobre a ressurreição mesmo sem acreditar nela. Por que então não abrem o jogo com sua igreja? Talvez por causa do convencionalismo social, pois outra pesquisa feita, desta vez pela *Harris Interactive Corporation*, descobriu que de 87% dos norte-americanos leigos em teologia (quer professem ou não uma religião cristã) ainda creem piamente na ressurreição de Jesus Cristo[208]. A margem de erro para ambas as pesquisas é de 2 pontos percentuais para mais ou para menos.

Será que a pregação cristã é somente isso? Conveniência? Perde-se a fé quando se entra para o seminário? Recordo-me de ter participado de um fórum internacional sobre o Jesus Histórico, realizado na Universidade Federal do Rio de Janeiro, em que um aluno de teologia de determinada faculdade confessional pegou o microfone e agradeceu ao presidente do evento por propiciar um fórum de discussões em que ele e seus colegas teriam a oportunidade de ser "hereges em paz". Declarou que estava cansado de estudar uma coisa no seminário e ter de ensinar outra na igreja local. Ensinos tradicionais como inspiração da Bíblia, abertura do mar Vermelho, veracidade do Gênesis etc. eram coisa para leigos. Os acadêmicos que o orientavam já não admitiam mais a historicidade destes elementos de valor meramente simbólico.

Não vou tecer um juízo de valor sobre a declaração daquele graduando, nem quero cometer uma falácia de acidente, tomando a parte pelo todo. É claro que muitos seminaristas discordariam do colega. De minha parte, posso dizer que minha fé se transformou bastante depois do contato com a vida acadêmica. Mas não de um modo a romper com os valores confessionais que antes eu possuía. Talvez esse antigo provérbio chinês ilustre bem o meu processo racional e, para contextualizá-lo à minha realidade cristã ocidental, vou substituir a palavra "zen", que aparece no original, pela palavra teologia:

> Antes de se estudar *teologia*, as montanhas são montanhas e as águas são águas. Quando se vislumbra a verdade [acadêmica], as montanhas já não são mais montanhas e as águas já não são mais águas. Porém, quando se

---

207 Jeffrey Hadden. "Results of a survey of 7,441 Protestant ministers", publicado em *PrayerNet Newsletter* (1998-NOV-13): 1. Apud *Current Thoughts & Trends*, (1999-MAR): 19.

208 "The Religious and Other Beliefs of Americans 2003". Disponível em <http://theeffect.org/wp-content/uploads/2016/05/Religious-Beliefs-US-2003.pdf>. Acesso em: 22 de out. 2009.

alcança a iluminação [ou a sabedoria espiritual], então as montanhas voltam a ser montanhas e as águas a ser águas.

Sei que é poético, mas foi exatamente assim que me senti. Respondendo, pois, à pergunta do título deste capítulo posso lhe assegurar que existe sim alguém lá em cima. Para mim, ele é tão real que quase dá para tocá-lo. Também estou consciente de que uma declaração tão enfática assim estimule alguns a fecharem o livro ou, quem sabe, continuarem a leitura para ver aonde isso vai dar. Afinal de contas, por que este autor se mantém tão teimoso em afirmar a existência de Deus e a veracidade da Bíblia?

Bem, Roma não foi construída num só dia. Portanto, tome um fôlego, dê uma pausa e continue a leitura em outro momento. Aos poucos você verá como tenho refletido sobre o conhecimento adquirido e optado pela crença em Deus. Deixe-me apenas antecipar que, longe de ser um enclausurado "intelectualoide", sou alguém que sente alegria por estar vivo. Gosto muito de me divertir com os queridos que me rodeiam e também com meu cachorro. Também não abro mão de um bom entretenimento, um filme, uma manhã preguiçosa de domingo e um de meus lemas favoritos é: "Se um homem não sabe rir de uma boa piada, desconfie da religião dele!".

Capítulo 23
A improbabilidade de Deus

Quero começar este capítulo fazendo duas admissões. Primeiro: é lógico que esse é um título capcioso, uma vez que eu creio na existência de Deus. Você deve ter percebido isso e não quero insultar sua inteligência. Contudo, não pense se tratar de uma armadilha. Escrevi assim exatamente para chamar a sua atenção acerca do que vou dizer e aqui vai de carona minha segunda admissão: não posso honestamente "provar" que Deus existe!

Talvez você já tenha ouvido esse tipo de afirmação por parte de um crente e esteja esperando que eu a complete com aquele raciocínio pueril que diz: "não posso provar que Deus existe, mas os ateus também não podem provar que ele não existe. Logo, se não é possível provar sua inexistência é porque ele existe". Ora, eu também não posso provar que fadas azuis não existem e nem por isso vou acreditar na existência delas. Aqui eu aceito a observação crítica de Dawkins e não acho meritório que religiosos usem esse tipo de falácia para argumentar sua crença em Deus[209].

"Então pronto!", dirá triunfalmente um cético. "Podemos fechar o livro e parar por aqui a discussão. Caso encerrado! O crente admitiu não poder provar a existência de Deus." Seria este o fim da nossa conversa? De jeito nenhum. Na verdade, é aqui que ela praticamente começa. Se houvesse uma hierarquia dos capítulos eu diria que o que escrevi até agora foi apenas uma introdução, para chegar a esse ponto. Um quebra gelo como aqueles que se usam numa reunião de negócios antes de firmar um acordo e assinar o contrato.

Então vamos lá. Quando eu escrevi "a improbabilidade de Deus", não quis dizer "impossibilidade da existência de Deus". No vernáculo vulgar, muitos entendem "improvável" como sinônimo de "impossível". Quando digo "é improvável que Jorge chegue a tempo", os que me ouvem automaticamente entendem "é certo que Jorge se atrasará!".

Aqui a palavra "improbabilidade" refere-se ao seu sentido técnico, isto é, "algo que não se pode provar por meios metodológicos". É uma maneira de

---
209 Richard Dawkins. *Deus, um delírio* (São Paulo: Companhia das Letras, 2006), p. 83, 84.

atender aos leitores que talvez simpatizam com Karl Popper e seu princípio de falseabilidade. Para Popper, o método científico se restringe às condições de refutabilidade, ou seja, um pesquisador não pode fazer uma declaração "científica" a menos que ela seja passiva de verificação. Aí sim podemos realmente confirmar se ela é falsa ou verdadeira (princípio da falseabilidade). Exemplo: dizer que "gasolina de automóvel não serve para avião" é uma declaração plenamente científica, pois pode ser testada. É só colocar a gasolina do carro num Boing e ver se ele levanta voo. Já a afirmação de que Adolf Hitler se tornou mau, porque teve uma infância sofrida, não é uma declaração científica, porque não pode ser testada. Não dá para voltar a história e transferir o bebê Adolf para outra família fora da Áustria a fim de ver se isso faria dele um assistente social em vez de um assassino de judeus.

Apesar das muitas polêmicas em torno de seus escritos, Popper teve seu mérito. Embora eu não esteja de acordo com todas as suas ideias, acho que ele foi feliz, por exemplo, ao criticar a psicanálise e o marxismo por reduzirem seus conceitos à explicação de seus idealizadores sem admitir qualquer questionamento. Também foi preciso ao observar que a autoridade que os crentes davam à revelação divina, os novos intelectuais davam à ação humana. Os racionalistas passaram a crer no intelecto, os empiristas, nos sentidos, os positivistas, no progresso, e os liberais, no capitalismo – eram novas formas de dogmatismo e poucos se apercebiam disso.

O problema de Popper foi o unilateralismo de seu discurso, principalmente depois da briga com Thomas Kuhn, que queria valorizar a importância da tradição e do paradigma. Popper restringiu demais o conhecimento da realidade aos níveis do refutável e terminou anulando a importância do conhecimento cumulado. Para combater a exacerbação do racionalismo ele caminhou para o extremo de um agnosticismo extracientífico, ou seja, fora dos limites do experimentalismo não há o que se afirmar em relação à realidade. Tal postura anula outras vias epistemológicas perfeitamente legítimas, mesmo que não tenham nada a ver com o laboratório e a repetição de experimentos.

Em que pesem estas observações, ainda me valho das notas de Popper no que diz respeito aos limites da "prova" do método científico. Tanto é que me pautei parcialmente nelas para escrever o título e o conteúdo deste capítulo.

Provas que não provam

O que significa, então, "provar" algo cientificamente? Essa é realmente uma indagação muito séria. Não são poucos (mesmo dentre os acadêmicos) os que falam de "provas", muitas vezes, numa conotação leiga que não leva em conta a complexidade do assunto dentro do mundo científico.

A prova laboratorial, diferentemente da prova matemática, baseia-se numa escala de certezas que nunca chega a uma verdade final. Bertrand Russell dizia que,

> que por mais paradoxal que possa parecer, toda ciência exata é dominada pela ideia de aproximação. Quando um homem lhe diz que conhece a verdade exata sobre qualquer coisa, você pode seguramente deduzir que está diante de um homem inexato.[210]

A prova científica não alcança a realidade última. Sempre haverá espaço para a dúvida, o desconhecido e a possibilidade de erros. Teoremas matemáticos, uma vez demonstrados, são considerados verdade até o fim dos tempos, já a prova científica depende de observações, repetições, controles e, principalmente, da percepção – todos elementos falíveis que não nos podem oferecer mais do que uma aproximação da verdade[211]. Além disso – como veremos mais à frente –, existem muitas realidades que escapam a esses critérios de verificação e nem por isso deixam de ser "reais". Os grandes princípios da existência, por exemplo, não podem ser demonstrados.

Ora, se existe mesmo um Deus criador acima de todo o universo, então ele se identifica perfeitamente com essa noção de princípio da existência e verdade última. Logo, não devo me surpreender de que a prova científica seja inadequada para me conduzir à certeza de sua existência ou à completude de tudo o que ele é.

Em determinadas situações racionais as "provas" são um fator número dois, isto é, um argumento lógico deduzido de princípios "indemonstráveis" que foram aceitos de antemão. Os matemáticos, por exemplo, não pretendem provar axiomas, e sim estabelecê-los. Eles provam os teoremas que derivam destes axiomas. Constitui, portanto, um ato da vontade aceitar ou não os princípios axiomáticos, lembrando que eles já estavam aqui antes de nós e certamente

---

210 Bertrand Russell. *The Scientific Outlook* (New York: Routledge, 2001), p. 45.
211 Simon Singh. *O último teorema de Fermat* (Rio de Janeiro: Record, 2008), p. 41.

continuarão depois que formos embora. Os que lidam com a ciência não podem se dar ao luxo de ignorar esse emaranhado de questões filosóficas.

Aliás, é por essas e outras que até mesmo o conceito de ciência não é um ponto pacífico entre os especialistas. Alguns a definem a partir do método, outros definem o método a partir dela. Para um grupo o método científico é único. Para outro, não se pode falar de um, mas de vários métodos legitimamente "científicos" que seriam aplicáveis a diferentes áreas do conhecimento.

Alguns autores aceitam falar em "ciências humanas", outros negam a validade do título, pois trata-se de um saber que dificilmente será testável em termos laboratoriais. Poderíamos, enfim, chamar de "cientista" quem fez um doutorado em psicologia? Ou apenas químicos e físicos merecem esta titulação? Aqui está uma polêmica que não parece ter fim. Tanto que uma universidade particular em São Paulo se viu obrigada a realizar, em outubro de 2001, um simpósio multidisciplinar cujo tema era "O que é ciência, afinal?". Ora, basta esse título para ver que o assunto está longe de um consenso.

Isto não significa que não existem definições estabelecidas no mundo acadêmico. Já não se pode, por exemplo, aceitar aquela ideia inicial de que o conhecimento fornecido pela ciência seja superior aos demais devido à sua precisão e ao seu alto grau de certeza. Foi-se o tempo em que a ciência gozava de uma posição privilegiada a todos os demais tipos de conhecimento.

Diz uma anedota que certa vez um acadêmico muito orgulhoso foi andar de barco em pleno rio Amazonas, pois queria levantar dados para sua tese de livre-docência em botânica. Guiando o bote estava um pescador analfabeto a quem o doutor sadicamente resolveu menosprezar:

– Sabes falar outro idioma, simplório pescador?
– Sei não, "sinhô", eu mal sei "falá" o português...
– Então és um pobre iletrado... Já estiveste em outro país?
– De jeito nenhum, eu nunca saí de minha vila, "num" "cunheço" nem a capital.
– Então és um alienado geográfico. Sabes fazer um silogismo?
– De jeito nenhum...
– Então és um pobre ignorante... Sabes resolver uma equação?
– Nunca ouvi "falá" disso...
– Então és um pobre indouto...

Nisto o barco começou inesperadamente a afundar. Sem colete salva-vidas ou tempo para chegar a uma das margens, o pescador perguntou:
– O doutor sabe nadar?
– Não, respondeu o ph.D. em desespero...
– Então és um pobre doutor *morto*!

A nossa sociedade criou uma falsa hierarquia do saber que tende a valorizar apenas aquilo que rende uma titulação acadêmica. O resto é menosprezado como conhecimento de pouca ou nenhuma importância. Imagine quantas sinapses não são necessárias para que uma viúva, mãe de cinco filhos, dê conta de organizar a casa, fazer a comida, gerenciar os gastos, orientar a filha mais velha, verificar o dever do caçula e ainda trabalhar 8 horas fora, porque toda a família depende de sua competência para sobreviver. Nenhuma universidade lhe conferirá um título *honoris causa*, afinal ela não sabe nada "fora do comum". Não declina termos gregos ou latinos, nunca ouviu falar na dialética de Aristóteles e nem ao menos repousou seus olhos num dos poemas de Anatole France. Porém, quando um dos filhos queima de febre altas horas da madrugada, não serão estes conhecimentos que resolverão o seu problema.

Isso sem contar um detalhe importante que muitos ainda ignoram: foi-se o tempo em que os acadêmicos eram tidos como megacéfalos enciclopedistas, donos de todas as verdades a quem os mais simples deveriam recorrer se quisessem viver em segurança. A palavra do "doutor" era para ser obedecida incontestavelmente pelo leigo que nada sabia.

Hoje temos os estudos de H. Gardner, que mostrou o conceito das inteligências múltiplas[212]. Podemos ser gênios em exatas e limitados em interpretação de texto. Biógrafos de Einstein afirmam que ele não falou direito até os nove anos de idade e só depois disso conseguiu com dificuldade aprender a ler. Alguns professores simplesmente desistiram dele, aconselhando a seus pais que perdessem a esperança, pois seu filho não conseguia aprender. Até alguns de seus irmãos o consideravam um "retardado". Mais tarde, Einstein ainda falhou nos exames de admissão para o colegial e só conseguiu passar após um ano adicional de propedêutico[213].

---

212 Howard Gardner. *Inteligências múltiplas: a teoria na prática* (Porto Alegre: Artes Médicas, 1995).

213 Stephanie Sammartino McPherson. *Ordinary Genius: The Story of Albert Einstein* (Minneapolis: MNCarolrhoda Books, 1995), p. 8ss.; John B. Severance. *Einstein: Visionary Scientist* (New York: Clarion Books, 1999), p. 20, 21.

Doutorado é uma forma inteligente de se descobrir quanta coisa não conhecemos. Fora com a arrogância intelectual. Doutor é quem sabe muito sobre pouco, não quem sabe tudo sobre tudo. Na maioria das áreas, o ph.D. continua sendo um leigo!

Ciência e senso comum

O *senso comum*, também conhecido como *conhecimento vulgar*, é a nossa primeira compreensão de mundo. Ele dá sentido às crenças e pressuposições de nossa cultura. Sua construção não é fruto de uma situação isolada, mas de uma série de experiências sensoriais que nos acompanham em toda a nossa vida, desde o nascimento até a morte. Neste ponto, é importante que não confundamos *experiência* com *experimentação*. A primeira refere-se às percepções cotidianas ocasionais e não está necessariamente presa a um planejamento controlado. Já a segunda tem a ver com o Método Científico e envolve uma investigação detalhada para alcançar verdades mais profundas. Ela pode ser simbolizada pelo trabalho laboratorial, mas não se restringe somente a isto.

Juntos, conhecimento científico e senso comum podem ser de grande auxílio para a sociedade. Desastrosa seria a incomunicabilidade entre ambos. À medida que cada um reconhece o seu papel na busca do conhecimento e valoriza o trabalho do outro, temos o amadurecimento de uma postura dialogal que beneficia a todos.

Haverá muitas situações, é claro, em que o posicionamento científico deverá prevalecer sobre o senso comum, mesmo se tratando de algo que fuja à observação leiga convencional. É o caso, por exemplo, da percepção que temos em relação ao sistema solar. Parece que a terra debaixo dos nossos pés é firme e plana, com o Sol girando sobre nossa cabeça. Tanto é que falamos em "pôr do Sol" e "nascer do Sol". Ainda que estivéssemos em pé sobre a linha do equador, seria impossível perceber que o chão debaixo de nós não é tão firme como aparenta. Estamos, na verdade, sobre uma base côncava (um globo) girando a mais de 1.600 km/h. Ainda que não sintamos o movimento, pode crer, esta é a realidade do nosso planeta.

Se os nossos sentidos fossem os únicos meios de percepção do mundo e do universo em redor, estaríamos até hoje acreditando que bolas de boliche caem mais rápido que bolinhas de gude e que bactérias não existem. Também pensaríamos que o cosmo gira em torno da terra e que o horizonte do oceano terminaria num abismo.

Saiba, portanto, que em muitas situações a voz da ciência deverá prevalecer ao senso comum. O problema é querer tornar isso uma regra geral, como fazem muitos acadêmicos. Veja esse caso: Os índios americanos dos séculos 18 e 19 temiam a medicina dos brancos, porque a consideravam perigosa. Ora, os médicos da época, usando convencionalmente o método científico, incentivavam o uso de substâncias como o ópio, heroína, cloreto de mercúrio, arsênio e até estricnina como agentes curativos. Os índios preferiam ar puro, água e ervas naturais. Para combater uma febre, muitas tribos tinham por costume usar uma substância hoje conhecida como *salicilato de metila*, que era extraída da Willow Tree (o nosso conhecido salgueiro). Mas esse era o senso comum. O conhecimento científico – representado por eminentes doutores como Gallup, Tulley e Miner – defendia o uso de sangrias para diminuir a temperatura do corpo.

Experimentos laboratoriais faziam crer que era o sangue em excesso que causava o aumento da temperatura do corpo. Logo, o sangue deveria ser retirado gota a gota até que a febre diminuísse. Com frequência tirava-se sangue em excesso e o paciente morria. Até por volta de 1850, as farmácias costumavam ter, em suas prateleiras, vasilhas cheias de sanguessugas prontas para a prática da sangria.

Em 1799, o presidente americano George Washington contraiu uma febre. Seu médico de confiança lhe aplicou o tratamento médico convencional (a sangria) e ele acabou morrendo devido à grande perda de sangue. Quem poderia supor que, neste caso, era o senso comum dos índios que estava certo, e não o conhecimento científico? Mais tarde a sangria foi abandonada pela ciência e o extrato indígena foi aceito em seu lugar. Patenteado com o nome científico de ácido acetilsalicílico (AAS), ele foi produzido em escala por uma companhia de medicamentos e ficou conhecido até hoje pelo nome de aspirina.

Realidade supraexperimental

Foi em 1590 que, segundo a opinião de alguns, nasceu o experimentalismo científico[214]. Naquele ano, Galileu Galilei quis provar como a simples inferência pode criar uma tradição errônea vinda até mesmo dos grandes escritos de Aristóteles. No 4º século a.C., o filósofo grego ensinara que se lançássemos de determinada altura uma bola de cinco libras e outra de uma libra, a de cinco libras

---

214 Regis de Morais. *Filosofia da ciência e da tecnologia* (Campinas: Papirus, 2002), p. 38.

cairia cinco vezes mais rápido que a sua companheira por ser de maior peso. A ideia parecia tão razoável que ninguém a questionou por quase mil e novecentos anos. Até que veio Galileu e afirmou que não era bem assim que as coisas funcionavam. Ele chamou seus alunos para o centro da cidade de Pisa e do alto da torre soltou duas bolas (ou dois tijolos, segundo outra versão). Uma pesando cinco libras a outra pesando uma libra. Para surpresa de todos, ao contrário da teoria de Aristóteles, ambas as bolas desceram juntas até chegarem ao chão.

Há quem diga que o episódio da Torre de Pisa é uma lenda e que o experimentalismo nasceu de outra maneira. Não vamos aqui entrar no mérito desta questão. O fato é que, a partir de determinado ponto na história da ciência moderna, criou-se a ideia de que as coisas deveriam obrigatoriamente ser *testadas* para serem *afirmadas*.

De fato, as análises laboratoriais têm um imenso valor para o conhecimento humano, porém, elas não servem para averiguar tudo o que existe. Métodos indutivos de padronização do comportamento já se mostraram ineficazes quando o assunto é esclarecer a *psichê* humana. Por mais parecidos que sejamos, temos diferenças marcantes em relação uns aos outros. Nem mesmo dois gêmeos univitelinos são realmente iguais. É simplesmente impossível controlar e prever todas as nuances da reação humana. Devemos reconhecer, portanto, que todo conhecimento humano (inclusive o científico) possui seus limites. Este é o primeiro passo para um encontro com a realidade. Lembra-se do que falamos sobre Einstein, a Teoria da Relatividade e a incognoscível Matéria Escura? Realidades científicas que estão além da comprovação laboratorial e nem por isso deixam de ser "realidades". Elas não são observáveis, controláveis, nem sequer previsíveis, mas estão ali, só não acredita quem não quer.

O que fazemos com estas realidades supralaboratoriais que não podemos negar, mas que escapam ao nosso modelo de provas científicas? Elas não podem ser vistas, provadas, nem mesmo percebidas empiricamente, contudo, não podem ser ignoradas. Como conviver e interagir com elas, estudando-as e procurando entender seu procedimento? Bem, essa é uma boa pergunta para se fazer aos empíricos absolutos e aos materialistas mecânicos que ignoram a metafísica e endeusam a razão.

Na minha opinião, a resposta está no fato de que todos precisamos de um pouquinho de fé, para fazermos nossas afirmações. Fé é a convicção acerca de coisas que normalmente nunca vimos, conforme a definição de Hebreus 11:1. Em outras palavras, todos, de uma maneira ou de outra, somos um pouquinho crentes. O que nos diferencia são os objetos de nossa crença. Até um cético tem sua fé, afinal ele também acredita em coisas que jamais viu.

É claro que se Hegel, Feuerbach, Marx e Nietzsche pudessem ouvir o que acabei de dizer, eles se revirariam em seu túmulo. Não obstante, por mais bravos que ficassem, eu também os incluo na galeria dos que creram. É um dado epistemológico claro reconhecer que todos, sem exceção, construímos nosso conhecimento, nossas afirmações e reflexões a partir de testemunhos (*autoridades*) que aceitamos e estabelecemos como verdadeiros. Isso vale para qualquer setor do conhecimento que não podemos comprovar pessoalmente. Caso contrário, como poderia Demócrito fazer afirmações sobre a partícula infinitesimal que ele jamais vira ou ainda Voltaire confessando, mesmo que de maneira deísta, que esse universo é um relógio que demanda a existência de um relojoeiro?[215]

Preconceitos infundados

Todos nós temos uma tendência para absolutizar as coisas, mesmo aquelas que não podem ser absolutizadas. Pegamos um acontecimento positivo ou negativo e dizemos "é tudo assim, sempre foi, e sempre será desse jeito". O absolutismo cega as pessoas e engessa os conceitos. No século 16, cientistas eram queimados porque questionavam o absolutismo do Rei e da Igreja. No século 21, especialistas são execrados porque questionam as bases do evolucionismo. Pelo visto, trocaram-se as funções, os credos e os modos de sentenciar os "hereges", mas, em essência, ainda existem marcantes semelhanças entre nosso tempo e aquele que condenou Copérnico.

Para você não pensar que estou exagerando ou inventando teses sem fundamento, deixe-me contar brevemente o que aconteceu com um bom amigo que infelizmente faleceu em 1999. Seu nome: Admir Arrais de Matos, um intelectual como poucos que conheci. Toda sua família, aliás, parecia ter vocação para o estudo, pois apesar de virem de uma origem humilde todos estudaram e vários deles conseguiram titulação de mestrado e doutorado tanto no Brasil quanto no exterior.

Pois bem, vamos então falar do Arrais (como ele era conhecido). Licenciado em biologia em 1977 pela PUC-Campinas, foi indicado por um ex-professor a fazer o mestrado em ciências biológicas na Unicamp. Aprovado nos exames, fez

---

[215] L. F. Bungener. *Voltaire and his Times* (Edinburgh: Thomas Constable and Co., 1854), p. 462, versão eletrônica.

todo o curso com brilhantismo e defendeu em 1983 uma tese na área de genética cujo título era "Crescimento, Germinação e Resistência à Luz Ultravioleta de Linhagens *Metarhizium Anisopliae*". Como não é minha área, não faço a mínima ideia do que se trata, portanto, deixo para os biólogos a explicação sobre as nuances desta pesquisa.

Encaminhado imediatamente para o doutorado na mesma universidade, ele continuou seus estudos até à fase final, que seria a defesa pública da tese, marcada para o dia 10 de agosto de 1988. Aí, veio um levante. Pouco antes de concluir o doutorado, Arrais havia publicado um livro de biologia em que questionava postulados do darwinismo e abria espaço para outras formas de interpretar as evidências. Sua tese, porém, não tinha nada a ver com isso, era outro assunto.

Qual não foi a surpresa quando, na hora da defesa, a sala foi invadida por uma turba liderada por dois alunos da pós-graduação, que gritavam palavras de ordem, exigindo o cancelamento do programa, pois aquele homem não mereceria o título de "doutor" expedido por uma das maiores universidades do país. Seu crime? Questionar os postulados de Darwin. Os revoltosos até admitiam revisar alguns detalhes da teoria darwinista, mas nunca questionar seus postulados. Se fosse no século 16, isso seria chamado de *dogma*, e os que assim agiam seriam chamados de inquisidores. Arrais, é claro, seria o herege, condenado a ir para a fogueira! Igualzinho a Giordano Bruno!

Na sequência do tumulto, o Dr. Aquiles Eugenio Piedrabuena, coordenador da banca que envolvia seis especialistas, tomou a palavra indignado e disse que eles ali estavam para arguir o trabalho acadêmico do candidato, e não suas crenças pessoais. Se ele, ao ser arguido, respondesse bem às perguntas, receberia o título de doutor. Já os baderneiros, caso não se comportassem, seriam retirados pela segurança do *campus*, o que quase teve de acontecer, pois a turba tentou, pelo menos três vezes, interromper a defesa da tese.

Arrais respondeu bem às perguntas da banca examinadora e obteve, finalmente, o título de "doutor em ciências". Sob a sua nota estava a expressão "com louvor" indicando o nível de sua preparação acadêmica. Depois ele foi para os Estados Unidos fazer pós-doutorado numa universidade americana. De vez em quando, até ao final de sua vida, ele se lembrava com tristeza o dia em que compreendeu na pele o que é ser um Sócrates nas mãos dos atenienses.

Esse episódio ilustra a observação feita por Régis de Morais, ex-catedrático de filosofia e ciências sociais da PUC de Campinas:

Augusto Comte afirmava, no século passado [*i.e.*, século 19], que a ciência *desmistificara* a religião e reduzira a filosofia a um simples jogo de ideias sem resultados positivos. Mal sentia, entretanto, o pensador francês que, embora a ciência houvesse de certa forma desmistificado a religião, a humanidade passava a se curvar ante uma nova deusa: a própria ciência.[216]

Dogmatismos científicos

Embora a ciência não pretenda o estabelecimento formal de verdades absolutas, alguns pesquisadores (felizmente não todos) fazem declarações tão dogmáticas que mais se parecem com teólogos medievais do que com cientistas modernos em busca de respostas. A impressão que passam é que a mentalidade cientificista dos séculos 18 e 19 continua permeando seu inconsciente, levando-os a supor que a ciência é, em si, um "conhecimento indiscutível".

Nos tempos da hegemonia eclesiástica no Ocidente, Santo Agostinho definiu a regra do conhecimento nas seguintes palavras: *Roma locuta, finita causa est* (se Roma falou, o caso está encerrado)[217]. O que ele quis dizer é que se a igreja romana, com seu colegiado de bispos e papa, fizesse uma declaração oficial, todos deveriam acatá-la sem verificação ou questionamento. Curiosidade ou coincidência, o fato é que alguns pronunciamentos inquestionáveis do papa (uns doze ao longo da história) ficaram conhecidos como ensinamentos *ex cathedra*, pois o papa era o professor inquestionável do cristianismo. Hoje, ironia das ironias, alguns alunos universitários se orgulham de citar os inquestionáveis conceitos "catedráticos" que aprenderam – o sentido parece o mesmo, só mudou o professor.

Tanto nas igrejas como nas universidades, ainda encontramos pessoas que não superaram os ditames do velho adágio religioso. Troca-se *Roma* por *ciência* e dispara-se a conclusão: "se a ciência falou, está falado. Tolo é aquele que discordar de tal teoria". A "ciência", neste caso, pode ser apenas a diretriz filosófica de uma instituição específica, e não a conclusão de todos os acadêmicos que lidam com aquele assunto. Basta ver situações em que um mesmo autor é venerado num ambiente e rechaçado em outro.

---

216 Regis de Morais. *Filosofia da Ciência e da Tecnologia* (São Paulo: Papirus 2002), p. 23.

217 S. Agostinho. *Sermones* 131.10. in *Obras completas de San Augustin*. 41 vols. Texto em espanhol e em latin baseado na edição Patrologia Latina (Madrid: Biblioteca de Autores Cristianos, 1946-).

Eu mesmo tive a oportunidade de presenciar momentos em que uma mesma abordagem foi aplaudida por um grupo de acadêmicos e ridicularizada por outros do mesmo quilate. Tudo por causa da filosofia que cada centro possui. Há universidades que não leem nada se não for através dos óculos do marxismo, enquanto outras não suportam sequer ouvir falar no nome de Lenin, Engels ou do próprio Karl Marx. Cabe, portanto, ao sujeito pensante saber onde está pisando e agir com sabedoria. No caso dos alunos, minha sugestão é que não percam sua autonomia reflexiva, nem se deixem levar pela pressão de grupo. Não obstante, reservem os assuntos polêmicos para depois do título, quando já tiverem provado que estão aptos a fazer lucubrações racionais, se necessário for, discordando da opinião da maioria.

A rigor podemos dizer que ciência enquanto autoridade não existe. O que existem são homens e mulheres que trabalham com o Método Científico. Deixe-me explicar melhor: do ponto de vista lógico, está correto dizer que o Brasil e a Igreja Católica consideram crime a prática do aborto como método contraceptivo. Esta é definitivamente uma declaração oficial, quer concordemos ou não com ela. É que tanto o Brasil como a Igreja Católica constituem pessoas juridicamente estabelecidas com sedes governamentais próprias, que podem, por sua vez, emitir documentos oficiais em nome da entidade à qual representam. Assim, mesmo que você tenha uma opinião diferente sobre o aborto, saiba que está discordando de uma posição oficial do Brasil e do Vaticano. Caso esteja na jurisdição de um desses Estados, sua posição será considerada errônea e ilegal.

Agora se aplicarmos isso à ciência a pergunta será: Onde está sua sede governamental? Quem está autorizado a emitir documentos oficiais em nome dela, que valham para todas as especialidades existentes no mundo? Ninguém! Por que então a mídia e até alguns acadêmicos insistem em dizer: "a ciência afirma isso, a ciência afirma aquilo"?

Há tempos aprendi que nenhuma especialização possui seus discursos 100% uniformizados. A arqueologia, por exemplo, não diz nada, quem diz são os arqueólogos e eles nem sempre estão de acordo entre si. O mesmo vale para todas as demais áreas do conhecimento. Logo, aquelas revistas populares que publicam artigos dizendo "a arqueologia desmente a Bíblia" ou "a filosofia nega a existência de Deus" não estão sendo coerentes com a realidade acadêmica. Há arqueólogos que acreditam na Bíblia e arqueólogos que a negam, há filósofos que aceitam a hipótese de Deus e filósofos que a rejeitam. Nenhum deles tem a exclusividade da área na qual se especializou.

Não quero, contudo, incentivar o extremo do individualismo científico. Apesar das divergências, há bastante espaço para o trabalho em equipe, para a troca de opiniões. Foi-se o tempo em que a ciência vivia às custas dos grandes inventores que ficavam isolados em seu laboratório, mal saindo para uma conferência ou feira de ciências.

Antes era fácil descobrir quem inventou o telefone, o para-raios, o rádio transmissor. Hoje, poucas patentes pertencem a um único indivíduo. A maioria delas é propriedade intelectual de uma corporação. Não foi um homem sozinho que inventou o *microchip* ou o aparelho celular, foi uma equipe de especialistas que executou o projeto, cada um contribuindo com sua área de atuação.

Portanto, não sejamos extremados. Há excelentes disposições e exemplos de colaboração mútua na ciência, bem como em todas as áreas do conhecimento humano. O que atrapalha é o dogmatismo e a falta de equilíbrio entre as partes. De modo bem otimista, acredito que, apesar do exagero e extremismo de alguns, é possível encontrar unidade na diversidade. Na arena do conhecimento há espaço para todos: ateus, deístas, agnósticos, céticos, idealistas, empiristas e até crentes – como este que lhe escreve.

Matemática e Deus

Por falar em "crente", voltemos ao assunto da improbabilidade de Deus. Conforme vimos até aqui, "provar" em termos de ciência significa analisar, medir e, principalmente, repetir o experimento para obter o mesmo resultado. Sendo assim, posso provar, por exemplo, que a lei gravitacional existe, pois é possível fazer o teste e ver que os corpos realmente são atraídos para o centro da Terra. Há coisas, no entanto, que não podemos "repetir" ou "experimentar laboratorialmente". Este é o caso de Deus.

Quer dizer então que sua existência seria uma incógnita absoluta que jamais poderemos dizer qualquer coisa em relação a ela? Não, de maneira nenhuma. Se fosse assim, eu também não poderia falar nada a respeito de alguns enunciados da geometria e também da matemática.

Desde a Antiguidade, os sábios consideravam, de modo geral, dois tipos de proposições matemáticas: os teoremas e os axiomas; os primeiros podem ser provados, os segundos não. Os *axiomas*, também chamados de *postulados*, seriam aquelas proposições que são aceitas sem demonstração, enquanto os *teoremas* seriam proposições que podem ser demonstradas, mas a partir dos *indemonstráveis* axiomas.

Isso significa que se o axioma estiver errado, o teorema também estará. Então por que não podemos provar os axiomas e evitar o erro a todo custo? Porque de acordo com o método lógico-dedutivo usado pelos gregos, isto é, aquele que parte do universal para o particular, um pressuposto universal, embora necessário para se obter um resultado efetivo, escapa à nossa capacidade intelectiva e, portanto, não pode ser medido, verificado ou analisado com nossos instrumentos que têm como característica principal a limitação. Em outras palavras, eles são grandes demais para nossos critérios de observação!

Como então teríamos certeza de um axioma, se ele não é verificável? Bem os matemáticos gregos (e também os modernos) responderiam que ele é intuitivo, faz sentido supor assim, mesmo que nossa mente não esteja ao alcance dele.

Agora raciocine comigo: se uma pessoa pode completar um doutorado em Harvard defendendo uma tese sobre os "incomprováveis" axiomas, por que não se pode fazer o mesmo em relação a Deus? Devemos entender que a dificuldade da prova neste caso não está com o objeto a ser provado, e sim com a limitação do instrumento que possuímos para medi-lo.

Se o todo-poderoso pudesse ser "provado", no sentido empírico da palavra, ele estaria mais para *teorema* que *pressuposto*, logo, caberia dentro do escopo mental humano e não seria grande o bastante para ser Deus. Portanto, do mesmo modo que o axioma matemático, a existência de Deus é uma verdade não demonstrável, mas que se estabelece pela lógica, intuição e fé.

A única diferença é que, segundo o entendimento bíblico, Deus não é meramente um objeto da minha percepção intuitiva, ele é um ser pessoal que se revela às suas criaturas. Como resultado de uma fé relacional com a sua pessoa e da certeza intuitiva de sua existência, podemos descobrir verdades (estas sim demonstráveis) que estão para o pressuposto divino como os teoremas estão para os axiomas.

Admito que a lógica matemática é um pouco complexa para alguns (inclusive para mim mesmo), mas ainda é uma lógica racionalmente aceitável e, na dúvida, basta ler um bom livro sobre o assunto ou procurar um especialista para confirmar o que foi dito.

Geometria e Deus

Já que estamos no terreno da matemática, vamos a outra ilustração, desta vez da geometria: como você deve saber, não dá para "provar" deste jeito empírico que alguns imaginam que duas retas paralelas jamais se cruzam a não ser que sejam concorrentes. A dificuldade, tanto aqui quanto no caso dos axiomas, consiste em que estamos lidando com conceitos que remetem nossa mente para o infinito. Portanto, as "provas" oferecidas para esse e outros enunciados geométricos são reconhecidamente complexas e, em alguns casos, até contraditórias, basta para isso ver a polêmica sobre o axioma das paralelas, o quinto postulado de Euclídes, que envolveu grandes nomes da matemática, especialmente, no século 19.

Se estudarmos os bastidores do debate, veremos que por quase dois mil anos, desde o ano 300 a.C. até meados de 1700, a geometria de Euclides dominou soberana o mundo da matemática. Contudo, ao longo de todo esse tempo, notou-se que o quinto postulado euclidiano apresentava alguns problemas de contradição conceitual.

De acordo com a versão dada por Playfair no século 17, o quinto postulado de Euclides queria dizer que "por um ponto exterior a uma reta passa apenas uma outra reta paralela à primeira"[218]. Ora, os estudiosos de Euclides começaram a perceber que o enunciado das paralelas era polêmico, pois à medida que substituíam o axioma, era possível construir duas geometrias diferentes da geometria euclidiana, igualmente coerentes, e que não conduziam a nenhuma contradição. Apesar de serem dificilmente concebíveis, estas duas novas geometrias foram aos poucos sendo reconhecidas como alternativas legítimas à proposta original de Euclides.

Naquela época, o método dedutivo de verificação havia sido substituído pelo indutivo, que partia do particular, isto é, do verificável, para o universal, bem o oposto do método anterior. Assim, pelo método da indução – que aliás era o próprio método científico – seria impossível verificar o postulado euclidiano. Afinal, como afirmar a existência de algo que não pode ser realizado dentro do universo inteiro, nem mensurado pelas medidas humanas? Esta era uma questão bastante delicada.

Por outro lado, a veracidade do quinto postulado não havia sido questionada até meados do século 19. Parecia óbvio que as duas retas ligeiramente concorrentes acabariam se encontrando em algum ponto teórico e as exatamente

---

218 Reuben Hersh. *What is Mathematics Really?* (Oxford: Oxford University Press, 1999), p. 69, 70, 262. O livro de Euclides com anotações de John Playfair pode ser encontrado na Internet em domínio público. Veja: John Playfair. *Elements of Geometry containing the First Six Books of Euclid, with a Suplemento N the Quadrature of the Circle of Solids,* disponível em <http://books.google.com.br/books?id=xjcPAAAAYAAJ&dq=Playfair+Euclides&printsec=frontcover&source=bl&ots=-qgF501utT>. Acesso em: 5/11/2009.

paralelas não, mas a verificação disso não era algo tão simples de se obter. Veja, por exemplo, este trecho de uma carta escrita em 1817 por um dos mais renomados debatedores da época, o físico e matemático alemão Johann Carl Friedrich Gauss:

> Estou cada vez mais convencido de que não se pode demonstrar pelo simples raciocínio a necessidade da geometria euclidiana. É possível que no futuro possamos ter ideias sobre a natureza do espaço que hoje nos são inacessíveis.[219]

Outras propostas surgiram ao longo dos anos sem questionar o mérito de cada uma delas. O fato é que todas terminaram no terreno do indemonstrável.

Os caminhos alternativos à geometria euclidiana dos paralelos nos ensinaram que existem coisas reais e verdadeiras que permanecem impossíveis de serem provadas num dado sistema do conhecimento. Sua improbabilidade, contudo, não reside numa deficiência que elas mesmas possuam, mas nas limitações inerentes ao próprio cérebro humano. Sejamos humildes, nossa mente não pode abarcar a realidade de tudo o que existe.

No caso específico das paralelas infinitas, teríamos que ter uma capacidade mental de verificá-las de um ponto a outro do infinito para certificar empiricamente que elas são, de fato, contínuas e jamais se cruzam. O que fazer então com esse conceito? Negá-lo? De jeito nenhum, continuamos fazendo a afirmativa, mesmo sem poder prová-la, porque é lógica e faz sentido ainda que esteja além de nosso alcance.

Ninguém em sã consciência questionaria a racionalidade dos postulados da geometria. Ela é tão respeitada que alcança um *status* de relativa independência do cérebro humano e este é seu maior destaque em relação a outras áreas da matemática. Como disse Friedrich Bessel, um dos maiores matemáticos e astrônomos alemães do século 19:

> Devemos com humildade admitir que, enquanto os números são puramente um produto de nossa inteligência, o espaço é uma realidade que está para além do espírito, cujas leis jamais poderemos prescrever completamente.[220]

---

219 Apud, G. Waldo Dunnington. *Carl Friedrich Gauss: Titan of Science* (New York: Exposition Press, 1955), p. 180.

220 Apud A *Dictionary of Scientific Quotations* (London: Institute of Physics Publishing, 2001), p. 100 (citação 30).

Entende por que não acho nem um pouco irracional a possibilidade de existir um ser absolutamente supremo, divino e real? Como já disse em outro momento, se eu pudesse prová-lo por meios científicos ele não se encaixaria no perfil do Deus descrito na Bíblia, nem seria grande o bastante para justificar a origem do universo. Por isso, é razoável concluir que a improbabilidade de Deus faz sentido à minha fé. Cabe à razão enunciar a lógica axiomática de sua existência. E que lógica seria essa? Existem argumentos racionais para a existência de Deus?

Capítulo 24
Por que existimos?

Por que existe algo em vez de nada? Sei que capítulos atrás falei bastante sobre a metafísica e o conceito da existência. Agora, porém, meu foco é diferente. Não quero saber o que é existir, mas por que existimos. Por que estamos aqui?

De fato, se eu levar esta ideia para o lado pessoal, devo admitir que minha própria existência é algo que realmente me causa um fascínio e um assombro. Estou aqui, escrevendo este livro, sou uma realidade, e não um mito. Como algo tão pequeno e sem graça quanto um óvulo fecundado pôde se transformar no complexo ser que sou agora? A biologia me diz que sou formado por bilhões de células que nascem, se organizam, morrem e ajudam a manter em funcionamento uma máquina corpórea tão complicada que nenhuma enciclopédia abarcaria tudo o que se pode dizer sobre ela. Isso sem contar que o espermatozoide que se transformou em mim teve de nadar freneticamente num útero inóspito, "ver" milhões de companheiros morrendo pelo caminho, enfrentar a correnteza do fluído que traz o óvulo e, como se não bastasse tudo isso, vencer uma concorrência de pelo menos 300 milhões de competidores. Nenhum vestibular da Fuvest teve uma disputa assim tão acirrada.

Qual seria, então, a chance matemática de você e eu estarmos aqui travando este diálogo virtual? Bem, se levarmos em conta o número de eventos variáveis, possíveis, favoráveis, contrários etc., um especialista em probabilidades combinadas diria que a chance da nossa existência neste exato momento seria menos de 1 em 100 quadrilhões. Inspirados numa ilustração originalmente feita pelo Dr. Peter Stoner, ex-professor de matemática e ciências do Westmont College, nos Estados Unidos, podemos dizer que estaríamos propondo o equivalente a 1×10^{17}. Na prática isso seria o mesmo que espalhar por uma área equivalente aos três estados da região Sul do Brasil (Santa Catarina, Paraná e Rio Grande do Sul) uma camada uniforme de 60 centímetros de moedas de 1 real. Então selecionaríamos um candidato e diríamos: no meio destas moedas, em qualquer ponto deste vasto território, há uma única moeda com um X marcado no verso. Se encontrá-la todas as outras moedas serão suas e você será a pessoa mais rica do mundo. Mas veja as regras adicionais do jogo: você sobrevoará de avião pelo território e cairá aleatoriamente de paraquedas num ponto qualquer dos três estados. Então colocará a mão na camada e tirará uma única moeda. Se, coincidentemente, esta for a moeda marcada, você será o vencedor. Isso, porém, será feito apenas uma única vez. Você só tem uma chance, se não acertar de primeira, não levará o prêmio[221].

E não é que bilhões de pessoas acertaram? Você e eu, obviamente, estamos entre elas, e os miríades de seres humanos que existiram antes de nós também. Existe um salmo na Bíblia, o 139, que é bem análogo à admiração metafísica de Parmênides, só que num sentido mais personalizado. Leia-o, vale a pena. Ali o autor, também de maneira poética, se extasia diante do modo tremendo e espantoso em que ele foi formado no ventre de sua mãe. Menciona ainda a grandiosidade da dimensão espacial e dos elementos que o compõem. Uma peça literária muito interessante, com uma legítima reflexão metafísica – bem no coração da Bíblia.

Existir é, de fato, um imenso, porém maravilhoso mistério, sobre o qual compensa repousar nosso pensamento. Parabéns a Parmênides e ao salmista bíblico – cuja tradição judaica aponta para Davi. Parar para refletir sobre a nossa existência não é, de maneira alguma, perda de tempo. É aproveitar com sabedoria a vida e tudo aquilo que ela nos pode dar. É a presença ou a falta da reflexão que faz com que alguns realmente *vivam* enquanto outros apenas *existam*, ocupando um lugar no tempo e no espaço.

O bule celestial

Muitos hoje talvez já não saibam mais o que é um bule. As cafeteiras elétricas substituíram os antigos bules, que eram garrafas de porcelana, barro ou metal, possuidoras de bico e asa, que as comadres usavam para servir café às visitas. Na Inglaterra, os bules, certamente, serviam mais chá – café era mais coisa de brasileiro. Foi num desses bules que Bertrand Russell, influente filósofo do século 20, se inspirou para criar uma metáfora antideus. Ele escreveu:

> Muitos indivíduos ortodoxos dão a entender que é papel dos céticos refutar os dogmas apresentados – em vez de os dogmáticos terem de prová-los. Essa ideia, obviamente, é um erro. De minha parte, poderia sugerir que entre a Terra e Marte há um bule de chá de porcelana girando em torno

---

221 Peter Stoner. *Science Speaks* (Chicago: Moody Press, 1953), p. 106,107.

do Sol em uma órbita elíptica, e ninguém seria capaz de refutar minha asserção, tendo em vista que teria o cuidado de acrescentar que o bule de chá é pequeno demais para ser observado mesmo pelos nossos telescópios mais poderosos. Mas se afirmasse que, devido à minha asserção não poder ser refutada, seria uma presunção intolerável da razão humana duvidar dela, com razão pensariam que estou falando uma tolice. Entretanto, se a existência de tal bule de chá fosse afirmada em livros antigos, ensinada como a verdade sagrada todo domingo e instilada nas mentes das crianças na escola, a hesitação de crer em sua existência seria sinal de excentricidade e levaria o cético às atenções de um psiquiatra, numa época esclarecida, ou às atenções de um inquisidor, numa época passada.[222]

Vamos analisar com calma a analogia de Russell. Numa coisa sou obrigado a concordar com ele. Espero ter deixado claro que é inútil tentar provar a não existência de alguma coisa. Neste sentido, o peso da argumentação deve repousar sobre nós que dizemos existir um Deus. A necessidade de uma causa eterna que justifique a origem do universo é mais do que suficiente para que eu trabalhe com a hipótese de Deus.

Não é o caso de se exigir prova laboratorial para o que estou dizendo. Há realidades que fogem a esse tipo de verificação. Se você dissesse que ama a sua noiva e eu pedisse uma prova laboratorial disso, o que você mostraria? Não tem como. O mesmo se dá no caso de Deus, que é um princípio universal e espiritual. Aqui estamos falando de algo que não é tangível fisicamente, logo, não pode ser provado de forma tão simplória como se faz num teorema ou numa análise clínica. Espero ter deixado isso claro no capítulo anterior.

"Mas espere um pouco", diria um ateu. "Se você pode ter um Deus eterno, por que eu não posso ter um universo eterno?" Isso dispensaria qualquer causa para sua existência, pois ele sempre existiu. Ora, já mencionamos os postulados da física depois de Einstein e Hubble, que demonstram inequivocamente que o universo começou. Embora seja imaginariamente possível falar de um universo eterno, devemos admitir que não é realmente possível afirmar isso pelo que vemos no cosmos. Ademais, se as coisas demandam uma causa primeira que permitiu sua existência, é lógico assumir que alguma causa anterior ao Big Bang produziu tudo o que há. Não há escapatória, ou o universo é eterno (o que a física demonstrou não ser verdadeiro) ou algo externo a ele o é. Esse

---

[222] Bertrand Russell. "Is There a God?", in *The Collected Papers of Bertrand Russell*, v. 11, John G. Slater; Peter Köllner (eds.) (London/New York: Routledge, 1997), p. 542-548.

"algo" eu chamo de Deus e, por saber que ele é anterior e externo ao universo, fico tranquilo de não precisar cair em ideias panteístas ou monistas que julgam Deus e o cosmos como uma só coisa.

Sem Deus, as duas opções que me restam para confrontar o mistério da existência seriam o autoengedrismo cósmico e retrocesso infinito – sempre houve algo gerando algo. Ambas as possibilidades não fazem o menor sentido. Deus ainda é a melhor hipótese, quer dizer, a única razoável neste sistema.

No princípio era o começo

Se estivéssemos vivendo num tempo anterior ao século 20, é provável que muitos achassem totalmente ridículo falar de "começo" da existência, pois nunca houve um tempo em que não houvesse algo neste universo. Os pré-socráticos até acreditavam que houve princípio (*arché*) de todas as coisas, mas não necessariamente um "começo" para tudo o que existe. Anaximandro, por exemplo, ensinava que as estrelas e os planetas nascem e morrem dentro de um infinito eterno e imutável[223]. Heráclito, de igual modo, afirmava que o cosmos não foi feito por homem ou deus algum. Ele sempre esteve e estará em seu lugar como uma chama eterna[224].

Antes disso, a *Teogonia*, de Hesíodo, dizia que o Caos Primordial, pai de tudo o que existe, não criara as coisas *ex-nihilo* (do nada), mas apenas separara uma matéria *eternamente preexistente*. A partir dela, ele fez surgir os primeiros seres siderais (terra, ar, noite etc.)[225] – os deuses neste modelo não são os criadores do universo, mas os filhos dele, o universo sempre esteve aqui. O que teve início foi o seu povoamento. Esse era um conceito inegável. Veja que até mesmo a

---

223 Apud Michel de Montaigne. *An Apology for Raymond Sebond* (New York: Penguin Classics, 2000), p. 84.

224 Charles H. Kahn (ed.) *The Art and Thought of Heraclitus, an edition of the fragments with translation and commentary* (Cambridge: Cambridge University Press, 2001), p. 22.

225 Embora seja complexa a definição de caos em Hesíodo, duas coisas são claras a partir de seus escritos: a) O conceito moderno de caos como confusão, desordem, não estava presente em seu pensamento original; b) Em momento algum da *Teogonia*, Hesíodo nos diz quando o caos começou a existir ou o que havia antes dele. A impressão é que o caos era um ser ou princípio que dividiu uma matéria eternamente preexistente e dessa divisão saíram a Terra (Gaia), a mãe de todos, Tártaros, Nyx, Erebus e Eros. Depois, numa série intrincada de incestos e autofecundações, vieram o céu (ouranos), os Cíclopes, Titãs e Centimanos. Dos Titãs, nasceram Zeus e seus irmãos, que formaram os deuses do Olimpo. Dos deuses nasceram os seres humanos. Cf. Apostolos N. Athanassakis (ed.). *Hesiod, Theogony, Works and Days, Shield* (Baltimore: Johns Hopkins University Press, 2004), p. 39 [nota das linhas 116-125].

escola idealista de Platão, apesar de considerar a matéria uma ilusão, defendia o princípio de que este universo era um elemento eterno, não criado, mas sempre existente. No *Timeu*, Platão diz que o trabalho do demiurgo criador foi modelar e dar forma ao que já existia. Ele não criou a matéria a partir do nada.

Assim, o modelo de um universo infinito emplacou como teoria absoluta dos pensadores ocidentais até ter suas bases ruídas com as novas descobertas de Albert Einstein e seus amigos. Antes disso, porém, os cientistas pareciam satisfeitos com uma tradição milenar que vinha desde os primeiros cosmólogos da Grécia.

Um universo eterno, por mais frágil que fosse sua argumentação, satisfazia bem o modelo de todos, exceto daqueles que tinham uma visão literal da Bíblia. Quem nos dá essa informação é George Smoot, chefe do Satélite COBE da Nasa e Prêmio Nobel de Física de 2006. Ele diz:

> Até o final da década de 1930, as pessoas eram tão ignorantes sobre as origens do Cosmos, como sempre haviam sido. Aqueles que não interpretavam literalmente o Gênesis não tinham razões para crer que [o universo] tivesse um início.[226]

A razão para esse pronunciamento é que, contradizendo as cosmogonias mitológicas do passado, a Bíblia era o único livro da Antiguidade que apontava para um começo absoluto para o universo e um Deus (no singular) antecedendo esse começo. As demais versões, sejam elas gregas, egípcias, babilônicas ou persas – para citar apenas as principais –, desenhavam uma forma material eterna (o caos) que se automodifica produzindo seres divinos que agora passam a participar ativamente de sua constante transformação. Os deuses, repetimos, não seriam os criadores do universo, e sim os filhos dele. Sua ação criadora era apenas a de modelar aquilo que já existia. A versão bíblica, além de trabalhar com um isolado conceito monoteísta, posicionava Deus antes de todo o processo criativo e estabelecia um *start* para a existência de todas as coisas, inclusive do próprio cosmos.

Einstein e os novos físicos do início do século 20 não estavam, de maneira alguma, interessados em validar a Bíblia ou tomar partido ao lado do monoteísmo do judaísmo. Pelo contrário, eles ainda continuaram, por um bom tempo, relutantes em aceitar a ideia de um universo que não fosse infinito, estático e sem começo. Einstein chegou a introduzir em suas equações da relatividade

---

[226] George Smoot; Keay Davidson. *Wrinkles in Time* (New York: William Morrow & Company, 1993), p. 30.

uma tal de "constante cosmológica", apenas para fazer jus a esta visão tradicional. Depois admitiu seu erro e hoje os físicos falam do "grande erro de Einstein". Mas não vamos culpá-lo, a nova proposta era por demais revolucionária. Ela desbancava até mesmo elementos basilares da física de Newton. Por isso, como resume Simon Singh, "a batalha pela história do universo, finito ou infinito, ainda envolveria [muitos] teóricos obsessivos, astrônomos heroicos e experimentadores brilhantes"[227].

Foram as descobertas de Edwin Hubble, as correções de Georges Lemaitre e a própria admissão de Einstein que lançaram as bases para a compreensão científica atual de que o universo em que vivemos é limitado, passivo de mudanças e, principalmente, *teve um começo*! Uma ou outra voz isolada ainda tenta regressar às velhas teorias do universo eterno, mas, independentemente de quaisquer discussões periféricas, há excelentes provas de que o universo surgiu numa grande explosão em algum ponto no passado. Os efeitos dessa explosão primordial ainda são claramente detectáveis hoje. Até os recentes estudos de Stephen Hawking e George Smoot apontam para um universo que "nasceu" e continua se expandindo.

Por que tudo aconteceu?

"E então? O que havia antes do início do universo?" Muitos se ocupam com esta indagação. Contudo, não creio ser este o tipo de questão com o qual eu deveria me importar. Mais importante é *"por que* ele aconteceu?". Deixe-me confessar que minha fé não é grande o bastante para crer que tudo simplesmente pipocou do nada, sem nenhuma razão específica. Quando vejo um espetáculo de mágica na televisão, não saio acreditando que aquilo aconteceu na base do abracadabra. Sempre há alguém por detrás do show. Se coelhos não aparecem sozinhos do fundo de cartolas, por que o cosmos surgiria por geração espontânea sem nenhuma causa ou razão para sua existência?

A meu ver, as implicações metafísicas de um universo temporal e finito podem ser resumidas em três perguntas que merecem nossa análise e consideração: A primeira foi feita por Leibniz no século 17: "Por que existe algo em vez de nada? Afinal o nada é muito mais simples e fácil de existir do que o algo"[228].

---

227 Simon Singh. *Big Bang* (Rio de Janeiro: Record, 2004), p. 83.

228 G. W. Leibniz. *Principles of Nature and of Grace* (New Haven: Tuttle, Morehouse and Taylor Publishers, 1890), p. 199 – texto eletrônico.

A segunda vem do astrofísico Hubert Reeves: "Por que há música em vez de ruído?"[229]. E a terceira vem de praticamente todos os seres humanos que povoam o planeta: "Por que a música às vezes desafina, fazendo-nos sofrer?".

Começando pela primeira pergunta, a ideia de existir algo em vez de nada realmente me intriga. Lembro-me da lógica simples usada por Shakespeare para criar um diálogo entre o Rei Lear e sua filha Cordélia. Os dois brigavam feio por causa de um casamento arranjado, sem a aprovação da moça, e um orgulho ferido do pai que esperava pelo menos uma palavra de adulação daquela que fora sua filha mais querida. Ele lhe pergunta se ela não teria algo agradável para lhe dizer a fim de convencê-lo a dar sua herança. Ela diz que não tinha nada mais para falar. Então o rei insiste: "Nada?". "Nada, meu pai" – é a resposta. Ele então ameaça com irônica exclamação "do nada sairá nada"[230], dando a entender que como não houve elogio, não haveria herança.

Não sei se é uma coincidência ou um empréstimo literário de Shakespeare, mas essa frase é análoga à exclamação metafísica inaugurada por Parmênides e apropriada posteriormente por autores de fala latina quando disseram *ex nihilo nihil fit* (do nada, nada se faz) – um conceito óbvio que nenhum cético pode negar.

Sendo assim, supondo que antes do início do universo não havia nada, por que hoje há algo? Veja, zero + zero = zero. Até uma criança sabe disso. Um monte de nada mais outro monte de nada resulta em nada. Contudo, alguns querem me convencer de que de um nada primordial surgiu o universo com toda complexidade que ele contém.

Fico então entre três alternativas: 1) acreditar que não houve um começo para o universo – o que equivaleria a negar todas as atuais evidências da física; 2) acreditar que na cosmologia zero + zero = 1 – o que também não faz sentido; ou 3) admitir uma razão primordial que causou a existência de tudo, mas não foi ela mesma causada por nada. Aí a sentença matemática seria 1 (com potencialidade infinita) + zero = tudo o que há. Essa razão primordial (também chamada de *causa primeira*) seria um dos nomes para aquele que chamo de Deus. Falando nisso, lembrei-me de um universitário ateu que durante uma de minhas palestras perguntou:

– E se esse "deus" foi causado por outra coisa que veio antes dele?

---

229 Hubert Reeves. *Atoms of Silence: an Exploration of Cosmic Evolution* (Boston: Massachusetts Institute of Technology, 1984).

230 William Shakespeare. *Rei Lear*, disponível eletronicamente em: file:///C/site/livrosgratis/reilear1.htm. Atos 1.1 e 1.4.

– Então ele não seria Deus – respondi –, seria uma criatura como eu e você. Esse outro que o causou é que seria Deus. Lembre-se – completei o raciocínio –, estou falando da *causa primordial, originária*. Se algo a antecede, ela já não é primordial. É secundária.

O que eu estava querendo dizer é que numa situação assim, inevitavelmente, caio em duas opções: ou sigo pelo retrocesso infinito (sempre haverá coisas causando coisas num passado que não tem fim), ou admito que houve algo sem princípio (diferente de zero) que causou o começo de todas as coisas.

Por que esse ser divino não precisaria de uma causa? Bem, a lei da causalidade não diz que *tudo* precisa de uma causa. Ela afirma que tudo o que *venha a existir* precisa de uma causa. É justamente o fato de saber que coisas não surgem do nada que você pode ir tranquilo para cama sabendo que nenhum tigre se materializará do nada, saltando para apanhá-lo. Algo com começo sempre vem de algo. Agora veja o comentário que Michael Sheermer, historiador da ciência e fundador da revista *Skeptic*, escreveu:

> Em ambas, tradição judaico cristã [...] e visão de mundo científica, o tempo começou quando o universo veio à existência, seja mediante criação divina, seja mediante o Big Bang. Deus, portanto, teria de existir fora do espaço e do tempo [...] A resposta do crente é uma hipótese que não pode ser testada.[231]

Sheermer está certo. O problema não está com o que ele disse, mas com o que faltou ser dito. Ele parece ter se esquecido de duas coisas fundamentais: primeiro, que tanto a resposta do crente como a resposta do ateu são hipóteses que não podem ser testadas. Portanto, ambas são, num primeiro momento, empatáveis. Segundo, o fato de algo não ser "testado" não implica que deva ser hipoteticamente abandonado. Se assim fosse, deveríamos abandonar grande parte do estudo da geometria e da própria física por advogarem princípios que não foram e talvez nunca serão testáveis laboratorialmente.

Agora vamos à opinião de alguém que trabalha com método científico (Sheermer é historiador da ciência, e não cientista). Refiro-me a Allan Sandage[232], astrônomo profissional, que calculou a idade e a velocidade com que o universo se expande, observando de estrelas distantes. Ganhador do prêmio Grafford de Astronomia (equivalente ao Prêmio Nobel):

---

231 Disponível em <https://www.skeptic.com/eskeptic/12-07-11>. Acesso em: 04/04/2018
232 Sharon Begley. "Science Finds God", Entrevista publicada em *Newsweek*, 20 jul. 1998.

Eu era quase um ateu na juventude. A ciência foi que me levou à conclusão de que o mundo é muito mais complexo do que podemos explicar. O mistério da existência só o posso explicar mediante o Sobrenatural.

Acho que é bastante improvável que tal ordem tenha vindo do caos. Tem que haver algum princípio organizador. Deus para mim é um mistério, mas ainda é a melhor explicação que tenho para o milagre da existência, porque existe algo em vez de nada.

Não pense que coloquei essa citação por uma questão de argumento por autoridade. Isso seria falácia. Fiz para mostrar que é possível trabalhar com método científico e chegar a uma conclusão teísta, diferente da hipótese dos céticos. Os mesmos dados que fazem uns advogar que não existe Deus algum leva outros a afirmarem sua existência.

Outra coisa que Sheermer disse, com a qual eu concordo, é quanto ao princípio qualificador dessa causa primeira: ela tem de ser maior que o universo e não depender dele. Lembre-se de que até o tempo e o espaço tiveram um começo no Big Bang – nossa mente não consegue esboçar uma realidade atemporal e não espacial. Nossa estrutura dimensional sempre apontará para algum tipo de contagem do tempo – ainda que seja o tempo relativo de Einstein – e alguma noção de espaço. O instante zero da física não é um conceito religioso, mas é algo que também se alcança pela intuição.

A proposta de Hawking

Confesso que fiquei perplexo quando o grande Stephen Hawking anunciou sem qualquer cerimônia que "o universo pode criar-se a partir do nada e que Deus não é mais necessário". Tentei ler com calma a proposta dele, primeiro por ser quem ele é, segundo porque ela contrasta com o que ele afirmava anteriormente. Ele tentou justificar numa entrevista que suas alusões anteriores a Deus eram metafóricas. Contudo, uma hermenêutica do texto parece apontar em outra direção. Em *Uma breve história do tempo*, Hawking sugeria que a ideia de Deus, ou de um ser divino, não é necessariamente incompatível com a compreensão científica do universo. Ao postular sobre a origem do cosmos ele afirmou: "Muitas pessoas não gostam da ideia de que o tempo tenha tido um começo, provavelmente porque ela demanda a intervenção divina"[233].

---

233 Stephen W. Hawking. *Uma breve história do tempo*. (São Paulo: Círculo do Livro S.A., 1988), p. 58

Mas não é a isso que me apego. Mudanças de pensamento são comuns no mundo acadêmico. Eu mesmo já mudei vários conceitos ao longo dos anos (tenho coisas publicadas que gostaria que ninguém mais lesse).

Minha discordância com Hawking segue em duas direções: primeiro no contrassenso do que ele diz e, segundo, na opinião de teóricos da física, que sabem muito mais que eu sobre essa área, e também se sentem desconfortados com o que ele diz. Mesmo teóricos ateus como é o caso de Marcelo Gleiser:

> É lamentável que físicos como Hawking estejam divulgando teorias especulativas como quase concluídas. A euforia na mídia é compreensível: o homem quer ser Deus. O desafio das teorias a que Hawking se refere é justamente estabelecer qualquer traço de evidência observacional, até agora inexistente. Não sabemos nem mesmo se essas teorias fazem sentido. Certas noções, como a existência de um multiverso, não parecem ser testáveis.[234]

Não é somente neste assunto que Hawking é criticado por seus colegas. Em que pese seu brilhantismo e as contribuições que fez ainda em vida, ele também teve muitos fracassos científicos. Em 2014, por exemplo, afirmou que buracos negros e o Bóson de Higgs não existiam e não apresentou nenhuma comprovação matemática para sua declaração. No caso do Bóson de Higgs, seu descobridor disse que era impossível, na época da negativa de Hawking, discutir com ele porque seu *status* de celebridade falava mais alto que qualquer argumentação. Dizem que a exposição midiática possivelmente afetou sua genialidade ou tornou apressadas suas conclusões sem provas.

Mas o que Hawking dizia, afinal de contas, em sua argumentação para a não existência ou não necessidade de Deus para justificar a origem do universo? Ele começava dizendo que o Big Bang não corresponde à origem do universo, mas à sua evolução. Ou seja, os primeiros momentos de inflação e de espalhamento da energia concentrada em um ponto quente de densidade infinita. Sua ideia (que ele chama de Teoria M) sugere que o universo seria composto de cordas que vibram em diferentes frequências e determinam as dimensões em que o universo se posiciona. De acordo com essa teoria, haveria não três, mas onze dimensões existentes, o que dá origem a mais de um universo. Neste o que temos é um número quase infinito de universos, cada um funcionando com leis próprias. Cada qual sendo criado e destruído segundo as leis da física, as quais

---

[234] Disponível em <http://www1.folha.uol.com.br/fsp/ciencia/fe1209201003.htm>. Acesso em: 04/04/2018>.

podem ter constantes diferentes da nossa e atuar de formas distintas. O nosso universo seria somente mais uma versão originada de outro universo anterior.

Com todo respeito pelo brilhantismo mental de Hawking, quando vejo sua proposta do universo se autogerando, fico tentado a cogitar se isso não é uma paródia elaborada de antigas mitologias. Explico o porquê. Se você ler com atenção mitos cosmogônicos da Mesopotâmia, do Egito e da Grécia, perceberá uma extraordinária singularidade do texto bíblico em relação aos demais relatos. Além da proposta monoteísta – reconhecida como revolucionária até mesmo por autores céticos – a Bíblia fala de um universo que começa e um princípio criador que independe do cosmo.

Os demais mitos gravitam em torno de duas outras propostas: um universo eterno ou um universo que gera a si mesmo. Autofecundação cósmica! Os deuses, na maioria dos casos, são também produzidos junto com o cosmos e são, de certa forma, filhos do universo.

Quando a geração de Einstein concluiu que o universo um dia começou do zero absoluto, estava, sem o saber, confirmando uma singularidade bíblica de quase 3.400 anos. O eu hoje é quase um consenso, era uma ideia absurda nos dias em que o Gênesis foi pela primeira vez rascunhado num pedaço de papiro.

Mas a proposta de Hawking parece querer voltar às origens e resgatar a proposta dos antigos religiosos da Mesopotâmia. Não tem como escapar da lógica e as opções não são muitas. Raciocine comigo:

Considerando que o universo existe (acho que já superamos a hipótese da ilusão, certo?):

a) ele começou do nada;
b) ele nunca começou, sempre existiu;
c) um princípio ativo anterior a ele o produziu.

Desculpe a ironia que uso, mas quando alguém nega a Deus e propõe uma alternativa para a origem do cosmos sem intervenção de um criador, percebo que apenas troca a palavra Deus por termos alternativos como natureza, universo. Veja: se eu fosse um físico brilhante e dissesse que "*Deus* é um ser autoexistente, que não foi criado por nada e existe desde sempre", pareceria um idiota perante uma banca de teóricos ateus. Porém, se dissesse a mesma coisa mudando apenas uma palavra – que "o *universo* é autoexistente, que não foi criado por nada e existe desde sempre (multiverso, modelo cíclico e teoria das cordas)" – o resultado seria outro. Eu poderia até concorrer com Michael Green para ocupar a sonhada cadeira de Hawking na Universidade de Cambridge.

Isso soa mais como panteísmo que ateísmo. A natureza é tratada como criadora de si mesma. Voltam à tona as mitologias sumerianas, egípcias, persas, gregas e romanas que eu pensei que estariam superadas. O universo que nunca começou ou que criou a si mesmo!

Isto realmente destoa frontalmente com a visão bíblica de Deus. Diferente da visão dos gregos, as Escrituras hebraicas não dizem que o Criador *veio a existir*. Ele simplesmente é! Por isso, o nome semita YAHWEH deriva etimologicamente do verbo ser (*Yah*), que pode simplesmente significar "aquele que é continuamente".

Força ativa, ser pessoal?

Quem disse, contudo, que esse "algo primordial" precisa ser uma entidade inteligente? Por que não supor a hipótese de ser uma força ativa, porém impessoal? Ventos cortantes provocam redemoinhos de folhas e a inércia permite o movimento das coisas. Nenhum desses elementos, no entanto, pode ser classificado como um ser pessoal. São apenas forças inanimadas e descontroladas da natureza que por coincidência "criam" formas, reações e acidentes. Não há nada mais além disso.

A dificuldade, porém, desse conceito está na segunda pergunta de Reeves: "Por que há música em vez de ruído?". Concordo que um vento inanimado possa, através da erosão contínua, esculpir uma rocha dando-lhe um formato bonito e interessante. Não obstante, ele nunca poderá transformar um mármore numa das obras de Michelangelo. Existe uma diferença monstruosa entre as ilusórias silhuetas do Frade e da Freira numa formação rochosa do Estado do Espírito Santo e o belíssimo Moisés exposto na Igreja de San Pietro de Vincoli, na Itália. Uma demanda projeto, a outra, coincidência e ilusão de óptica.

O universo está mais para projeto que para coincidência e ilusão. Da menor partícula subatômica aos contornos do cosmo em expansão, tudo parece meticulosamente projetado para proporcionar nossa existência neste planeta. Acreditar que tudo isso é fruto do acaso seria mais complicado que acreditar que todo o acervo da Biblioteca Nacional do Rio de Janeiro tenha se formado a partir da explosão de uma editora cujas letras caíram exatamente formando cada página e cada livro que compõem aquela vasta coleção. E o que é pior: ninguém detonou bomba alguma. A explosão aconteceu sozinha, por si mesma.

Richard Dawkins tentou provar por meios laboratoriais que o universo organizado e a vida não precisam ter uma causa inteligente para justificar sua existência. Em seu livro, *O relojoeiro cego*, ele cita a opinião (ao que dá a entender, também aceita por ele) de que, com tempo suficiente, até mesmo um macaco batendo aleatoriamente numa máquina de escrever poderia produzir todas as obras de Shakespeare. A única coisa que precisaríamos seria de um macaco, uma máquina de escrever (com muitos papéis e tinta, é claro) e o tal *tempo suficiente*[235]. Dawkins, lembremos, além de ateu, tem formação em biologia na conceituada Universidade de Oxford!

Ora, com toda a sinceridade, aqui está um ponto em que o crente é que se torna cético diante da declaração de um biólogo ateu. Acreditar na possibilidade de algo tão absurdo como macacos escrevendo Shakespeare é um raciocínio que minha mente se recusa a processar. Perceba que o macaco datilografaria as obras de maneira aleatória, sem nenhuma organização ou planejamento, e não se esqueça de que temos ainda a questão de saber quem colocaria o papel na máquina para o macaco datilografar, além de quem determinaria que ele iria, de fato, bater indefinidamente no teclado.

Por fim, viria a questão da estética. Se o Shakespeare datilografado pelo macaco é fruto da aleatoriedade, de onde vem a sensação de que aquilo é ou não belo? Que parâmetro anterior seria esse capaz de nos fazer perceber a estética de uma obra? Afinal de contas, se não há desígnio, não há padrão a ser seguido, toda forma de organização e a percepção dela serão inteiramente acidentais.

Bem, como Dawkins não tinha todo o tempo necessário para esse prodígio, nem mesmo um macaco ou uma antiga máquina de escrever, ele resolveu trocá-los por uma simulação mais rápida de computador. Para simplificar o experimento por amostragem, o biólogo propôs que, em vez de todas as obras de Shakespeare, procuraria escrever apenas uma frase de Hamlet: "Methinks it is like a weasel" (acho que parece uma doninha).

O computador foi então programado com um software que buscava, a partir de sequências aleatórias de letras (por exemplo: kltuhjkllih kel cjmpnoajk), encontrar, a partir de duplicações modificadoras, uma frase que fosse mais próxima da sentença de Shakespeare. Dawkins repetiu o experimento várias vezes

---

[235] Richard Dawkins. *O relojoeiro cego – a teoria da evolução contra o desígnio divino* (São Paulo: Companhia das Letras, 2008), p. 78ss.

e verificou, num primeiro teste, que na 43ª vez (que ele chama de 43ª geração), o computador encontrou a frase. Num segundo teste, a frase demorou 64 "gerações" para ser encontrada. A esta "descoberta" Dawkins deu o nome de "seleção cumulativa" e afirmou que ela é muito mais eficaz para explicar a origem espontânea da vida do que a seleção aleatória (do evolucionismo tradicional) ou a teoria do desígnio divino promulgada pelo teísmo.

Agora perceba os pontos fracos deste projeto de Dawkins:

1) Ele mesmo admite que o programa do computador rumava para um "ideal distante" que era a frase modelo[236]. Ora, se aplicarmos isso para o universo, entendemos que as coisas que existem surgiram perseguindo um "ideal" que, obviamente, deveria anteceder à existência das próprias coisas em si. Que ideal era esse? Quem o projetou? Isso sem contar que "ideal" vem da palavra "ideia", que tem o *desígnio* e o planejamento como sinônimos perfeitos. Logo, o modelo de Dawkins está mais para desígnio que para "acidente".

2) Este típico sistema pode funcionar com qualquer frase que sempre alcançará, em alguma rodada, o propósito para o qual o software foi desenvolvido. Por quê? Porque ele foi programado com um objetivo bem definido pelo webmaster. Programas de computador não criam a si mesmos. São criados pelo ser humano, que os monta e os alimenta com dados específicos. No caso do exemplo de Dawkins, nem mesmo as letras iniciais são, de todo, aleatórias. Elas foram escolhidas e introduzidas pelo programador, que, ironia das ironias, é um "designer inteligente".

3) Uma coisa é conseguir formar uma frase com um programa de computador, evidentemente desenvolvido por algum webmaster. A dificuldade – e nisso Dawkins continua sem nos apresentar uma resposta convincente – é supor que "do nada" e "sem intervenção de ninguém" surjam um computador montado por ninguém, um software inteligente também desenvolvido por "ninguém" e, por último, uma frase ideal, colocada por "ninguém" dentro do computador. O que seu experimento fez foi contar como provavelmente as coisas se organizam num universo já existente e em pleno funcionamento. Isso não é problema para um teísta, a natureza está repleta de "softwares" colocados pelo Criador. As tartarugas marinhas já nascem buscando o caminho do mar e as flores atraem as abelhas para provocar a polinização. O problema é afirmar como tudo isso veio a existir.

---

[236] Richard Dawkins. *O relojoeiro cego – a teoria da evolução contra o desígnio divino*, p. 84.

4) Em seu livro, *Deus, um delírio*, Dawkins parece ter se esquecido do experimento anterior e disse algo que essencialmente contradiz a afirmação de *O relojoeiro cego*:

> Computadores fazem o que lhes mandam fazer. Obedecem como escravos a qualquer instrução que seja dada em sua linguagem de programação. É assim que eles fazem coisas úteis como processar textos e calcular planilhas.[237]

Mais à frente, ele fala dos computadores como objetos [evidentemente] *planejados* e *programados*. Se é assim, voltando ao experimento anterior é possível perguntar: Quem projetou a natureza para selecionar "cumulativamente" as sequências necessárias para obter os átomos, as células e o próprio DNA?

O computador de Dawkins não se fabricou sozinho, nem conseguiria encontrar a frase de Hamlet se um webmaster não o houvesse programado. Em que sentido, portanto, tal experimento "prova" que o universo surgiu e se programou sem uma inteligência superior que planejasse sua existência e funcionamento? Negar a existência de Deus por detrás de um universo planejado/programado é negar a existência de Dawkins por detrás de seu próprio experimento.

Veja esta importante e honesta admissão feita por Carl Sagan, que, embora não se declarasse ateu, dizia-se ser agnóstico e é frequentemente citado com louvor por aqueles que negam a existência de Deus:

> O universo foi construído com um sentido [...] Seja em que galáxia estiveres, toma a circunferência de um círculo, divide-a por um diâmetro, mede com todo o cuidado e descobre um milagre – outro círculo traçado a quilômetros da vírgula decimal. Haveria mais adiante mensagens ainda mais ricas. Não importa a tua aparência, a matéria de que és feito ou de onde vieste. Desde que vivas neste universo, e tenhas um modesto talento para a matemática, mais cedo ou mais tarde o encontrarás. Já está aqui. Está dentro de tudo. Não precisas deixar teu planeta para encontrá-lo. Na trama do espaço, como na natureza da matéria, e ainda numa grande obra de arte, lá está ela, em letras pequenas, a assinatura do artista. Sobrepondo-se aos homens, aos deuses e aos demônios [...] há uma inteligência que antecede o universo.[238]

---

237 Richard Dawkins. *Deus, um delírio*, p. 232, 233.

238 Carl Sagan. *Contato* (São Paulo: Companhia das Letras, 1997), p. 414.

Embora eu não seja um astrônomo, compartilho perfeitamente a impressão de Carl Sagan e me assombro diante do universo. Por isso, a hipótese de Deus ainda é a mais coerente para mim. Afinal, nem nas experiências mais simples foi possível provar que vida procede espontaneamente de não vida. A abiogênese e a geração espontânea continuam sendo ideias descartadas pela ciência. Logo, um universo vivo, que começou, não parece ter surgido sem uma causa pessoal, inteligente e meticulosa que o trouxesse à existência.

O movimento

Que o universo está em movimento é ponto pacífico entre os físicos teóricos. Tanto que ele está expandindo e até a velocidade da expansão já foi medida. Falta, porém, descobrir a causa desse movimento.

Diz-se em física que movimento é a variação de posição espacial de um objeto ou ponto material em relação a um referencial no decorrer do tempo. A partir da constatação da expansão do universo, há um consenso na física em aceitar que nada está em repouso absoluto. Um objeto pode estar em repouso relativo e, ainda assim, em movimento absoluto. Newton dá como exemplo o mastro de um navio. Ele aparenta estar parado, porém, à medida que o navio se movimenta, o mastro também segue um percurso.

Os antigos filósofos gregos também se preocuparam com essa questão. Na filosofia clássica, a noção e o significado de movimento tornaram-se um dos problemas mais tradicionais da cosmologia, desde os pré-socráticos, na medida em que envolve a questão da mudança na realidade.

No caso específico do cosmos, minha pergunta segue um direcionamento de princípios que levam a outros princípios e me fazem perguntar pelo princípio original do movimento. Veja, por exemplo, o caso do beisebol. Imagine a cena de um jogador com o taco na mão rebatendo com maestria uma bola lançada. O bastão é movido pela mão, que por sua vez é movida pelo braço, o braço pelo ombro, e assim por diante. Aonde chegaremos?

De acordo com a formulação completa das três leis de movimento de Newton, a força, isto é, a causa do movimento, começou a ser percebida como algo extrínseco ao corpo, que lhe é comunicado por outros corpos, que estão em sua vizinhança e faz mudar o seu estado, não necessariamente por contato, transferência ou transformação. Para usar uma analogia simples, as leis de Newton acerca do movimento nunca enviaram sozinhas uma bola de boliche em direção aos pinos. Isso só é possível mediante uma força externa, no caso os braços do jogador somados à inércia e a outros elementos (todos externos) que aplicam força ao objeto provocando seu movimento.

Agora, se pegarmos tudo isso e juntarmos com a proposta filosófica de Platão e Aristóteles, aplicando depois o que descobrimos ao movimento do universo, chegaremos a um resultado muito surpreendente: tudo que se move tem de ser movido por outra coisa externa a ele mesmo. Mas essa corrente de motores propulsores não pode ir ao infinito, um pressuposto fundamental, caso contrário não haveria um motor primevo, que em latim chamamos de *Primum Mobile*.

Ora, o que é o universo senão a soma total de todos esses objetos móveis, independentemente de quantos forem. Tudo, como dissemos, está em movimento, do pequeno átomo à maior das galáxias, e o próprio universo também se movimenta. Entretanto, considerando que essa mudança, em qualquer nível que seja, exige uma força externa ao próprio objeto para torná-la possível, por que não aceitar a razão lógica de que estamos diante de um agente necessário que possibilita todo o processo? Tem de haver algo além do universo material, que é a soma total de toda matéria, do espaço e do tempo. Essas três grandezas dependem umas das outras. Portanto, o tal Ser externo ao universo está fora da matéria, do espaço e do tempo. Ele não sofre mudança. Ele é a Fonte imutável da mudança. Ele é Deus.

Deus das lacunas?

Alguém certa vez ironizou o que seria o credo ateísta sobre a formação do universo. Sendo assim o ateísmo seria: a crença de que não havia absolutamente nada, e nada aconteceu a nada, até que nada de um modo mágico explodiu (por nenhuma razão), criando tudo o que existe e em todo lugar. Então depois de um *boom*, tudo de modo mágico se auto-organizou (novamente por nenhuma razão), e se autorreplicou formando seres complexos que evoluíram e se transformaram em dinossauros.

A anedota é resultado da insistência em falar de ação sem agente. Oração sem sujeito pode valer para a gramática, mas para a lógica natural, tudo que é feito tem de ter algo que o fez. É claro que, quando falo assim, muitos céticos vão dizer que estou apelando para o velho jargão do "Deus das lacunas". O que querem dizer com isso é que os crentes quando não têm uma explicação plausível para os mistérios da natureza correm a dizer que foi Deus quem fez aquilo

– afirmação gratuita e apressada no seu ponto de vista. Pois bem. Existem algumas distorções semânticas na questão. Imagine que uma série de homicídios esteja ocorrendo em massa na cidade de São Paulo. Todos têm o mesmo perfil já investigado pela polícia. Ainda não sabemos quem é o autor dos crimes, mas vemos claramente que ele atacou mais uma vez, sempre que uma vítima aparece com as mesmas características das anteriores.

Então, apesar de não sabermos quem é o autor, podemos afirmar que existe um mesmo elemento por detrás de tudo aquilo e dizemos: "O *serial killer* atacou novamente". Imagine, no entanto, que um policial se recuse a acreditar que existe mesmo um assassino em série. Ninguém nunca o viu, nem sabemos o seu nome. Ele prefere investigar as mortes, dizendo apenas que as pessoas morreram de causa natural, que não há assassino. Aí descobrimos uma luva no local do crime que ninguém sabe como foi parar ali. Um mistério. Os que creem no *serial killer* dirão: "O assassino deixou algo para trás". Mas o agente incrédulo dirá: "Lá vem vocês, de novo, com essa história de assassino em série. Vocês trabalham com o assassino das lacunas, tudo que não conseguimos explicar na cena do crime, vocês atribuem a ele. Tal sujeito não existe!".

O exemplo pode soar um pouco caricatural para os céticos e não quero comparar Deus a um assassino em série. Porém, a ilustração que fiz visa mostrar que não é bem uma questão de comodismo mental falar de um "agente" por detrás de certas ações. É uma questão de lógica. Ainda que não tenhamos descoberto sua identidade, podemos ter certeza de que ele agiu (seu ato deixou rastros) e também podemos conhecer algumas coisas a seu respeito – uma pegada indica o tamanho aproximado do sujeito, ou um corte preciso indica conhecimento de medicina, e assim por diante. Ação sem agente é que não faz sentido.

Você pode até não querer usar a palavra "assassino". Para ficar no exemplo dado, podemos falar de suspeito, foragido, matador... o termo neste momento não importa muito, o que interessa é aceitar que a ação remete a um agente e é assim que agimos em relação às ações vistas no universo. Um agente fez isso! Falta saber como ele é. Então vamos às características lógicas que ele demandaria para produzir o que fez em termos cosmológicos.

Características lógicas do princípio causal do universo:

- Ele deve ser de natureza sobrenatural (como ele criou tempo e espaço
- Ele deve ser poderoso (excessivamente).
- Ele deve ser eterno (autoexistente).

- Ele deve ser omnipresente (ele criou espaço e não está limitado por isso).
- Ele deve ser intemporal e imutável (ele criou tempo).
- Ele deve ser imaterial porque ele transcende o espaço/físico.
- Ele deve ser pessoal (o impessoal não pode criar personalidade).
- Ele deve ser infinito e singular, pois você não pode ter dois infinitos.
- Ele deve ser diversificado e ter unidade, já que a unidade e a diversidade existem na natureza.
- Ele deve ser inteligente (supremamente). Somente o ser cognitivo pode produzir o ser cognitivo.
- Ele deve ser proposital, pois, para ser causa primeira, deve deliberadamente ter criado tudo o que existe a partir de um começo.
- Ele deve ser moral (nenhuma lei moral pode ser tida sem um doador).
- Ele deve estar cuidando (ou nenhuma lei moral teria sido dada).

Até aqui foi lógica. Agora vamos para a religião e, coincidência ou não, veja agora as características bíblicas daquele que chamamos Deus ou Criador do universo: Ele é sobrenatural (Gênesis 1:1), poderoso (Jeremias 32:17), eterno (Salmo 90:2), onipresente (Salmo 139:7), intemporal/imutável (Malaquias 3:6), imaterial (João 5:24), pessoal (Gênesis 3:9), necessário (Colossenses 1:17), infinito/singular (Jeremias 23:24, Deuteronômio 6:4), diverso ainda com unidade (Mateus 28:19), inteligente (Salmo 147: 4-5), proposital (Jeremias 29:11), moral (Daniel 9:14) e cuidador (1 Pedro 5:6-7).

Curioso como um se encaixa precisamente com o outro. Não será porque estamos falando do mesmo princípio, na filosofia chamado de "causa", na Bíblia chamado de Deus?

Capítulo 25
Valores morais existem?

Se existe um debate entre ateus e teístas que traz confusão aos ouvidos do auditório é a polêmica de poder ou não falar de valores morais desprovido da crença em Deus. Neste sentido, confesso que vejo exageros e distorções de ambos os lados. Acredito que a essa altura do livro você já percebeu que não sou do tipo que demoniza pessoas por sua descrença. Espero ter deixado isso claro nos vários capítulos que antecederam esta seção.

A moralidade a que me refiro nesta parte refere-se à distinção entre certo e errado e como ela está atrelada à consciência humana. Como definir o que é, definitivamente, uma ação correta que intenta afetar positivamente os demais? Como definir, de igual modo, o que é um ato essencialmente e não circunstancialmente reprovável?

Vi recentemente um vídeo em que uma jovem (provavelmente cristã) perguntou a um palestrante ateu se era possível ter valores morais absolutos sem Deus. Foi desconcertante ver a cara de deboche e os risos, tanto do questionado quando do grupo de alunos, que parecia fascinado com a abordagem. A cena, propositadamente editada, passa a imagem de uma garota estúpida, ainda presa a conceitos que ouviu na igreja, que não entende nada de filosofia. "É óbvio", respondeu ironicamente o palestrante, "que posso ter valores morais sem Deus. Portanto, pode ficar tranquila que não atacarei você depois deste encontro, a não ser que você queira (risos)."

Fora a desproporcional falta de respeito para com alguém que tinha uma pergunta sincera (pularei esta parte), a reação do auditório e a ironia do palestrante demonstraram uma ignorância coletiva sobre o assunto. Sabe por quê? Uma pesquisa realizada em 2010 com 3 mil filósofos, conduzida por David Bourget e David Chalmers, respectivos professores da Western University de Richmond e Australian National University, demonstrou que pelo menos 1/3 dos filósofos creem que não existem valores morais absolutos[239]. Não se tratava, pois, de uma pergunta estúpida. O questionamento era procedente. Tanto

---

239 Disponível em <https://philpapers.org/surveys/results.pl>. Acesso em: 03/11/2017.

que outra enquete realizada em vários países, e publicada na *Nature*, acerca do preconceito contra ateus, revelou, para surpresa dos pesquisadores, que um considerável número de descrentes também acredita ser impossível falar de moralidade absoluta abstendo-se da existência de um Deus[240].

Meu ponto, para deixar bem claro, não é saber se uma pessoa pode ou não ser boa independentemente de acreditar em Deus. O que me interessa é descobrir a fonte de um valor moral absoluto, caso Deus não exista. Note, estou falando de valores morais "absolutos", não circunstanciais, moldados pela contingência humana.

De princípio advirto que os que afirmam não existirem valores absolutos devem estar conscientes de que estão fazendo uma afirmação autorrefutável. Afinal, a pessoa que afirma não haver valores morais absolutos está, ela mesma, valorizando seu direito de negá-los. Seria o mesmo que dizer "toda regra tem exceção", ao que alguém pergunta "seria isso uma regra?".

A única observação crítica que faço, essa sim com bastante veemência, é acerca dos resultados obtidos na sociedade desde que o Iluminismo pretendeu libertar o mundo dos grilhões religiosos e responder às perguntas existenciais sem qualquer referência a Deus. Melhora efetiva não ocorreu, pelo contrário, a despeito do avanço tecnológico e disponibilidade do conhecimento, continuamos contabilizando prejuízos em muitos setores da sociedade.

Procurou-se apregoar que o ser humano é produto acidental da natureza, resultado de uma combinação aleatória de tempo, matéria e acaso, de modo que não há razão última para nossa existência senão aquela advinda de situações circunstanciais. A educação é o único fundamento que transforma. Assim, como um adolescente fugindo de casa, o homem moderno acreditou que, ao romper com a fé, estaria livre de tudo aquilo que reprimia seus desejos e impulsos. Porém, Deus não foi embora sem levar consigo importantes valores como a moral absoluta e a objetividade de questões existenciais não mensuráveis pelo método científico.

A vida e a moral passaram a ter valor relativo a certos acontecimentos. E quanto aos próprios acontecimentos? Quem lhe atribui valor de medida?

Tudo é relativo

A ideia relativista não é nova. Vem muito antes do Iluminismo. Um dos primeiros a propô-la foi Protágoras, sofista grego que viveu no 5º século a.C.

---

[240] Disponível em <https://www.nature.com/articles/s41562-017-0151>. Acesso em: 03/11/2017.

Ele foi o que mais assumiu a mudança de foco da natureza – fonte de investigação dos pré-socráticos – para o homem – centro da argumentação sofista. Foi ele quem praticamente consolidou a ideia de que não existem valores morais absolutos ao afirmar que tudo perpassa pelo crivo sensorial humano, de modo que é impossível fazer afirmações de bem ou mal, agradável ou desagradável, certo ou errado.

Numa interpretação mais ampla, Protágoras dizia que se um cidadão estiver a uma temperatura tal que o faça sentir calor, e outro chegar dizendo que está frio, o primeiro não pode chamar de mentiroso o segundo porque o critério do julgamento é a individualidade de cada um deles. Deste modo, atribui-se a ele a afirmação "o homem é a medida de todas as coisas", conceito também traduzível pela expressão "homo-mensura"[241]. Embora não se tratasse de um relativismo ilimitado e amoral – Protágoras defendia um critério utilitarista para as leis sociopolíticas – de modo que o princípio norteador continuava sendo a ideia de que nada é em si verdadeiro ou falso, é a mente humana que confere sentido moral às nossas atitudes.

Esta proposta é exatamente a postura predominante na sociedade ocidental, principalmente entre os jovens. A percepção moral da realidade é para muitos algo subjetivo, sem condições de avaliação objetiva. Tudo está condicionado ao indivíduo, ainda que, paradoxalmente, vejamos uma pressão de grupo exercendo seu papel de forçar certos valores no plano coletivo. No plano individual, cada um é incentivado a não impor sua verdade a ninguém nem deixar que verdades de outros interfiram na sua subjetividade. O que é verdade para um pode não ser para outro.

Questão dividida

Que a exacerbação do indivíduo pode levar a uma anarquia coletiva ninguém duvida. Precisamos de leis que regulamentem nosso existir enquanto sociedade. Caso contrário a vida coletiva será um caos e tenderá para a extinção. O desafio, neste sentido, é equacionar o *Homo mensura* de Protágoras com o *Homo politicus* de Aristóteles.

O primeiro admite ênfase no indivíduo, já o segundo tem sua sobrevivência na coletividade. Dado que o homem é um animal político, Aristóteles e, antes

---

[241] Hermann Diels; Walther Kranz. *Die Fragmente der Vorsokratiker* (Zurich: Weidmann, 1985), DK 80b1.

dele, Platão procuraram definir a melhor forma de governo para a sociedade humana. Comentado desde os reis até a tirania, Aristóteles concluiu que, "quando as leis governam, Deus e a razão governam... quando o homem governa, então instaura-se o caráter de uma besta"[242].

O ponto, portanto, não é se precisamos ou não de leis, mas qual a fonte última delas e se existem ou não valores absolutos. Neste aspecto nem os próprios céticos se entendem. Enquanto filósofos ateus como Michael Martin[243] e Austin Dacey[244] questionam a necessidade de Deus para a existência de valores morais objetivos, pensadores igualmente ateus como Friedrich Nietzsche[245] e Michael Ruse[246] alegam não haver tal moralidade objetiva.

Kai Nielsen, filósofo ateu que tenta defender a viabilidade de uma ética sem Deus, foi honesto em admitir:

> Não conseguimos mostrar que a razão exige o ponto de vista moral, ou que todas as pessoas realmente racionais, cujos olhos não estão vendados pelo mito ou pela ideologia, não têm necessidade de ser egoístas individuais ou amoralistas clássicos. Aqui, a razão não toma bom conhecimento dos fatos, não levará à moralidade.[247]

Existe ainda um grupo de ateus que pretende navegar entre os dois extremos. Eles defendem que a moralidade não é objetiva, no sentido empírico e verificável da palavra, mas também não é subjetiva. A combinação de fatos mundiais e a pluralidade de crenças podem fazer com que a moral de um corrija a do outro e num comportamento flexível e não arbitrário é possível ter valores morais mesmo sem a presença de um legislador celestial[248].

---

242 Aristóteles. *Politics. Humans always Found in Groups: "homo politics"* (Oxford: Barker Translation, 1972).

243 Michael Martin. *Atheism, Morality, and Meaning* (Amherst: Prometheus, 2002).

244 Austin Dacey. *The Secular Conscience: Why Belief belongs in Public Life* (Amherst: Prometheus Books, 2008).

245 Friedrich Nietzsche. *On The Genealogy of Morals and Ecce Homo*. Traduzido e editado por Walter Kaufmann em colaboração com R. J. Hollingdale (New York: Vintage, 1967).

246 Michael Ruse. "Evolutionary Theory and Christian Ethics", in *The Darwinian Paradigm* (London: Routledge, 1989).

247 Kai Nielsen. *Atheism and Philosophy* (New York: Prometheus Books, 2005).

248 Disponível em <https://www.secularhumanism.org/index.php/articles/5640>. Acesso em: 03/11/2017.

Tudo é permitido

Em 1879 o escritor russo Fiódor Dostoiévski publicou uma das mais importantes obras da literatura mundial: *Os irmãos Karamázov*. Em uma das passagens, o personagem Ivan, um jovem intelectual atormentado pelo próprio conhecimento, propõe uma ideia de como seria o mundo se Deus não existisse e os homens não pudessem sonhar com a imortalidade. Sua primeira conclusão foi bastante pessimista. Para ele, se Deus não existe, se a imortalidade ou sua promessa é uma ilusão, então os princípios da religião deveriam ser desconsiderados, os homens não sentiriam a mínima obrigação de amar o semelhante, não haveria leis universais, tudo seria relativo, nada seria pecado.

"Se Deus não existe tudo é permitido", essa é a frase chave de Ivan. A menos, é claro que se apresentemos razões inquestionáveis para que não seja, e estas razões simplesmente não existem.

Esse mesmo raciocínio de inexistência de Deus equacionado à permissividade desenfreada aparece em diversos trechos do livro. Num deles o pai de Ivan é morto por um filho bastardo que ele não tinha reconhecido, seu nome era Smerdiakov. Então, numa conversa franca ambientada na cadeia, Smerdiakov revela a Ivan que o que o levou a matar seu pai foi o próprio texto que Ivan escreveu afirmando que se Deus não existe tudo é permitido.

O argumento do assassino era de que, na ausência de um Deus moral e Criador, um assassino não poderia ser visto como um degenerado, nem como um abominável patricida, isto era apenas uma convenção social. Não havia nada na natureza que pudesse afirmar inequivocamente que ele era um monstro. O próprio Ivan fica atormentado com a confissão porque numa segunda parte do seu raciocínio ele havia realmente chegado a uma conclusão otimista em relação à inexistência de Deus, a mesma a que muitos ateus insistem em defender hoje em dia.

Ivan teorizava – antes de ter seu pai assassinado por seu meio irmão – que quando a humanidade, sem exceção, houvesse renegado a Deus e caído em si mesma, sem nenhum apelo ao transcendente, então ela passaria a valorizar um outro Deus, que é o próprio homem, e isso seria bom, pois os homens se valorizariam mutuamente – deuses humanos valorizando deuses humanos. Os homens se juntariam para tomar desta vida tudo de bom que ela pudesse oferecer, afinal de contas não existe vida porvir, temos de aproveitar a única que conhecemos.

Finalmente entenderíamos que, por não haver céu, devemos construir o paraíso aqui mesmo, agora, e aproveitar ao máximo a alegria e a felicidade dos poucos anos de vida que desfrutamos neste planeta. Foi baseado neste raciocínio que Nietzsche construiria posteriormente sua filosofia da morte de Deus e o deliberado surgimento do super-homem. Nietzsche, diga-se de passagem, tornou-se um fã das obras de Dostoiévski.

Interpretando Dostoiévski

E então? Que traria para a humanidade a ideia de que Deus não existe? O caos ou o paraíso? Para que não entendamos erroneamente o que Dostoiévski quis dizer é importante observar 3 coisas:

1) quem ele era enquanto autor e pensador;
2) em que momento histórico viveu; e
3) qual o contexto imediato de suas colocações, isto é, o que dizem os seus escritos.

Digo isso porque a Internet muitas vezes proporciona citações fora de contexto que são exploradas tanto por religiosos quanto por ateus, e de um modo bem distante da intenção original do autor. É muito difícil para alguns ateus admitirem certa admiração por algo escrito por um crente piedoso e, mesmo assim, quando o fazem, tentam torná-lo semiateu, como, aliás, foi feito em relação a Dostoiévski.

Respondendo, pois, à primeira pergunta sobre quem ele era, devemos ter em mente que estamos lendo um cidadão russo que se identificou como cristão até o fim de sua vida – embora seguisse apartidário em relação às instituições eclesiásticas. Portanto, seria um erro tomar seus escritos para validar uma ideia otimista do ateísmo. Essa não era sua intenção. Dostoiévski, lembremos, viveu na Rússia do século 19, um império que se expandia às custas da fome e da miséria do povo.

A infância de Dostoiévski foi marcada pelo regime opressor de Nicolau I, o mais ditador dos czares, governando numa época de guerras e privações em meio à qual a intelectualidade russa sofria grave crise moral e espiritual. Para suprir a lacuna deixada pela fé, os russos buscavam novos valores em propostas materialistas vindas especialmente da Alemanha, que mais tarde se tornaria sua inimiga. O escritor percebia no secularismo e materialismo, que aos poucos entravam no país, o surgimento de um humanismo divinizado, que seria nada menos que a encarnação filosófica das mesmas pulsões da modernidade: o liberalismo, o socialismo exclusivamente materialista e o niilismo.

Disto posto, podemos analisar o contexto imediato dentro de seus próprios escritos. O estilo usado mostra que Dostoiévski era antes de tudo um romancista ideológico que representa em suas estórias os próprios dramas da mente humana. As ideias se transformam na parte essencial da personalidade de personagens criados para levar à reflexão. Ele cria tramas e situações nas quais dilemas semelhantes aos próprios problemas da sociedade – falta de fé, perda de referencial ético, banalização da justiça ganham espaço em meio ao drama de seus personagens.

O mais curioso é que os personagens respondem às consequências de suas próprias crenças de acordo com aquilo que defendiam racionalmente, o que acaba trazendo seus romances para um campo bastante realista. São obras, enfim, que valem a pena serem lidas.

Ser crente é ser bom?

Nos anos 1870, foi a vez de Dostoiévski se debruçar sobre o questionamento de intelectuais russos a respeito do progresso e da existência de Deus. Ele os provocou tanto, que tal franqueza lhe rendeu um bom tempo na prisão. Consequência da qual não se arrependia.

Quanto ao conceito de "se Deus não existe, tudo é permitido" é interessante como o mesmo mundo acadêmico que celebra sua genialidade literária sente-se desconfortável com sua tese central. Deplora-se o argumento afirmando que agir moralmente bem não é algo que dependa de crenças religiosas e, como eu disse, isso está corretíssimo, e não foi o que o autor intentara com suas palavras. Qualquer um que estudar filosofia moral e história saberá que a crença doutrinária na existência de um Deus não torna o indivíduo automaticamente "melhor". A própria Bíblia afirma em Tiago 2:19 que até os demônios creem e estremecem, ou seja, o demônio não é ateu, e sim o crente. Isso, porém, não faz dele um sujeito iluminado! Ele até crê na existência de Deus, mas não se deixa transformar por ela!

Leve-se ainda em consideração que a fé em Deus não é algo monolítico e inequívoco: existem crenças e crenças em Deus. Ser crente não é um conjunto único, há deuses que não passam de reflexos ritualísticos da patologia humana. Uma crença assim pode ensinar, por exemplo, a sacrificar crianças para agradar a esse Deus.

Crentes matam, ateus matam, crentes roubam, ateus roubam – da mesma forma que encontramos um mau-caráter num grupo, encontramos também no outro. Do mesmo modo que encontramos Madre Teresa do lado da religião encontramos Betinho do lado do ateísmo. Ambos, no entanto, preocupados com a fome e a miséria deste mundo.

A pergunta óbvia que nos vem à mente, a favor dos ateus, seria: Se tudo é permitido, por que o ateísmo de Betinho não o estimulou a praticar a criminalidade? Veja que essa pergunta também poderia ser feita de outro modo: Por que a crença de alguns religiosos não os impede de praticar coisas contrárias imorais? Como se vê é difícil encontrar uma razão inequívoca para a moralidade que divida os homens em religiosos e não religiosos. Ademais, o fato de religiosos cometerem severas crueldades, mesmo crendo em Deus, também derruba aquela acusação comum de que crentes procuram ser bons apenas por temerem castigos divinos e almejarem recompensas celestiais. Se isso fosse verdade, nenhum religioso cometeria atrocidades.

É interessante que Nietzsche, neste aspecto, critica a religião por um ângulo diferente. Em *Assim falava Zaratustra*, ele dizia que os cristãos criam em Deus por ressentimento. Ou seja, seu medo da indiferença cósmica os fazia projetar um dono do universo que estivesse ao seu lado. Ora, essa generalização não faz sentido, principalmente se analisarmos que existem muitos descrentes que também podem ser descritos como ateus por ressentimento.

Quando vejo a ira exacerbada de alguns céticos não consigo deixar de ver a imagem de adolescentes revoltados contra o pai que saiu de casa. Ora, se não há Deus para que tanta raiva assim? Por que odeiam tanto alguém que não existe? Posso até questionar a existência de Papai Noel e criticar o consumismo desmedido do Natal, mas não tenho como me revoltar contra alguém que não existe. Não faz sentido falar mal de Papai Noel!

O próprio Nietzsche falava, num outro contexto, é claro, daqueles que libertam seus amigos, mas não afrouxam as próprias ataduras. Alguns ateus são assim; querem livrar o mundo de Deus, mas o odeiam como se ele de fato existisse para ser odiado.

Buscando o padrão

Considerando, pois, que o padrão de moralidade não pode estar dentro do sentimento humano, o que faremos com a proposta de Ivan? Aceitamos que sem Deus nada é proibido ou negamos esse princípio? Lembre-se, não falo de indivíduos, mas de princípios universais. Ou seja, aceito plenamente que um ateu possa ter comportamentos morais elogiáveis; de onde, no entanto, ele tira os princípios que norteiam sua disposição?

Mesmo que alguns tenham dificuldade em admitir, uma das grandes lacunas do modelo ateísta é precisamente a fonte de justificativas "não circunstanciais", que permitam seguramente dizer que algo é "intrinsecamente" certo ou errado. Por exemplo, considerando que Deus não exista, para dizer que tal coisa não convém, que argumento moral podemos usar para sentenciar à cadeia um ladrão, um estuprador ou um assassino? Dostoiévski tratará disso em outra obra intitulada *Crime e Castigo*. Quem afinal de contas determinou que tal e tal coisa constituem crime e merecem castigo? A razão humana? Se assim for, de qual razão estamos falando? Afinal de contas existe a razão do bandido e também do mocinho. Temos a razão de Hitler e a razão de Gandhi. Qual delas deve ser o padrão de moralidade?

Nietzsche novamente negava qualquer fundamentação metafísica da moral. A moralidade para ele é criação humana, imposta pelo "Dragão dos valores", aquele que diz "Tu deves" quando o indivíduo diz "Eu quero". Isto é o que ele defende no polêmico livro *A genealogia da moral*.

Nietzsche chega a dizer que os homens não são em última instância responsáveis pelo que são e, consequentemente, pelas suas ações. Logo, não deve haver arrependimento por nada do que se faz. A moral, seja ela qual for, pretende embutir nos homens o sentimento de culpa por ações praticadas contra essa mesma moral, que não passa de criação humana feita com o objetivo de coibir atos ou pensamentos que alguém ditou como reprováveis. Nada em si é correto ou errado; esta é a súmula do pensamento moral nietzschiano.

É com base na polêmica por ele apresentada que levanto meu questionamento por uma fonte de moral inquestionável. Os sociólogos positivistas pensavam que poderiam encontrá-la na criação do Estado perfeito, a utopia possível. Contudo, precisou pouco tempo para perceberem que a sociedade também não pode oferecer parâmetros inequívocos. Principalmente se considerarmos que o condenável para uns é plenamente aceitável para outros. O mesmo vale para noções de cultura e valor e tradição.

Veja o caso da tribo Tapirapé, de Mato Grosso. Segundo os valores morais daquele grupo, a mulher em idade fértil tem de se relacionar com vários homens a fim de engravidar. Assim, todos são pais da criança, pois acredita-se que seus espermas se misturam. Com isso, pensam estar evitando divisões familiares que enfraqueceriam a sobrevivência tribal. Ali todos seriam de uma mesma família.

Os tapirapés também acreditam que quanto mais homens "contribuírem" sexualmente para engravidar uma jovem, mais forte será a criança que nascer dela. Contudo, eles têm um limite de três filhos por mulher. A partir do quarto, a criança é morta assim que nasce.

Outro exemplo mais delicado. Enquanto o mundo respirava aliviado a morte de um famoso terrorista, o Paquistão inaugurava as dependências de uma biblioteca no principal colégio feminino de Islamabad. O nome da biblioteca? Osama Bin Laden! Exemplos como esses tornam sem sentido a proposta de alguns, fazendo com que a cultura e a razão humana sejam fontes seguras de parâmetros universais.

Natureza moral

E quanto à natureza? Via de regra, vejo pessoas que apontam a natureza como padrão de comportamento universal, pois os principais parâmetros de certo ou errado estariam codificados ali (só não dizem quem os codificou!). Sendo assim, por exemplo, não precisam de Deus para dizer que matar e maltratar é errado, pois tal coisa seria contrária à natureza humana. Lembro-me de uma matéria envolvendo cientistas que procuravam justificar relações homossexuais baseados no argumento de que a natureza está repleta de casos em que um leão macho, por exemplo, copula com outro leão macho. Faltou, no entanto, dizer que são casos excepcionais, que dessa relação não haverá filhotes nem preservação da espécie e que, assim como há leões copulando com leões, também há cães copulando com primas, mães e irmãs e, no caso das aranhas, o macho é devorado após a cópula – espero que não tomem os animais por modelo em tudo!

Gilbert Keith Chesterton (1874-1936) foi um fabuloso escritor britânico que se tornou um dos mais brilhantes defensores do cristianismo numa época em que o ateísmo era uma tendência entre intelectuais. Apesar de ter vivido antes da Segunda Guerra Mundial, algumas de suas falas são bastante atuais[249]. Ele dizia que o problema em termos de moralidade não é o sujeito dizer que é ateu. É que na lacuna de Deus, ele acaba acreditando em alguma bobagem da natureza, num partido político ou, pior ainda, em si mesmo. Conhecendo o desastre que somos em muitas atitudes erradas que tomamos e nos arrependi-

---

249 G. K. Chesterton. *O homem eterno* (São Paulo: Mundo Cristão, 2010).

mentos que colecionamos, o sujeito tem de ser muito corajoso – para não dizer tolo – em depositar todas as suas fichas na natureza e no ser humano.

O que percebo é que, na prática, boa parte dos ateus e materialistas é, na verdade, panteísta. O que a ciência fez foi desmistificar a religião e mistificar a natureza fazendo dela um fim em si mesmo até ao ponto de servir de inspiração moral.

Vejo intelectuais prescindindo de Deus e falando de moralidade e ética como se as propriedades da matéria fossem uma espécie de código cego com racionalidade o bastante para organizar as leis naturais do universo. Resta saber como o acaso, o nada e as ações impessoais da natureza podem ser tão ou mais capacitados que um ser pessoal para elaborar leis de funcionamento que regulem tudo que existe, até a moral humana. Se assim fosse, digo com ironia, seria possível que um vegetal, um punhado de terra ou um instinto elaborassem um código legal superior àquele feito por juízes e promotores.

Apelar para comportamentos naturais como fonte segura de comportamento moral revela-se um desastre em vários sentidos. Imagine uma sociedade humana pautando sua ética pelo comportamento dos pinguins. Algumas espécies desse gracioso animal têm por hábito empurrar os companheiros mais fracos geleira abaixo para servirem de isca e distraírem os predadores. Aplicaremos isso na sociedade?

Antes de prosseguir, lembre-se de que não estou aqui discutindo leis religiosas, sejam elas provenientes da Bíblia, do Alcorão ou do livro dos Vedas. Existem regras bíblicas que eram puramente circunstanciais e não servem de parâmetro para cidadãos do século 21. A questão que me interessa é saber se é possível falar "genuinamente" de moralidade não convencional caso neguemos a existência de Deus e sua revelação. Até agora a resposta parece ser negativa em todos os sentidos.

Veja, pelas regras da evolução das espécies, baseada especialmente na competição e sobrevivência do mais apto, o engano, o abandono de doentes e idosos e o egoísmo não poderiam ser considerados imorais, pois seriam apenas o comportamento natural das leis de sobrevivência. Que vença o melhor, o mais esperto. Eliminar descendentes de outro macho a fim de que meu gene egoísta sobreviva seria moralmente muito bem-aceito. Aliás, só para constar, foi com esse tipo de raciocínio natural e evolucionista que os médicos de Hitler praticaram tantos experimentos de eugenia com conseguinte morte de bebês menos "arianos".

Concluindo

Quando um ateu age, conforme sua consciência, praticando o chamado "bem", deve admitir que, na ausência de um Deus legislador que dê legitimidade universal ao seu ato, ele está apenas praticando um bem circunstancial, e não algo que possa, em essência, ser chamado de bom, certo, elogiável.

Há pouco tempo um militante, destes de estilo raivoso, escreveu num blog que promove a causa humanista – a página saiu do ar, mas felizmente anotei o texto na época e agora podemos analisá-lo:

> Tudo é, de fato, permitido? Penso que não. A liberdade de matar pessoas acaba no direito que estas têm de continuar vivas. Numa perspectiva egoísta, isso pode parecer não fazer sentido, mas basta pensarmos em uma perspectiva mais ampla: se todos matassem à vontade, as chances de sermos mortos aumentariam. Em última instância, não matar é a melhor maneira de não sermos mortos [...] As nossas limitações morais são reflexo da sociedade em que vivemos; para os religiosos a única fonte de moralidade vem de suas religiões [...] A educação permite que tenhamos contato com melhores explicações para diversas questões que a religião não responde satisfatoriamente. Ao mesmo tempo que nos permite encontrar maneiras menos violentas de resolver conflitos que poderiam terminar criminosamente.

Vamos analisar essa argumentação do blogueiro: A *liberdade de matar pessoas acaba no direito que estas têm de continuar vivas*. Mas quem deu esse direito à vida? Sobre que autoridade ele se baseia? Lembre-se, minha tese é de que, se não há Deus, todas as respostas são circunstanciais, nenhuma é intrinsecamente inequívoca. Penso, portanto, que muitos ateus responderiam à minha réplica dizendo que quem dá o direito à vida é o Estado, a Constituição. Ora, se é o Estado quem dá o direito à vida, o mesmo Estado também possui o direito de tirá-la. Sendo assim, ninguém pode condenar um ditador como Saddam Hussein ou Bashar al Assad por tirarem a vida de rebeldes, afinal, naquele contexto específico, e naqueles países envolvidos, eles eram o Estado.

Se todos matassem à vontade, as chances de sermos mortos aumentariam. Em última instância, não matar é a melhor maneira de não sermos mortos. Isso depende. Se um avião cai na floresta Amazônia e só há comida para um terço dos sobreviventes, a morte da maioria aumenta a chance dos demais que ficarem vivos. Que código de ética aplicaremos nesta situação? Cientistas da linha malthusiana afirmam que no futuro não haverá água suficiente para toda a população humana. Se isso acontecer, que regra vamos aplicar de sobrevivência? Morrer para que outros possam viver? Ou matar para aumentar as próprias chances de sobrevivência?

Perceba que no raciocínio proposto não há espaço para o altruísmo. Mesmo admitindo que ateus podem ser altruístas, espero ter deixado isso claro. Ratifico que sem Deus tais sentimentos são circunstanciais, e não axiologicamente morais. Repito a lógica do internauta: *evitamos matar porque isso aumenta nossa chance de sobreviver.* E se não aumentar? Mataremos humanos rivais? Antes que alguém torça o nariz perante o que digo, saiba que não estou sozinho em meu argumento. O próprio Charles Darwin, pai do evolucionismo, admitiu que a solidariedade e o altruísmo não podem ser explicados pelas leis da evolução. É justamente o contrário: leis naturais (especialmente de sobrevivência) chocam-se com princípios morais. Os genes, enfim, não podem explicar nem justificar a moralidade.

As nossas limitações morais são reflexo da sociedade em que vivemos; para os religiosos a única fonte de moralidade vem de suas religiões. De fato, neste ponto do artigo, ele admitiu o óbvio: a moral de um ateu vem da sociedade em que ele vive. Só faltou dizer que – como existem várias sociedades – não tem como inquestionavelmente definir qual seria a correta ou a errada. Ademais, se um indivíduo tiver um comportamento de incesto ou estupro, porque vive numa sociedade que tolera e incentiva tal comportamento, ninguém poderá dizer que sua moral estaria errada. Quem o dissesse teria de enfrentar o dilema: Errado à luz de quê?

O blogueiro também erra ao afirmar que *religiosos veem apenas a religião como fonte de moralidade.* Isso não é verdade. Existem muitas regras de morais que vêm da constituição do país e, segundo a Bíblia, devemos respeitá-las, a menos que se choquem com outros princípios morais estabelecidos por Deus, pois a regra divina é eterna enquanto a humana é histórica.

Por fim ele diz que *[a] educação permite que tenhamos contato com melhores explicações para diversas questões que a religião não responde satisfatoriamente. Ao mesmo tempo que nos permite encontrar maneiras menos violentas de resolver conflitos que poderiam terminar criminosamente.* Ora, é claro que a educação exerce um importante papel na sociedade, mas se isso fosse tudo não teríamos jovens universitários praticando quebradeira em protestos arruaceiros, nem trotes violentos praticados contra calouros em diferentes universidades do país. Lembra o que falamos anteriormente sobre os problemas da universidade? Só para lembrar, a maior parte da cúpula do nazismo era formada por intelectuais formados nas maiores universidades da Alemanha. Educação sozinha não é tudo, meu amigo. Se fosse, a universidade não teria produzido tantos psicopatas diplomados.

É claro que para saber quais são as regras da moralidade divina, preciso crer que existe um processo de epifania da divindade que revele não apenas sua existência, mas também de verdades a respeito da vida, do ser e do universo. Reconheço que as religiões estão por vezes repletas de tabus que aprisionam o ser. Não tomo em momento algum deste capítulo a religião e a moral como princípios sinonimamente alternativos.

Contudo, para defender o valor de algumas regras conservadoras que as igrejas sustentam, devo lembrar que o trânsito também possui congestionamento, radar, multa e estradas sinuosas. Nada disso me parece justo. Contudo, não vou prescindir das regras nacionais de trânsito apenas para dirigir com mais liberdade. Isso seria uma sandice, pois cada motorista faria o que bem entendesse e o que já é caótico se tornaria pior.

Pode não ser justo, mas é necessário que haja autoridades constituídas que estabeleçam regras a fim de que o sistema não vire uma anarquia. Imagine cada um vivendo a vida conforme sua própria individualidade. Esta é a proposta pós--moderna. Uma vontade – uma regra, um milhão de vontades – um milhão de regras. Ninguém colocado para dizer que isso é certo e aquilo é errado. Deus me livre de viver num universo assim – certamente não foi por este tipo de liberdade que os mártires morreram. Ainda bem que não estão presentes para ver o resultado distorcido de seus ideais.

Sei que pareço um moralista ultrapassado falando desse jeito contra jargões tão apregoados na mídia por artistas e formadores de opinião. Se você está com essa impressão, peço apenas que lembre que as críticas de Tertuliano aos excessos da arena e do *circus maximus* também soou moralista demais para os que amavam lutas mortais e morte pública de escravos. Era um absurdo o cristianismo exigir que os convertidos não trabalhassem em circo romano nem fossem aos espetáculos da arena. Hoje, porém, todos politicamente corretos concordam com as objeções éticas de Tertuliano àquele tipo de espetáculo sangrento. Logo, encerro este texto com uma reflexão subtendida: quando se está por demais envolvido com o espetáculo, é muito difícil se posicionar diante dele. Pense nisso!

Capítulo 26
Deus *absconditus*

Existe uma realidade religiosa da qual não tenho como escapar e, confesso, me incomoda muito. Refiro-me à incômoda realidade de um Deus que, se existe, está oculto de mim. Queria muito poder vê-lo, não como uma brisa inspiradora ou no sorriso de uma criança, segundo a analogia de um poeta. Queria vê-lo de verdade, como vejo meu vizinho tirando o carro para lavar na manhã de feriado. Poder saber como é o seu rosto, tocar literalmente em sua face!

Mas ele preferiu se ocultar de mim e tal ocultamento não pode ser negado sem o ônus de se criar uma teologia falsa. Como dizia Blaise Pascal:

> Uma vez que Deus se escondeu, toda religião que não diz que Deus está escondido não é verdadeira; e toda religião que não explica a razão deste *ocultamento* não instrui... *Vere tu es Deus absconditus* [verdadeiramente tu és um Deus que se esconde]. (Isaías 45:15)[250]

Já no século 11, Anselmo, bispo da Cantuária, apresentava seu *Proslógio* acerca do ocultamento divino:

> Nunca te vi, ó Senhor meu Deus, nada sei a teu respeito. O que fará, ó Altíssimo Senhor, este pobre ser exilado longe de ti? O que fará teu servo, ansioso de amor por ti, porém, desprovido de tua presença? Ele se esforça para te ver, e tu estás demasiado longe. Tento ir a ti, tua morada, no entanto, é inacessível. Quero te encontrar e não sei onde estás. Desejo buscar-te, mas não reconheço teu rosto. Ó Senhor, tu és meu Deus, todavia nunca te contemplei. És meu Criador, fizeste-me do nada e pusestes em mim todas as bênçãos, e ainda assim não te conheço. Por último, fui criado para contemplar-te, contudo, não me foi dado o propósito da minha existência.[251]

O texto bíblico também não olvida a realidade do ocultamento divino: "Ninguém jamais viu a Deus – diz o Evangelho de João –, o Deus unigênito que

---

[250] B. Pascal. *Oeuvres complètes*. Edição estabelecida, apresentada e anotada por Michel Le Guern (Paris: Gallimard, Bibliothèque de la Pléiade, 1998). *Fondement* 20 (Laf. 242, Sel. 275).

[251] Texto latino disponível em <http://www.thelatinlibrary.com/anselmproslogion.html>. Acesso em: 24/10/2017.

está no seio do Pai foi quem o revelou" (João 1:18). Paulo também parece afirmar que os homens não podem sobreviver a uma visão direta de Deus. Ele descreve o Altíssimo como um ser que habita em uma "luz inacessível" (1Timóteo 6:16). Chegar perto de Deus, na concepção bíblica, é como aproximar-se de uma fornalha acessa (veja também Êxodo 33:2-5; 20; 1Timóteo 1:17).

Muitos podem achar contraditório esse ocultamento diante da declaração bíblica de que Moisés falou com Deus "face a face" e tantos outros profetas parecem ter tido contato direto com ele. Esse capítulo propõe, entre outras coisas, explicar esse paradoxo.

Teologia negativa

Acho que a essa altura do nosso diálogo tenho condições de elaborar alguns pensamentos a partir da premissa de que há um Deus. Como já expressei anteriormente as evidências que me fazem aceitar que ele exista, posso agora continuar minhas buscas em perguntar como ele é?

Ora, se o universo foi feito por um ser divino, incluindo o tempo, o espaço e tudo que eles contêm, sua essência tem de ser muito maior do que tudo que jamais poderia imaginar a mente humana. Tem de ser infinita e eterna, adjetivos que qualificam todo o mais de seu ser. Sendo, pois, Deus infinito, existiria um espaço que o coubesse? Será que ele teria dimensões corpóreas que envolvam uma delimitação de contornos indicando onde começa e onde termina? Ou seria mais adequado dizer que Deus é um ser cujo centro está em toda parte e sua periferia não está em parte alguma? Supondo que ele realmente seja onisciente, seria correto dizer que Deus pensa? Ou ele simplesmente "sabe"? Note que até o exercício do raciocínio não pode ser aplicado a ele, pois, conhecendo o fim desde o princípio, Deus não chega a conclusão alguma – o que envolveria um tempo em que ele tivesse a ciência apenas do problema sem possuir a solução para o mesmo. Isto negaria sua absoluta onisciência.

Um ser divino absoluto, com as caraterísticas necessárias para ser o criador de tudo, não pode demandar melhorias, aprendizado, pontos vulneráveis, aperfeiçoamento. Finalmente, se nele não há mudanças, como, então, se movimenta? Ou estaríamos falando de um ser que ser permanentemente imóvel?

São muitas questões especulativas sobre o ser de Deus. Mas elas não surgem no vácuo. A concepção da grandeza, eternidade e infinitude divinas já estava prevista na antiga tradição judaico-cristã. Ela pode ser vastamente encontrada nas Escrituras Sagradas do judaísmo e cristianismo (Gênesis 21:33; 1Reis 8:27; Salmo 90:2; Atos 17.24-28). O sentido básico destes e de vários outros textos é que não poderemos, como seres finitos, explicar cabalmente Deus ou esgotar os conceitos e pormenores de sua pessoa. O finito não pode compreender o Infinito. Foi exatamente isso que Paulo declarou em Romanos 11.33-36:

> Ó profundidade da riqueza, tanto da sabedoria como do conhecimento de Deus! Quão insondáveis são os seus juízos, e quão inescrutáveis os seus caminhos! Quem, pois, conheceu a mente do Senhor? Ou quem foi o seu conselheiro? Ou quem primeiro deu a ele para que lhe venha a ser restituído? Porque dele, e por meio dele, e para ele são todas as coisas.

Deus é, em suma, infinito, ilimitado e ilimitável. A tradição bíblica, no entanto, não viu problemas em fazer tais declarações ao lado de outras de cunho pessoal, em que Criador e criatura se encontram numa relação de amor, conhecimento e intimidade (Salmos 42:1 e 2; 63:1; Jeremias 33:3; Tiago 4:8). A sistematização do contraditório entre as "duas" naturezas divinas – uma distante, outra intimista – ficou por conta dos chamados Pais da Igreja, especialmente aqueles que vinham de formação filosófica helenística.

A primeira abordagem foi aquela que se apropriava dos credos (primeira sistematização de fé) e da reflexão sobre a fé cristã. Agostinho, por exemplo, dirá no 4º século que a teologia veio para refletir sobre o Deus da Revelação, apresentando um discurso mais objetivo que aquela visão genérica de divindade encontrada nos filósofos gregos.

Assim, no período da Escolástica, Tomás de Aquino apropria-se do pensamento aristotélico para trabalhar a teologia como uma ciência especulativa acerca de Deus. Reconhece-se, porém, que é difícil, senão impossível, ter Deus como objeto de estudo. Ele não pode ser quantificável, qualificável ou denominável de modo abarcante ou inequívoco.

Aquino já andava às voltas com certos questionamentos surgidos especialmente da Igreja Oriental, que enfatizava a grandeza infinita de Deus. Ademais, os concílios eclesiásticos com seus credos estavam criando mais dúvidas que certezas na hora de sistematizar a natureza e o ser de Deus.

Os que se viam satisfeitos com as afirmações eclesiásticas e conciliares praticavam o que chamamos de teologia catafática, ou teologia positiva segundo a qual é possível vislumbrar o ser de Deus pela razão humana, fazendo afirmações positivas acerca dele. Por exemplo, dizer que Deus é onipotente, onisciente, onipresente etc. Essa abordagem eleva o teólogo até Deus, partindo das perfeições e coisas sensíveis de nossa própria realidade. É possível inferir algo de Deus a partir daquilo que ele criou.

Há ainda, obviamente, aquilo que a própria Bíblia diz acerca de Deus. Ele é citado como um ser corpóreo, com coração, mente, membros. Alguém que caminha no Éden, tem ciúmes e se ressente do mal. Por outro lado, como já apontamos, Deus também é descrito como um Espírito no qual não há sombra de variação ou mudança. Um ser acima de qualquer equiparação.

Desde cedo, os primeiros Pais da Igreja viram nestas expressões mais humanas de Deus um sentido metafórico e antropomórfico que torna a divindade mais acessível às mentes ingênuas daqueles que não poderiam jamais conceber tamanha grandeza, e não se trata de elitização do conceito. Contrariando a premissa gnóstica que muitos pais combateram, estes autores cristãos entendiam que ninguém poderia ter um conhecimento perfeito da essência divina. Por isso, todos precisávamos de sua sombra para ter, ao menos, uma ideia de sua silhueta.

O pêndulo, no entanto, oscilava entre essa abordagem mais positiva de Deus e outra rival, por isso mesmo chamada de Teologia Apofática ou abordagem negativa de Deus. Trata-se de um sistema doutrinário que procede por negações, recusando-se progressivamente a predicar sobre os chamados atributos de Deus, tomados a partir do mundo natural e inteligível.

Considerando que Deus está além de qualquer coisa criada ou conhecimento extraído do ambiente sensível, jamais poderemos dizer o que ele é em essência. Na verdade, se partirmos de Deus, e não do mundo, só poderemos dizer aquilo que ele não é. Por exemplo, em vez de dizer que Deus é "sábio" – termo que poderia implicar soberba ou conhecimento adquirido, aprendizado –, melhor dizer que Deus não é ignorante. Mais coerente afirmar que Deus não é imperfeito, que dizer dele como "perfeito", isto é, feito e concluído! Essa forma de apresentação negativa de Deus foi, como eu disse, mais própria dos teólogos orientais. Contudo, ela também teve seus representantes no Ocidente. Basta lembrar o mestre Eckhart, os místicos espanhóis do século 16, ou simplesmente a tradição mística franciscana.

Mas o discurso apofático de Deus vai encontrar seu apogeu num misterioso autor do *Corpus dionysiacum*, conhecido como Dionísio, o Pseudo Areopagita. Ele escreveu provavelmente por volta do 5º ou 6º século uma obra que influenciou mais que todos a mística bizantina. Opondo-se ao escolasticismo, seu discurso era uma afirmação racional de Deus. Mesmo Tomás de Aquino não deixou de se valer de alguns conceitos de Dionísio (como a tríplice via) que ele mesmo adaptou para desenvolver seu próprio conceito sobre o assunto.

Foi Dionísio que distinguiu mais claramente os dois sistemas possíveis, o que procede da afirmação sobre Deus (teologia catafática ou positiva) e o que procede das negações (teologia apofática ou negativa). O primeiro pode até fornecer algum conhecimento de Deus, porém, o faz de modo bastante imperfeito. Já o segundo, preferido pelo autor, é o que conduz à ignorância perfeita, isto é, o único que está em conformidade com a natureza incognoscível de Deus. Para se aproximar do ser de Deus, entendia ela e, é necessário negar tudo aquilo que lhe é inferior, ou seja, toda a existência como a conhecemos.

Tentativa de equilíbrio

Tanto a visão apofática quanto a catafática de Deus terminam por permear vários tratados de teologia antigos e modernos. Tudo depende da inclinação de cada autor. Você pode vê-las expressas na teologia de Karl Rahner, Karl Barth, Paul Tillich, Rudolf Bultmann e até Robert Fuchs. Neste ponto, tentarei singelamente dar meu parecer sobre o assunto, sem qualquer pretensão de apresentar uma grande novidade teológica ou resolver em definido a questão.

O primeiro ponto de partida, a meu ver, é admitir, como já falei em outra parte deste livro, as limitações da própria linguagem para descrever a realidade. Se assim o é de fato, quão mais limitada seria para uma descrição cabal e inequívoca de Deus – seja ele quem for.

Se Deus é real e de tal modo sublime, tão inimaginavelmente "numinoso", como dizia Rudolf Otto, qualquer tentativa de apreendê-lo num livro ou num jogo de palavras seria um impropério, para não dizer uma sandice e uma blasfêmia nominativa. Podemos, é claro, chamar esse ser supraessencial pelo nome de Senhor e Deus, ou atribuir-lhe títulos como Supremo, Altíssimo, Todo-Poderoso etc. Contudo, estes são conceitos advindos das virtudes divinas que descem ao nosso alcance, dando-nos um vislumbre imagético de sua santidade. Ainda assim não contemplamos nem apreendemos nenhuma forma deificada que se iguale absolutamente à causa primeira e transcendental de todas as coisas.

Portanto, mesmo admitindo o valor da abordagem catafática – pois sem ela eu cairia no niilismo teológico e negaria a ação de Deus em se comunicar conosco –, também não posso assinalar um dogmatismo religioso que supere todas as dúvidas e me dê todas as certezas. Jamais esgotarei epistemologicamente o ser de Deus. Pelo contrário até, sinto-me, parafraseando Teilhard de Chardin, que em muitos momentos de minha vida estou mais perto de Deus quando esboço dúvidas do que quando afirmo certezas, mesmo em situações de desespero. Esta foi a experiência do próprio Cristo quando em seu maior ato de fé e obediência deixou escapar a dúvida que não era somente dele, mas de todos nós: "Meu Deus?! Por que o Senhor foi embora?".

Pode até acontecer, digo sem medo de ser apedrejado por um religioso mais radical, de alguém, formalmente fora de uma religião, ser mais religioso em seu sentimento e estar mais próximo de Deus do que quem está dentro do culto em plena comunhão e confissão ortodoxa.

Meu segundo movimento é respeitar a dimensão humana que me cerca – inclusive a minha. Digo isso porque, se estou trabalhando com a possibilidade de que Deus exista e se comunica com seus filhos, é imprescindível que ele use uma linguagem adequada à humanidade ordinária. Caso contrário, estou falando de um elitismo espiritual contemplado por uma divindade esnobe e fragilizada. Afinal de contas, apenas um Deus com problemas de autoafirmação precisaria elitizar sua epifania como se já não fosse gloriosa o bastante por si mesma.

Portanto, tenho de encontrar uma maneira de situar minha proposta dentro do mundo ordinário que de modo imediato evoque o sentimento humano como pista para essa realidade divina. Em outras palavras, não parto de Deus olhando para cima, mas percebendo o que está em baixo.

Acompanhe meu raciocínio. Blaise Pascal faz uma abordagem de Deus a partir da antropologia e isso me interessa. Seu argumento como filósofo e matemático é muitas vezes resumido de forma aproximada, porém não absoluta: "Existe um vazio com forma de Deus no coração humano". No original ele não fala de um mero "vazio", mas de um "abismo infinito". Deixe-me apresentar a citação completa:

> O que seriam essa ganância e impotência que clamam atrás de nós, senão a certeza de que houve uma vez no homem uma verdadeira felicidade, da qual ele agora só traz a marca e o rastro de toda uma vida, e isso ele tenta em vão preencher usando tudo o que o rodeia, procurando por coisas que estão ausentes, por uma ajuda que não obtém do presente, coisas que são ineficazes, porque esse abismo infinito só pode ser preenchido por um objeto infinito e imutável, isto é, o próprio Deus.[252]

---

252 Blaise Pascal. *Pensées* (pensée n° 181 da edição de Sellier, ou 425, ou 148, ou 138, segundo outros editores).

Ora, mesmo os que discordam de Pascal, negando que o homem sinta uma necessidade de Deus, reconhecem que todos temos um sentimento constante que nos acompanha em nossas conquistas, projetos, relacionamentos – o sentimento do vazio! Em outras palavras, eles podem até recusar que esse vazio seja chamado de "Deus", mas não há como negar sua realidade.

Pode até não ser de Deus que carecemos, mas ainda assim é o anseio por alguma coisa que devemos descobrir o que é. Ignorar essa necessidade existencial é fugir da realidade e cair na demência. Afinal, como bem colocou a articulista Liane Alves, estamos falando daquela "falta que nos move". É justamente essa carência que nos leva à ação[253]. Ela às vezes fica camuflada, adormecida, porém, se há um pouco de silêncio meditativo ou exame interior, ela reaparece dando a impressão de que tudo ainda não é o bastante.

Numa entrevista feita tempos atrás a atriz Isis Valverde desabafou essa realidade ao dizer: "Tenho um buraco enorme dentro de mim, uma falta que não consigo explicar ou preencher, que está sempre presente em tudo o que faço"[254]. Ela não é a única a desfrutar deste sentimento. Alguns podem abafá-lo de maneira mais abrangente fazendo quase parecer que não são afetados por ele, outros são mais sensíveis ao seu chamado, porém, todos nós o possuímos. Posso afirmar sem sombra de dúvida que todos os seres humanos com nível normal de consciência já se encontraram com esse sentimento pelo menos uma vez na vida. É uma dor inequívoca da falta de algo que nem sequer conseguimos definir o que é. Essa quase indefinível sensação de carência existencial já foi descrita pela filosofia, psicanálise, literatura e até as ciências políticas.

Alves relembra, e eu gostei disso, que na literatura grega tal sentimento foi retratado no mito de Eros, o desejo, cuja mãe era nada menos que Penúria, a carência[255]. Para os leitores de Homero e Hesíodo, a carência-mãe está na origem de tudo que desejamos na vida. Isso é bom, pois seria exatamente esse gosto de escassez, de insuficiência e insatisfação que motiva a ação e dá movimento à vida.

---

253 Liane Alves. "A falta que nos move", in *Vida Simples* (Set 2011), p. 48-51. Artigo disponível em <http://vidasimples.uol.com.br/noticias/pensar/a-falta-que-nos-move.phtml#.WfG6lltSx0w>. Acesso em: 26/10/2017.

254 Apud Liane Alves em <http://vidasimples.uol.com.br/noticias/pensar/a-falta-que-nos-move.phtml#.WfG6lltSx0w>. Acesso em: 26/10/2017.

255 Apud Liane Alves em <http://vidasimples.uol.com.br/noticias/pensar/a-falta-que-nos-move.phtml#.WfG6lltSx0w>. Acesso em: 26/10/2017.

Sendo assim, já que para muitos seria precipitada a identificação desse vazio com uma carência por Deus, creio que podemos partir de um ponto comum admitindo que ele exista e procurando conhecer, ao menos, os moldes de seu contorno e suas características psicológicas. Em outras palavras, o que a antropologia e a psicologia poderiam me dizer desse vazio existencial que permeia cada um de nós?

Negá-lo, repito, é jogar fora anos e anos de respeitadas pesquisas que incluem nomes como Freud, Jung e Frankl. Digo isso para me posicionar contra aquele persistente reducionismo científico que em meio ao discurso evolucionista insiste em explicar as coisas não por sua posição e destino, mas por seu surgimento, ciclo vital e morte. Isso pode até funcionar para a análise das células e do mundo vegetal, mas tem pouca eficácia para tranquilizar um mundo que permanece emocionalmente inquieto.

Podemos até ter trocado o curandeiro pelo médico e a consulta ao xamã pela opinião do economista, o buraco, no entanto, continua incomodando. O paraíso na Terra não foi ainda inaugurado. Obviamente que se a religião não realizou seu papel cristalizador no passado, tampouco o fez o racionalismo reducionista da modernidade.

Calculando o rombo

Depois de ler muito a esse respeito, tanto em autores religiosos como não religiosos, cheguei à conclusão de que a palavra "rombo" qualifica melhor esse vazio existencial que qualquer outra análoga, seja ela chamada de carência, buraco, sensação de ausência etc. Rombo é mais forte, denota violência, arrombamento seguido de saque. A sensação posterior ao evento é de prejuízo. Tiraram algo precioso de nós, por isso deixaram esse grande buraco.

Dizer que a sala está vazia não implica dizer que deveria haver alguma coisa nela. Do mesmo modo, afirmar que estou carente não significa que a necessidade seja real – somos carentes de muita coisa supérflua. Nossa mente é pródiga em criar necessidades falsas. Com o rombo, porém, é diferente. A situação implica que o vazio encontrado se deveu a algo de valor que foi tirado. Neste caso, a dimensão do espaço deixado pode dar uma pista da forma e características daquilo que foi levado de nós.

Santo Agostinho dizia que "o coração humano está inquieto" e eu interrompo a sequência de suas palavras para perguntar: Por que está inquieto? De onde vem a sensação de inquietude? Em diferentes momentos de nosso diálogo já esbocei para você meu argumento de que, considerando a morte e o sofrimento como elementos naturais da existência humana, não deveríamos nos sentir incomodados com eles. Fazem parte do processo. Porém não aceitamos enterrar entes queridos, não gostamos da sensação de envelhecer, de definhar mesmo já tendo cumprido nosso papel na evolução. Por que o ocaso da vida não é tão natural para nós como é para o zangão depois da cópula? Ora, se somos mais evoluídos que os insetos deveríamos, no mínimo, lidar com a morte tão naturalmente como alguns deles o fazem. Depois de cumprir o ciclo da vida (nascimento, maturidade e acasalamento), deixam naturalmente espaço para que venham outras gerações e ocupem o seu lugar.

Já que estou fazendo análises a partir da natureza, como, aliás, fizeram Lamarck, Darwin e outros naturalistas, deixe-me traçar um paralelo entre essa busca humana por um "algo" e o senso migratório de alguns animais. Você certamente deve saber disso, há muitas razões que levam os seres a migrarem de um lado para o outro – mudança climática, sensação de perigo, falta de alimento. Porém, o que mais me fascina é a capacidade que alguns animais apresentam de reencontrar um ponto de partida situado em algum lugar desconhecido para eles e para o qual se dirigem instintivamente. Pombos-correio, salmões, larvas de enguia... é fantástico como eles parecem programados com algum tipo de GPS que os indica por instinto que ali onde estão não é onde deveriam estar.

Os motivos desta orientação ainda permanecem um mistério, mas sua realidade é inegável e pode ser observada até laboratorialmente. Mudanças hormonais são observáveis nesses períodos e a inquietação se dá até mesmo em animais em cativeiro, bem protegidos e alimentados. Peixes de aquário se comportam de modo semelhante. Por manipulação fotoperiódica é possível mesmo induzir a inquietação.

Ora, se o comportamento animal pode dizer algo do comportamento humano, por que não supor que nossa inquietação diante de algumas "realidades" dessa vida não seja um indício de que há algo além para o qual o espírito humano insiste em migrar? Esse é o instinto natural humano, sua negação é que implica desumanizar o indivíduo.

Extraio da obra de Dostoiévski, *Os irmãos Karamázov*, um trecho envolvendo o "Grande Inquisidor", um poema idealizado pelo personagem Ivan Karamázov e desenvolvido em forma de prosa no relato a seu irmão Alióchka, diz:

Os homens dizem amar a liberdade, mas, de posse dela, são tomados por um grande medo e fogem para abrigos seguros. A liberdade dá medo. Os homens são pássaros que amam o voo, mas têm medo dos abismos. Por isso abandonam o voo e se trancam em gaiolas.
Somos assim: sonhamos o voo, mas tememos a altura. Para voar é preciso ter coragem para enfrentar o terror do vazio. Porque é só no vazio que o voo acontece. O vazio é o espaço da liberdade, a ausência de certezas. Mas é isso o que tememos: o não ter certezas. Por isso trocamos o voo por gaiolas. As gaiolas são o lugar onde as certezas moram.

Originalmente o autor fala das religiões como aquelas que constroem gaiolas, e o hereges como aqueles que abrem suas portas para que o encarcerado possa voar livre. Tomo, porém, a liberdade de fazer uma releitura acrescentando a visão materialista como outra construtora de jaulas para o espírito humano. Ser audacioso e negar os grilhões da materialidade absoluta não será, neste sentido, um ato de rebeldia sem causa, mas um favor que faço a mim mesmo e à humanidade.

Minha briga com Freud

A essa altura de minha audácia libertadora – consciente de que não sou um Messias, e sim uma formiga anônima querendo proteger o formigueiro – sei que inicio uma disputa complicada com a interpretação de Freud, segundo a qual a crença em Deus é ilusória e dispensável. Estou ciente da genialidade deste austríaco e admiro as contribuições que ele fez. Contudo, já demonstrei várias vezes neste livro que não costumo tomar a parte pelo todo, jogar fora tudo o que o outro diz por causa de discordâncias setoriais, nem me intimidar pela capacidade mental do outro. Nos vários autores que usei, há coisas com as quais concordo e coisas das quais discordo. Não preciso demonizar nenhum deles, nem considerá-los autoridades inquestionáveis. Num uso neológico e paradoxal do termo, considero-me um "cristão livre-pensador". Não estou ainda no ocaso de minha carreira, mas já avancei o suficiente para fazer leituras críticas e lúcidas daqueles aos quais me acerco e assim o será também com o pai da psicanálise.

Em seu ateísmo psicanalítico, Freud entendia que a manifestação da fé (essencialmente a fé religiosa) dava-se pela carência de um ideal fantástico tematizado no complexo de Édipo. O homem tem o desejo de um pai supraprotetor, por isso, cria um Deus que tudo pode para suprir esta carência paterna, fazendo da religião apenas uma projeção de seu próprio inconsciente.

Freud ainda afirmava que é imperativo ao sujeito de mente sã aceitar a sua dura condição e enfrentar a realidade sem recorrer a consolos celestiais. Mas como suportar o peso da vida e a crueldade da realidade? Através de uma educação "em vista da realidade", que não fabrique doentes, que depois precisem de narcóticos religiosos para entorpecer e anestesiar sua angústia e ansiedade.

Sei que com o tempo ele pareceu ou tentou parecer menos ácido em relação à fé. Há intérpretes de Freud que até hoje procuram encontrar um lugar positivo para a religião em sua teoria[256]. Certa feita, respondendo a uma forma de religiosidade hindu que desconhecia, o próprio Freud explicou que a religião que ele criticava em O futuro de uma ilusão[257] era aquela do homem comum, traduzida num sistema de doutrinas e promessas que, de um lado, lhe explicavam os enigmas do universo com perfeição inquestionável e, de outro, lhe garantiam um cuidado paternal divino nesta vida e na vida porvir. Isso compensaria ilusoriamente o indivíduo diante de quaisquer frustrações que tenha experimentado neste mundo. Agora reconhecia haver outras formas de religiosidade não contempladas nesta descrição.

Apesar dessa admissão, continuo vendo Freud como teimosamente fiel ao seu ateísmo até o fim de sua vida. Embora ele rejeitasse para a psicanálise a alcunha de antirreligiosa, era a visão ateísta e não a fé da igreja que salvaria o homem de suas neuroses. É claro que se eu deixar de lado meu pessimismo e conseguir ver certa dialética em seus escritos – o que não significa abandonar tudo o que ele escreveu – ainda tenho cá minhas dúvidas se ele realmente aceitaria algum papel relevante da fé religiosa, senão perpetuar as ilusões da infância impedindo o amadurecimento emocional do indivíduo.

O interessante, ironia das ironias, é que no final de sua vida o próprio Freud terminou seus dias desgostoso com a educação, a governabilidade e a psicanálise que qualificou com o título "tarefas impossíveis"[258]. A ilusão inconsciente

---

[256] Peter J. R. Dempsey. *Freud, psicanálise e catolicismo* (São Paulo: Paulinas, 1966); Karla Daniele de Sá Araújo Maciel; Zeferino de Jesus Barbosa Rocha. "Freud e a religião: possibilidades de novas leituras e construções teóricas", in *Psicol. cienc. prof.* n. 4 (Brasília, dez. 2008), v. 28; K. D. S. A. Maciel; Z. J. B. Rocha. "Freud e a religião: presença de um grande paradoxo", *Symposium* (Recife, 2007): 27-40, v. 11.

[257] Sigmund Freud. *O futuro de uma ilusão*. Tradução Renato Zwick (Porto Alegre: L&PM, 2010).

[258] Sigmund Freud. "Prefácio à juventude desorientada de Aichhorn", in *Freud, S. Obras Completas* (1925) (Rio de Janeiro: Imago, 1976), p. 341-346, v. 19.

de Deus parecia mais forte que suas propostas. Depois disso, profundamente deprimido (ou melancólico, conforme a linguagem da época), Freud se mostra desgostoso de tudo na vida por causa de um câncer bucal causado pelo vício do charuto, a perda de seu neto mais querido e a perseguição aos judeus instaurada por Adolf Hitler. Ele viu a realidade dura como ela é e a viu sem qualquer ilusão acerca de um pai protetor, porém não conseguira a paz que sua própria teoria propunha aos que superassem a ilusão religiosa. Essas dores o fizeram experimentar um desejo não assumido de imortalidade que ele mesmo condenou. Diante do caos, portou-se como ser humano comum precisando do colo de um pai protetor que ele mesmo dizia não existir.

Voltando ao auge de sua teoria, quando ainda era mais jovem e tudo parecia ir muito bem, o ritmo com o qual denunciava as certezas da fé era alucinante. O interessante, no entanto, é que sua sugestiva cura da ilusão religiosa pela realidade psicanalítica não o fez parar de escrever sobre o tema. A religião parece ser em seus escritos uma temática nunca concluída. Ele não conseguiu esgotar o tema religioso, mesmo considerando-a um delírio emocional. Fica a impressão de que Freud a exilou da *psichê* humana sem colocar nenhuma alternativa compatível no seu lugar. Sua ideia de "educação para a realidade" não chegou nem perto de ser uma opção substitutiva – ele admite isso no final de sua vida, tanto é que seus escritos falam mais da religião que da educação.

O autor Carlos Domínguez Morano coletou exaustivamente todas as citações que Freud fez sobre religião, demonstrando que este era um assunto recorrente em seus escritos mais do que qualquer outra temática[259]. Quer em alusões constantes ou ensaios dedicados ao assunto, toda a obra freudiana gravitava em torno do pai cósmico que ele dizia não existir. Ele parecia de tal modo inquieto com o assunto que se assemelhava a um rapaz que diz ter superado o fim do namoro, mas gasta a maior parte do seu tempo difamando-a e vasculhando sua rede social para ver suas novas amizades. Você entendeu a ironia e se está se perguntando se estou analisando Freud, eu não diria tanto, pois não sou analista por formação, mas posso dizer que é assim que interpreto seus escritos. É claro que não sou especialista em Freud, contudo, não critico ateus sem formação teológica que decidem interpretar por conta própria o que leram na Bíblia. Posso até discordar da leitura que fazem, mas não de sua capacidade de ler um texto e tirar sua própria conclusão.

---

259 Carlos Domínguez Morano. *El psicoanálisis freudiano de la religión: Analisis textual y comentario crítico* (Madrid: Ediciones Paulinas, 1990).

Continuando, pois, minha leitura crítica, parece-me que a explicação de Freud, juntamente com seu exame crítico da religião, não parece dar conta da realidade fora de seu consultório. Em primeiro lugar porque me chama a atenção o fato de ele não ter tido, em sua clínica, nenhum paciente cuja religiosidade estivesse em harmonia com sua saúde psíquica – o que de modo algum pode levar a concluir que essa harmonia seja impossível. Haja vista sua amizade com um pastor protestante chamado Oskar Pfister a quem Freud reconhecia como sujeito de profunda religiosidade sadia, mente equilibrada e em permanente convívio com a teoria psicanalítica[260].

Outro ponto que me chama a atenção é essa misteriosa figura do tal "pai protetor", a que ele tanto se refere. Não se trata de um pai qualquer, ele diz respeito a um ser "supraprotetor", isto é, alguém de dimensões divinas. Na teoria freudiana, tal personagem não passaria de uma ilusão da infância, criada a fim de aplacar a angústia pelo desamparo da vida – novamente, não um desamparo qualquer, mas um desamparo existencial.

É ponto pacífico entre os intérpretes de Freud a sua firme correlação entre religião e neurose. Em sua análise psicogenética da religião, ele associa este sentimento humano e universal à perda por morte deste tal pai primitivo, que para ele não passa de uma ilusão, ou seja, a realização dos desejos mais antigos, fortes e prementes da humanidade traduz-se na busca por esse pai mitológico[261].

Deixe-me, então, fazer algumas perguntas aqui. Das quais não encontrei resposta nem em Freud nem em seus intérpretes. Quem é esse pai protetor? De onde vem a sensação de abandono cósmico que o produziu? Seria essa sensação ilusória. Veja, se dissermos que ela é ilusória, temos então de voltar uma casa no jogo e perguntar qual a fonte dessa ilusão? Se ela é real, então, de fato, ficamos, em algum ponto do tempo, "abandonados" no universo. Mas quem nos abandonou se não havia nenhum pai cósmico para ir embora?

Continuo interrogando Freud. Se a ilusão de um pai cósmico, isto é, a ilusão religiosa, é algo a ser superado após a infância, o que dizer de adultos como Oskar Pfister (o amigo pastor de Freud), que bem resolvidos, continuavam religiosos? Vou mais além, e os que abandonaram a religião e ainda assim continuam

---

260   K. E. K. Wondracek. *O amor e seus destinos: a contribuição de Oskar Pfister para o diálogo entre teologia e psicanálise* (São Leopoldo: Sinodal, 2005).

261   Sigmund Freud. "A questão da análise leiga", in *Edição standard brasileira das obras psicológicas completas de Sigmund Freud* (1926) (Rio de Janeiro: Imago 1976), v. 20, p. 209-293; Idem. "O futuro de uma ilusão", in *Edição standard brasileira das obras psicológicas completas de Sigmund Freud* (1927) (Rio de Janeiro: Imago, 1976), v. 21, p. 15-71.

emocionalmente patológicos? O que os estaria aprisionando, já que não têm mais a ilusão da infância? A já mencionada depressão de Freud no fim de sua vida mereceria um estudo de caso diante dessa proposição teórica que ele apresenta.

Minha última consideração sobre a proposta de Freud será, na verdade, uma recorrência ao "porquê" de nossa carência. Insisto nesse assunto. Se o tal pai cósmico não existe estamos enlutados por quê? O que na verdade morreu e acabamos confundindo com a figura de um pai mitológico?

Convenhamos que tudo o que um organismo vivo carece de modo ontológico e essencial – a carência paternal freudiana parece ser um caso desses – precisa obrigatoriamente existir em algum canto externo, porém, acessível ao próprio organismo, sob o preço de colapsá-lo caso não encontre o elemento que se está necessitando.

Veja, não se trata de demandas supérfluas ou falsas necessidades como ficar rico, ter um carro novo ou conseguir namorar aquela garota específica. Refiro-me a necessidades vitais, tanto fisiológicas como emocionais. Seria um contrassenso da natureza produzir pulmões e não existir oxigênio, formar canal visual e auditivo sem haver sons ou imagens. Permitir a liberação de feromônio em mamíferos e insetos sem que haja pares sexuais de reprodução compatível para responder ao convite de acasalamento.

Dizer que temos a carência de um pai protetor e afirmar que tal pai não existe seria o mesmo que dizer que temos carência de vitamina C, mas tal vitamina não existe. Que temos necessidade de afeto, porém, não existe o correspondente de tal afeto, então o jeito é encarar a realidade e fingir que tal carência não existe. Se não existe Deus, por que nascemos carentes dele? Como foi que sobrevivemos todo esse tempo buscando o preenchimento de uma necessidade que simplesmente não existe em canto algum do universo? Falar assim me faz sentir como um ouvido num universo de profundo silêncio ou um olho num cosmo de profunda escuridão. A luz e o som que tanto almejo são puras ilusões.

Termino minha briga com Freud não arvorando saber quem ganhou e quem perdeu. Ainda o reputo como grande gênio da humanidade e valorizo muitas coisas que ele descobriu (sua teoria sobre o inconsciente é simplesmente brilhante). No que diz respeito a essa questão de Deus, agradeço ao pai da psicanálise por demonstrar empiricamente que nascemos carentes de Deus. O vazio existencial existe, não é invenção de crentes!

Acho que isso é o suficiente para eu afirmar – sustentado não em Freud, mas naquilo que ele descobriu – que alguma coisa há para ser preenchida. Se darei ou não a ela o título de "Deus" é outra coisa. Por ora basta saber que ela não pode ser satisfeita com algo menor que sua própria dimensão e isso é um fato.

Qual o tamanho do vazio?

Santo Agostinho dizia: *tu... quia fecisti nos ad te et inquietum est cor nostrum, donec requiescat in te* (Tu nos fizeste para ti, e o nosso coração continuará inquieto até que encontremos descanso em ti)[262]. Um ateu ou agnóstico pode até ter dificuldade de aceitar a ausência de Deus como objeto da inquietude. Ainda assim, deve lidar com a razão de estarmos inquietos.

Em capítulos anteriores, ao falar de Camus, Wittgenstein e agora de Freud, espero ter demonstrado como somos todos naturalmente sedentos de eternidade com propósito e significado. Nossa experiência diante da morte e do envelhecimento comprova que não queremos viver por muitos anos apenas, queremos viver para sempre. Quem discordar disso só pode ser avaliado em duas hipóteses: resignou-se diante da realidade da morte (e resignar é diferente de querer ou desejar, se pudesse eleger seu destino e dos que ama, essa não seria esta sua decisão) ou, segunda opção, está tão desgostoso da vida que prefere morrer logo e acabar com tudo isso. Estes últimos, no entanto, são casos clínicos que fogem às características de uma mente sã que, obviamente, prefere viver. Nem mesmo os suicidas querem a morte, o que querem é o fim do seu sofrimento, pois se estivessem bem não desejariam dar cabo de sua vida.

Sendo assim, para viver coerentemente como um ateu convicto devo passar por cima dessa sede de vida eterna, ignorando-a, ou fingir que nunca morrerei. Em ambos os casos estarei "fingindo" algo que na realidade não é bem assim e quem vive fingindo vive na ilusão, de modo que os ateus que optarem por esse caminho estarão, de fato, representando a ilusão do ateísmo.

Não adianta dizer que vamos viver muito. De que adianta? Imagine-se diante de uma iminente pena capital com um juiz que diz de modo sádico: "tenho uma boa e uma má notícia pra você: a má é que você vai ser morto na cadeira elétrica, a boa é que ela está em manutenção e você terá mais três dias de vida, portanto, aproveite". Aproveitar como? Todos já nascemos condenados, já pensou nisso? Todos um dia morreremos ou sepultaremos pessoas que amamos. E

---

[262] Santo Agostinho, *Confissões*. Tradução e notas de Arnaldo Espírito Santo, João Beato, Maria Cristina de Castro Maia de Sousa Pimentel. Introdução de Manuel Barbosa de Costa Freitas. Notas de âmbito filosófico de Manuel Barbosa da Costa Freitas e José Maria Silva Rosa (Imprensa Nacional – Casa da Moeda, 2000).

o que é pior, o ocaso da vida pode chegar a qualquer momento, para o velho e para o jovem, mas certamente chegará.

Foi o teólogo inglês William George Ward (1812-1993) que disse: "o pessimista queixa-se do vento, o otimista espera que ele mude e o realista ajusta as velas". Aforismo interessante e bem escrito. Porém, se não houver Deus nem qualquer propósito eterno para nossa existência, para onde os realistas rumarão o barco depois de ajustar as velas? Queremos o paraíso, mas o que temos é a sepultura. Logo, estamos sem rumo, tentando subir por onde apenas se desce. Você percebeu a situação em que vivemos?

As pessoas que optam por uma realidade sem Deus podem dizer que vivem suas vidas de modo idealista, otimista, pessimista ou niilista. Todas, é claro, arvorarão para si o papel de realistas da história. O desafio, porém, é conciliar sua proposta com o vazio existencial que nosso espírito demanda. Temos três alternativas: preencher o vazio com o que lhe corresponde, tentar preencher o vazio com algo que não lhe preenche ou ignorar o vazio dizendo que tudo isso é ilusão a ser superada.

O preço da "superação", no entanto, não será outro senão o pessimismo com o qual morreu Freud. Aliás, foi quando entendi o elemento filosófico do pessimismo, visto em várias correntes entre os séculos 19 e 20, que pude analisar melhor a famosa frase *Carpe diem* (aproveite o dia), que ficou tão famosa no filme *Sociedade dos poetas mortos*. Da ficção para a realidade, foram muitos os intelectuais que deram conta do que criaram ao expulsar Deus da jogada e entronizar o próprio homem em seu lugar. Uma onda compreensível de melancolia e angústia perpassou verdadeiras obras-primas da literatura, marcadas pelo pensamento do vazio, do absurdo e do constante pessimismo diante da existência humana. *Carpe diem* não significa apenas um conselho para aproveitar a vida. Significa correr com o que tem, pois a qualquer momento tudo lhe será tirado.

Não há escapatória, meu amigo, seja você ateu, agnóstico, religioso, liberal, conservador... não importa o rótulo. Nossa sede é de eternidade. O vazio ou rombo existencial tem o tamanho da eternidade. Logo, somente algo eterno poderá preenchê-lo.

Eternidade com propósito

Equivoca-se, contudo, quem acredita que essa sede de eternidade se limita a viver eternamente sem nenhum encontro com a morte. Sem relacionamento, propósito e significado, a existência humana – mesmo a eterna – permanece um caótico estado de permanência sem nenhum atrativo que nos agrade.

Se por um lado é contrário à natureza dialogar com "a ameaça do não ser", descrita por Paul Tillich, por outro é incongruente viver sem alegria e significado relacional com o autor da vida.

Poucos no Brasil conhecem a obra de Miguel de Unamuno, um dos pensadores mais relevantes da Espanha e representante por excelência do existencialismo filosófico e literário daquele país. Uns o interpretam como crente, outros como agnóstico, deísta e até ateu – seu brilhantismo provavelmente leva diferentes grupos a quererem que ele esteja em seu time.

De fato, como só acontece aos escritores geniais, Unamuno também é ambíguo, misterioso e difícil de ser interpretado. Em alguns momentos ele abraça a ideia de Deus com grande paixão, em outros o rechaça como uma peste a ser evitada. Em certos textos, trata a morte como o fim certeiro de todos os homens, em outros suplica desesperado um encontro com a eternidade sem a qual a vida não faz sentido[263].

O que me interessa dele, independentemente de ter sido ou não crente em Deus, é sua percepção acerca do mesmo vazio a que me refiro. O vazio com forma de Deus (ainda que não haja Deus)! Num de seus mais famosos romances, *Névoa*[264], há um personagem central chamado Augusto que me lembra muito de perto daquele arauto louco de Nietzsche que saía aos gritos de angústia dizendo: "Deus morreu, Deus morreu". Esse, no entanto, enfatiza mais a consequência *post mortem* da ausência divina. Ele exclama várias vezes: "Quero viver, viver, viver...!". Esse clamor por vida é, possivelmente, a frase que sintetiza de um modo mais claro o pensamento existencial de Unamuno: querer viver e, se possível, viver para sempre. Unamuno chama esta sensação de *fome e sede de imortalidade*, ou, simplesmente, *não querer morrer*, algo que ele mesmo define como o mais profundo e constante de todos os sentimentos humanos.

Esses dias eu li uma coluna social de Gabriela Richinitti versando sobre o "sentimento oceânico" – expressão que Freud ouviu, se surpreendeu, mas rejeitou preferindo ratificar sua ideia de superação da ilusão religiosa. O artigo de Richinitti é bem escrito em termos de linguagem jornalística. Ela tenta retomar

---

263 Antonio Sánchez Barbudo. *Estudios sobre Galdós, Unamuno y Machado* (Barcelona: Editorial Lumen, Palabra en el tiempo, 1981); Alfonso García Nuño, *El problema del sobrenatural en Miguel de Unamuno* (Madrid: Ediciones Encuentro, 2011).

264 Miguel Unamuno. *Névoa* (Nova Fronteira: Rio de Janeiro, 1989), capítulo 31.

o valor da expressão, senão no seu sentido científico, pelo menos como esplendor literário, o que acho válido[265].

Porém, as sugestões dadas pela autora não me convencem. Ela sugere preencher o "sentimento oceânico" – que eu chamaria de "vazio eterno" – com coisas como um bom vinho ao som de Billie Holiday, um livro lido com calma, uma conversa com amigos e desconhecidos, um amor efêmero que foi eterno enquanto durou (Vinicius de Moraes). Tais coisas podem trazer prazeres momentâneos e muitas delas são legítimas e saudáveis, porém, sua temporaneidade as torna inócuas para o fim a que se destinam.

Querer preencher um vazio eterno com coisas efêmeras é tão inútil como encher os abissais do oceano com uma colher de chá molhada. Tarefa inglória praticada por intelectuais e consumidores imersos na ilusão de que um momento poderá preencher o que é eterno.

Embora poesia seja algo que não se traduz, termino esta parte com uma versão do poema de Unamuno, "Oração do Ateu" (tradução de Jorge de Sena)[266]:

Ouve meus rogos Tu, Deus que não existes,
e em Teu nada recolhe estes meus lamentos!
Tu, que aos pobres homens nunca deixas
sem consolo de engano. Não resistes
ao nosso rogo, e o nosso anelo viste.
Quando mais Te afastas de minha mente;
mais recordo os doces conselhos
com que minh'alma acalentou certa vez noites tão tristes.
Quão grande és, meu Deus! Tu és tão grande,
que não és mais senão ideia; é muito estreita
a realidade por muito que se expande
para abarcar-Te. Sofro eu por Tua causa,
Deus não existente, pois se tu fosses de fato realidade,
também eu existiria de verdade.

---

265 Disponível em <http://obviousmag.org/a_delicadeza_do_tempo/2015/06/sentimento-oceanico.html>. Acesso em: 29/10/2017.

266 Disponível em <http://blogueluzesombra.blogspot.com.br/2010/02/oracao-do-ateu.html>. Acesso em: 29/10/2017.

Capítulo 27
Deus *revelatus*

Considerando o que foi dito antes sobre o vazio existencial humano e o fato de ser um vazio eterno, quero agora apresentar outro desdobramento antropológico do tema que levará a descobrir outra façanha do ser de Deus: ele se revela.

Inspirado no *insight* de Blaise Pascal, eu o chamaria na abordagem seguinte de "opção antropológica". Sua apresentação é mais simples que o título que a define. Imagine que a carência humana pudesse ser transformada num molde universal ao reverso – afinal de contas, trata-se de um sentimento típico do ser humano, e não apenas de um ou outro indivíduo.

O molde, lembremos, é uma ferramenta composta de placas de aço, nas quais o formato da peça é usinado para ser preenchido posteriormente. Mas se o classifico de "ao reverso" denoto que não se trata de criar algo a partir do vazio (ação posterior), mas reconhecer o molde como o formato deixado por algo que o preenchia. A partir, portanto, do molde tenho uma ideia da "peça" que estou procurando.

Um bom caminho para a busca do verdadeiro quadro de Deus (deveras perdido em meio a tantas caricaturas) poderá se dar a partir da pergunta: Que tipo de Deus preenche a carência existencial do gênero humano? Esta indagação, evidentemente, deve se sujeitar a uma análise antropológica do ser. Em outras palavras, descrever em primeiro plano as nuanças básicas da carência humana.

Segundo Viktor Frankl, fundador da terceira escola de psicanálise de Viena e criador da "logoterapia", há no ser humano uma inconsciência transcendental que ele chamou de "presença ignorada de Deus" (*Der Unbewusste Gott*)[267]. Através dos variados métodos de prática psicoterapêutica, Frankl demonstrou empiricamente, na Universidade de Viena, que o inconsciente humano possui uma noção muito forte de religiosidade e relação com Deus que advém desde o útero materno e pode ser medida em situações comuns do dia a dia.

Para ele, por exemplo, os famosos diálogos que todos têm consigo mesmo são uma demonstração disso. Veja o caso do solilóquio (falar de si para si). Pare

---

267 Viktor Frankl. *A presença ignorada de Deus* (Petrópolis: Vozes/São Leopoldo: Sinodal, 1988).

para pensar um pouco sobre os resmungos diante do espelho, o pensamento que construímos ao observar uma coisa ou a reclamação solitária quando algo sai errado. Sempre que falamos sozinhos (ou com nós mesmos), agimos como se houvesse outra pessoa dentro de nós e é com ela que conversamos. Ora, o que é isso senão a carência instintiva de um "outro" interior? O Dr. Frankl costumava dizer que, nestas horas, "Deus é o parceiro dos mais íntimos diálogos que travamos com nós mesmos".

Veja ainda nossa ideia de eternidade que aliás já tanto comentamos anteriormente. De onde vem em nossa mente esta noção de infinito? Afinal, ninguém jamais viveu eternamente, nem tampouco provou que a eternidade de fato existe. Nem mesmo a teoria da relatividade de Einstein consegue comprovar empiricamente o infinito. Sua modalidade jamais será objeto de estudo em qualquer laboratório ou tese de doutoramento. No entanto, algo dentro de nós insiste em apontar para a certeza de que existe a infinidade. Ou, mais do que isso, nos coage a buscar incessantemente por ela. Mais uma vez volta à tona a questão: Quem ou o que colocou na constituição dos seres humanos a ideia do infinito?

> Pode-se dizer que o ser humano em todas as épocas se pergunta pelo sentido de sua vida. Já na Antiguidade os gnósticos viam a sabedoria na resposta à tríplice pergunta: Quem somos? De onde viemos? Para onde vamos? Mas talvez o homem moderno ainda seja mais perseguido pelas perguntas fundamentais. Apesar de no cotidiano ser cercado pelas solicitações inúmeras de sua sobrevivência e da busca de satisfações prazerosas, a vida lhe reservará momentos em que não pode fugir da pergunta existencial profunda do sentido da vida, tais como a morte, doenças graves, fracassos ou momentos de profunda alegria e felicidade. [...] Essa ânsia de reter a história, para que os momentos gratificantes não se dissolvam, levanta o sentido da transitoriedade de tais instantes.[268]

No dia a dia nos vemos constantemente às voltas com a busca pelo bem-estar eterno. Ninguém, em estado normal, deseja a morte ou o fim da vida. A velhice, inevitável a todas as pessoas, é a cada dia enfrentada com novos métodos de rejuvenescimento que buscam retardá-la ao máximo, como se pudesse estender por mais tempo a sensação de eternidade típica dos áureos anos de juventude. Como disse certa vez um velho professor da Universidade de Louvain:

---

268 J. B. Libânio. *Teologia da Revelação a partir da Modernidade* (São Paulo: Loyola, 1992), p. 169.

Quando você chega aos 50, coisas estranhas começam a acontecer. As subidas se tornam mais íngremes, o quilo parece ter dobrado seu peso e o corpo já não responde com tanta presteza quando dele exigimos algum esforço. O olho de lince que nos era motivo de orgulho precisa de alguns graus para ajudá-lo a ler um pequeno livro. Então você olha para seu reflexo no espelho e parece ouvir a natureza gracejando-lhe no ouvido: Eh, companheiro, finalmente convenci-lhe de que você não é eterno!

Outro indício de busca da eternidade está em que todos sentimo-nos levemente frustrados ao fim de um estado agradável. Parece que nossa sede de felicidade jamais se sacia. Do mesmo modo, tão logo superamos uma etapa, ou conquistamos um ideal, já partimos em busca de novas metas de vida, pois, como disse Larry Crabb: "O homem que para de buscar ideais é um homem de alma completamente morta".

Ora, o que seriam estes e outros comportamentos similares senão a certeza viva de que nascemos com uma disposição ímpar de caminhar continuamente rumo a um transcendente?

Sendo assim, entendendo que posso chamar a esse transcendente de Deus. Acredito que tal noção antropológica pode servir para uma descrição adequada senão da totalidade divina (que é inesgotável), pelo menos de alguns elementos básicos de seu ser.

Logo, será na criança que notaremos mais fortemente a apresentação dimensional deste fenômeno. O adulto, por seu próprio contato com o mundo, já teve seu sentimento permeado demais por noções sociais efêmeras que se misturam e se confundem com aquilo que lhe é ontologicamente natural. A criança, embora relacionando-se desde cedo com o mundo exterior, tem seu espírito menos afetado que o indivíduo feito. Indo, pois, direto aos sentimentos transcendentais que acompanham o infante, notamos que uma das primeiras noções de mundo tidas por uma criança é o sentimento de solidão que, por si só, é acompanhada pela sensação de medo.

Quando se vê sozinha, a criança chora como se suplicasse companhia – um indício de que, em sua mente, o Criador intentou colocar a necessidade de comunhão e relacionamento. Mas note que não basta colocar um brinquedo ou qualquer objeto no berço. O que a criança precisa é de um ser pessoal animado. Tal atitude reconhece a expressão de um diálogo da consciência e de uma relação "eu-você", também aceita e sistematizada por eruditos como Buber, Jaspers e Levinás. Numa perspectiva teológica, temos o reflexo de nossa carência inata de um Deus que seja mais do que um objeto inanimado ou mais do que um todo impessoal. Ele precisa ser uma pessoa, que fala, conversa, responde.

Mas, seguindo a analogia da criança, suponhamos que seja colocado outro bebê no berço. O que teríamos? A resposta óbvia: duas crianças chorando. Isso nos indica que o anseio existencial de relacionamento não pode estar efetivamente satisfeito por outro ser de parâmetros totalmente iguais aos nossos. De fato, os que buscam no casamento, amizades, fama a realização de todos os anseios veem-se imediatamente frustrados ao perceber que tais coisas, por melhores e mais agradáveis que sejam, não preenchem a totalidade dos anelos da vida.

A criança que chora precisa de uma pessoa adulta. Alguém que lhe proporcione a ideia de perfeição e independência absoluta. Em sua mente infantil, ela vê o adulto como alguém que nunca é pego pelo "bicho-papão", que se alimenta e se veste sozinho e, ainda, tem forças para proteger uma criança de qualquer perigo que esteja fora dos limites de seu bercinho. Ora, o que é isso senão a reminiscência de que o Deus de nossa carência tem de ser pessoal e onipotente? Precisamos contar com um ser que não dependa de nada superior para mantê-lo vivo. Alguém no qual podemos descansar com a certeza de que jamais seremos vencidos se estivermos sob sua proteção. Nossa alma já está farta de buscar super-heróis com pontos vulneráveis. Não nos convence a proteção de um super-homem que pode a qualquer momento ser morto por uma kryptonita e nos deixar solitários para enfrentar os bandidos mais fortes que nós mesmos.

Não obstante a necessária presença de um adulto para garantir o estado de segurança do infante, devemos ainda lembrar que um adulto estranho poderá causar na criança mais terror do que quando se sentia sozinha, com medo da escuridão solitária. Para ter certeza de que não chorará novamente, a criança deve contar com a presença de um adulto íntimo. Pode ser o pai, a mãe ou alguém próximo que lhe traga flashes de reconhecimento amigável e lhe transmita "intimidade".

Carência contraditória

A partir do que foi dito anteriormente, o segundo passo seguinte seria possibilitar a relação íntima entre o Onipotente e o ser deficitário (que somos nós). Neste ponto, no entanto, descobre-se um paradoxo existencial humano.

Como regra básica, o Deus transcendente precisa ser essencialmente absoluto, isto é, *totalmente solto* de qualquer grilhão exterior à sua pessoa. Alguém que jamais perca sua onipotência nem possa ser duplicado.

A atitude, porém, da criança que pede pela presença de um adulto íntimo revela a manifestação contraditória de nosso inconsciente. Precisamos da presença de um ser que seja ao mesmo tempo infinitamente transcendental e intimamente pessoal. Mas transcendência e imanência são noções adversas, humanamente inconciliáveis.

Um lado de nosso sentimento clama por um Deus com as devidas características de onisciência, onipresença e onipotência. Alguém que não seja surpreendido pelo futuro, que não mude de ideia, que não pode ser atingido por nenhum dardo mortal. Um Deus, enfim, que seja bom e sem nenhum inimigo à altura.

Não obstante, o mesmo ser que pede esse Deus essencialmente transcendental suplica, em paradoxo, a presença de um amigo com quem possa conversar, caminhar, alguém para o qual possa correr. Nosso sentimento, neste aspecto, assemelha-se ao de um menino cuja mãe o colocou no quarto e ao sair disse: "Não tenha medo do escuro, meu filho, Deus está com você!". "Sei que Deus está aqui, replicou o menino, mas, mãe, eu quero alguém com um rosto!"

Um Deus com um rosto, esse é o anelo universal da humanidade. Sabemos que ele não muda, mas gostaríamos muito de – através da oração – pedir que ele faça algo inédito por nós. Nosso consolo não pode vir de alguém que nunca experimentou o sofrimento e a dor. Seria como convidar Paris Hilton para dar uma palestra de autoajuda para adolescentes grávidas que foram expulsas de casa. Não funciona.

Como podemos nos relacionar com um Deus sendo que nem um abraço conseguiremos dar nele? Que graça tem conversar com um ser que já sabe tudo que vamos dizer? Aonde poderemos ir, desfrutando sua companhia, se ele já está aqui e lá ao mesmo tempo?

Veja, para possibilitar uma relação entre os seres finitos e o ente superior absolutamente transcendental é importante que haja quatro elementos imprescindíveis que juntos resultem numa experiência interpessoal:

a) O *sujeito*, que é quem faz a experiência.
b) O *objeto*, que é a pessoa com o qual se relaciona.

c) A *presença* imediata e sensível do objeto (não se pode relacionar com algo que não está aqui).

d) Um voltar-se *intelectual* para esta presença, ou seja, prestar a atenção e sentir que aquilo está ali.

Neste caso, a solução estaria num passo primário dado por Deus em direção à humanidade. Não somos nós que o encontramos, é ele que se deixa encontrar.

Uma boa notícia

Depois de tanto citar as leituras materialistas da história, aliás muito sinceras em relação ao que nos rodeia, creio que posso sugerir uma interpretação religiosa dos fatos. Trabalhando com a hipótese de que existe um Deus acima de tudo, não é inverossímil acreditar que ele tome a iniciativa de construir uma ponte sobre o abismo e se revelar ao ser humano, uma vez que este, limitado por sua própria humanidade, não pode alcançar a contemplação do Supremo.

É claro que os resistentes à hipótese de Deus se sentirão tentados a pular esta parte. O caos do mundo, para eles, é o suficiente para supor que tal ser não existe ou tenha nos abandonado (proposta do deísmo). Contudo, é possível, com os mesmos dados, propor outra leitura.

Quando me perguntam "Se Deus existe de onde vem tanta maldade?", pergunto de volta: "Se ele não existe, de onde vem tanta bondade?". A história não é feita apenas de assassinos e ditadores, existe muito ato de altruísmo e solidariedade por aí. Se o inferno tem seus representantes, o paraíso também.

Se não há Deus por que o mal não é absoluto? O que vejo é que existe mal e existe o bem. Logo, o mais razoável é supor que não estou num cenário unilateral, mas numa realidade de conflito. O princípio dialético do Yin Yang pode até ajudar aos que querem tirar algo de bom das situações desastrosas. Não serve, porém, para descrever a dinâmica do conflito, que seria melhor descrita por princípios ético-dualistas. Não há como luz e trevas conviverem num mesmo espaço sem que a primeira repila naturalmente a segunda.

Considerando ainda que o mal agride, incomoda e não parece condizente com nossa natureza sedenta de eternidade com propósito, posso tranquilamente supor que ele seja uma inserção artificial num ambiente ao qual não faria parte. Mesmo sem os detalhes prévios de como originou esse embate, sei que está em curso, e se Deus é realmente aquilo que suponho pela revelação que faz de si mesmo, estou certo de que o conflito um dia terminará com a vitória da luz e do bem.

O que proponho, pois, é semelhante ao que disseram muitos pensadores iluministas. Apenas mudo o objeto da proposta. Deixemos de lado a ilusão na qual a modernidade nos mergulhou. Fora com os vícios, as distrações, os devaneios. A realidade, apesar do caos reinante, tem um propósito. O conflito não durará para sempre. Admitamos que o super-homem nietzschiano não deu conta da realidade cósmica, era apenas um folclore. Continuamos necessitando do Pai Protetor que Freud tentou eliminar.

A boa notícia é que se há um vazio com forma de Deus no coração humano, também existe um vazio com forma humana no coração de Deus. Não se trata de um caso de amor não correspondido, ele também deseja vir ao nosso encontro. E como se dá isso?

A máscara de Deus

Como resolver o dilema de um Deus incognoscível? Simples: Deus se revela. É o velamento da glória ofuscante de Deus que permite uma contemplação parcial de seu ser. Lutero fazia uma distinção entre o Deus *revelatus* e o Deus *absconditus*. O primeiro seria a manifestação do segundo num modo diminuto que suas criaturas pudessem entendê-lo. Ou seja, Deus é essencialmente tão grandioso, que, sem uma adequação de sua grandiosidade à pequenez da criatura, esta jamais poderá contemplá-lo ou dialogar com ele. Os homens, dizia Lutero, usam máscaras para esconder seu rosto. Deus, no entanto, usa uma máscara para se revelar, pois, devido à sua grandeza, a forma mais natural dele se mostrar é se escondendo.

Em teologia cristã dizemos que esta "máscara" se chama Revelação de Deus aos homens. Um fenômeno que se traduz no fato de o ser divino agir em algumas vezes como se não tivesse todo o esplendor que de fato possui. Logo, ainda que saiba de tudo, ele abre mão de sua onisciência – note que não a perde – e honestamente faz perguntas aos homens; ainda que esteja em toda parte, vem e vai com seus filhos e, ainda que tenha tudo, ele pede e suplica. Somente assim poderia se contatar conosco.

Seu ato de abrir mão de seus atributos seria como um piloto, dono de uma aeronave, que, tendo um amigo com fobia de voos, deixa seu monomotor no hangar e caminha em solo firme com o colega. Note, ele não perdeu seu avião muito menos sua habilidade de voo. Afinal, se é mesmo o dono do aparelho, tem autoridade para usá-lo ou não quando bem entender. Sendo assim, sua caminhada com o amigo na terra não é fingida, embora ele tivesse condições de fazer o trajeto voando sobre as nuvens.

Philip Yancey encontrou uma forma muito didática de expressar esse princípio revelador de Deus. Veja como ele descreve:

> Descobri que gerenciar um aquário de água salgada não é uma tarefa fácil. Eu precisava operar um laboratório químico portátil para monitorar os níveis de nitrato e o teor de amônia. Eu bombeava vitaminas, antibióticos, medicamentos à base de sulfa e enzimas, além de filtrar água através de fibras de vidro e carvão.
> É de se pensar que meus peixes ficariam gratos. Nem tanto. Quando minha sombra se aproximava do aquário para alimentá-los, eles mergulhavam para se esconder na concha mais próxima. Eu era grande demais para eles; minhas ações incompreensíveis. Eles não sabiam que minhas atitudes eram misericordiosas. Mudar essa percepção exigiria uma forma de encarnação. Eu teria que me tornar um peixe e "falar" a eles em uma linguagem que eles compreendessem; o que era impossível para mim.[269]

Impossível para o autor, mas não para alguém dotado de onipotência. Segundo a interpretação Cristã, a divindade – uma em essência, plural em pessoas – possibilitou que sua segunda pessoa assumisse a forma humana para nos revelar a Deus. De acordo com as Escrituras, Deus, o Criador do universo, fez algo que pareceria impossível. Ele veio à terra em forma humana na pessoa de Jesus Cristo.

Os gregos, especialmente Heráclito, já apontavam para um Logos mediador entre o universo e seu princípio gerador (que Aristóteles chamará de Causa primeira). João, chegando à cidade de Éfeso, onde séculos antes viveu Heráclito, lança mão do mesmo elemento, o "Logos", e explicita o que já fora dito, acrescentando o que não fora contado: "[...] o mundo foi feito por intermédio dele... mas o mundo não o conheceu" (João 1:10). Então o mesmo princípio divino, que criou a matéria, tornou-se humano, o oleiro se tornou um vaso de sua própria coleção. Assim, Deus possibilitou a criação de uma autobiografia divina, utilizando personagens reais, numa história real. "E o Verbo se fez carne e habitou entre nós [...]" (v. 14).

---

[269] Philip Yancey. *O Jesus que eu nunca conheci* (São Paulo: Vida, 2001).

Como avaliou um egresso do curso de teologia: "Ouvi que Deus era infinito. Não entendi que era eterno. Continuei sem entender. Que está acima de todas as coisas – aumentei ainda mais minha ignorância. Então descobri que o verbo se fez carne, então comecei a entender um pouco de Deus".

A divindade, para pessoas que chegam a esse estágio, deixa de ser um conceito para se tornar uma pessoa. Ultrapassa os limites de um credo, para configurar-se numa fé relacional, em que o que no princípio seria um "nada deus" se transforma no "totalmente outro" de Rudolf Otto[270] e, ao mesmo tempo, na possibilidade plena da relação "Eu-Tu" de que falou Martin Buber[271], embora a inspiração profética vá além do que ele escreveu.

Cristo, para mim, é o ponto de encontro de toda a linguagem sobre Deus. É a junção dos elementos catafáticos e apofáticos que fazem parte de nossa carência contraditória e, ao mesmo tempo, não podem ser conciliados por nenhum outro tipo de proposta que eu conheça. É por isso que você verá que concentro em Cristo toda minha linguagem sobre Deus. É por isso que sou cristão.

---

270 Rudolf Otto. *O Sagrado: um estudo do elemento não-racional na ideia do divino e a sua relação com o racional* (São Bernardo do Campo: Imprensa Metodista, 1985).

271 Martin Buber. *Eu e Tu*. 10ª ed. Tradução do alemão, introdução e notas por Newton Aquiles Von Zuben (São Paulo: Centauro, 2001).

Capítulo 28
A singularidade do cristianismo

Um problema que surge ao apresentarmos uma descrição de Deus para alguém é a pluralidade de versões que existem da divindade. Trocando em miúdos, se eu restringir meu leque de opções às propostas religiosas que existem no mundo, tenho, a princípio, três sugestões nada animadoras:

1) Considerando que existem no mundo cerca de 10 mil diferentes religiões[272], encontrar qual seria a verdadeira é mais utópico que encontrar uma agulha num palheiro. Então o melhor é nem tentar.
2) Talvez o caminho fosse considerar todas verdadeiras e assim não se preocupar com a investigação de sua doutrina, pois todos os caminhos levariam a Deus. O problema com esse conceito é que as disparidades não podem ser artificialmente resolvidas. O conceito de Deus seria contraditório e indefinido.
3) Considerar que todas estão erradas e nenhuma está certa. Tal premissa seria preconceituosa, e não fruto de uma análise racional ou de uma busca efetiva.

Como, porém, podemos nos certificar destas coisas se há centenas de propostas religiosas para todos os lados? Como identificar o que é correto? Como saber se a proposta do cristianismo é mais real que as demais oferecidas por outras crenças?

A imagem da modelagem me ajuda provisoriamente a introduzir a questão se comparar o vazio humano como um molde presente em nosso ser e as diferentes sugestões religiosas como objetos de diferentes tipos que se candidatam a preencher o vazio. Note, não são as religiões os próprios objetos, mas as proponentes deles, ou seja, o objeto é a forma de Deus que cada uma apresenta, e o vazio, o espaço existencial a ser preenchido.

---

[272] Dados apresentados em David B. Barrett; George T. Kurian; Todd M. Johnson. *World Christian Encyclopedia: A Comparative Survey of Churches and Religions in the Modern World*. 2 vols. (Oxford: Oxford University Press, 2001).

O passo seguinte é fazer uma espécie de jogo do Tetris, em que se busca verificar atentamente quais cubos seriam ou não adequados para preencher as lacunas da tela. A sugestão, no entanto, parece utópica considerando a quantidade sem-fim de sugestões apresentadas. A menos que reduzamos o número sem perda de conteúdo. Como fazer isso? No decorrer deste capítulo apresentarei uma sugestão.

Como é Deus?

Até aqui você viu evidências de que Deus existe e carecemos dele. Agora, no entanto, surge uma última e conclusiva pergunta perante nós: "Como é Deus?". Depois da busca pela existência divina, esta é, talvez, a mais importante questão da vida. É a partir de sua resposta que saberemos como encontrar a Deus e obter dele a certeza de vida eterna.

É muito importante definir quem é Deus para você, pois disto dependerão as grandes decisões da sua vida. Tudo o que fazemos, cremos e somos está intimamente relacionado com o tipo de Deus no qual acreditamos. Aliás, você poderá notar que as pessoas não tendem a ser moralmente melhores que o Deus que elas adoram. Logo, se cultuam uma divindade má, elas serão más; se, porém, adoram a um Deus bom, elas serão boas.

Voltando, então, à indagação inicial, repetimos a pergunta: Como é Deus? Afinal de contas, com que ou quem ele se parece? É atencioso? É meigo? Não seria ele um brincalhão cósmico que faz piadas com o gênero humano?

Permita-me repetir o que espero ter deixado claro, isto é, que praticamente todas as pessoas adoram ou acreditam em algum tipo de Deus. Mesmo o cético e o materialista podem ser apontados nesta lista de "crentes adoradores". Afinal, eles *creem* que Deus não existe e vivem em função de servir ao mundo material. É como se *adorassem* a vida física e fizessem dela um fim em si mesma.

Se você abrir um livro de história geral, verá que não foram somente os religiosos que se tornaram mártires por amor à Palavra de Deus. Houve muitos "descrentes" que também deram sua vida por uma causa na qual "acreditavam". Para alguns deles sua pátria era como um deus. Seu culto à nação chegava a tal ponto que seriam capazes de matar e morrer em defesa de seu orgulho nacionalista. Ora, o que é isso senão um comportamento religioso? A única diferença é que não existe na lista de igrejas um movimento chamado patriotismo, cujos membros seriam os patriotas. Mas o princípio de comportamento é o mesmo. Uns morrem por Cristo, outros pela bandeira nacional.

O mesmo tem acontecido atualmente. Milhões de pessoas param de frequentar a igreja e afirmam não ter religião. Mas, como é impossível viver sem algum tipo de fé, em pouco tempo elas arrumam uma divindade alternativa que pode vir na forma de um partido político ou de um esporte preferido. Muitos comunistas, por exemplo, viam como uma deusa a antiga União Soviética e por ela estariam dispostos a qualquer sacrifício exigido.

Audácia cristã

Para quem é cristão o problema maior surge quando se percebe que os seguidores de Jesus não são maioria em meio à população mundial. O cristianismo conta com 2 bilhões de membros espalhados em mais de 23 mil diferentes denominações religiosas. Portanto, aproximadamente 4 bilhões de pessoas, ou seja, 2/3 do planeta, não creem que Jesus é o Senhor.

De acordo com o livro de Atos 4:12, a salvação só pode ser conseguida através de Jesus: "É por meio do nome dele [de Cristo] e de ninguém mais no mundo que podemos ser salvos". Agora reflita: Com base em que você poderia afirmar que Jesus Cristo é o Salvador do mundo inteiro? Se um budista ou um muçulmano dissesse para você que a salvação vem de Buda e Allah (os líderes destes seguimentos), o que você responderia? Como argumentaria que é Jesus quem salva? Note que, neste discurso, não adianta abrir o Novo Testamento e mostrar-lhe textos como o que acabamos de ler. O uso inicial da Bíblia vai valer muito pouco, porque ela só é a Palavra de Deus na visão cristã. Outros movimentos possuem outros livros sagrados que também não valeriam para nós e é destes livros que retiram sua doutrina.

Logo, ficamos num impasse, principalmente se perguntarmos: não seria a fé cristã apenas mais uma religião sem nenhum significado? Antes que você ache um absurdo este tipo de indagação, raciocine que, se houvesse nascido na Índia, você também teria as mesmas dificuldades em questionar o hinduísmo. Portanto pense: O que torna o cristianismo um caminho especial?

Para responder a esta pergunta, vejamos primeiramente que tipo de Deus as demais religiões nos propõem. Como você deve estar lembrado, no último capítulo falamos sobre a carência humana de Deus e dissemos que nosso coração tem um "vazio" com contornos divinos. Sendo assim, dos vários deuses apresentados, aquele que preencher cabalmente este vazio será, é claro, o Deus verdadeiro. Os demais serão apenas fracos *pretendentes* ao cargo de divindade.

Talvez alguém dirá que no mundo existem centenas de religiões não cristãs, pelo que é impossível anotá-las todas num único capítulo. Entretanto, sabemos que a grande maioria das religiões ainda existentes (pois muitas delas desapareceram no passado) vem basicamente de um dos seguintes ramos: animismo, gnosticismo, dualismo, judaísmo e islamismo. Por isso, basta conhecer a compreensão que estes caminhos tinham de Deus e entenderemos como funcionam todos os segmentos que deles surgiram. Diga-se de passagem, muitas doutrinas constituem apenas um sincretismo entre dois ou mais destes ramos originais. Veja você mesmo:

1) Animismo. Muitas religiões ainda mantêm uma espécie de adoração que os especialistas chamam de animismo. Mas o que seria isso? É a crença básica de que o universo é controlado por espíritos especializados em determinada área da nossa existência. Alguns controlam o vento, outros o fogo, o mar, as aves, enfim; o cosmos, para o animismo, é como um grande prédio administrativo em que cada um cuida do seu setor. Deste modo, se você quer que chova, deve pedir ao espírito da chuva que faça cair água. Se, porém, quer neve, deve então rogar ao espírito da neve para que a traga antes do tempo.

Foi deste ramo que surgiram as várias religiões africanas e também algumas cultuadas pelos antigos bárbaros no norte da Europa. Você, com certeza, já ouviu falar de Thor, o deus do trovão, ou de Yemanjá, a rainha dos mares. Oxossi é chamado deus da guerra, e Gaia, o espírito da terra. Esses exemplos mostram uma pequena gora da variedade sem-fim de deuses e espíritos que, segundo creem, controlam as diversas áreas da nossa vida.

Mas aqui surge um problema com os deuses oferecidos pelo animismo. Estas divindades nunca fazem nada de graça. Elas simplesmente "barganham" com o ser humano. É assim: se você quer sucesso na vida, então ofereça uma galinha com velas para determinada entidade e, se agradar do presente, ela faz aquilo que você pediu. Em alguns casos, se duas pessoas pedirem coisas opostas (por exemplo: duas meninas que querem o mesmo rapaz), então ganha aquela que der o presente melhor.

Daí, deduzimos que estes espíritos não amam o ser humano, apenas negociam com ele. Ora, o dono da empresa de refrigerantes não *ama* o cliente, apenas se interessa pelo seu poder de consumo. Seu objetivo ao fabricar a bebida não é saciar os sedentos, mas vender o produto. Você primeiro paga, depois leva o sabor refrescante. Ora, seria muito desagradável adorar a um deus ou deuses que agem como megaempresários. Nosso coração não pede um relacionamento do tipo patrão/empregado, mas algo que se assemelhe a um sadio diálogo entre pai e filho.

Precisamos de alguém que esteja disposto a nos oferecer algo pelo qual, por nós mesmos, jamais podemos pagar: a eternidade. Espíritos que sejam incapazes de fazer isto não são competentes para preencher o vazio da alma.

2) *Dualismo e deísmo.* Os epicureus que encontraram com Paulo na cidade de Atenas defendiam o dualismo (veja Atos 17:18). Segundo eles, os deuses, se é que existiam, moravam num mundo bem distante daqui. Sua participação em criar o mundo foi igual a de alguém que dá corda num relógio e sai, deixando-o funcionar por conta própria. Ou seja, a vida na Terra passa sem nenhuma interferência divina, motivo pelo qual há tanta desgraça neste planeta. É exatamente este o pressuposto básico do dualismo: Deus é bom, o mundo é mau; ele é eterno, nossa vida é passageira; para Deus não há limites, para nós há a dimensão tempo e espaço que nos prende num momento e local específicos. Logo, são tantas as discrepâncias entre o que vemos e aquilo que deduzimos de Deus que o mais correto, diziam os dualistas, é supor que ele não esteja entre nós.

A outra conclusão fundamental dos dualistas era que Deus é espírito e nós somos matéria. A partir disso deduz-se que tudo que é bom, eterno e agradável está na espiritualidade. Já as coisas materiais constituem o lado mau, fraco e vergonhoso da existência. Agora você pode entender seu ensinamento: eles diziam que a alma era uma entidade espiritual (*i.e.*, boa e eterna) que estava presa num corpo material. Livrar-se desse corpo seria o ideal para dar à alma a liberdade de viver eternamente.

Se fizer uma pesquisa, você verá que até hoje existem religiões místicas que pregam a anulação do corpo como meio de atingir a vida eterna. Há desde a mortificação (*i.e.*, machucar o próprio corpo para mantê-lo submisso) até o ascetismo, que seria viver totalmente fora do âmbito da sociedade.

Do dualismo surgiram ainda outras correntes místicas de pensamento e muitas filosofias que por séculos dominaram o mundo ocidental. Você já ouviu, por exemplo, alguma coisa sobre o deísmo? Senão, saiba que este foi um forte movimento na Europa e nos Estados Unidos que ressuscitava a doutrina dualista da não intervenção divina nos negócios da humanidade.

Agora pare e pense um pouco: Como você se sentiria se soubesse que é adotivo e que seus pais legítimos o abandonaram à própria sorte quando ainda era um bebê? Ficaria um bocado chateado, não é mesmo? Talvez é até provável que precisasse de um tempo para aceitá-los e, caso continuassem demonstrando total desprezo, dificilmente se afeiçoaria a eles. "Revolta" seria o sentimento mais esperado nesta situação.

Como os deuses do epicurismo ou do deísmo poderiam preencher o vazio existencial da alma humana? De fato, jamais poderiam!

3) *Unismo, holismo ou ainda panteísmo.* Esta foi uma corrente que deu origem a muitas religiões asiáticas, especialmente as filosofias hinduístas, que, por sua vez, inspiraram uma série de agremiações religiosas e filosofias de vida, especialmente aquelas defensoras do carma e da reencarnação.

Algumas formas de hinduísmo clássico, mesmo que incentivem *Bhakti* (a adoração a um ou mais deuses), presumem que o Deus supremo e maior de todos não é na verdade uma pessoa, mas o todo que compõe o universo. Ele é um grande oceano do qual todos saímos e para o qual todos voltaremos. Assim, não há como dizer que Deus faz isso ou aquilo, pois ele não é uma pessoa para agir. Ele é o cosmo.

Você, por certo, já ouviu falar de terapias que incentivam a harmonização do corpo e da alma com a alma universal e com o cosmo, e agora certamente sabe o que isso significa.

4) *Islamismo ou maometanismo.* O Islã, embora não seja contado entre as mais primitivas formas de religiosidade humana, merece ser considerado porque, além de ser a única religião fora do judaísmo e do cristianismo que se considera monoteísta, é atualmente o segmento religioso que mais cresce no mundo moderno. As fileiras muçulmanas, dizem alguns, é a nova grande barreira antiamericana que faz as vezes da derrotada cortina de ferro do comunismo.

Sua firmeza ideológica é certamente oriunda de sua visão de Deus e da salvação do gênero humano. Para o Islã, Deus (Allah) é o comandante e o juiz. Qualquer vacilo em não cumprir as suas leis levará o homem a enfrentar o terror de sua ira.

Diante de tudo isso, surge perante nós a pergunta: Qual é a visão judaico-cristã de Deus? Ou, em outras palavras, se Jesus fosse confrontado com estes caminhos alternativos, qual ele apresentaria para oferecer ao ser humano sua doutrina?

Bem, se atentarmos para estas propostas universais que, como dissemos, originaram praticamente todas as correntes religiosas do mundo inteiro, veremos que nenhuma delas apresenta Deus como um ser digno de relacionamento íntimo e pessoal. O Alcorão jamais chama Allah de pai ou supõe que ele possa amar a ser amado. O panteísmo também não pode falar de amor e relacionamento com Deus, porque ele não é uma pessoa que possa emanar ou receber sentimentos.

Tanto o dualismo quando o animismo não oferecem um Deus de amor que possa se compadecer do ser humano. Para estes setores a divindade não passa de um ser distante (dualismo) ou, se vê, no máximo, como um sujeito mercantilista que só abençoa à medida que é prestigiado com dádivas e oferendas.

O incomparável Jesus

O cético Xenófanes (560-478 a.C.) não apenas rejeitava as explicações míticas para a realidade como dizia ser ingênuo adorar a deuses que se comportam de modo imoral e irracional. Ele foi um severo crítico do politeísmo encontrado entre os primeiros gregos e também entre seus contemporâneos. Num de seus fragmentos, preservado por Sextus Empiricus[273], ele declara: "Hesíodo e Homero têm atribuído aos deuses toda sorte de coisas que são dignas de reprovação e censura entre os homens: roubos, adultérios e engano mútuo". Em outro texto, citado por Clemente de Alexandria, Xenófanes teria dito:

> Se os bois, os cavalos e os leões tivessem mãos ou pudessem desenhar com estas mãos e criar coisas como o homem as cria, os cavalos e os bois descreveriam a feição de seus deuses e desenhariam os corpos deles como as próprias formas que eles mesmos possuíam, *i.e.*, como bois e como cavalos [...] os etíopes dizem que seus deuses são de nariz achatado e negros, enquanto os trácios dizem que são pálidos e de cabelo ruivo.[274]

Para Xenófanes, Deus teria de ser alguém além e acima da moralidade humana, que não possui forma humana, que não pode morrer nem nascer (é divino e eterno), sem hierarquia acima dele e que não intervém nos negócios da humanidade. Mas ele estranhamente aceita que Deus controla o universo, ou pelo menos sua existência. Nisto, não creio ser errado entender que Xenófanes percebeu a lacuna de seu projeto. Ele descreveu um lado verdadeiro

---

273 Sextus Empiricus. *Against the Mathematicians*, I.289 e IX.192ss. (Loeb Classical Library) (Cambridge, MA: Harvard University Press, 2005).

274 Clemente de Alexandria. *Miscelâneas*, V. 110 e VII, 22. Veja também para as duas últimas frases Diels-Kranz. *Die Fragmente der Vorsokratiker, Xenophanes*, frr. 15-16. Disponível em <http://www.wilbourhall.org/pdfs/Die_Fragmente_Der_Vorsokratiker.pdf>. Acesso em: 08/05/2018.

da divindade – aquele que não se iguala a nada projetado pela mente humana. Contudo, para haver uma relação do homem com esse Deus, ele precisa – de alguma forma – ficar pequeno o bastante para que possa ser alcançado.

Na encarnação de Cristo temos essa união entre imanência e transcendência. Sua passagem pelo mundo pode ser avaliada pelo método investigativo. Sua história demonstra que não se trata de alguém criado por qualquer mente humana. Aliás, alguém falou que se houvesse um homem capaz de criar o personagem Jesus, era a esse que deveríamos seguir, pois nenhuma mente comum é capaz de produzir um ser tão espetacular como Cristo. Em sua vida eu tenho como descrever o jeito que Deus fala, como ele age, o que ele espera e o que ele oferece. Se estiver num grupo interconfessional e um budista me perguntar como é meu Deus, não preciso apontar para uma estátua, um templo ou um avatar. Aponto para a história e passo a descrevê-lo na pessoa de Jesus de Nazaré.

Existem dois textos muito famosos sobre Jesus que tomo a liberdade de citar, não apenas por sua bem elaborada redação, mas, sobretudo, por sua tenacidade espiritual e teológica. O primeiro é a crônica *One Solitary Life*[275] [Uma vida solitária], que diz:

> Eis um homem que nasceu num vilarejo quase desconhecido, filho de uma mulher humilde. Cresceu numa outra vila. Trabalhou numa carpintaria até completar os trinta anos e, então, durante três anos foi um pregador itinerante. Nunca possuiu um lar. Nunca escreveu um livro. Nunca ocupou uma posição de destaque. Nunca teve uma família. Nunca foi à faculdade. Nunca pisou numa cidade grande. Nunca esteve a mais de trezentos quilômetros distante do lugar onde nasceu. Nunca fez alguma daquelas coisas que geralmente andam juntas com a grandeza. Nada tinha para apresentar como credenciais além de Si mesmo [...] Embora ainda jovem, a maré da opinião pública se voltou contra Ele. Seus amigos fugiram. Um deles O negou. Foi entregue a Seus inimigos. Passou pelo ridículo de um julgamento. Foi pregado numa cruz entre dois ladrões. Enquanto estava morrendo, Seus executores sortearam entre si a única coisa que Ele possuía na terra – uma capa. Quando morreu, foi tirado da cruz e sepultado no túmulo que um amigo, movido por piedade, lhe cedeu. Dezenove longos séculos se passaram, e hoje Ele é a figura central da raça humana e o líder da marcha do progresso. Digo uma grande verdade quando afirmo que todos os exércitos que já se puseram em marcha, todas as esquadras que já se construíram, todos os parlamentos que já existiram e todos os reis que já reinaram, tudo

---

275 Disponível em <http://www.medjugorje.ie/files/one-solitary-life.pdf>. Acesso em: 15/03/2018.

isso junto não tem afetado a vida do homem sobre a terra de um modo tão poderoso como o tem feito aquela única vida solitária.

O segundo é *The Incomparable Christ*[276] [O Cristo incomparável], outra crônica repleta de imagens evocativas:

> Mais de mil e novecentos anos atrás houve um Homem que nasceu de modo contrário às leis da vida. Esse homem viveu na pobreza e cresceu desconhecido das pessoas. Não viajou muito. Só uma vez atravessou a fronteira do país em que viveu; isso durante a infância por ocasião do Seu exílio.
>
> Não possuiu riquezas nem recebeu influências. Seus parentes eram pessoas sem qualquer projeção e não recebeu instrução nem educação formal. Ainda bem pequenino despertou os temores de um rei; na infância confundiu os doutores; na idade adulta controlou o curso da natureza, andou sobre as ondas como alguém anda na calçada e fez o mar sossegar. Curou as multidões sem qualquer remédio e não cobrou nada por esse favor.
>
> Nunca fundou uma escola, mas todas as escolas do mundo reunidas não podem se orgulhar de ter mais discípulos do que Ele.
>
> Nunca comandou um exército, nem alistou um só soldado, nem disparou uma arma; e, no entanto, nenhum outro líder chegou a ter mais voluntários que, sob seu comando, tivessem levado mais rebeldes a depor armas e a se render sem um só disparo.
>
> Nunca praticou a psiquiatria e, no entanto, tem curado mais corações despedaçados do que todos os médicos do mundo. Uma vez por semana param as engrenagens do comércio e as multidões se dirigem a reuniões de adoração com o propósito de prestar-Lhe tributo e manifestar-Lhe respeito.
>
> Os nomes dos orgulhosos estadistas gregos e romanos do passado surgiram e desapareceram. Os nomes dos cientistas, filósofos e teólogos do passado surgiram e desapareceram. Mas o nome deste Homem é mencionado cada vez mais. Embora tenham se passado mil e novecentos anos entre o momento da sua crucificação e a geração atual, Ele ainda vive. Herodes não pôde destruí-lo, e o sepulcro não pôde retê-lo.
>
> Ele se sobressai no mais elevado grau da glória celestial, aclamado por Deus, reconhecido pelos anjos, adorado pelos santos e temido pelos demônios – tudo isso na qualidade do Cristo vivo e pessoal, nosso Senhor e Salvador.[277]

---

276 Disponível em <http://www.logosresourcepages.org/Articles/incomparable_christ.htm>. Acesso em: 15/03/2018.

277 Apud Josh McDowell; Sean McDowell. *The New Evidence That Demands a Verdict* (New York: Thomas Nelson, 1999).

E os demais?

O cristianismo tem uma mensagem exclusivista e audaciosa acerca de seu fundador. Algo que, de fato, soa politicamente incorreto num mundo de tamanho pluralismo religioso. Há teólogos que pensam em desabsolutizar a mensagem cristã a fim de torná-la mais palatável ao budista, xintoísta, hindu e outros. Penso que não podemos, senão perderemos a essência de tudo o que ele foi.

No passado, o teólogo alemão Karl Rahner, intérprete ímpar das filosofias de Hegel, Kant e Heidegger, propôs o conceito do "cristão anônimo" para afirmar que todos os indivíduos que habitam o planeta são potencial e implicitamente cristãos, mesmo que anônimos (*i.e.*, sem o saber), uma vez que todos apreendem o Deus da Revelação através da apreensão do próprio ser[278]. Isto se dá, sobretudo, através do bom uso da moralidade divina que, segundo Rahner, não só foi expressa sublimemente nas ações de Cristo, como também só foi possibilidade ao indivíduo através da graça que vem de Jesus. Em suma, cada um dos bilhões de habitantes do mundo que de um modo ou de outro vivem a fé, a esperança e o e amor é discípulo de Cristo, ainda que não tenha nenhum conhecimento implícito deste fato.

Há quem diga que a proposta de Rahner estaria ultrapassada a partir do momento em que, considerando que outras religiões também possuem valores e ensinamentos morais, alguém pudesse qualificar Rahner como um "budista anônimo" ou um "confucionista anônimo" ou ainda um "judeu anônimo". Tal analogia não se sustenta porque se revela uma falácia por falsa equivalência.

É um tipo de raciocínio errôneo, mas muito perspicaz. Ele ocorre quando o compartilhamento de uma característica de dois objetos leva automaticamente à conclusão de que a similaridade demonstra equivalência. Isso não é sempre verdadeiro. Há muitos casos, e este é um deles, em que a similaridade anedótica pode ser apontada como igual, porém, a reinvindicação de equivalência não se sustenta, pois a similaridade imposta baseia-se na simplificação excessiva ou na ignorância dos fatos adicionais. Ela costuma ser apresentada no seguinte formato: "Se A é conjunto de 'c' e 'd', e B é o conjunto de 'd' e 'e', então, já que ambos contêm d, A e B são iguais. Não é necessário que 'd' exista em ambos os conjuntos; apenas uma leve semelhança é requerida para que seja possível usar essa falácia".

---

[278] Karl Rahner. "Los cristianos anónimos", in *Escritos de Teología* (Madrid: Taurus, 1969), v. 6. p. 535-544.

Então vamos lá:

O cristianismo anônimo (A) comporta religiosos (C) budistas e (D) brâmanes.
Ora, o hinduísmo (B) comporta (D) brâmanes e (E) vishnuítas.
Logo, cristianismo (A) e hinduísmo (B) são iguais.

O fato aqui ignorado e que leva ao erro de equiparação encontra-se na distinção pessoal entre Jesus e qualquer outro líder religioso deste mundo. Buda, Confúcio, Maomé ou qualquer outro jamais arvoraram ser o redentor único de toda a humanidade. Aliás, Jesus foi o único personagem real que em sã consciência declarou ser Deus. Ou ele era de fato, ou tratava-se de um louco charlatão com a estranha capacidade de construir uma das mais enobrecedoras visões de Deus e de mundo que o ser humano pode alcançar.

Nenhum outro fundador de religião, filósofo ou mestre de sabedoria teve a audácia de dizer algo que singularmente aponta para o formato de um vazio transcendente e imanente ao mesmo tempo: "Se alguém guardar a minha palavra eu e o meu pai o amaremos, viremos para ele e faremos nele morada". Assim, Cristo é a revelação do Deus que ama e pode ser objeto do meu amor (1João 4:8). Agora reflita consigo mesmo: Que tipo de Deus além deste poderia preencher o vazio da alma humana?

Capítulo 29
Igreja, quem precisa dela?

O mundo cristão contemporâneo está experimentando um curioso movimento, especialmente na Europa e nos Estados Unidos, mas também comum no Brasil: refiro-me ao número cada vez maior de pessoas que se declaram "desigrejados" – um termo inédito para descrever aquela parcela considerável da população que diz amar Jesus Cristo e apreciar seus ensinamentos, mas não quer compromisso com esse organismo chamado "Igreja".

Nos Estados Unidos esse fenômeno recebeu o nome de *Churchless Christianity* e já rendeu muitos estudos a respeito. Até o conhecido grupo Barna de pesquisa estatística publicou um livro sobre o assunto e concluiu que nos anos 1990 cerca de 30% dos cristãos se diziam sem igreja; no ano 2000 esse número tinha saltado para 33% e mais recentemente, na metade da última década, são 43% dos cristãos os que se dizem sem compromisso com qualquer igreja[279].

Alguns nasceram em famílias religiosas e outros nem tanto, mas ao que tudo indica, em ambos os casos, a principal razão por eles apresentada é a decepção que tiveram nalgum momento com membros ou líderes religiosos que frustraram sua percepção quanto à santidade daquele lugar.

"Jesus sim, Igreja não!"

Imagine que você estivesse assistindo a palestras sobre religião numa das mais conceituadas escolas da Alemanha. Um grande professor estrangeiro fora convidado para expor aos jovens uma preleção sobre a importância da pessoa de Jesus Cristo. Como talvez não tivesse um alemão impecável, ele seria traduzido por um intérprete.

Os jovens vêm em massa e, pelos seus rostos, parecem estar apreciando sua descrição de Jesus como um mestre de amor, bondade e tolerância. Um fascinante judeu do passado, ensinando lições tão atuais hoje como foram naqueles dias.

---

[279] George Barna; David Kinnaman (eds). *Churchless: Understanding Today's Unchurched and How to Connect with Them* (Carol Stream, IL: Tyndale House, 2014).

Tudo parece ir muito bem até o momento em que o professor fala do organismo chamado "Igreja". Neste momento, quase em coro, os jovens agitam os punhos cerrados e começam a gritar em coro: *Jesus ja; Kirche nein! Jesus ja; Kirche nein!* Com a ajuda do intérprete, o palestrante se estarrece com a frase repetitiva. Ela quer dizer: "Jesus sim; Igreja não!".

O que parece ser uma parábola inventada aconteceu de verdade na Alemanha dos anos 1970. E não foi uma vez, nem duas, mas várias. E, à medida que os anos passavam, aumentavam o tom de descontentamento e rejeição eclesiástica. A igreja parecia o lado podre do cristianismo. Falar bem dela era comprar briga com a geração pós-moderna.

Cristo e Igreja

O termo εκκλησία *(ecclesia),* do grego, assembleia, passou a ser usado na tradição cristã somente a partir dos escritos de Paulo, por volta do ano 50 d.C. Não sabemos com certeza absoluta de onde os primeiros cristãos o tiraram. Talvez da primeira comunidade reunida em Jerusalém e que diferenciava da *sinagoga,* que em grego é sinônimo de *ecclesia.*

O curioso, no entanto, é que nos evangelhos a palavra Igreja só aparece em duas ocasiões nos lábios de Cristo. A primeira em Mateus 16:18 ("Tu és Pedro e sobre esta pedra edificarei a minha Igreja") e a segunda em Mateus 18:17 ("Se ele não vos der ouvidos, dize-o à Igreja. Se nem mesmo à Igreja ele ouvir, seja tratado como se fosse um pagão ou um publicano"). Contudo, aparece outras 144 vezes no restante do Novo Testamento, especialmente no livro de Atos e nas cartas de Paulo.

Considerando, pois, que Cristo falava aramaico, e não grego, ficamos a nos perguntar que termo teria ele usado originalmente e que o evangelista traduziu por "igreja". A maior probabilidade é de que ele tenha pronunciado o termo "*kahal*", usado no Antigo Testamento para designar Israel, desde o momento em que este se torna o "povo de Deus", por meio da Aliança do Sinai. No célebre texto de Deuteronômio 23:1-9, *kahal* vem sempre acompanhada do determinativo "do Senhor" e traduzida como "igreja" ou "assembleia do Senhor" no antigo texto grego da Septuaginta.

Não obstante, anacronismos existem por toda parte e aqui o risco também é iminente. A pergunta que persevera é: será que Jesus queria dizer mesmo "igreja", no sentido que temos hoje? Era isso que ele tinha em mente?

O problema fica mais sério para os que dizem fundamentar sua fé em Jesus Cristo, pois a indagação que vem em seguida seria: Jesus quis mesmo fundar uma Igreja? Uma resposta objetiva não é fácil. Os textos dos evangelhos, mesmo sendo relatos históricos, dificilmente podem ser considerados retratos sociológicos de um projeto que só se concretizaria *a posteriori*.

Cristo fundou a igreja?

O teólogo luterano H. S. Reimarus (1694-1768) foi o primeiro acadêmico a questionar a fundação da Igreja por Cristo. Depois outras escolas protestantes marcadas pelo movimento da Alta Crítica seguiram seu pensamento. A ideia era a de que a Igreja seria um evento pós-pascal, isto é, posterior à crucifixão de Cristo, de modo que o chamado Jesus Histórico jamais poderia tê-la fundado. Ela seria antes uma criação apostólica dos seguidores de Jesus, uma alternativa encontrada pelos discípulos, já que o reino messiânico não se concretizara como esperavam.

Já os católicos, até o Concílio Vaticano II, acreditavam ter uma resposta melhor e ela estava na ponta da língua: Sim! Jesus fundou uma sociedade hierárquica desde que pronunciou *"Tu és Pedro e sobre esta pedra edificarei a minha Igreja"* (Mateus 16:18). Ele fez do apóstolo seu primeiro papa e assim se seguiu até os dias de hoje. A criação de uma igreja fundada como instituição hierárquica, monárquica, com autoridade, sacramentos e dotada de um magistério infalível mediante um ato jurídico era criação do próprio Cristo. Santo Agostinho chegou até a dizer que o Reino anunciado por Jesus era a própria Igreja.

Foi, aliás, esse pronunciamento agostiniano que deu força ao aforismo de Cipriano de Cartago, bispo do 3º século, que disse: *"extra ecclesiam nulla salus"* (fora da Igreja não há salvação). A ideia é a de que a Igreja seria necessária para a salvação do ser humano, declaração que dificilmente encontraria apoio nas páginas do Novo Testamento.

Até que veio o padre Alfred Loisy, um quase desconhecido teólogo francês que viveu na transição do século 19 para o 20. Ele ficou repentinamente famoso ao afirmar: "Jésus annonçait le Royaume et c'est l'Église qui est venue" ou "Jesus anunciou o Reino, mas o que veio foi a Igreja"[280]. O tom irônico queria dizer que a Igreja era, no seu entendimento, a frustração dos planos de Cristo – aquilo que surgiu, já que o reino de Deus não deu certo.

---

[280] Alfred Loisy. *L'Évangile et l'Église* (Paris: A. Picard, 1902), p. 111.

Muitos hoje dizem que essas palavras de Loisy não tinham o sentido pejorativo que lhes foi dado posteriormente. Afirmam ainda que ele foi incompreendido pelo magistério de sua época, que sua tentativa era de dizer que a Igreja cumpriu o papel iniciado por Cristo de proclamar o reino, mas que ela ainda não é a consumação escatológica do que Cristo queria dizer. Ou seja, a igreja ainda não é o paraíso final prometido pelo Senhor.

Seja como for, essa declaração caiu como uma bomba no Instituto Católico de Paris onde Loisy lecionava e o resultado não podia ser outro: ele foi excomungado pelo Papa Pio X e proibido de ensinar teologia na Igreja Católica. Resignado, o ex-teólogo volta para Lorraine, onde passa seus últimos anos cercado de amigos, parentes e simpatizantes.

Cristianismo ou igreja?

O tempo passou e a excomunhão oficial pode ter silenciado a teologia de Loisy, mas não foi capaz de impedir que muitos fiéis tivessem um pensamento parecido com o dele. Tanto é que quatro anos após sua excomunhão, em 1908, a igreja ortodoxa russa teve de encomendar ao arcebispo de Vereya, Hilarion Troitsky, a produção de um panfleto sobre o assunto. O título não podia ser mais provocativo: "Cristianismo ou a Igreja?"[281]. A retórica da pergunta já dizia tudo.

Nas 48 páginas de sua monografia, o autor – que mais tarde se tornaria um mártir nas mãos dos comunistas – defendia que a Igreja não está presente na história apenas como um ensinamento abstrato. Ela é um organismo vivo, real, que une pessoas originalmente separadas à semelhança da união entre Pai, Filho e Espírito Santo. E ele, já naquela época, via que a negação da igreja era a principal característica tanto de católicos quanto de protestantes.

A conclusão do autor foi muito taxativa. Ele disse: "Devemos entender que é de vital importância para o presente tempo que Cristo tenha criado precisamente a Igreja e é um absurdo tentar separar o cristianismo da Igreja como sendo duas coisas distintas uma da outra".

Sua advertência passou longe de ser assimilada pelos fiéis, tanto que em 1966 a revista *Christus*, conceituado periódico católico, publicou um artigo de Francois Roustang, também teólogo, com o provocante título *Le troisième homme*, ou "o terceiro homem". Roustang mostrou que no passado havia dois tipos de homens

---

[281] Disponível em <http://www.holytrinity.oh.goarch.org/assets/files/Documents/CHRISTIANITY%20OR%20THE%20CHURCH.pdf>. Acesso em: 15/03/2018.

(e mulheres) na sociedade: o crente ou eclesial, que por ter fé seria encontrado nas igrejas, e o não crente ou não eclesial, que por não ter fé estaria fora das igrejas. Contudo, notava-se agora o surgimento do "terceiro homem", um sujeito que se diz crente, mas não quer estar nas igrejas por culpa da própria Igreja.

Não é preciso ir longe para supor que Roustang também sofreu censura por suas palavras e perdeu o cargo de professor que exercia numa instituição católica. Depois disso se tornou psicanalista e "desigrejado" até sua morte em 2016. Ironicamente, a polêmica envolvendo a teologia de Roustang aconteceu às barbas do Concílio Vaticano II, que daria um tom mais ameno ao conceito de igreja na teologia católica.

Mesmo antes do referido Concílio, diversos outros teólogos propuseram uma tese dialética, segundo a qual a Igreja não foi fundada por Jesus, mas estaria subjacente à sua pregação. Propõem que Jesus não fundou a Igreja – e nesse sentido só se pode falar dela a partir da pregação dos apóstolos –, mas propôs os seus fundamentos. Em vez de fundação da Igreja por Jesus diz-se que a Igreja procede de Jesus. Já no Concílio Vaticano II se afirma que *"a Igreja de Cristo subsiste na Igreja católica, embora fora de sua estrutura visível se encontrem muitos elementos de santificação e de verdade"*[282].

A desconfiança continua

Hoje, apesar da amenização ocorrida dentro da Igreja Católica, muito creem que o discurso continua medieval e apontam a censura feita a Leonardo Boff como evidência disso. Só para lembrar, Boff, que então era frei da Ordem dos Franciscanos, abalou o *establishment* do Vaticano não apenas pela proposta da Teologia da Libertação, mas, acima de tudo, pela publicação do livro *Igreja, Carisma e Poder*, que lhe rendeu um voto de "silêncio obsequioso" em 1985.

"Obsequioso" era apenas um eufemismo que nada tinha a com "obséquio". Boff foi deposto da cátedra de professor, removido do cargo de editor chefe na Editora Vozes e proibido de dar entrevistas, realizar missas ou escrever e publicar sobre qualquer assunto. Sua heresia? Entendeu "que a igreja como instituição não estava nas cogitações do Jesus histórico, mas que ela surgiu como evolução posterior à ressurreição, particularmente com o processo progressivo de desescatologização"[283]. Consequentemente, a hierarquia eclesiástica tornou-

---

282 Declaração dogmática "Lumen Gentium" (sobre a Igreja), nº 8.

283 Leonardo Boff. *Igreja, Carisma e Poder* (Vozes: Petrópolis, 1981), p. 123.

-se a seu ver o resultado de uma férrea necessidade de se institucionalizar, uma mundanização, no estilo romano e feudal. Daí deriva a necessidade de uma mutação permanente da Igreja; e a necessidade de emergir uma Igreja nova. O problema, pelo visto, não era optar pelos pobres – conforme a égide da Teologia da Libertação, mas questionar as estruturas de poder eclesiástico.

Dentro do arraial protestante e suas novas vertentes evangélica, pentecostal e neopentecostal a situação não foi mais suavizada. Ainda que algumas igrejas no Brasil encontrem-se abarrotadas, os frequentes escândalos envolvendo enriquecimento ilícito, adultério de líderes e desvio de dinheiro tornaram as igrejas não católicas igualmente desacreditadas.

Uma pesquisa feita em 2014 nos Estados Unidos mostrou que a profissão de pastor está entre as menos respeitadas da América. Ela só perdeu para vendedor de carros usados, trabalho que os americanos jocosamente vinculam a pessoas desonestas[284]. Talvez seja por isso que os seminários de teologia nos Estados Unidos estão cada vez mais vazios de norte-americanos e cheios de jovens estrangeiros que vão ali se preparar para o ministério nalgum canto do mundo.

Mesmo com muitos doando dízimos e ofertas, outra estatística mostrou que apenas 43% dos que doaram algum dinheiro nos últimos 12 meses de 2012 o fizeram para alguma organização religiosa. Os demais, 57%, preferiram doar para organizações não eclesiásticas ou de ministério independente[285]. Tais números revelam a desconfiança dos membros doadores para com as instituições religiosas tradicionais.

A opinião dos jovens

Estudos sociais mostram que 60% dos jovens criados na igreja a abandonarão assim que concluírem o Ensino Médio ou a faculdade. De fato, milhões de jovens cristãos se desligam da igreja quando entram na idade adulta. E isso não é uma simples estatística. São pessoas de verdade, que têm uma história para contar e dúvidas a esclarecer.

---

284 Pesquisa feita por um convênio estatístico entre The Fuller Institute, George Barna e Pastoral Care, Inc. Apud Gabriel Oluwasegun. *Leadership in the Church* (Ibadan: International Publishers. Harvey A. E., 1996), p. 26.

285 Disponível em <https://www.barna.com/research/american-donor-trends/>. Acesso em: 15/03/2018.

O especialista em estatística e religião David Kinnaman reproduziu num livro algumas falas que colecionou de jovens que abandonaram a igreja onde foram criados. Vale a pena conferir seu conteúdo, pois ele é bastante revelador[286]:

> "Aprendi com a igreja que eu não podia acreditar ao mesmo tempo na ciência e em Deus, então não tive saída. Não acredito mais em Deus." (Mike)

> "Quando escrevo uma música que não é usada do jeito que os cristãos aceitam, sou massacrado por causa disso. Para que, então, devo usar meus talentos?" (Sam)

> "Me senti como se tivesse levado uma facada nas costas. [...] Eu me lembro que voltei para casa pensando: Meus amigos de fora da igreja nunca fariam isso comigo." (Sarah)

> "Meu sentimento é de que a forma como a igreja lida com a sexualidade está muito ultrapassada." (Dennis)

Eu sei que o caminho mais natural para muitos adultos, especialmente pais piedosos, é entrar em pânico quando o filho diz uma coisa dessas e procurar fazer de tudo para repreendê-lo ou, pior ainda, escusar-se de suas perguntas como se elas não fossem dúvidas sinceras e que fazem sentido. É claro, também, que por detrás de muitos questionamentos de fé existem problemas de ordem emocional que os jovens enfrentam e com os quais não conseguem lidar naturalmente – principalmente em relação aos pais que muitas vezes tiveram uma criação muito frouxa ou extremamente rígida. A diferença entre veneno e remédio é uma questão de dosagem!

O psicólogo americano Paul Vitz, ex-professor da Universidade de Nova York. escreveu um polêmico livro defendendo que o relacionamento entre pais e filhos explica, em parte, o aumento de números de ateus em vários países, especialmente de primeiro mundo. Vitz, que foi ateu até perto dos 40 anos de idade, afirmou que "crianças que têm um mau relacionamento com seu pai tendem com maior frequência rejeitar a existência de Deus"[287].

Citando autores famosos do ateísmo como Freud, Friedrich Nietzsche, Hitler, Joseph Stalin, Sartre, Christopher Hitchens, Daniel Dennet e até Richard Dawkins, Vitz conclui que o ponto em comum entre todos esses ateus

---

[286] David Kinnaman. *You Lost Me: Why Young Christians are Leaving Church... and Rethinking Faith* (Grand Rapids: Baker Books, 2011).

[287] Paul C. Vitz. *Faith of the Fatherless: The Psychology of Atheism* (Dallas: Spence, 1999).

famosos era o relacionamento problemático com a figura paterna. A hipótese do pai problemático ou ausente fornece, segundo o autor, uma explicação consistente para o "ateísmo forte" dessas pessoas. O mesmo vale, segundo ele, para os casos de ausência do pai (seja por negligência ou por morte) e também nos lares onde os filhos sofrem maus-tratos paternos.

Observações mais ou menos similares apareceram num estudo estatístico feito pelo diretor do Instituto Barna de pesquisa, o escritor e conferencista David Kinnaman. Entrevistando jovens de 18 a 29 anos, vindos de lares cristãos, mas que abandonaram a fé e igreja, Kinnaman concluiu que há uma queda de 43% na frequência aos cultos nesta faixa etária.

O estudo apontou seis razões apontadas pelos jovens que explicam por que saíram da igreja que frequentavam:

1) As igrejas parecem ser superprotetoras.
2) A experiência dos adolescentes e dos jovens de 20 e poucos anos com o cristianismo é superficial.
3) As igrejas são vistas como inimigas da ciência. Eles têm vergonha de ser vistos como crentes na universidade.
4) As experiências dos jovens cristãos relacionadas à sexualidade na igreja são muitas vezes simplificadas ou criticadas demais.
5) Eles lutam com a exclusividade do cristianismo, que não parece abrir diálogo com o mundo moderno.
6) A igreja parece ser hostil para com os que possuem dúvidas, trata-os como hereges ou afetados pelo maligno.

Evangelismo ateu?

Na hipótese de que tenho entre os leitores alguns céticos que se enquadram na categoria de "ex-crentes", isto é, pessoas que já foram religiosas e hoje se encontram afastadas, confesso minha curiosidade em saber se os motivos elencados anteriormente correspondem ou não à sua experiência pessoal. Fico me perguntando se toda forma de repulsa a Deus significa de fato uma apostasia ou uma rejeição à caricatura que receberam da divindade. Um retrato tão mal desenhado que até um beato preferiria o inferno a viver num céu com um Deus desses.

Talvez uma coisa para a qual as igrejas não estavam preparadas e acabou acontecendo era o fato de o mundo secularizado assumir uma posição "evangelística" sobre os jovens. Isso mesmo, "posição evangelística", e deixe-me explicar o porquê: "evangelho", como você deve saber, é uma palavra de origem grega ("boa-nova") que foi apropriada pelo cristianismo. Sua definição passou a ser a missão de pregar as verdades de Cristo em todas as partes do mundo.

Com o dinamismo dos idiomas, o termo que antes era puramente greco-romano passou a ser inteiramente cristão e na semântica atual pode significar algo além do tradicional meio de converter pessoas a uma fé religiosa. Por extensão, evangelizar significa pregar qualquer doutrina ou ideia, quer seja religiosa, comercial, filosófica ou político-partidária.

Portanto, não estou cometendo nenhum crime linguístico ao dizer que até ateus ativistas podem estar evangelizando pessoas, isto é, fazendo de tudo para convertê-las à sua convicção de que não existe Deus, e que a ética não deva ser baseada nos valores morais que a religião ensina.

Tal disposição vale para vários outros tipos de produtos e ideologias que são apresentados às massas usando especialmente marcas conhecidas e marketing bem elaborado. É muita ingenuidade pensar que comerciais só existem para vender produtos. Seu intento é muito mais abrangente. Até eleições presidenciais americanas já foram decididas pela disputa entre duas marcas de refrigerante que patrocinavam diferentes candidaturas.

Não existe marketing sem ideologia e não existe ideologia que sobreviva sem divulgação. Quer uma prova? Steve Jobs, fundador da Apple, foi sem dúvidas uma pessoa marcante para o empreendedorismo do século 21. Não apenas pelos produtos que criou e aperfeiçoou, mas também pelas estratégias de marketing e filosofias de vida, que conquistaram milhares de seguidores por todo o mundo, ele pode ser reconhecido como candidato a homem do século.

Jobs dizia em suas palestras e entrevistas que uma ótima forma de criar conceitos e desenvolver a marca ou o que você oferece é por meio do "Marketing de Conteúdo". Conteúdo relevante e de qualidade favorece a criação da autoridade sobre determinado assunto, ajuda muito para que as pessoas o conheçam e vejam que você oferece muito mais. As pessoas, concluía, são ambiciosas e sonhadoras; sendo assim, venda sonhos, e não apenas produtos e, finalmente, "evangelize seus clientes" fazendo com que eles vistam a camisa da marca X, de uma forma que eles quase não percebam mais que aquilo é uma marca e comecem a considerá-la uma ideologia, um estilo de vida, um comportamento, um modo de pensar.

Percebeu? As aspas destacando o imperativo "evangelize seus clientes" representam uma citação direta dele. Portanto, é isso que as grandes marcas e corporações querem fazer: evangelizar você. Não seja simplório em achar que evangelismo é receber testemunhas de Jeová batendo em sua porta no domingo, às 8 horas da manhã. Há outras formas mais sofisticadas de evangelizar uma pessoa. E não é tão simples fechar a porta na cara delas ou fingir que não tem ninguém em casa.

Propaganda e Fé

É claro que a propaganda é um fenômeno que acompanha a humanidade desde os tempos mais antigos, porém, essa forma que hoje conhecemos surgiu aproximadamente no início do século 20 e se tornou "adulta" no período da Segunda Guerra Mundial. O cinema foi peça-chave nesse fenômeno.

As igrejas, por uma razão bastante compreensível, assumiram uma atitude a princípio de repulsa e condenação ao fenômeno do marketing, especialmente em suas formas audiovisuais de cinema, teatro, televisão, rádio etc. Houve até quem propôs ser a televisão a besta do Apocalipse! Como os primeiros aparelhos de TV tinham duas antenas e uma imagem, a sugestão era que essas antenas seriam os dois chifres da besta do Apocalipse e o que ela transmitia era a "imagem da besta".

Como eu disse essa repulsa tinha sua razão histórica de ser, aqueles novos elementos não pareciam ter nada que oferecer ao evangelho, pelo contrário, eram uma negação deste, como aliás continuam sendo até hoje. Mas talvez, por outro lado, faltou diálogo com o mundo moderno e muitos movimentos cristãos não souberam como se adequar a ele sem perder seus valores – alguns se tornaram tremendamente fechados e outros se secularizaram, situação que se viu presente até nas grandes universidades confessionais como Chicago, Yale, Harvard e outras que foram pouco a pouco se distanciando das leituras tradicionais do evangelho, abrindo espaço para um criticismo bíblico que, mesmo sem se declarar ateu, já não se identificava mais com a velha e feliz história narrada nos evangelhos.

Assim, neste contexto, a primeira realidade percebida foi que muitos jovens cristãos começaram a cursar universidade, mas sua cultura religiosa diminuía ao passo que a secular aumentava. Além disso, eles foram educados numa fé bastante simplória que não os preparava para maiores questionamentos racionais. Agora, porém, treinados por professores descrentes e bastante retóricos travando uma guerra desigual com crentes ingênuos, não sabiam como defender aquilo que criam desde a infância.

Enquanto isso, o cinema e o marketing ficaram nas mãos de especialistas que prometiam dar livremente aquilo que os impulsos pediam e as igrejas condenavam: adrenalina, sexo livre, drogas, diversão imoral. O secular engoliu literalmente o religioso, tornando retrógrado qualquer léxico que envolvesse termos como: pecado, santidade, salvação, Deus.

O Teólogo suíço Franz Kaufmann esboçou muito bem, num esquema, a problemática do que significa ser seguidor do Cristo nesta nossa sociedade pós-moderna[288]:

1) É tremendamente difícil tornar-se um cristão nesta cultura.
2) É tremendamente difícil viver e agir como cristão sob as convenções desta nossa cultura.
3) Se, pois, alguém tenta efetivamente tornar eficiente sua fidelidade à identidade cristã, ele mesmo torna complicada sua existência no meio onde vive.

E então?

Seria uma demência tratar esse assunto tão complexo sugerindo uma receita de bolo para resolver os problemas. Também é complexo dar uma resposta que satisfaça a todos. Negar que as igrejas estão cheias de dificuldades morais seria um desatino.

O que pretendo aqui não é convencer você a frequentar essa ou aquela igreja. Apenas esbocei a problemática sociológica que envolve as religiões cristãs ocidentais para finalmente sugerir uma resposta, ainda que provisória, para o título que abriu este capítulo.

Por que a igreja é necessária? Pelas mesmas razões que outros agrupamentos sociais o são. Veja, com exceção de um ou outro caso envolvendo eremitas, a tendência natural do ser humano é viver organizado em coletividades. Esta observação pode parecer óbvia, mas ela inspira a nos perguntar o porquê disso. Por que vivemos em coletividades isoladamente?

Mesmo que a Internet nos tenha isolado de muitos contatos físicos, ela não nos atrairia se não fosse uma "aldeia global". Ninguém entra na rede para outra coisa senão contatar pessoas iguais. Por isso chamamos estas páginas

---

288 Kaufmann. "Über die Schwierigkeiten des Christen in der modernen Kultur", in *Biotope der Hoffnung* (Olten: Darmalst Verlag, 1988), p. 114-120

e aplicativos de "redes sociais". Noutras palavras, somos, como bem definiu Aristóteles, políticos por natureza. Não vivemos sem relacionamento.

Ilustro este princípio com uma parábola que li em Craig:

> [Havia] um astronauta, abandonado em asteroide rochoso e estéril no espaço sideral, tinha consigo duas ampolas, uma com veneno e outra com uma poção que o faria viver para sempre. Compreendendo a sua situação terrível, com um único gole, sorveu o veneno. Mas depois, para seu horror, descobriu que tomara a ampola errada – havia bebido a poção da imortalidade, o que significava que estava amaldiçoado a existir para sempre, numa vida sem sentido e sem fim.[289]

Não adianta contar uma piada se não houver alguém para rir, ter braços e ninguém para abraçar, querer o aconchego que nunca há de vir. Se eu estivesse no inverno da Sibéria e fosse um porco-espinho, por mais que os espinhos do outro doessem em minha pele, preferiria mil vezes viver em grupo a estar sozinho no meio da neve. Assim se dá com as coletividades. Os mesmos que se machucam, são mutuamente necessários para a sobrevivência do grupo.

A percepção aristotélica, retomada posteriormente pelos sociólogos, aponta para o fato de haver na natureza humana uma tendência a viver em sociedade e que ao realizar essa inclinação o ser realiza o seu próprio bem. Ou seja, buscar um grupo para viver não é opção, é necessidade de vida.

O fato de buscarmos a coletividade também demonstra que nascemos naturalmente carentes. Estamos sempre em busca de afeto e é aí que temos nossa vantagem e nosso perigo, pois a decepção pode fazer com que abandonemos afetividades legítimas e busquemos as ilusórias. Estamos numa permanente busca pelo que nos falta. E o que nos falta? Em termos sociais eu diria que uma relação com o Transcendente (que a teologia dá o nome de Deus) e com o imanente, isto é, com aquele outro semelhante a mim e tão imperfeito como eu. Buscamos a transcendência e a imanência para alcançar uma vida perfeita que, para continuar assim, deverá sempre buscar as relações sociais.

Não digo que a Igreja seja o melhor dos meios sociais, mas, considerando a imperfeição das relações neste mundo, eu poderia dizer que ela ainda é o menos ruim de todos. Ademais, se há realmente um Deus que se revela, seria mais que natural que ele orientasse aos homens e mulheres que se reunissem a

---

[289] Disponível em <http://www.reasonablefaith.org/portuguese/o-absurdo-da-vida-sem-deus>. Acesso em: 28/10/2017.

fim experimentar juntos a sensação da vida. Qualquer sentimento de espiritualidade avulsa seria antagônico à natureza humana e, portanto, jamais desejado por esse Criador.

Existe, contudo, um problema. Como eu disse as relações neste mundo, por melhores que sejam, são imperfeitas e envolvem problemas. As pessoas se machucam, dizem coisas que não deviam, agem de forma cruel, afastam quando querem pedir afeto, ferem e são feridas. Somos seres paradoxais em nosso comportamento: precisamos do outro e o expulsamos de perto de nós. Por isso algumas relações se desgastam a tal ponto que não existe mais reconciliação.

Contudo, o viver em comunidade ainda é o melhor modo de vida que conhecemos. Desconheço alguém que, em sã consciência, evita jogar bola com os amigos porque pode quebrar a perna, evita namorar porque não quer arriscar uma "fossa", evita ter filhos porque estes podem crescer e magoá-lo. Isso não existe! E se existir, será um quadro neurótico, passivo de tratamento psiquiátrico.

Falhas todos temos, se deixarmos de lado a comunhão coletiva por causa da decepção com um membro é como se cortássemos toda a floresta por causa de uma ou duas árvores podres. O que vou dizer não vale para gangues e grupos reconhecidamente perversos. Destes mantenha distância! Mas, acredite, ainda existe bondade nas igrejas. E as vi com meus próprios olhos.

Vi também desatinos religiosos capazes de escandalizar até o pior dos mortais. Contudo, ninguém deixa de dirigir porque há loucos ao volante, nem deixa de estudar porque existem professores injustos. As universidades estão cheias de política podre e nem por isso deixamos de buscá-las a fim de obter nossos diplomas. Quer coisa mais corrupta que o Mercado, o Esporte e a Política? Ainda assim continuamos nos formando em economia, aderindo a uma torcida e expondo nossas preferências partidárias. Por que, então, desistir da comunhão em igreja. Apenas porque há problemas nela?

Pelo que vejo da Bíblia, Igreja não se resume a uma pessoa jurídica com prédios, razão social e hierarquia específicas. Contudo, não abstém disso, afinal, uma agremiação de pessoas tem de se organizar para funcionar corretamente e isso implica disposições, contratos, normas de conduta, itens, enfim, que podem não ser a fina flor da justiça e equidade, mas são necessários para uma convivência em harmonia.

A igreja, pensada em termos de pessoas que se unem por amor a Cristo, não nasce de uma convergência de interesses humanos ou do impulso de algum coração generoso. É dom do alto, fruto da iniciativa divina. Pensada desde sempre no desígnio do Criador, ela de fato não nasceu com Cristo nem com os apóstolos, mas com a formação dos primeiros seres humanos que foram chamados a conviver em comunidade. Depois se matizou de diferentes formas na história, quer seja na caminhada do povo de Israel, nos não judeus que também amavam o mesmo Deus de Abraão, nos atrapalhados discípulos, que, mesmo com seus defeitos e necessidade de censura, foram os escolhidos de Cristo para levar avante sua mensagem. A igreja de Deus é tão grande, que dificilmente caberia numa única religião.

Quando os católicos recitam sua profissão de fé batismal, o famoso "Creio em Deus-Pai", talvez não percebam pela tradução em português o que estaria por detrás do original grego desse poema que remonta ao final do século II d.C. Lá é dito que o indivíduo cristão deve crer "em" Deus, "em Jesus", "no Espírito Santo" etc. Porém, na fórmula específica "creio no Espírito Santo, na santa Igreja católica (*católica* significa 'universal' e não necessariamente o catolicismo que conhecemos)", o que temos é um jogo de preposições intraduzíveis para o português. Na tradição apostólica de Hipólito de Roma, na qual se propõe um credo interrogativo, a terceira pergunta vem nestes termos: "Crês 'em' (εἰς) o Espírito Santo, 'em' (ἐν) 'a' santa Igreja?".

Perceba que existem duas preposições distintas em grego – ambas infelizmente traduzidas por "em" no nosso idioma, o que gera o equivoco. É que a primeira tem um sentido objetivo e a segunda locativo. A tradução mais correta seria: "Crês no Espírito Santo dentro da Igreja?"

Essa distinção quer pôr em destaq-ue que a Igreja não é Deus, e, por isso, não pode ser o objeto de nossa fé. Cremos em Deus! A igreja é apenas o local onde expressamos esse ato de crer. Bruno de Würzburg (1005-1045), bispo na Alemanha durante a Idade Média, expressou isso de maneira exata: "*Credo sanctam ecclesiam, sed non in illam credo, quia non Deus sed convocatio vel congregatio christianorum et domus Dei est*"[290]. "Creio dentro da santa Igreja, mas não creio nela porque não é Deus, ela é apenas a convocação e congregação dos cristãos e a casa de Deus".

Se admitimos ter alguma espiritualidade, se abrimos espaço para a existência de Deus e nossa comunhão com ele, não podemos nos privar vida em comunidade de fé. Esta é a melhor vida possível para aquele que crê. E também para o que descrê, pois este buscará pares para sua descrença. Seja de uma

---

290 Patrologia Latina (PL) 142, 561C.

forma ou de outra, ninguém pode se dar ao luxo de dispensar a coletividade. Já dizia o autor de Hebreus: "Não abandonemos, como alguns estão fazendo, o costume de assistir às nossas reuniões. Ao contrário, animemo-nos uns aos outros e ainda mais agora que vocês veem que o Dia do Senhor está chegando" (Hebreus 10:25).

Desapontamento não é justificativa para sair da Igreja. Deus não chama indivíduos para torná-los peças avulsas em uma prateleira de supermercado, ele os chama para fazerem parte de seu corpo místico como membros uns dos outros. Portanto, se houver um leitor desapontado com a religião, sugiro que faça para si mesmo a seguinte pergunta: se todos os membros da igreja X fossem como eu, ela estaria melhor ou pior do que está hoje? Algo a se pensar.

Capítulo 30
A dor da sobriedade

Vi recentemente uma imagem de Internet, destas com humor de botequim, que mostrava um grupo de amigos colocando flores na lápide de um companheiro de copo na qual dizia: "Aqui jaz fulano de tal, enfim, sóbrio!". Da piada para a realidade, fico pensando se essa não seria a frase de epílogo de muita gente por aí, e não estou falando necessariamente de alcoólatras precisando de tratamento. Há infinitas formas de se embriagar que não seja com um copo de bebida. Qualquer distração da vida que nos coloque tempo demais "fora de órbita" é um tipo de embriaguez que pode vir na forma de uma tecnologia, um esporte ou até mesmo uma inocente ida ao shopping center.

Você certamente já viu algum *reality show* sobre acumuladores. Trata-se de pessoas que geralmente perderam algum ente querido e compensam a perda entupindo a casa com objetos de que não precisam. Vivem cercadas de coisas que funcionam como uma trincheira separando-as da dor e do mundo real. Em alguns casos, comprometem a segurança, higiene e saúde tanto delas mesmas como dos que convivem em sua casa, e até os vizinhos são afetados. Essa é uma triste realidade que afeta milhares de pessoas em todo o mundo.

Não posso ser irresponsável em "diagnosticar" a maior parte do mundo como acumuladores compulsivos ou obsessivos. Não tenho preparo para fazê-lo nem mesmo em casos individuais, quanto mais coletivos. Contudo, se tirar o adjetivo final que caracteriza a patologia ("compulsivo", "obsessivo"), não creio estar cometendo um impropério em comparar a "perda" de Deus e os resultados que advêm dela com o que passa na mente de um compulsivo devidamente diagnosticado. Ou seja, em grau menor, uma grande parte de nós está tentando compensar a ausência divina com o acúmulo de coisas que adquirimos dia após dia que nem temos tempo para usufruir. Como ironizou alguém, gastamos o dinheiro que não temos com aquilo que não precisamos para mostrar a quem não amamos aquilo que nós não somos.

Neste capítulo retomo e amplio, sob a ótica do vazio divino, o que disse anteriormente sobre consumismo e supermercado da fé. Meu ponto agora é mostrar como essa exacerbada obsessão por acumular coisas e tecnologias é um reflexo do vazio deixado por Deus e o que a sociedade nos ofereceu para pôr no seu lugar. Essa substituição material, diga-se de passagem, já é, ela mesma, uma compensação dada ao ego humano, que se assentou no trono divino e descobriu que não sabia o que fazer com o cetro na mão. O super-homem de Nietzsche.

O vazio que persiste

Não adianta argumentar com otimismos maquiados. Não sou um extremado pessimista schopenhaueriano nem niilista contumaz. Curto uma boa piada, a companhia de amigos e um dia de sol brilhante numa praia paradisíaca. Não obstante, não sou iludido. O mundo não está bem, tolo é quem insiste em negar o óbvio. O século 20 já passou e continuamos entre Sartre e Foucault, pagando a dívida da miséria, desigualdade social, duas grandes guerras, instabilidade econômica, medo da guerra atômica.

Como disse poeticamente Baudrillard: "Era uma vez um homem que vivia na Raridade. Depois de muitas aventuras e de longa viagem através da Ciência Econômica, encontrou a Sociedade da Abundância. Casaram-se e tiveram muitas necessidades"[291].

Se você pensa que são minhas convicções religiosas que me fazem ver com pouco otimismo o quadro atual da história humana, saiba que estou em companhia de pensadores até mesmo marxistas que também não viam com bons olhos os rumos do mundo pós-moderno. Lukács descreveu esta era como "o fim da razão", Althusser a chamou de "ilusão permanente", Adorno considera cidadão contemporâneo um "sujeito prejudicado", e Benjamin foi tão enfático que recebeu o apelido de "anjo da catástrofe".

Sartre (não podia deixar de citá-lo) completa o quadro retratando a existência como náusea e a vida como um inferno. Na peça "Entre quatro paredes" a última fala do personagem é um desabafo de desânimo: "E então? Vamos mesmo continuar?".

Todos esses autores, à uma, falavam da existência de uma maneira estoica, quase apocalíptica. Eles parecem bem distanciados daquele otimismo que marcou o início do racionalismo. O pessimismo, portanto, não é exclusividade de crentes desiludidos com o mundo, que esperam a volta de Cristo. É uma

---

291 Jean Baudrillard. *A sociedade de consumo* (Rio de Janeiro: Elfos, 1995), p. 68. Disponível em <http://patristica.net/latina/>. Acesso em: 08/05/2018.

corrente filosófica que conta com conceituados nomes como Schopenhauer, Kafka e Nietzsche. O paraíso do racionalismo demonstrou ser uma grande e momentânea ilusão.

Vivemos a falência da modernidade iluminada e racionalista. Veja, por si mesmo, se não é exatamente isso que aconteceu na história do consumismo que se confunde com a própria trajetória capitalista. Como você sabe, os economistas geralmente dividem o capitalismo em 3 fases ou estágios:

1) O comercial ou mercantil (pré-capitalismo), do século 15 a 18;
2) O industrial ou industrialista – séculos 18 e 19;
3) O financeiro ou monopolista – a partir do século 20.

Pois bem, Baudrillard desenvolveu essa mesma linha cronológica, fazendo uma contribuição que muito me interessa na argumentação deste capítulo. Ele supera a mera leitura do Ocidente como "sociedade de consumo" para apresentar os elementos adquiridos como objetos-signo de uma carência maior. É claro que ele não chama essa carência de "Deus", mas sua descrição dela demanda uma caracterização eterna, divina.

Os objetos de consumo, para ele, são lugares de atividade simbólica onde valores "sociais" são construídos para oferecer ao sujeito a realização do ter, ostentar, distinguir-se. A renovação de bens surge como necessidade óbvia em face à efemeridade das coisas e ao vazio que é maior do que isso. Por isso os produtos são descartados, atualizados e readquiridos com base nos mesmos valores a fim de criar no indivíduo o sentimento de autorrealização. O processo, na verdade, termina sendo apenas um jogo de manipulações em que uma ilusão é trocada por outra mais atualizada.

A sociedade de consumo pós-moderna e sem Deus consome imagens, signos e mensagens que estão distantes da realidade. Assim, as fases sígnicas dos objetos – as quais tomo a liberdade de correlacionar ao distanciamento do sagrado – seriam vistas desta forma: no início, o signo era a representação de uma realidade básica. A roupa era comumente para se vestir, e a comida, para se alimentar. A pensar das mazelas, a sociedade ainda tinha a ideia do divino, não precisava teoricamente preencher seu lugar.

Depois, com o advento da Revolução Industrial, o signo se mascara e perverte a realidade básica. Somos estimulados a consumir mais do que precisamos. Deus deixara seu trono, e o homem assume soberanamente o posto precisando de oferendas para si mesmo, afinal, ele é um deus. Nesta fase, as roupas começam a ser, primariamente, um sinal de poder, e o alimento, um ritual para fechar negócios ou intervalo na fábrica longe de casa junto dos colegas de trabalho.

No terceiro estágio, o signo "mascara a ausência de uma realidade básica". Não comemos, nos empanturramos enquanto outros morrem de forme. O problema de muitas sociedades não é mais se alimentar, mas fazer regime, pois estão acima do peso. Junto desse fastio pós-consumo, que Schopenhauer chamou de "ânsia de ter e tédio de possuir", está uma ausência sentimental de valores existenciais. Os valores "sociais" continuam porque não temos nada para pôr no lugar deles, porém, já não servem para acalmar o coração inquieto das massas.

A partir daí, Baudrillard acrescenta um quarto estágio, o atual, em que o signo-objeto já não tem relação com a realidade. Sua leitura, é claro, vincula-se à questão de sociedade e política, agora marcadas não pela detenção do poder, mas dos signos de poder. De minha parte, retomo com base no que ele observa, o acompanhamento divino da questão: continuamos reconfigurando, porém, mantendo, uma crise de ansiedade fruto do perigo de se manter o controle sobre os signos que são, no momento, a única coisa que restou depois da saída de Deus. Lembre-se, como já mostrei em capítulos anteriores, o comportamento da maioria religiosa indica que Deus também se foi para muitos crentes, ainda que essa partida se dê apenas de modo inconsciente.

Realidade intolerável

A sociedade pode não admitir, mas ainda está chocada, sem saber o que fazer sem a divindade da qual fomos forçados a nos despedir. Passada a euforia dos primeiros sentimentos positivistas e o efeito da geração LSD, caímos na real mesmo sem querer contato com ela. O mundo está acabando, a sociedade está em colapso, a história parece seguir para o abismo.

Os sintomas são intoleráveis e, por isso, tornamo-nos verdadeiros mortos-vivos vagando sem rumo em busca de um cérebro. Não queremos muito falar do que causa nossa dor. Preferimos fugir do assunto como crianças fogem da injeção. A maneira educada de fazer isso é solicitando que cada um tenha seu próprio modo de pensar sem emitir juízos sobre o pensar do outro. Assim, posso esconder minhas tristezas sem dar os motivos das minhas convicções.

Veja que as massas hoje em dia não se expressam, são sondadas. Em vez de verificar sua verdadeira necessidade emocional, pesquisam-se suas tendências.

Evitando saber do que elas precisam, contratam-se especialistas em marketing para convencê-las de que não podem viver sem aquele objeto-signo. Elege-se o importante no lugar do essencial e, assim, alimenta-se a ilusão coletiva com analgésicos hedonistas e bens de consumo que aliviam a dor.

A incoerência maior deste cenário fica por conta da suposta bandeira da liberdade, que, por vezes, torna-se uma ditadura de massas e uma opressão exercida por minorias que não desejam apenas o direito de existir. Elas almejam a imposição arbitrária de seus conceitos. Falam em tolerância e respeito quando o que mais querem é dogmatizar sua agenda, discriminando no grito os que não se pautam por ela.

Enquanto isso, grupos massificados sob a égide da suposta liberdade de expressão e do esquerdismo se limitam a reproduzir discursos que não são deles, mas de figuras midiáticas igualmente manipuladas pelo jogo de interesses daqueles que garantem seu estrelato. Agem como os poetas do mundo grego, vendendo ao povo ilusões mitológicas, sob o patrocínio de aristocratas, reis e certos sofistas.

É comum hoje divulgar a imagem de que existe uma individualidade incentivada, uma autoexpressão elogiável e uma consciência de si bastante elitizada. Assim, o indivíduo pode se expressar através da roupa, do carro, da comida, das opções que faz e dos lugares que frequenta. Ele é estimulado a romper com ideias preestabelecidas principalmente quanto ao estilo de vida dos mais antigos. No entanto, está apenas deixando um sistema para entrar em outro.

A diferença entre o passado e o presente é que se antes você tinha dois ou três estilos de vida pré-estabelecidos, hoje tem 100 ou 200. A novidade é que os novos grupos são rapidamente atualizáveis, dando a falsa impressão de que seus requisitos morais não são prioridade exigida de seus adeptos. Além disso, as quase infinitas opções exigem com força patriarcal que você escolha uma logo se quiser fazer parte de um grupo e não ficar à margem da existência humana. Pode até ficar mudando de grupo em grupo, mas tem constantemente de exercitar o exercício compulsório da eleição. A liberdade de escolha veio acompanhada na obrigação de escolher.

Essa hiperescolha, juntamente com a sedução de poder instantâneo, e a inconstância que embasam os processos da moda predispõem o homem constantemente ao desprendimento do que foi adquirido. É isso que diferencia o acumulador patológico daquele comum não diagnosticado como "enfermo de consumismo".

Por que o consumismo não satisfaz?

Ora, por mais faminto que esteja, o prato preferido não terá muita graça se tenho de comer às pressas sabendo que o carrasco que me espera deu apenas 10 minutos para eu saborear o alimento. Neste caso, a melhor "última refeição" seria uma garrafa de rum misturado com uísque para fazer efeito mais rápido e diminuir a sensação de angústia. Numa situação assim, prefiro a loucura à lucidez, como, aliás, expressou Fernando Pessoa: "Sem a loucura o que é o homem mais do que besta sadia, cadáver adiado que procria?"[292].

Talvez seja exatamente essa loucura mencionada por Fernando Pessoa que vejo estampada na sociedade ocidental desde que Nietzsche proclamou a morte de Deus. Estamos todos condenados e, como tais, temos um arraigado sentimento de falta de sentido. Essa transição cultural provocada pelo declínio das metanarrativas deixou uma lacuna repleta de desorientações psíquicas. Planejar o futuro virou coisa de poucos, discurso retórico para inglês ver. Na verdade, o que a maioria jovem deseja é aproveitar bastante o presente, pois o tempo, a juventude e as oportunidades hedonistas passam na mesma velocidade que se mudam smartphones. Aliás, pensando nisso, o que seria essa síndrome dos modismos acelerados senão um reflexo de mentes inquietas que não querem ficar sóbrias, pois a realidade é muito dolorida para elas? Talvez seja isso que o falecido comediante e crítico social George Carlin repetia em muitos de seus shows de stand-up: "No momento preciso em que descobri o sentido da vida, a vida mudou"[293].

Lembre-se de que neste contexto Deus está morto para grande parte das pessoas, inclusive muitas das que ainda dizem acreditar nele. Logo, elas olham para o trono de sua vida e não veem nenhum Deus sentado ali, senão a figura de seu próprio ego, que ocupou o lugar do Altíssimo, fazendo-se passar por divino. Se antes o lema era *extra ecclesiam nulla salus* (fora da igreja não há salvação), a máxima pós-moderna passou a ser "fora do ego não existe autoridade que o supere".

Deus, assim, não está mais no céu nem em canto algum. Dizer, no entanto, que ele não existe é dolorido demais para alguns, então: "Deus sou eu!", algo que Jung já advertia como uma perigosa síndrome de megalomania[294]. Tal sen-

---

292 Fernando Pessoa. Lisboa: Parceria António Maria Pereira, 1934 (Lisboa: Ática, 10ª ed. 1972). p. 42.

293 Apud Shelley Mosley; John Charles; Joanne Hamilton-Selway; Sandra VanWinkle. *The Complete Idiot's Guide to the Ultimate Reading List* (Indianapolis: Alpha Books, 2007).

294 C. G. Jung. *Seminários sobre psicologia analítica (1925)* (Petrópolis: Vozes, 2017), preleção 3.

timento de ser eu mesmo o deus de que eu preciso gera em muitos a ideia do vale-tudo! Farei o que for preciso para ser feliz, mesmo que isso envolva quebrar todas as regras e violar todas as condutas éticas preestabelecidas. Ninguém quer mais padecer no paraíso. Se quero algo, só preciso encontrar uma forma de fazer sem consequências ruins e sem peso na consciência. O ego torna-se o único árbitro de certo e errado, verdadeiro e falso, belo e feio.

Alguns gênios, percebendo e prevendo tal realidade, tiraram proveito dela criando o consumismo desenfreado e o marketing que o acompanha. O principal objetivo de ambos é controlar os egos indomáveis criando culturas de massa com a ilusão de que cada um é livre para fazer o que bem entende.

A ordem do dia é encher você de produtos que prometem sanar o vazio existencial e, depois de um curto espaço de tempo, convencê-lo ou apenas lembrá-lo de que você nunca poderá estar satisfeito com o que tem, e sim com o que não tem. É a geladeira com um design novo, o celular com tela de melhor resolução, o aparelho com dispositivo de última geração. Aproveitam que o materialismo não supre nosso vazio, para nos convencer de que o que falta para preenchê-lo é o produto que ainda não adquirimos.

O consumismo, na verdade, não resolveu o problema existencial humano, mas criou a sensação de saciedade, que ilude por um tempo até que a carência volte a gritar por preenchimento. Aí o jeito é consumir novamente, como um vício. Talvez por isso ele persista até hoje.

Lembro-me, novamente, da descrição de Baudrillard:

> Não compramos objetos para possuí-los, e sim para destruí-los. A cada nova compra já estamos pensando na próxima. A efemeridade da moda acaba funcionando como antídoto para curar a ansiedade e saciar em pequenas porções a sede de emoções. A cada semana, uma nova coleção na vitrine, a cada dia um novo capítulo na novela das oito, a cada seis meses a nova versão do carro do ano, um novo restaurante imperdível é inaugurado. Somos todos, então, atores no 'teatro' do consumo.[295]

Agora sim, depois de ler tudo isso, posso citar novamente Santo Agostinho, em sua versão completa: "Tu mesmo que incitas ao deleite no teu louvor, porque nos fizeste para ti, e nosso coração estará inquieto enquanto não encontrar descanso em ti"[296].

---

295 Jean Baudrillard. A *sociedade de consumo* (Rio de Janeiro: Elfos, 1995), p. 16
296 Santo Agostinho. *Confissões* I, 1; Op. cit.

Capítulo 31
Jesus Cristo, mito ou realidade?

Podemos conhecer o Jesus histórico? Essa poderá ser uma pergunta redundante e ofensiva para determinados leitores de mentalidade mais piedosa. "É claro que podemos conhecer a Jesus!", bradará o crente convicto. "Aliás, não apenas *podemos* como *devemos* conhecê-lo. Afinal, nossa salvação depende disto". Está escrito no Evangelho de João 17:3: "E a vida eterna é esta: que te conheçam a ti, o único Deus verdadeiro, e a Jesus Cristo, a quem enviaste". Resolvido o assunto, podemos encerrar aqui um diálogo (que nem começou) e voltar para nossas orações. Certo?

Errado! Não sejamos apressados em dar um veredito para a questão nem considerá-la problema de pequena monta. Lembremos que nem todos partilham as mesmas convicções que nós. Ademais, podemos aprender muito com as dúvidas alheias, às vezes até para confirmar se aquilo que cremos é realmente lógico.

Deixe-me ilustrar o que estou querendo dizer: imagine um jovem filho de uma tradicional família muçulmana que nasceu e se criou em Meca – uma das mais importantes cidades do islamismo. Ele cresceu ouvindo as histórias do Alcorão Sagrado e os ensinamentos de Maomé, o maior profeta de Allah. Ver sua cidade repleta de peregrinos do mundo inteiro o fazia orgulhoso de sua fé. Afinal, o Islã comporta quase um bilhão de pessoas em todo o mundo. É a religião que mais cresce no planeta. Ele tinha tremendas razões para ser convicto de seu islamismo.

Encantava-lhe observar os fiéis circulando em torno da Caaba, uma construção cúbica que, segundo sua crença, guardaria o que sobrou da Hajar el Aswad, uma pedra sagrada cujas origens remetem a Adão e ao Jardim do Éden. Ele também acreditava na Lailat al Miraj, que seria a noite em que Maomé, viajando de Meca para Jerusalém, teria supostamente subido ao céu montado em Buraq, uma espécie de jumenta com asas, que o levou até o paraíso. Lá ele conversou com Deus e outros profetas e recebeu a revelação de que os islâmicos deveriam orar cinco vezes por dia.

Se você for um cristão certamente não acreditará na veracidade das doutrinas islâmicas. Se for de tendência mais intelectual discursará que é um absurdo crer que um homem viajou até ao céu montado numa jumenta mágica ou que a Caaba guarda, de fato, um pedaço do Jardim do Éden. Aquilo é apenas um meteorito qualquer, e a suposta ida de Maomé ao céu é apenas uma lenda sem nenhum respaldo de historicidade.

Como pode alguém inteligente acreditar nestas coisas? Não esqueça, porém, que essas mesmas dúvidas podem ser levantadas por pessoas que não aceitam a doutrina bíblica de Jesus Cristo como Filho de Deus e redentor do mundo inteiro. Seus milagres de andar sobre as águas, multiplicar alimentos e ressuscitar depois de ter sido morto é tido por muitos como menos provável que as lendas envolvendo Maomé.

Duas questões, portanto, dividem o palanque das discussões: Existiu mesmo um Jesus de Nazaré? Ele era o filho de Deus em forma humana? Note que são proposições diferentes, porém, complementares. Uma coisa é saber se Jesus de Nazaré existiu na história, outra é se ele foi realmente aquilo que os evangelhos dizem a seu respeito.

Jesus da fé e da história

Poucas décadas atrás, a busca pela historicidade de Jesus e sua relação com o credo pareceria sem sentido para quem estivesse fora do círculo dos teólogos e historiadores da religião. Hoje, porém, com o advento da Internet e a chamada democratização do saber, aqueles debates antes restritos ao ambiente acadêmico caíram em domínio público e reverberaram na imprensa, nos programas de entrevistas, nos documentários de TV e na rede mundial de relacionamentos. Como a religião, juntamente com a política e os esportes, está entre os assuntos mais discutidos na atualidade, era de se esperar que o nome de Jesus gerasse essa enxurrada de discussões, algumas sadias, outras nem tanto.

Tive a curiosidade de buscar no Google quantos grupos de debate haveria apenas sobre esse tema específico do Jesus Histórico que vamos discutir neste capítulo. O resultado foi 959 mil grupos em inglês e 4.140 em português! Não é à toa que já muito antes da popularização desses assuntos, quando a Internet não era nem de longe imaginada, o teólogo liberal Albert Schweitzer afirmou que se fosse alistar completamente todos os livros publicados sobre a vida de

Jesus, seria necessário um volumoso catálogo só para conter os títulos[297]. Bem, ele escreveu isso em 1913 na segunda edição de seu livro e estudos atuais demonstram que ele não estava exagerando. Calcula-se que somente na segunda metade do século 19 foram publicadas mais de 60 mil obras sobre Jesus na Europa e nos Estados Unidos[298].

Segundo uma listagem parcial do Studiorum Novi Testamenti Societas, nos anos 1990 este número já havia ultrapassado 90 mil títulos e hoje é praticamente impossível saber com certeza quanta coisa existe dentro e fora da Internet acerca da pessoa de Jesus Cristo.

Em termos confessionais, podemos dizer que o judeu chamado Jesus de Nazaré foi, segundo a maioria das correntes cristãs, o único homem autêntico que declarou sua divindade, e ele não estava mentindo. Seu corpo possuía, de um modo inexplicável, toda a plenitude da divindade. Sua natureza era eternamente divina e tornou-se historicamente humana, sem que uma anulasse a existência da outra. Jesus Cristo é o único ser em todo universo que possui duas naturezas, divina e humana, ao mesmo tempo.

Essa declaração confessional possui base na Bíblia[299], embora tenha sido formulada aos poucos, à medida que se compreendia melhor o assunto. Grupos dissidentes tentaram, desde os tempos apostólicos, negar essa declaração de fé, mas ela "sobreviveu" relativamente bem através dos séculos, sendo ecoada *oficialmente* desde os credos de Niceia e Constantinopla até a Reforma Protestante e o Iluminismo europeu. Pena que no percurso da história alguns concílios a tenham enfeitado com um complicado jogo de conceitos filosóficos que nem sempre ajudaram a esclarecer o sentido mais profundo de seu conteúdo.

Especialmente no período posterior a Niceia (325 d.C.), os que duvidavam do dogma cristológico eram reputados por segmentos marginais, à semelhança do arianismo ou, antes dele, dos vários grupos gnósticos que produziram os evangelhos apócrifos nunca reconhecidos pela Igreja. Todos os que negassem a divindade de Jesus eram relegados à condição de hereges, seguidores de seitas e servidores do diabo.

---

297 Albert Schweitzer. *The Quest of the Historical Jesus*, primeira edição completa, John Bowden (ed.)(London: SCM Press, 2000). A primeira edição deste livro data de 1906 e foi publicada em Tübingen na Alemanha. Esta edição de 2000 possui os acréscimos feitos por Shweitzer em 1913 e tenta, segundo o editor, corrigir defeitos duma tradução inglesa anterior.

298 Warren S. Kissinger. *The Lives of Jesus* (New York: Garland Publishing, 1985), xi.

299 1Coríntios 15:3-8; Isaías 9:6; Mateus 1:23; João 1:1-3; 1:14; 14:9-10; I Coríntios 15:3-8; Colossenses 2:9-10; etc.

Se um intelectual da Idade Média mostrasse desejo de encontrar maiores indícios da historicidade e divindade de Jesus, os teólogos imediatamente o confrontariam com o princípio agostiniano do *fides credere*, isto é, "fé é crer", sem questionar, sem buscar maiores evidências senão aquelas já oferecidas pela autoridade eclesiástica. No contexto original da expressão, Agostinho escreveu que "fé é crer no que não se vê, pois a recompensa dessa fé será ver aquilo no que se acredita" (*Est autem fides credere quod nondum vides; cuius fidei merces est videre quod credis*)[300].

Hoje o cenário é diametralmente oposto. A Igreja Medieval perdeu seu poder de indução, não legisla mais o conceito de verdades eternas. Apesar da efervescência ainda existente em torno do nome de Jesus, é cada vez maior o número de pessoas dentro e fora das religiões que questionam a veracidade histórica daquele homem que chamamos Jesus de Nazaré ou, de modo mais confessional, Jesus Cristo, o Filho de Deus.

Mudança de rumo

As mudanças de perspectiva sobre a figura de Jesus começaram no século 18, quando os tempos da certeza confessional deram lugar a uma nova época de questionamentos racionais à fé. Vários pensadores começaram a duvidar das declarações tradicionais da teologia. Os critérios desta vez eram modernamente mais racionalistas e baseavam sua argumentação na metodologia histórica até então jamais usada para descobrir algo a respeito da fé. Sabia-se pelo credo e pelos evangelhos que Jesus veio ao mundo de uma forma sobre-humana, que pregou o amor e realizou milagres. Depois foi morto na cruz, ressuscitou ao terceiro dia e subiu aos céus, deixando a certeza de que vai voltar trazendo consigo o juízo final sobre os homens.

A tradição de Jesus não agradava mais aos ouvidos do pensador iluminista, sua realidade histórica deveria ser reestudada à luz dos novos critérios do racionalismo.

O contexto político e social que resultou nessa nova maneira de encarar a Jesus é muito mais amplo e precisa ser apresentado. A mudança de perspectiva em relação à doutrina de Cristo veio se desenrolando aos poucos e se fez notar principalmente durante os séculos que separam a Reforma Protestante e a Revolução Francesa. Neste hiato, de 1517 a 1789, acentuou-se um processo de desescatologização

---

300 Op. cit. Agostinho, *Sermones* 4.1.1.

da mensagem cristã, que já tivera início no 4º século d.C., quando o imperador Constantino pretensamente declarou-se convertido ao cristianismo.

A palavra "desescatologização" talvez precise ser explicada. Ela vem de *eschathon*, um adjetivo grego para se referir às realidades últimas. Assim os teólogos falam de *escatologia individual*, para se referir ao que acontece a cada um depois de sua morte, e de *escatologia geral ou coletiva*, para se referir àquele evento último para onde apontam todos os acontecimentos da história: a volta de Cristo, seguida do Juízo final. Desescatologização, portanto, é a perda de interesse na esperança cristã da segunda vinda de Cristo.

Como se deu essa perda? Bem, é preciso antes esclarecer que esse processo de desescatologização não significa uma perda total da dimensão escatológica da Igreja, mas uma diminuição do clima de iminente expectativa ou até mesmo anseio pelo final dos tempos. É que com a chamada "conversão de Constantino" a Igreja de Roma ganhou um espaço que antes não tinha. Depois, acentuou ainda mais sua instalação no mundo do poder, quando se tornou, no 6º Século d.C., a autoridade máxima de toda a cristandade e de todo continente europeu.

O que antes era chamado de *pax romana* passou a ser agora a *pax ecclesiae* (paz da Igreja), a qual se apresentou para o mundo como um sistema único de legitimação do poder eclesiástico dentro e fora da Europa. Nas palavras de João Batista Libânio

> a Igreja dos mártires recebe férias de martírio. A ameaça permanente de ter de testemunhar com a vida a própria fé a cada momento, e por isso a necessidade de uma vigilância escatológica de total desapego, afasta-se com a Pax Constantiniana. A Igreja troca as catacumbas pelos palácios. Com isso, a proximidade iminente da Parúsia [*i.e.*, a Volta de Cristo] já não se faz nenhum desejo ardente. A tarefa é a construção da Cidade de Deus na terra.[301]

Sendo assim, essa acomodação gradual da Igreja de Roma, somada às disputas teológicas com a Reforma Protestante a partir do século 16, fizeram com que o interesse pelo Juízo Final e o estudo das profecias apocalípticas perdessem sua importância. A própria Reforma, diga-se de passagem, começou a dar mais prioridade a assuntos sociais e políticos (especialmente na Suíça

---

301 J. B. Libânio; M. C. L. Bingemer. *Escatologia cristã*. Coleção Teologia e Libertação (Petrópolis: Vozes, 1985), p. 61.

e Alemanha) que aos temas do fim do mundo. O futuro passou a ser apenas um campo de probabilidades, e o presente, um espaço para o controle do Estado absolutista. O passado era a *tradição*, isto é, uma forma histórica de legitimar o poder de quem atuava no presente, a saber, o clero e a monarquia com seus senhores feudais. Os eventos não eram mais articulados à providência divina, mas a um emaranhado de possibilidades atreladas *exclusivamente* à ação política dos homens.

As expectativas, portanto, deixaram de se estender para além do aqui e agora. Não se vislumbrava muita coisa depois do "daqui a pouco". A história era uma coleção de eventos passados e presentes sem nenhuma relação com o porvir predito por Deus. Então veio a Revolução Francesa e com ela a criação do conceito de *progresso*, que, embora descortinasse um horizonte mais além, misturava predições de anseio messiânico com prognósticos racionalistas e realidades previsíveis. A esperança na razão e não mais nas promessas divinas conduzia agora os novos rumos da humanidade.

Novo conceito de história

A Revolução Francesa, como bem sabemos, foi fruto do discurso de intelectuais contrários à religião que motivaram o povo a expurgar por completo a imagem traumatizante de Deus, que por séculos lhes foi imposta. O problema desses intelectuais talvez não fosse a razão de sua revolta, mas o tom exagerado que deram a ela. A modernidade rejeitou as caricaturas de Deus juntamente com as verdades bíblicas acerca de sua pessoa. Como diz o velho adágio: jogaram fora a água suja, a bacia e o menino juntos. Não souberam separar o joio do trigo e terminaram negando importantes conceitos revelados por Deus, inclusive sua própria existência e sua revelação através de Jesus Cristo.

A sociedade começou a respirar uma nova modalidade de interpretação da história que ecoava aqueles ideais escatológicos perdidos pela Igreja, porém sem a base bíblica que os sustentava. O horizonte era promissor, mas não havia nenhum Deus lá na frente. As pessoas passaram a ter uma percepção otimista da realidade, destituída da noção de providência divina. Foi-se a terrível Idade Média e o futuro não seria apenas novo, seria melhor.

E quanto ao passado? Bem, esse agora não era visto mais como argumento para legitimação de um conceito. A tradição estava sob suspeita, ninguém queria voltar à Idade das Trevas. O futuro era promissor, e o passado, sombrio. O que se foi tinha de ser analisado com cuidado não só para desmascarar as mentiras que foram contadas, mas também para impedir o retorno das lendas. A história tradicional de Jesus era alistada entre os antigos mitos a serem evitados.

Os pensadores, sobretudo alemães, sugeriram então um novo conceito de história que rompeu com a fórmula *historia magistra vitae* (a história é a mestra da vida), cunhada por Cícero e apropriada por historiadores ligados à tradição da Igreja. É que, até meados do século 18, os alemães usavam o vocábulo estrangeiro *Historie*, assim, sempre no plural, para se referir à narrativa, ao relato de um evento. Então resolveram substituir o termo por outro mais germânico, *Geschichte*, que é uma designação do fato em si, e não do relato que se fazia sobre ele. Com o passar do tempo, *Geschichte* sofreu uma alteração semântica e passou a juntar o sentido de fato, acontecimento, com o de relato, narrativa. Assim a palavra ficou muito filosófica e foi quase impossível elaborar um conceito unívoco a partir das muitas afirmações que se faziam dela[302]. Seja como for, não podemos deixar de mencionar que por detrás dessa ebulição intelectual na Alemanha estava a ideologia francesa e sua poderosa Revolução no decênio de 1789-1799. A emancipação dos poderes monárquicos e religiosos, a queda da Bastilha, a prisão do papa Pio VI, a decapitação de nobres, clérigos e da própria família real em Paris formaram o ineditismo de os novos tempos que tomou toda a Europa de surpresa. Até a América foi atingida, afinal o que foi a independência dos Estados Unidos e também do Brasil senão o fruto de ideologias francesas?

Todos esses acontecimentos também cunharam o modo dos alemães interpretarem a história. Nada podia se comparar aos eventos extraordinários que se seguiram a 1789. O homem finalmente se firmou como o agente dos acontecimentos, o único com capacidade de avaliar e modificar o curso da história. Nem mesmo Lutero conseguiu tamanha proeza.

Então um novo conceito surgiu: o termo *Historie* voltou a ser usado para designar o fato literal, ocorrido. *Geschichte* seria a interpretação posterior, romanceada, que, embora não precise ser necessariamente um "engodo", estaria longe de uma descrição exata do que realmente ocorreu. É um mito, um exagero que nada tem a ver com a realidade dos fatos. Desde o século 18, vários historiadores e teólogos começaram a trabalhar com esta nova percepção, mas quem finalmente a sugeriu como método para se pesquisar a vida de Jesus foi

---

302 Reinhart Koselleck. *Futuro passado: contribuição à semântica dos tempos históricos* (Rio de Janeiro: Contraponto/Editora da PUC-Rio, 2006), p. 49.

Martin Kähler em sua obra *Der sogenannte historische Jesus und der geschichtliche, biblische Christus*, publicada em 1892 – o título é quase maior que o próprio livro, de apenas 50 páginas!

Como é praticamente impossível traduzir em português a distinção precisa entre *Historie* e *Geschichte*, deixe-me dar um exemplo que talvez facilite a compreensão dos dois termos. Vou me basear na polêmica tese de alguns escritores que querem a todo custo corrigir o mito criado em torno da Inconfidência Mineira[303].

Você certamente já viu os clássicos quadros de Tiradentes, o Mártir, pintados por ilustres artistas como Pedro Américo, Eduardo de Sá, Cândido Portinari e outros. Com uma ou duas exceções, todos mostram o herói inconfidente de cabelos e barbas longas, vestindo um roupão branco à semelhança de Jesus Cristo. Pois bem, de acordo com alguns especialistas, esta é uma imagem inventada, que chega a agredir a história real e a lógica dos fatos. Eles lembram que Tiradentes era militar e, como tal, não teria barba nem cabelo longos. Ademais, de acordo com os autos da época, ele teve sua barba e cabelos raspados no dia do seu enforcamento, não usou nenhuma túnica branca e muito provavelmente não foi *traído* por um de seus seguidores. Todos esses elementos foram criados propositadamente pelos políticos para assemelhar Tiradentes a Cristo e fazer com que os que ouvissem sua história ou vissem sua imagem sentissem profunda simpatia por ele, afinal o Brasil era um país de maioria cristã, e a República precisava de um herói para despertar a simpatia do povo.

Embora a história registre a insurreição liderada por um dentista militar chamado Joaquim José da Silva Xavier, aquele Tiradentes, das pinturas a óleo, jamais existiu! O primeiro seria um personagem *histórico* (*historiche*), que realmente existiu. Já o segundo (das pinturas), um ser *mitológico* (*geschichtlich*) ou "historial" conforme um neologismo inglês sugerido por Heidegger.

Assim temos no exemplo do Tiradentes real e do "inventado" a diferença entre *Historie* e *Geschichte*. Note que não se trata de história e estória, pois o fato realmente aconteceu. O que estamos falando é de história real *versus* história romanceada, que se baseia num episódio verdadeiro, mas fabrica detalhes e contextos que jamais ocorreram. Tudo para tornar o relato mais belo e atrativo,

---

303 Sérgio Faraco. *Tiradentes: a alguma verdade (ainda que tardia)* (Rio de Janeiro: Civilização Brasileira, 1980); Paulo Miceli. *O mito do herói nacional* (São Paulo: Contexto, 1997), p. 22-25; José Murilo de Carvalho. *A formação das almas, o imaginário da República no Brasil* (São Paulo: Companhia das Letras, 2008), p. 55-57.

convencendo pessoas a se apaixonarem por ele ou pela ideologia que ele representa. É o mesmo princípio usado pelas modernas técnicas de marketing (especialmente propaganda política) para maquiar a imagem de um produto, de uma marca ou de um candidato. Portanto, para os escritores liberais haveria um Jesus histórico (que realmente existiu) e um Cristo da fé (criado e mantido pela Igreja ao longo dos anos). Separar ambos era a tarefa principal de sua teologia.

O questionamento dos teólogos liberais

Mesmo antes de eclodir a Revolução Francesa ou de Kähler publicar suas ideias acerca de um Jesus histórico e outro *historial*, houve pelo menos um autor que preconizou os ventos da dúvida ao tratar da história de Jesus. Seu nome era Hermann Samuel Reimarus (1694-1768), um professor de línguas orientais na cidade de Hamburgo. Influenciado pelo deísmo inglês, ele não acreditava que Deus estivesse intervindo nos negócios deste mundo. Sendo assim, a pregação evangélica tradicional de um Deus encarnado, que entrou na história dos homens e possibilitou a salvação da humanidade mediante sua própria morte na cruz, não fazia o menor sentido.

Reimarus projetou uma enciclopédia de 4 mil páginas na qual pretendia reconstruir de modo científico uma nova versão para a história da religião cristã. Entretanto, foi apenas após a sua morte que a parte dedicada à vida de Jesus foi publicada anonimamente por um editor chamado G. Ephraim Lessing. O título proposital foi *Wolfenbütteler Fragmente* [1774-1778] [Fragmentos de um escritor anônimo], que em pouco tempo recebeu o apelido de *Fragmentenstreit* ou "fragmentos de controvérsia". O texto não teve muitos seguidores a princípio e causou mais discussão política do que sobre Jesus propriamente dito. Aliás, é importante dizer que mesmo alguns teólogos liberais posteriores, como Johann Salomo Semler (1725-1791) – considerado o "pai do racionalismo alemão" –, julgaram infundadas muitas das teorias de Reimarus. Mesmo assim, é inegável que seus escritos tiveram bastante impacto sobre outros escritores quando o assunto do Jesus Histórico se tornou objeto de debate entre os acadêmicos europeus.

Reimarus não aceitava nenhum milagre, exceto a criação do mundo. Afinal, para o deísmo o Criador abandonou sua criação após tê-la concluído, logo, nenhum outro milagre foi operado depois disso. Num de seus excertos intitulado *Von dem Zwecke Jesu und seiner Jünger* [Sobre a pretensão de Jesus e seus discípulos], ele afirmou que qualquer investigação crítica sobre a vida de Jesus

Cristo "deve manter a distinção clara entre o que Jesus realmente fez e ensinou em sua vida e aquilo que foi narrado pelos apóstolos em seus escritos"[304]. De acordo com sua teoria, Jesus foi apenas um judeu como outro qualquer, munido de um espírito agitador e político. Motivado por um messianismo nacionalista, ele teria empreendido uma frustrada revolta contra o Império Romano, mas acabou abandonado por seus seguidores e condenado à morte de cruz. Os discípulos, então, para não admitir o fracasso do movimento, roubaram seu corpo e inventaram a história da ressurreição e da redenção universal da humanidade como forma de manter aceso o ideal messiânico que ele havia pregado.

Depois de Reimarus, veio Heinrich Eberhard Gottlob Paulus (1761-1851), um outro racionalista alemão, influenciador famoso de Hegel, que também questionou a veracidade histórica da vida de Jesus. A novidade em seu caso é o modo, às vezes engraçado, com o qual ele procurava encontrar uma razão natural para todos os supostos milagres realizados por Cristo. Ele dizia, por exemplo, que a transfiguração no monte se deu porque, depois de Jesus e seus apóstolos dormirem uma noite inteira ao relento, Pedro, ainda sonolento, viu o Mestre, que havia acordado antes, de pé diante do Sol nascente conversando com dois discípulos secretos que já estavam de partida. Então, equivocadamente, ele entendeu os raios do Sol como se fossem a glória de Cristo, e os dois seguidores, como Moisés e Elias.

A conclusão do autor é que o povo daquela época tinha uma concepção mística da realidade e amava episódios de suposta intervenção sobrenatural. Por isso, ocorrências comuns teriam sido relatadas de modo exageradamente miraculoso nos quatro evangelhos. Mas todas, sem exceção, teriam razoáveis explicações naturais.

A multiplicação dos pães foi um milagre de generosidade, e não multiplicação real. A criança, Jesus e os apóstolos, resolveram partilhar o lanche que haviam levado e todos lhes seguiram o exemplo. O caminhar do Mestre sobre as águas do mar da Galileia também foi uma ilusão de óptica. Jesus estaria, na verdade, sobre as pedras do litoral, e do barco os discípulos entenderam que ele estava caminhando sobre as águas. A calmaria no mar, ocorrida exatamente depois de uma repreensão de Cristo, seria apenas uma coincidência como muitas que ocorrem todos os dias. Já a ressurreição do Senhor foi, na verdade, um

---

304 H. S. Reimarus. *Apologie oder Schutzschrift für die vernünftigen Verehrer Gottes*. G. Alexander (org.) (Frankfurt, Gotteheld, 1972); I – II, p. 38. Também impresso em inglês em *Fragments*. C. H. Talbert (org.) (London: Hodder & Stoughton, 1971), p. 64.

recobrar dos sentidos, pois Jesus não havia realmente morrido. Ele estava apenas desacordado e recobrou os sentidos depois de ter sido colocado no sepulcro.

No caso de Paulus, uma possível explicação psicológica para sua aversão aos milagres estaria num trauma de infância. Seu pai foi um ministro luterano fanaticamente místico, que teve seu transtorno mental agravado com o falecimento de sua esposa. Ele dizia conversar com os mortos e obrigava os filhos a confirmarem suas supostas experiências sobrenaturais. A igreja de Leonberg, em que ele era pastor, teve de destituí-lo de suas funções e Paulus, ainda jovem, sofreu bastante com tudo isso. Talvez aí esteja a razão de seu agressivo combate a toda e qualquer interpretação histórico-literal dos milagres operados por Cristo.

Embora partisse de pressupostos contrários ao racionalismo tanto de Reimarus quanto de Paulus, um outro escritor, Friedrich Ernst Schleiermacher (1768-1834), também apresentou em 1832 uma interpretação desconcertante acerca de Jesus Cristo. Ele via o jovem pregador da Galileia como apenas um homem comum com a consciência de ser divino (algo que todos, em tese, podem efetivamente possuir). Além disso, Schleiermacher não admitia espaço para a ressurreição, nem a morte expiatória do Filho de Deus. Para ele, Jesus só nos vale por modelo enquanto consciente da concepção de Deus e do controle deste sobre Sua vida[305].

Outras posições

David Friedrich Strauss (1808-1874) foi um teólogo e exegeta formado em Tübingen que se tornou muito conhecido após publicar, em 1835, uma controvertida versão sobre a vida de Jesus. Inspirado na filosofia de Hegel, ele afirmava que os milagres de Jesus e outros eventos de sua vida eram apenas mitos inventados pelos apóstolos e evangelistas com fins teológicos, e não históricos[306]. Em sua opinião, era impossível uma reconstrução histórica baseada nos evangelhos, porque estes seriam fragmentos de várias camadas de lendas e narrativas que se misturam artificialmente, perdendo por completo sua conexão com o episódio real. Ele achava, por exemplo, que o detalhe dos ladrões crucificados

---

305 F. Schleiermacher. *The Christian Faith*. H. R. Mackintosh; J. S. Stewart, eds. (New York: Harper & Row, 1963) v. II, p. 34ss.; R. Niebuhr. *Schleiermacher on Christ and Religion* (New York: Scribner's, 1964).

306 D. F. Strauss. *Das Leben Jesu*. Desta tive acesso apenas à versão inglesa de George Eliot. *The Life of Jesus* em 1972/3, com introdução e anotações da Editora Fortress da Filadélfia.

com Jesus era apenas um enfeite mitológico para fazer eco à poesia de Isaías 53:12: "ele foi contado entre os pecadores".

Ferdinand Christian Baur (1792-1860) foi outro discípulo de Hegel que se inspirou no esquema dialético para falar do movimento de Jesus em termos de tese, antítese e síntese. A *tese* seriam os cristãos judaizantes, seguidores de Pedro, que queriam obrigar os gentios a cumprirem as leis cerimoniais do Antigo Testamento. A *antítese* seriam os cristãos liberais, seguidores de Paulo, que queriam desobrigar os gentios da prática cerimonial. E, finalmente, a *síntese* seria a Igreja, que, através dos evangelhos (todos posteriores ao 2º século), tentaria uma conciliação entre as duas vertentes cristãs.

O historiador e teólogo Bruno Bauer (1809-1882) lançou, em 1840, o livro *Kritik der evangelischen Geschichte des Johannes* [Crítica à historicidade do Evangelho de João], no qual complementava a teoria de Baur dizendo adicionalmente que o Evangelho de João era uma síntese produzida a partir das mitologias judaica, grega e romana. Ele também era discípulo de Hegel, e até Karl Marx o criticou por ser muito espiritualista, idealista e nem um pouco histórico.

Com uma ou outra variação temos ainda Johann Gottfried Eichhorn (1752-1827), Ernest Renan (1823-1892), Willian Wrede (1859-1906), Alfred Loisy (1857-1940) e outros com suas tentativas diversas de mostrar quem era realmente Jesus e o que importava conhecer a respeito dele. Loisy foi talvez o mais audacioso ao sugerir que até mesmo a igreja não é um movimento histórico fundado por Cristo. Jesus de Nazaré, ele dizia, partilhava a expectativa judaica de sua época que era a chegada do Reino de Deus. Mas o que veio foi a igreja, desastrosa igreja, que poderia ser definida como a frustração dos sonhos originais de Cristo!

Um missionário descrente

Antes de fechar este ciclo de questionadores, tenho de destacar a figura de dois homens que se tornaram os mais famosos representantes desta "busca pelo Jesus Histórico": Albert Schweitzer (1875-1965) e Rudolf Bultmann (1884-1976).

Albert Schweitzer (1875-1965) destacou-se por produzir um resumo crítico de todas as principais teorias sobre o Jesus histórico levantadas desde Reimarus até Wrede. Originalmente publicado em 1906, o livro teve como título *Von Reimarus zu Wrede: Geschichte der Leben Jesu-Forschung* [De Reimarus a

Wrede, uma história da investigação sobre a vida de Jesus]³⁰⁷. Em 1913, surgiu uma segunda edição ampliada, e Schweitzer, que ainda era novo, foi aclamado no mundo teológico europeu. Suas ideias ficaram ainda mais populares depois que o livro ganhou uma edição inglesa quando foi traduzido por W. Montgomery e publicado em Londres em 1910³⁰⁸.

O livro é muito bem escrito e oferece uma síntese clara das ideias dos 50 diferentes autores que ele apresenta. Foi realmente um trabalho inédito que exigiu muitas horas de leitura e reflexão. Esse mérito acadêmico não podemos tirar do autor. Foi uma leitura crítica que apresentava elogios a algumas abordagens e severas críticas a outras. De um modo geral ele observou – neste ponto corretamente – que aqueles intelectuais estavam tão obcecados em descobrir o Jesus Histórico (distinto do Cristo da fé) que não passaram nem perto de cumprir com seu objetivo. Pelo contrário, começaram a projetar novas figuras teológicas de Jesus que pouco ou nada teriam a ver com a realidade daquele judeu que viveu no primeiro século.

Teólogos liberais criaram um Jesus ético ou ideal; teólogos racionalistas, um Jesus revolucionário. Cada grupo pintava o retrato do Messias com as cores de sua própria cosmovisão filosófica. No final de tudo o que sobrara não foi um quadro de como era Jesus, mas como cada um queria que ele fosse.

Schweitzer parecia estar indo no rumo certo. Era um homem inteligente que além de teologia era formado em medicina e tocava órgão como ninguém. Chegou a abandonar a confortável vida em Estrasburgo para dedicar-se a obras de assistência social como médico missionário na África. Construiu um hospital para carentes e foi agraciado em 1952 com o Prêmio Nobel da Paz devido às suas atividades humanitárias.

Conta-se que um missionário que visitou certa vez a ex-colônia francesa do Gabão se surpreendeu ao ouvir de um nativo um curioso depoimento sobre o Dr. Schweitzer. O missionário estava tentando evangelizar o homem falando-lhe de como Jesus era bondoso com os enfermos e como tratava bem as pessoas. O nativo então lhe interrompeu: "Conheço esse homem, mas, pelo que eu saiba, o nome dele é Dr. Albert Schweitzer!".

---

307 O livro, na verdade, é fruto da tese de doutorado de Schweitzer publicada em 1901 e intitulada *Das Messianitäts-und Leidensgeheimnis: Ein Skizze des Lebens Jesu*, traduzida posteriormente para o inglês por W. Lowrie com o título *The Mystery of the Kingdom of God* (New York: Dodd, Mead & Co., 1914).

308 Montgomery. *The Quest of the Historical Jesus* (London: A. & C. Black, 1910).

É claro que é difícil saber se episódios assim são reais ou lendários. Contudo, é fato que este pensador deixou uma profunda marca no coração daquele povo. Pena que, mesmo sendo uma figura eclética e cosmopolita, Schweitzer não conseguiu romper com as estruturas mentais da cultura franco-germânica e sua tendência para o secularismo. Ele quis colocar a religião sobre uma base racional e usou o materialismo como critério para discernir a superioridade de um pensamento. Tanto é que, embora se movesse de íntima compaixão pelos nativos africanos, considerava-os "infantis" por manterem sua fé religiosa mesmo diante dos piores sofrimentos. Para ele religião era apenas ética social e preservação da vida, nada mais.

No final percebe-se que seu livro termina com uma proposta que, olhando externamente, poderia ser colocada na mesma categoria das reconstruções do Jesus histórico que ele questionou. Schweitzer dizia que Jesus era apenas um religioso equivocado que compartilhava as ideias escatológicas do judaísmo de seu tempo. Ele acreditou erroneamente que era o Messias e com base nesta ilusão pregou a chegada iminente do reino.

Como este não veio, pensava Schweitzer, Jesus decidiu virar um mártir de sua própria causa, pois pensava que assim poderia ter uma intervenção divina em seu favor. Então provocou a ira dos romanos e foi pendurado na cruz. Mais uma vez frustrado ele questiona: "Deus meu, Deus meu, por que me desamparaste?".

Concluindo em suas próprias palavras:

> O Jesus de Nazaré que se apresentou em público como Messias, que pregou a ética do reino de Deus, que fundou o reino do céu na terra e morreu para conferir uma consagração final à sua obra, jamais existiu. Esta imagem foi traçada pelo racionalismo, revivificada pelo liberalismo e revestida pela teologia moderna com roupagens históricas.[309]

O interessante, porém, é que Schweitzer dizia admirar esta figura lendária de Jesus e procurava fazer dela seu próprio modelo de vida. Isso ele dizia, primeiro por causa da firmeza de Jesus em crer no que pregava e não desistir de sua crença mesmo em face da morte e da não realização de seu reino. Segundo, porque Jesus foi coerente com o que falou não negando sua mensagem diante dos líderes que estavam para condená-lo. No final, o livro de Schweitzer

---

309 Texto tirado da edição inglesa de W. Montgomery; A. Schweitzer. *The Quest for the Historical Jesus* (New York: Macmillan Company, 1968), p. 398,399.

termina apresentando uma nota de profunda devoção cristã que ele diz tê-lo acompanhado até o final de sua vida como médico missionário e filantropo na África tropical.

Confesso que é difícil, para mim, conjugar o estilo humanitário de Schweitzer com as ideias tão estranhas que esposava sobre Cristo. Porém devo lembrar, como diz uma canção evangélica, que "Deus é Deus e eu não sou". Vamos deixar Deus ser Deus; compete a ele conhecer o coração das pessoas, não a mim.

Ademais, é difícil julgar todos os motivos por detrás de um raciocínio humano e não nos compete julgar a pessoa de Schweitzer uma vez que, se aceitarmos mesmo a veracidade bíblica, reconheceremos que este julgamento compete exclusivamente a Deus. Não obstante, podemos sim analisar suas ideias e nos posicionar diante delas e de todas as outras até aqui apresentadas. Isso faremos ao longo deste livro!

O Jesus Mitológico de Rudolf Bultmann (1884-1976) é uma estranha combinação de dogma teológico com ceticismo histórico. Ele não afirmava categoricamente, como Schweitzer, que Jesus era um pregador apocalíptico. Pelo contrário, ele até acreditava que Jesus foi um homem que viveu e morreu no primeiro século, mas que nada podemos saber de sua história real, porque os únicos documentos que poderiam contá-la (*i.e.*, os evangelhos) não tinham nenhum interesse em fazê-lo. Sua intenção era teológica, e não historiográfica[310].

Uma historiografia de Jesus Cristo

O estudante que inicia uma investigação histórica sobre a pessoa de Jesus de Nazaré poderá se sentir frustrado, a princípio, em vista da escassez de material

---

310 Bultmann inaugurou o que se chama *formgeschichte*, ou a história das formas, que tenta explicar o modo como os evangelhos foram montados e por que construíram determinadas "histórias" de Jesus. Para ele, a ressurreição era apenas uma parábola para descrever a fé cristológica que reviveu no coração dos discípulos mesmo em vista da morte de seu mestre fundador. Suas principais obras a este respeito são: *Die Geschichte der synoptischen Tradition* (Göttingen: Vandenhoeck & Ruprecht, 1921) e *Das Evangelium des Johannes* (1941). Traduzidas ao inglês pudemos ter acesso aos seguintes tratados: *Primitive Christianity in its Contemporary Setting* (New York, Meridian Press, 1956), em que ele diz na página 200: "a pessoa histórica de Jesus foi radicalmente transformada em mito já no cristianismo primitivo", e "New Testament Mythology", in *Kerygma and Myth*, H. W. Bartsch (ed.) (New York: Harper and Row, 1961), em que ele declara: "é impossível usar luz elétrica [...] e crer ao mesmo tempo num mundo neotestamentário de espíritos e demônios"(p. 5). Cf. também: *Jesus and Word* (New York: Scribner's, 1934), esp. p. 8-13; e o clássico *Theology of the New Testament* (New York: Scribner's, 1955), 2 vols. Uma clássica obra que debate as posições de Bultmann é o tratado de K. Barth. *Rudolf Bultmann – ein Versuch ihn zu verstehen* (Zurich: Evangelischer Verlag, 1952).

extrabíblico de que dispomos sobre sua pessoa. Todos nós, de certa forma, esperávamos que, em vista do movimento universal que surgiu por causa do nome de Cristo, a sua passagem pela história fosse algo que deixasse marcas indeléveis na história secular. Afinal, o próprio calendário moderno é demarcado pelo seu nascimento (a.C. e d.C.). Mas as fontes seculares de nossa informação são surpreendentemente limitadas.

Entre os motivos pelos quais Jesus foi pouco ou quase nunca citado nas obras extrabíblicas podemos supor os seguintes:

a) O ministério limitado do Nazareno. Até onde podemos saber, o roteiro de pregações de Jesus se resume a uma estreita faixa de mais ou menos 200 km de extensão, por 70 km de largura – um território deveras pequeno que poderíamos cobrir em poucas horas numa moderada viagem de automóvel[311]. É deveras dramático que haja em nossos dias tantos autores sensacionalistas que tentam fazer dinheiro vendendo histórias de uma pretensa ida de Jesus à Índia antes e depois dos três anos e meio de ministério. Isso, contudo, é outro assunto que foge à presente discussão[312]. Pelo relato dos evangelhos, fora algumas regiões circunvizinhas como a Síria e Decápolis, o único país distante de Israel que certamente Jesus visitara foi o Egito, mesmo assim quando era recém-nascido em companhia de seus pais. Portanto, foi apenas a partir das viagens de Paulo que a propagação do nome de Cristo tornou-se mais difundida.

b) Há muitos documentos antigos que se encontram perdidos. Uns foram completamente destruídos, como os mais de 700 mil manuscritos da Biblioteca de Alexandria pelo Califa Omar em 641. Outros encontram-se apenas desaparecidos esperando algum "golpe de sorte" que nos permita encontrá-los (como os rolos de Qumran descobertos acidentalmente em 1947). Assim, não é improvável que houvesse mais coisas escritas sobre a pessoa de Jesus, mas que estão retidas na poeira do tempo. Aliás, é até possível que algumas anotações documentais do movimento de Cristo também tenham sido destruídas no incêndio provocado por Nero que arruinou a cidade de Roma com muitos de seus arquivos em 66 d.C.

---

311 J. Murphy-O'Conor, J. *The Holy Land – An Oxford Archaeological Guide from Earliest Times to 1700* (Oxford: Oxford University Press, 1998), p. 475,476.

312 Veja, por exemplo, H. Kersten. *Jesus viveu na Índia* (São Paulo: BestSeller, 1988).

c) Jesus não foi oficialmente reconhecido em seu tempo. Aliás, nisto ele não é único. Nós, humanos, não temos o costume de valorizar os grandes gênios enquanto estão vivos entre nós. Apenas nos limitamos a apreciar, ou em alguns casos "idolatrar", os mitos que se criam sobre sua pessoa depois que vão embora. Hoje, Einstein é convencionalmente citado como a mais brilhante mente do século 20. Mas, durante a guerra, foi considerado um lunático por muitos de seus contemporâneos. Portanto, em termos de comentários contemporâneos, podemos encontrar muita coisa sobre César, porque ele era um imperador que deixou monumentos e anais encomendados de seus grandes feitos. Quase nada, porém, acharemos sobre Sócrates, Demóstenes e outros *grandes gênios* que, à semelhança de Jesus, tiveram uma divulgação assombrosamente pequena em comparação ao universalismo que posteriormente envolveu o nome de cada um deles.

Vejamos, portanto, a partir da fonte mais antiga, os textos *fora* do Novo Testamento e da literatura cristã primitiva que parecem fazer alguma alusão à pessoa de Jesus de Nazaré.

Na literatura judaica

Flávio Josefo (37/8-100 d.C.)[313]

> Por esse tempo, surgiu (*ginethai*) Jesus, homem sábio, pois era realizador de feitos extraordinários e mestre dos homens que aceitam alegremente a verdade [coisas estranhas] (*ton hêdonê palethê dechomenon*)[314], que arrastou após si muitos judeus e muitos gregos. Ele era considerado [chamado] Messias. Embora Pilatos, por acusações dos nossos chefes, o condenasse à cruz, aqueles que o tinham amado desde o princípio não cessariam [de proclamar que][315] passando o terceiro dia apareceu-lhes novamente vivo;

---

313 Para uma vasta pesquisa sobre Flávio Josefo, incluindo o que há de mais exaustivo no recolhimento de informações sobre sua vida e obras, veja: L. H. Feldman. "Flavius Josephus Revised: The Man, His Writings, and His Significance", in *Ausftieg und Niedergang der römischen Welt*, W. Haase; H. Temporini (eds.) (Berlin: De Gruyter, 1984), esp. p. 822-835; idem, *Josephus and Modern Scholarship 1937-1980* (Berlim, De Gruyter, 1984), esp. p. 679-703.

314 A oração grega é dúbia. Ela pode supor tanto que alguns receberam a pregação de Jesus com sincera alegria, quanto com ingênuo entusiasmo. Mas essa dubiedade é própria do estilo de Josefo, que queria agradar a todos os leitores quer fossem judeus, quer fossem romanos ou gregos.

315 Este parece ser o entendimento de *epausanto*, mas há outras possibilidades: "Não cessarem de amá-lo"; "não deixaram de existir (como movimento)". Ver W. Goodwin; C. Gulik. *Greek Grammar* (Boston: Ginn & Co. 1958), p. 333.

os profetas de Deus tinham respeito dele. Ademais, até o presente, a estirpe dos cristãos, assim chamada por referência a ele, não cessou de existir.[316]

Este texto é tão significativo que autores liberais tentaram desmerecê-lo dizendo que se tratava de uma redação cristã posterior, e não de um texto autêntico de Josefo. Contudo, até mesmo o historiador Eusébio, no 4º século, ao citar a referida passagem mencionando Cristo, demonstra que já naquele tempo o texto estava qual o temos em nossos dias[317]. O texto harmoniza-se gramaticalmente com o grego de todo o parágrafo e não tem indícios de ser uma interpolação, exceto a expressão "se é que realmente seria um homem", alusiva a Cristo e que certamente seria edição de copista, sendo, portanto, retirada da versão que apresentei anteriormente.

Ademais alguns autores entendem que a versão mais próxima do texto original de Josefo seria uma tradução referida por Ápio em sua *História universal* em língua árabe. Esta também não apresenta diferenças substanciais de conteúdo. Menciona inclusive a ressurreição. O especialista em Josefo, William Whiston, apresenta uma defesa pré-crítica da autenticidade total dos textos flavianos que compensa ser examinada[318].

Falando do golpe de Estado dado pelo Sumo Sacerdote Anã (ou Hananias) após a morte de Festo (62 d.C.), Josefo ainda diz que o sacerdote saduceu: "Convocou uma assembleia (Sinédrio) de juízes e colocou diante deles o irmão de Jesus, que é cognominado Messias, de nome Tiago, e alguns outros. Acusou-os de terem transgredido a lei e os entregou para serem apedrejados"[319].

Todas as traduções mais antigas e todos os manuscritos gregos de Josefo (desde os melhores até os menos confiáveis) trazem, com pequenas variações, o conteúdo destes textos. A obra *Guerra dos Judeus*, esta sim, possui um longo trecho atestado apenas numa antiga versão eslavônica que definitivamente parece ser uma interpolação tardia não digna de crédito. Por isso não a mencionarei neste capítulo.

---

316 *Ant.* XVIII, 3, 3

317 *Hist. Ec.* II, 23, 22

318 Cf. Whiston. "The Testimonies of Josephus Concerning Jesus Christ, John Baptist, and James the Just Vindicated", in *Josephus – Complete Works* (Grand Rapids: Kregel, 1960), p. 639-647. Veja ainda R. Fabris. Op. cit., p. 42; S. Pines. *An arabic version of the Testimonium Flavianum and its Implications* (Jerusalém: Publications of the Israel Academy of Sciences and Humanities, 1971); A. M. Dubarle. "Le temoignage de Josèphe sur Jésus d'après la tradition indirecte", in *Josephus. The Jewish War*, Cornfield (ed.) (Grand Rapids: Zondervan, 1982), p 481-513.

319 *Ant.* XX, 9, 1.

Talmude Babilônico. Há uns poucos trechos talmúdicos que alguns autores entendem fazer referências distantes à pessoa de Jesus. Citaremos apenas dois deles à guisa de complementação científica deste estudo. Mas permanece aqui a advertência de que são textos seriamente questionáveis que não gozam de muito respaldo crítico-textual que possa defender sua autenticidade. Além do que, como poderá ser visto, não se trata de uma alusão clara à pessoa de Jesus e, ainda que o fosse, pouco acrescentaria de confirmação ao que diziam os evangelhos. Apenas testificam, no máximo, a historicidade de sua existência (uma confirmação, aliás, dúbia, pois são textos tardios, posteriores ao primeiro século[320]). O Talmude como tal não registra nenhum rabino anterior aos anos 50 d.C. que tenha mencionado Jesus pelo nome[321].

O primeiro texto em consideração é uma tradição externa suplementar, *baraíta*, inserida no talmude babilônico ao comentar um texto da Mishná alusivo ao procedimento correto quanto a um condenado ao apedrejamento. Mas ele é confuso porque fala de apedrejamento e cita como exemplo uma pessoa que foi enforcada e que alguns creem referir-se a Jesus o Cristo. Diz o texto (Sanhedrin 43ª)[322]:

> Na véspera do *pessah* (páscoa), enforcaram Jeshu (*há-nozri*). Durante 40 dias um arauto esteve andando à volta dele. [Mas] ele é conduzido ao apedrejamento por ter praticado magia e levado o povo a cometer idolatria, além de desviar Israel. "Se alguém conhece alguma coisa em seu favor, que venha e dê o testemunho". Mas não se encontrou nenhuma testemunha favorável a ele e enforcaram-no na véspera do *pessah*.

Segundo a apologia de Orígenes, escrita por volta de 178, a um judeu chamado Celso (cuja obra contra o cristianismo se perdeu completamente), havia a acusação judaica de que Jesus seria um filho bastardo nascido da união

---

320 Diz o especialista em escritos judaicos Rabbi Jacob Z. Lauterbach: "Não há nenhuma citação preservada até hoje da literatura talmúdico-midrástica que possa ser considerada autêntica quanto a ter sido escrita no tempo de Jesus ou, pelo menos, nos primeiros 50 anos da era cristã". Cf. J. Lauterbach. "Jesus in the Talmud", in *Rabbinic Essays* (Cincinnati: Hebrew Union College press., 1951), p. 477.

321 J. P. Meier. Op. cit., p. 102. O extremado crítico da procedência destes textos como referentes à pessoa de Jesus é J. Maier em seu livro *Jesus von Nazareth in der Talmudischen Überlieferung*. Coleção Erträge der Forschung 82 (Darmstadt: Wissenschaftliche Buchgesellschaft, 1978); o resumo de seu tratado está nas páginas 263-275.

322 Traduzido da versão em inglês: *The Babylonian Talmud. Seder Nezikin in Four Volumes: III Sanhedrin*, I. Epstein (ed.) (London: Soncino, 1935), p. 281, 282.

adúltera de Maria e um legionário romano chamado Panthera (*Contra Celsum* I, 28 e 68). Como o nome Ben Panthera aparece no Sanhedrin 107b e no b Sota 47ª, deduzem que ali também há uma referência a Jesus[323].

Fontes não judaicas

Por muito tempo, o cristianismo foi visto pelos romanos apenas como mais um grupo ou seita pertencente ao judaísmo em geral. As fontes pagãs mais antigas que encontramos referindo-se a Cristo e aos cristãos datam do começo do 2º século. Neste tempo, como acontecia ao judaísmo, o seguimento cristão era considerado nos meios romanos como simples *superstição*.

***Plínio, o Jovem (61-112 d.C.)*[324]**. Procedente de família abastada e amigo particular de Trajano, Plínio foi encarregado pessoalmente pelo imperador para reorganizar a província da Bitínia, que se encontrava meio desordenada. Assim, em 111-112 o jovem "legado romano" (título que recebera do Império) encontrou-se pela primeira vez com os cristãos e, para ter certeza do agrado do imperador quanto a tudo que fazia, mandou-lhe uma carta solicitando instruções sobre como lidar com aquela "seita". Eis o trecho em que menciona o fato:

> Senhor, é norma para mim submeter a ti todos os pontos sobre os quais tenho dúvidas; quem melhor do que o senhor poderia orientar-me quando hesito ou instruir-me quando ignoro?
> Nunca participei de processos contra os cristãos; não sei, por isso, a quais fatos e em que medida se aplicam ordinariamente a pena ou as execuções. Pergunto-me, não sem perplexidade, se há diferenças a serem observadas no que diz respeito à idade, ou se mesmo o neném está no mesmo nível de um adulto; se se deve perdoar a quem se arrepende ou se quem é cristão não ganha nada quando se retrata; se é necessário punir o simples fato de se denominarem cristãos, mesmo que não houver crimes, ou se devo punir apenas os crimes ligados com o nome.[325]

---

323 Josefo Klausner sugere que o nome Panthera é correlato a Pathernós (virgem) numa tentativa judaica de corrigir o título de "filho da virgem" para "filho de *panthera* (leopardo)". Cf. J. Klausner. *Jesus of Nazareth, His Life Times and Teaching* (New York: Macmillan Press, 1960), p. 24.

324 Plínio, o Jovem, era sobrinho e filho adotivo de Plínio, o Velho (23-79), que morreu na erupção do Vesúvio.

325 Entre estes crimes estava a acusação de feitiçaria, subversão e outros, como, por exemplo, o incêndio em Roma, cujos responsáveis Nero disse terem sido os cristãos.

Eis, portanto, a norma que eu mesmo tenho seguido para com aqueles que me foram denunciados como cristãos: aos que confirmavam, pergunto uma segunda e uma terceira vez, ameaçando-os sempre com o suplício. Aos que perseveram na confissão mando executá-los, mesmo sem saber detalhes sobre o que acreditam, porque só a sua obstinação e teimosia inflexíveis já me são motivo de pena capital.

Há alguns outros que, embora dominados pela mesma loucura, eram cidadãos romanos. Quanto a estes eu apenas anotei a ocorrência e os enviei para Roma[326]. Como acontece em casos semelhantes, estendendo-se a acusação no processo do inquirimento, logo se apresentam diferentes casos.

Foi afixada uma lista anônima, relacionando vários nomes [denunciando pessoas que seguiam a seita]. Aos que negavam ser cristãos, quer no presente ou no passado, se invocassem os deuses segundo as palavras que eu ia ditando e se sacrificavam vinho e incenso (?) diante da tua imagem que eu mandava trazer e, além de tudo isso, se blasfemavam o nome do Cristo – coisas que, segundo se diz, nenhum cristão legítimo faria – pensei que poderia deixá-los ir. Havia [ainda] outros cujo nome também estava na denúncia feita pelo delator e que confessaram terem, de fato, sido cristãos, mas que abandonaram [a seita], uns há três anos, outros há mais tempo, até vinte anos; todos estes adoraram a tua imagem e as imagens dos deuses e blasfemaram o Cristo.

De resto, disseram-me que toda a falta deles, ou seu erro, limitava-se a um costume de se reunirem num dia fixo, antes do amanhecer, e então cantarem em seu meio um hino a Cristo como se este fosse um Deus. Também, de se comprometerem por juramento a não cometer nenhum crime, nem roubo, nem pilhagem, nem adultério, a cumprirem com o prometido e a não deixarem de dar um depósito reclamado em justiça.

Terminados estes ritos, tinham o costume de se separarem e de se reunirem outra vez para a sua refeição[327], que, a despeito daquilo que muitos dizem, parece ser simples e inocente; mesmo porque, esta prática fora por eles renunciada depois de meu edito – baseado nas tuas próprias instruções – segundo o qual eu proibia as heterias[328].

Julguei tanto mais necessário extrair a verdade de duas escravas, que eram chamadas diaconisas, mesmo submetendo-as à tortura. Tudo o que encontrei foi uma superstição insensata e exagerada.

Devido a tudo isso, resolvi interromper o procedimento [contra os cristãos] e solicitar teu parecer. Julguei que a questão mereceria que eu ouvisse sua

---

326 O mesmo que aconteceu com o apóstolo Paulo, veja Atos 25:12.

327 Cf. Atos 2:42.

328 Reuniões mais ou menos secretas ou suspeitas de conspiração.

orientação, principalmente, devido ao grande número dos acusados. Há uma multidão de pessoas de todas as idades, de todas as classes e dos dois sexos que está ou será posta em perigo. Não somente nas cidades, mas também nos vilarejos e nos campos espalhou-se o contágio desta superstição. Contudo, acredito ser possível detê-la e curá-la. (*Carta* X, 96)

A resposta de Trajano a Plínio (que, aliás, não deixa de ser ponderada) também está preservada até nossos dias. Eis seu trecho:

> Meu caro Plínio, tu seguiste a conduta que devias ter seguido no exame das causas daqueles que haviam sido denunciados como cristãos. Afinal, não é possível instituir uma regra geral que tenha, digamos, uma prescrição fixa para todos. Não há motivos para persegui-los ex *oficcio*. Se forem denunciados e a acusação for provada, que sejam condenados, mas com a seguinte ressalva: que aquele que negar ser cristão, e der provas disto pelos seus atos, quero dizer, sacrificando aos nossos deuses, mesmo que ele seja suspeito no que se refere ao passado, obterá o perdão como prêmio de seu arrependimento.
>
> Quanto às denúncias anônimas, não devem ser levadas em consideração em nenhum caso; este era o costume de um detestável procedimento que não deve mais ser seguido em nosso tempo. (*Cartas* X, 97)[329]

Tácito. Descrevendo por volta do ano 115 o incêndio de Roma em 64 d.C., este historiador fala da perseguição de Nero aos cristãos e menciona o nome de Cristo, que, para seu entendimento, não era um título, mas um nome próprio:

> Nenhum esforço humano, nem o poder do imperador, nem as cerimônias para aplacar a ira dos deuses faziam cessar a opinião infame de que o incêndio [de Roma] havia sido mandado. Por isso, com vistas a abafar o rumor, Nero apresentou como culpados e condenou à tortura aquelas pessoas odiadas por sua própria torpeza, que a populança chamava de 'cristãos'. Tal nome vem de Cristo, que no principado de Tibério, o procurador Pôncio Pilatos entregou ao suplício. Reprimida na ocasião, essa execrável superstição fez-se irromper novamente, não só na Judeia, berço daquele mal, mas também em Roma, para onde converge e onde se espalha tudo o que há de horrendo e vergonhoso no mundo. Começou-se, pois, por perseguir aqueles que confessavam; depois, por denúncia deles, uma multidão imensa, e eles foram reconhecidos culpados, menos do crime de incêndio [...] À sua execução acrescentaram zombarias, cobrindo-os com

---

[329] B. Radice. *Pliny: Letters and Panegyricus*. Col. Loeb Classical Library, 2 vols. (Cambridge/London, coedição: Harvard University Press/Heinemann, 1969).

peles de animais para que morressem devido à mordida de cães de caça, ou pregavam-lhes em cruzes, para que, após o fim do dia, fossem usados como tochas noturnas e assim consumidos. (*Anais*, XV, 44)[330]

Suetônio (69?-122?). Outro historiador romano, apresenta por volta de 120 d.C. dois registros históricos, um da vida de Cláudio, o outro da vida de Nero, nos quais ele menciona algo que pode ser uma referência a Cristo. No primeiro texto ele comenta a expulsão dos judeus de Roma por volta do ano 49 (Cf. Atos 18:2) durante o reinado de Cláudio e ali menciona uma estreita ligação entre os judeus e um certo "Chrésto", que poderia ser uma grafia errada do nome de Cristo.

Como os judeus se sublevavam continuamente por instigação de Chrésto; [Cláudio] os expulsou de Roma (*A vida de Cláudio* XXV)[331].

Falando de repressões rigorosas instituídas pelo governo de Nero, ele comenta:

> [...] foi proibido vender nas tabernas qualquer alimento cozido, fora legumes e hortaliças, quando antes eram servidas nesses lugares comidas de todos os tipos; os cristãos, espécie de gente dada a uma superstição nova e perigosa, foram entregues ao suplício; foram proibidas as perambulações dos condutores de quadrigas[332], autorizados por um costume antigo a vagabundear pela cidade, enganando e roubando os cidadãos para se divertirem; foram proibidos os pantomimos[333] e suas atuações. (*A vida de Nero*, XVI)

---

330 Jean Pierre Lémonon. *Pilate et le Gouvernement de la Judée. Textes et Monuments* (Paris: Gabalda, 1981), p. 173.

331 A informação é imprecisa; ele parece referir-se a este Chréstos como se fosse um agitador presente em Roma durante os acontecimentos relatados. Assim, alguns descreem que seja uma referência efetiva a Jesus. Contudo, levando-se em conta a data em que ele escreve (120 d.C.), não é improvável que tenha recebido as informações um tanto distorcidas. Meyer e Brown apresentam mais dois argumentos em favor da identificação entre esse Chréstos e Jesus de Nazaré, e não com um agitador judeu de origem romana: 1) O bom estilo latino pediria *quodam* após *Chréstos*, se um personagem novo ou até então desconhecido estivesse entrando em cena. 2) Entre várias centenas de nomes de judeus romanos descobertos em catacumbas judaicas, jamais se encontrou o nome Chrestós ou um que lhe soa familiar. Cf. J. P. Meier. Op. cit., p. 107; R. Brown; J. P. Meier. *Antioch and Rome* (New York, Paulist Press, 1983), p. 100. Para o texto veja J. C. Rolfe, ed. *Suetonius*. Col. Loeb Classical Library (Cambridge/ London: co-edição: Havard University Press/ Heinemann, 1914). O texto em latim traz: *Iudeos impulsore Chresto assidue tumultuantis Roma expulit.*

332 Conjunto de quatro cavalos que puxam um carro.

333 Pantomimos eram artistas circenses que viviam nas praças à noite alegrando o povo com mímicas, teatro de sombras e coisas do gênero.

Sobre os céticos que ainda insistem em dizer que Jesus não existiu, é importante mencionar que eles até podem ter esta compreensão, porém, não é nem de longe o consenso atual dos maiores especialistas em história bíblica tanto céticos quanto religiosos. Deixo um testemunho exemplar dado por Bart Ehrman, controverso especialista em crítica textual, pesquisador renomado sobre a vida de Jesus e ateu:

> Quero esclarecer logo que nenhuma dessas obras foi escrita pelos especialistas em Novo Testamento e cristianismo primitivo que lecionam em renomados seminários teológicos, escolas de estudos religiosos e nas principais, ou mesmo secundárias, universidades ou faculdades da América do Norte ou da Europa (ou qualquer outro lugar do mundo). Dos milhares de estudiosos do cristianismo primitivo que lecionam em tais escolas, não há nenhum de meus conhecidos que tenha qualquer dúvida sobre a existência de Jesus. Entretanto, há uma grande quantidade de obras, algumas extremamente inteligentes e bem informadas, levantando essa questão.[334]

História real ou ficção?

Considerando que os evangelistas não intentaram escrever uma "biografia" de Jesus – no sentido moderno da palavra – alguns têm concluído que sua narrativa sobre o Cristo não pode ser considerada histórica. Estaria isto certo? Em parte. Tudo vai depender de como é compreendido este "não comprometimento" do evangelista com as normas historiográficas usadas atualmente para se reproduzir um acontecimento.

De fato, não era o principal interesse dos autores bíblicos escrever os anais da vida de Cristo para deixar à história um legado de sua existência. Não obstante, alguns fatores históricos e literários demonstram que nem Marcos, nem Lucas, Mateus ou João ficaram à mercê de suas próprias imaginações e devaneios, buscando criar mitologias ou lendas à semelhança de La Fontaine escrevendo suas fábulas.

É preciso lembrar que "evangelho" é um gênero bíblico-literário que demanda um texto, uma teologia e uma história real. É uma narração "querigmática", isto é, de proclamação de certos feitos e ensinos de Jesus escolhidos segundo o propósito de cada autor (Cf. Lucas 1:1-4 e João 21:24-25).

---

334 Bart D. Ehrman. *Jesus existiu ou não?* (Rio de Janeiro: Agir, 2014), p. 10.

Ademais, diferentemente da compreensão leiga, o termo evangelho não tem originalmente nada a ver com uma criação cristã. Ela já existia bem antes do cristianismo. Comumente, usamos a palavra "evangelho" para referir às boas-novas da Palavra de Deus – o que não é de modo algum errado, levando-se em conta que o termo grego *euangélion* evidentemente significa "boa notícia". No entanto, esta era uma palavra comum no passado, antes mesmo de surgir no mundo o movimento cristão. Etienne Charpentier nos cita, por exemplo, uma inscrição do ano 9 a.C. encontrada na Ásia Menor que celebra o nascimento de Augusto como as grandes boas-novas (*euangelia*) da história do mundo[335].

Em resumo, estes seriam os traços característicos do gênero bíblico-literário chamado "evangelho"[336] aceitos até por especialistas ateus ou menos conservadores:

1) Os evangelhos são a proclamação de uma boa-nova que deve levar o leitor a uma tomada de posição contra ou a favor da graça oferecida, sem possibilidades de estar neutro.

2) Os evangelhos narram um fato que se constitui "a plenitude dos tempos", a única história escrita antes de sua ocorrência na Terra.

3) Os evangelhos procedem de uma tradição já formada que lhes antecedeu.

4) O Antigo Testamento é o pano de fundo da vida de Cristo que se une à antiga aliança como cumprimento de tudo que foi dito (tipo e antítipo).

5) Mateus, Marcos, Lucas e João releem a história de Israel e também do mundo futuro à luz da vida e do ministério de Jesus Cristo. Nesta sequência, a cruz, sua ressurreição e promessa de retorno marcam a tônica dos séculos até o fim do mundo.

6) O anúncio da salvação reveste-se de uma estrutura narrativa histórica, que aconteceu num tempo e lugar precisos com testemunhas humanas que presenciaram todo o evento.

7) Os evangelhos são ao mesmo tempo *narrativa* e *confissão*, pois declaram a crença doutrinária de que Jesus não foi um mártir chorado pelos seus discípulos. Ele era o próprio Deus Filho, encarnado na figura humana.

8) Cada evangelho pretende apresentar uma *atualização* do evento de Cristo, em especial de sua mensagem, para responder às necessidades específicas da

---

335 E. Charpentier. *Pour Lire Le Nouveau Testament* (Paris: Cerf, 1981), p. 18.

336 Adaptado de R. Latourelle. *L'accès à Jésus par les Évangiles, Histoire et Herméneutique* (Montreal: Ed. Bellarmin, 1977), p. 95 e 96.

comunidade que o acolhera. Pela inspiração do Espírito, porém, essa atualização se torna universal e acaba atendendo às demandas querigmáticas de outros tempos e lugares, inclusive os nossos, que são cronologicamente bem distantes dos acontecimentos ali registrados.

9) Os evangelhos, por sua natureza, demandam e pressupõem uma história real. O valor assumido de sua mensagem está no fato de que os eventos narrados tiveram lugar no curso dos acontecimentos humanos. Por isso, insistem tanto na importância das *testemunhas oculares* (Lucas 1:2).

Relatos lendários?

O apóstolo Paulo, que era sem dúvida um dos mais eruditos autores do Novo Testamento, admitiu francamente o problema evangélico de seu tempo. Ele disse que pregava a um Cristo que era "escândalo para os judeus e loucura para os gregos" (1Coríntios 1:23). Dentre os primeiros destinatários de Paulo, havia pessoas altamente intelectuais, instruídas na filosofia grega, que era o suprassumo cultural daqueles dias. Sua admissão, no entanto, pode ser um grande argumento a favor da historicidade dos evangelhos.

Otto Borchert, falecido teólogo alemão, usou esse princípio da loucura e contradição para argumentar por que os evangelhos são documentos confiáveis. Tudo se resume numa questão única e *factual*: Quais são as características de uma obra lendária? Ora, levando-se em conta que o questionamento de hoje não é historicidade de Jesus, mas, sim, se ele fora de fato aquilo que a Bíblia diz que ele era, é importante entender por "lendária" uma referência àquelas biografias mitológicas que transformam o sujeito de mero mortal a semideus com poderes sobre-humanos. Em outras palavras, Jesus era realmente aquele sujeito formidável que os evangelhos apresentam? Ou estes textos seriam apenas o *photoshop* de um rosto comum sem nenhum atrativo em especial.

Ninguém questiona que a prática de "maquiagem biográfica" era algo bastante comum na literatura antiga. O ponto é saber se os evangelhos também seguiram por esse caminho. Uma mera leitura das biografias "encomendadas" por antigos líderes revela a prática de uma série de elogios sutis, mesclados a certas descrições nada modestas acerca de um determinado "herói". É o caso da famosa *Vida de Constantino*, escrita por Eusébio no século 4, ou a *Vida de Cláudio*, escrita por Dío Cássio, no século 3.

São todos verdadeiros panegíricos de louvor aos feitos do biografado, escondendo ao máximo seus vexames e suas fraquezas. Estas sim, embora sejam histórias de personagens reais, devem ser avaliadas com certo ceticismo devido ao seu próprio conteúdo político que lhe nega uma imparcialidade no relato.

O escândalo dos evangelhos

Por que os evangelhos não podem ser incluídos nessas biografias tendenciosas? Por causa do escândalo constante causado pelo Jesus dos evangelhos. Desde a ótica moderna será talvez difícil perceber todos os "atos escandalosos" de Jesus; mas, numa comparação com o contexto da época, torna-se claro que nenhum autor do passado, intencionado em produzir um mito, preservaria as ocorrências que os evangelhos apresentam. Veja alguns exemplos.

Os discípulos (que seriam líderes da Igreja Cristã primitiva) são apresentados como indivíduos com muitas falhas de caráter, inconstantes, precisando sempre ser repreendidos. Por que permitir que tais elementos venham ao conhecimento do público? Se os apóstolos queriam apenas sustentar sua capacidade de liderança do grupo, não haveria por que permitir que seus defeitos fossem assim apresentados sem a menor cerimônia. Pedro negando a Cristo, Tomé duvidando de sua ressurreição, Tiago e João pedindo autorização para destruir uma cidade, além de praticamente todos o abandonando no momento da cruz.

Pior que isso era a apresentação em detalhes da crucifixão de seu Mestre. A cruz hoje pode até ser um objeto sagrado para grande parte do cristianismo. Porém, nos tempos do Império Romano, era a forma mais vexatória de alguém ser morto. A palavra *crux* (cruz em latim) foi usada por algum tempo como um xingamento pelos romanos, e até os judeus consideravam maldito aquele que morria no madeiro (Deuteronômio 21:23 e Gálatas 3:13).

Se a intenção fosse atrair os que gostam de escândalos ou fossem politicamente incorretos, os evangelistas deveriam modificar o relato da morte de Cristo ou, pelo menos, ocultar o modo como ela ocorreu. Um revolucionário Mártir que tirasse a tranquilidade de César seria respeitado se morresse decapitado, esfaqueado, envenenado, picado por uma serpente ou, principalmente, numa batalha, como alguns entendem que poderia ter sido o caso de Bar Kochba, um pretenso Messias, que se rebelou contra o imperador Adriano. A cruz era reservada para escravos, pobres ou ladrões de pequena importância.

Em outras palavras, a morte de Jesus nem poderia ser classificada na conta de um mártir respeitado (Mateus 26:37; Lucas 12:50).

Durante uma defesa feita por Cícero no ano 63 a.C., um senador romano chamado Rabirius disse:

> Oh! Quão grave seria ser desgraçado publicamente por uma corte, quão grave seria sofrer um castigo, quão grave seria ser banido. Mesmo assim, ainda em meio a um desastre, gozaríamos certo grau de liberdade. Mesmo se formos condenados à morte podemos morrer como homens livres. Mas [...] a simples menção da palavra 'cruz' deveria ser removida não apenas da pessoa de um cidadão romano, mas até mesmo de seus pensamentos, olhos e ouvidos [...] A simples menção dela é um desrespeito a qualquer cidadão romano ou homem livre (Rab. Perd. 16).

O dramaturgo Sêneca (4 a.C.-65 d.C.), escrevendo a seu amigo Lucilius, argumentava que preferia o suicídio à morte de cruz (Epístola 101). Assim, a ênfase que os evangelhos dão à cruz de Cristo – João diz que ali ele foi glorificado – não faz nenhum sentido, a menos que fosse história real, pois uma propaganda biográfica traria coisas acerca de Cristo que agradariam às multidões. Não era esse o perfil do Cristo que os judeus esperavam ou que os não judeus aceitariam de bom grado.

Jesus humano

Como se não bastasse a vergonha de morrer crucificado, os momentos finais de Jesus envolvem dois elementos desconcertantes na biografia de um herói: a relutância e o medo que ele demonstrou.

Jesus, embora submisso, não parece aceitar naturalmente o destino que lhe estava reservado. Tal comportamento contrasta em muito com o famoso martírio de Sócrates. O filósofo grego, na hora de morrer, brinca com a própria sorte e até parece ansiar por aquele momento! Jesus, por sua vez, encontra-se apavorado e não esconde sua angústia ao dizer: "Pai, se possível afasta de mim esse cálice".

Note que os evangelhos não omitem o medo e a relutância humana de Cristo. Eles descrevem a angústia de seu Messias em cores vivas, mesmo que isso soasse uma covardia para quem lesse ou ouvisse o episódio. Odisseu dizia dos grandes heróis que, ainda que fossem perseguidos pelos deuses, não temeriam a nada, nem vacilariam diante da morte. Sófocles dizia que os nobres morrem gloriosamente.

Enfim, um Jesus Cristo judeu, que, em pleno Oriente Médio do 1º século, conversa com mulheres de vida duvidosa, toma criancinhas no colo, manda tolerar os romanos e morre vergonhosamente numa cruz, era um grande escândalo. Esses e outros detalhes de sua vida formariam uma propaganda mais repulsiva que atrativa, do ponto de vista político-ideológico.

Logo, não é possível concluir que os autores do Novo Testamento, em especial os evangelistas, estivessem intencionados em "fabricar" uma imagem atrativa de Jesus apenas para angariar a simpatia do grupo. Veja que não se tratava de criar uma imagem politicamente incorreta com o fim de atrair pelo escândalo, pois o Cristo dos evangelhos também não possuía nenhuma característica revolucionária que se identificasse com grupos radicais ou pessoas de mente rebelde. Era, enfim, uma imagem autêntica, e não um personagem criado para alimentar determinado setor social.

Capítulo 32
Milagres existem?

É possível ser racional e acreditar em fatos miraculosos? É impossível não ler a Bíblia sem se assombrar com os episódios incomuns que ela relata: ressurreição de mortos, multiplicação de alimentos, curas de doenças mortais... O enredo parece fazer da natureza um laboratório de experiências divinas em que o Criador parece brincar com suas leis torcendo-as e manipulando-as como uma criança brincando de modelagem.

Seriam essas histórias verdadeiras? Será que Deus intervém de fato na realidade histórica e opera maravilhas ou tudo não passa de uma lenda? Esse é um assunto que não poderia ficar de fora num livro que lida com questões de razão e fé.

O fato é que, desde que as primeiras religiões surgiram, o fenômeno do milagre esteve presente em todas elas. Até mesmo as mais filosóficas como o budismo não puderam se privar da crença em feitos extraordinários que não só baseiam o seu surgimento como fundamentam a maior de suas assertivas: a existência de Deus ou, pelo menos, de um mundo espiritual a ser temido e adorado. Maomé, por exemplo, que se opôs radicalmente a qualquer operação miraculosa, não conseguiu evitar o apelo ao extraordinário. Ele admitiu que o "Alcorão" era o verdadeiro milagre do Islã.

Racionalistas e céticos tendem, é claro, a negar esse tipo de manifestação. Sua principal argumentação reside no fato de que os milagres escapam de certa forma à investigação científica. Eles não são reproduzíveis em laboratório, nem constituem eventos previsíveis e controláveis obtendo os mesmos resultados. Portanto, serão sempre de caráter duvidoso.

Os mais bondosos dirão que alguns milagres até podem ser reais, mas não no sentido de representarem uma ação de Deus na história. Eles seriam frutos de um poder do pensamento positivo ou uma autossugestão. Prova disso – argumentam os céticos – é que a maioria absoluta dos milagres se produz diante de pessoas muito humildes, com pouca instrução e ávidas por algum tipo de consolo. Nunca diante de autoridades científicas ou especialistas na área. Parecem ser a consequência natural da vontade humana de acreditar e nada mais do que isso.

Outra crítica que fazem é que os crentes, sistematicamente, se negam a praticar verdadeiros métodos de verificação para esses fenômenos. E quando o fazem, quase sempre quem os certifica são os mesmos religiosos ou crentes, através de métodos que não são estritamente científicos. Seria, portanto, um contrassenso dizer-se racional e ainda assim acreditar em milagres?

Fé demais não cheira bem

Em 1992, Steve Martin interpretou o reverendo Jonas Nightengale – um falso pregador de fé, que usava todos os seus truques com a Bíblia na mão a fim de atrair as pessoas para seus cultos. Ele, a namorada Jane e sua equipe rodavam os Estados Unidos, parando de cidade em cidade para montar seu "espetáculo".

Até que um dos caminhões quebrou em uma pequena cidade e o esperto Jonas aceitou o desafio de fazer dinheiro nela. Apesar de ser uma comédia, o filme tem um salto de seriedade quando estranhamente uma criança que estava na plateia foi curada. Esse episódio deixa o enredo com um misto de humor e seriedade que desperta no espectador as seguintes indagações legítimas: Milagres são realmente possíveis? Qual seria sua real natureza?

Em português, o título do filme é *Fé demais não cheira bem*, um trocadilho muito comum que ouvimos por aí. O título original em inglês é *Leap of Faith*, ou o "pulo da fé", uma expressão que originalmente vem do pensamento de Søren Kierkegaard, um filosofo dinamarquês do início do século 19. A rigor, Kierkegaard não falava de um pulo ou salto da fé, mas um *salto* pela fé ou para a fé. Sua ideia era afirmar que os mistérios do cristianismo não podem jamais ser explicados pela razão; logo, devemos crer neles pela fé, e não por argumentos ou explicações racionais. Essa conclusão parece ir na contramão de tudo o que aprendemos acerca de razão e lógica. E não é de hoje que enfrentamos esse aparente paradoxo entre razão e fé.

Diferentemente de Kierkegaard, Hegel dizia que o homem precisa de um sistema de razão pura, único meio pelo qual a realidade, inclusive divina, poderia ser entendida. Foi com esse método que ele interpretou a história do Novo Testamento. Em *A Vida de Jesus*[337], Hegel introduz um Cristo que não opera milagres, e sim alguém que prega uma postura universal de ser em si com os outros. Ele não era um Messias taumaturgo, como pensam os cristãos, que fazia milagres para servirem de sinais de seu poder divino. Ao contrário, Jesus era

---
337 G. W. F. Hegel. *Vita di Gesù*. Tradução italiana de Antimo Negri (Bari: Laterza, 1994).

o 'homem livre' que encontra na razão aquela centelha divina que comunica universalmente os princípios morais que devem ser seguidos.

Séculos antes de Hegel e até mesmo antes do nascimento de Cristo, nos tempos da velha Roma, Cícero afirmava a seus contemporâneos:

> Nada acontece sem uma causa, nada acontece que não possa acontecer, e uma vez que o que poderia acontecer acontece, jamais podemos chamar isso de milagre, portanto, não existem milagres, pois apenas o que pode acontecer acontece de fato e isso não é um ato miraculoso.[338]

Sendo assim, voltamos a indagar: como é possível sinceramente ser um exímio ginecologista e ainda assim crer que Maria engravidou sendo virgem, por um milagre do Espírito Santo? Se fosse hoje diríamos que parasse de mentir e contasse logo o nome do namorado que fez aquilo. Como é possível defender uma tese de física e ainda assim dizer que o machado de Eliseu flutuou sobre as águas? Podemos estudar ciências e ainda assim "crer"?

O ceticismo de Hume

David Hume, um dos primeiros mentores do ceticismo atual, dizia o seguinte em relação ao cristianismo:

> Nossa mais santa religião é fundamentada na fé, não na razão [...] a religião cristã não somente foi inicialmente atendida com milagres, mas até este dia não pode ser crida por uma pessoa razoável sem um milagre. Simples razão é insuficiente para convencer-nos da sua veracidade; e quem é movido por fé para aceitá-la, está consciente de um milagre contínuo em sua própria pessoa, que subverte todos os princípios de seu entendimento, e dá-lhe uma determinação para crer o que é o mais contrário ao senso comum e à experiência.[339]

O ponto que Hume queria argumentar era que os milagres violam leis naturais e, por isso, seriam uma subversão do entendimento, que algo "natural" talvez aconteceu, mas foi distorcido ou inventado para dar crédito a uma fé religiosa. Porém você sabe que muitas vezes há pessoas que declaram ter presenciado milagres. Então, neste caso, Hume argumentava que nenhum testemunho

---

338 Cícero, *De Divinatione II*, 28.

339 David Hume. *An Enquiry concerning Human Understanding*. Coleção Oxford World's Classics (Oxford: University Press, 2008), *Enquiry*, 10.2.

seria suficiente para demonstrar a existência efetiva de um milagre, a não ser que o testemunho seja tal que a sua falsidade seja ainda mais "miraculosa" (ou seja, mais improvável) do que o fato testemunhado.

Por exemplo, a Bíblia fala que o Sol parou no céu pela palavra de Josué. Isto está em Josué 10:12 e 13, que diz:

> No dia em que o Senhor entregou os amorreus aos israelitas, Josué exclamou ao Senhor, na presença de Israel: 'Sol, pare sobre Gibeom! E você, ó lua, sobre o vale de Aijalom!'. O sol parou, e a lua se deteve, até a nação vingar-se dos seus inimigos, como está escrito no Livro de Jasar. O sol parou no meio do céu e por quase um dia inteiro não se pôs.

Aplicando agora o argumento de Hume ao relato bíblico, teríamos que optar entre duas possibilidades: primeiro que houve uma alucinação em massa ou uma grande mentira coletiva que pegou de surpresa todos os soldados que lutavam no vale de Aijalom. Isso é realmente um milagre pouco provável, porém, é menos improvável que a segunda alternativa miraculosa de que o sol realmente parou no céu.

Em primeiro lugar, sabemos que não é o Sol que está em movimento em torno da Terra para poder ficar "parado"; além disso, se o globo terrestre parasse de girar para oferecer a aparência de um Sol parado no céu, aí sim teríamos um milagre mais notável: o acontecimento deveria ter sido notado no mundo inteiro, fora o fato de que uma interrupção no movimento da Terra traria consequências fulminantes para o planeta e todo o Sistema Solar, que se desintegraria.

Se isso virasse questão de múltipla escolha, o milagre número 1 – de que houve um erro testemunhal – pareceria mais plausível que o milagre número 2 – o Sol realmente ficou parado no céu.

Veja mais esta fala de Hume:

> Se alguém me diz que viu um homem morto ser trazido de volta à vida, de imediato pondero comigo mesmo se é mais provável que esta pessoa esteja enganando-me ou sendo enganada, ou que o fato que ela relata tenha realmente ocorrido.

Assim, no conceito do filósofo, se alguém nos disser que viu um homem morto regressar à vida, devemos tentar descobrir o que é mais provável: 1) essa pessoa estar enganada ou enganando, ou 2) o fato por ela narrado ter realmente acontecido. Novamente, devemos comparar os dois "milagres", isto é, as duas hipóteses, e rejeitar o "milagre" maior. Ou seja: se a falsidade do seu testemunho for ainda mais "miraculosa" e improvável do que o regresso de um morto à vida, então, somente neste caso, deveríamos acreditar que um morto realmente regressou à vida.

Todavia, em todos os casos tornados públicos até hoje a improbabilidade de o testemunho ser falso nunca é superior à improbabilidade da ocorrência do acontecimento. Os discípulos, por exemplo, dizem ter visto Jesus ressuscitado, "ora, argumentava Hume, se isso fosse verdade deveríamos testemunhar o mesmo evento ocorrendo hoje. Como isso não ocorre, então aquilo também não aconteceu"[340].

Respondendo a Hume

É justamente neste ponto de seu discurso que o raciocínio de Hume começa a mostrar sua incoerência e fragilidade. Veja bem: se um evento, para ser verdadeiro, tem de se repetir sempre aos olhos de testemunhas idôneas que confirmem sua ocorrência, então temos um problema com a principal teoria cosmológica da atualidade: o Big Bang.

Como todos sabemos, o Big Bang é descrito pelos teóricos como um evento singular que ocorreu uma única vez dando origem ao universo como o conhecemos. Porém, se aplicarmos a lógica de Hume a este fantástico modelo cósmico, devemos considerá-lo falso, pois até onde se sabe ele não continua ocorrendo hoje e não temos nenhuma testemunha ocular que tenha presenciado o fato descrito.

Embora não seja vidente, escrevo este capítulo imaginando a resposta de alguns: a diferença entre o Big Bang e os milagres da Bíblia é que, embora não o tenhamos presenciado, vemos no universo algo que parece o resultado de uma expansão que certamente seguiu a uma explosão inicial.

Mesmo assim, isso não muda o fato de que o esquema filosófico de Hume continua inválido para julgar a veracidade de tudo o que supostamente já ocorreu. Continuamos tendo um evento único, não repetível e sem testemunhas vivas que o descrevam. Além disso, o mesmo que foi dito do Big Bang pode ser dito sobre a ressurreição de Jesus: eu não estava lá para presenciá-la, mas posso deduzir a veracidade do relato a partir dos efeitos que ela deixou na história.

---

340 David Hume. *Investigação acerca do entendimento humano* (versão para e-book). Edição Acrópole. Tradução: Anoar Aiex, 2006.

Basta ver os estudos historiográficos feitos até mesmo por especialistas não cristãos que concluíram que o relato da ressurreição tratava de um evento legítimo, ainda que de proporções desconhecidas.

Continuando com a lógica de Hume, ainda que eu me oponha a ela, se aplicasse ao surgimento do universo sua premissa da múltipla escolha – milagre maior *versus* milagre menor –, confesso que eu sairia mais teísta que ateu. Veja porque: se alguém me disser que um $0 + 0 = 1$, devo tentar descobrir o que é mais provável que: 1) todos os matemáticos do mundo inteiro estão errados e somente ele está certo; 2) aquela pessoa está equivocada. Novamente, entre as duas hipóteses, o milagre maior a ser rejeitado seria, obviamente, o milagre número 1.

Agora troque os valores pela proposta ateísta de origem do cosmos e você entenderá o que digo. Antes do universo não havia nada $(0 + 0)$ e agora existe algo $(= 1)$. Ora, ou tudo o que entendemos de matemática está errado ou os que assim propõem o cálculo estão redondamente equivocados. Qual dos dois faz mais sentido?

A problemática quântica

Existe ainda mais outro problema com a filosofia dos milagres exposta por David Hume: é que ele apresenta um argumento circular. Usa-se a falácia de transformar a conclusão em argumento e assumir o que se conclui como pressuposto.

Hume parte da noção de que milagres são impossíveis de acontecer porque são potencialmente contrários às leis da natureza; logo, milagres não existem. Ora, isso é o mesmo que dizer que você que lê este livro não é inocente porque você pode potencialmente matar alguém; logo, você é assassino.

Para começo de conversa, não podemos afirmar que milagres são contrários à natureza, eles podem ser contrários a certas leis físicas que conhecemos, mas harmônicos com outras que desconhecemos. Veja o caso da lei da gravidade, que parece tão básica e fundamental para a física comum e não parece representar nada no microcosmo da física quântica.

Ali, naquele universo minúsculo, as regras são outras e jamais podemos esperar que um elemento atômico se comporte no microcosmo segundo as regras gravitacionais que conhecemos. Ele literalmente segue outro parâmetro distinto do que esperávamos e isso foi uma afronta aos cientistas clássicos acostumados com teorias cosmológicas elegantes, previsíveis e funcionais.

A física que herdamos de Newton e Einstein não foi abolida, mas teve de conviver com uma irmã nada conveniente, que é a física quântica de Bohr e Rutherford. Você pode até compará-las a Caim e Abel. Uma simplesmente não é compatível com a outra. Enquanto na física comum tudo parece ser regido por gravidade, tempo e espaço (ainda que relativos, segundo Einstein), na física quântica você pode ter partículas virtuais que aparecem e desaparecem, como num passe de mágica. Parece loucura, mas é um fenômeno que já foi medido em laboratórios.

Hume, que viveu muito antes de tudo isso, deduziu, sem qualquer evidência observável, que não existe nada além das leis físicas conhecidas em seu tempo. Ora, ninguém jamais vasculhou toda a enciclopédia da natureza para afirmar que aquilo que conhecemos por leis naturais constitui exatamente tudo o que existe, não permitindo espaço para nada além do universo conhecido. Hume certamente tinha uma visão muito limitada de natureza e talvez por isso seu discurso esteja com tantas falhas de argumentação.

Milagres e leis naturais

Eu gostaria de insistir um pouco no aspecto da argumentação de Hume, segundo a qual milagres seriam um contrassenso por obrigar Deus a transgredir as leis naturais que ele, supostamente, criou. Tal assertiva não se sustenta à luz dos fatos até agora observados.

Existe um princípio claro nas realizações físicas em que uma lei coloca outra provisoriamente em suspensão a fim de exercer sua ação. Quando você arremessa uma bola ao alto está temporariamente usando uma força de propulsão que suspende por um tempo a força gravitacional, permitindo que a bola suba ao invés de descer. Sem essa "interrupção" da lei gravitacional jamais poderíamos lançar objetos no ar utilizando outra lei igualmente física. Note que não se trata de "quebra", mas de "suspensão temporária". Com o milagre pode se dar o mesmo. Deus, neste caso, suspenderia temporariamente uma lei natural para operar com outra e efetuar a cura ou a ação miraculosa, como andar sobre as águas, por exemplo.

Segundo o filósofo William Lane Craig, esse entendimento de que um milagre não pode ocorrer, pois viola leis naturais não faz sentido porque as leis da natureza têm condições *ceteris paribus* (todas as demais coisas sendo iguais), ou seja, pressupõe que nenhum outro fator natural ou sobrenatural interfira na operação que a lei descreve, o que, novamente, é um tremendo engano.

A ilustração dada por Craig seria a do próprio organismo humano: oxigênio e potássio, quando combinados, pegam fogo. Esses dois elementos estão presentes no corpo humano e, no entanto, este não entra em combustão. Isso significa que aconteceu um milagre? Uma violação da lei da natureza? É lógico que não, a lei declara o que acontece em situações ideais. Nesse caso, vários outros fatores interferiram na potencialidade da combustão e, desse modo, ela não ocorreu. Não houve, portanto, uma violação da lei.

Outro ponto em questão é que basta que Deus realmente exista para que milagres possam, de fato, ocorrer. Sendo assim, caso este agente sobrenatural aja no mundo natural, as condições ideais descritas pelas leis que conhecemos não estarão mais agindo. Logo, não há violação da lei. Um exemplo disso seria o lendário caso da maçã de Newton. Se ele tivesse estendido a mão para apanhá-la antes que atingisse o chão, ele não estaria violando ou negando a lei da gravidade, estaria simplesmente intervindo.

Do mesmo modo, a realização de um milagre por Deus tem a mesma essência da intervenção de uma pessoa com livre-arbítrio nas causas naturais que atuam em uma determinada circunstância. Não há nada de confuso nisso.

Esses argumentos não provam que os milagres bíblicos aconteceram de verdade. Eles apenas demonstram que eventos miraculosos são possíveis de acontecer e que as argumentações de Hume não anulam a provável ocorrência de fatos extraordinários e inexplicáveis. Somente isso é o suficiente para ampliar nosso leque de possibilidades históricas.

Milagres, portanto, podem ocorrer. Difícil é afirmar se todos são verdadeiros ou falsos. De qualquer maneira, basta lembrar que se existem milagres falsos, é de se esperar que também haja os verdadeiros, afinal, ninguém falsifica uma nota de 3 reais. Só se falsifica o que existe. Um milagre, por definição, é um evento singular, geralmente sem precedentes. Sua natureza ímpar torna difícil anunciá-lo do mesmo modo que contamos qualquer outro evento histórico. Até sua descrição é um desafio mental.

Sóbrios ou idiotas?

Acho tragicômico o estereótipo caricatural que se faz sobre as primeiras testemunhas dos milagres de Cristo. Faz-se de tudo para argumentar que eram pessoas leigas e ignorantes, por isso, criam em milagres; nós, não! Vivemos na era da tecnologia e, por isso, sabemos que algumas coisas que os antigos pautaram por ato de Deus cram, na verdade, apenas um evento humano ou da natureza e nada mais. Como assinalou Henderson, o ceticismo atribuiu aos autores bíblicos "a linguagem da infância da raça humana e foi a ignorância das causas que consequentemente os fez atribuir todos os eventos a Deus"[341].

Ora quem faz esse tipo de silogismo deve conhecer muito pouco ou nada de história antiga. Apenas para lembrar, os povos sumerianos, egípcios e hebreus – para citar alguns – tinham uma tecnologia muito sofisticada. Eles já tinham o cálculo aproximado do peso da Terra, da órbita de vários planetas, da biologia animal, da fauna e da flora. Basta ver, por exemplo, os monumentos que ergueram e os escritos que deixaram.

Aliás, permita-me ser um pouco irônico: pegue um arquiteto moderno acostumado a usar calculadora e um construtor egípcio que viveu durante a 12ª dinastia faraónica, século 15 a.C. Tire a calculadora do primeiro e coloque os dois para competirem numa obra, fazendo cálculos de cabeça medindo os espaços com a mão. Acho, com quase toda certeza, que o egípcio ganhará.

Não sejamos simplórios de raciocínio: até um escravo dos tempos de Jesus sabia que virgens não engravidam, que cegos de nascença não recobram imediatamente a visão e que cinco pães e dois peixes não alimentam milhares de pessoas. Os que escreveram esses relatos sabiam que estavam quebrando a lógica do senso comum e se o escreveram é porque tinham evidência testemunhal daquilo que escreviam. Curioso que boa parte dos atuais críticos do Novo Testamento admite que Jesus realmente realizou milagres.

A ideia de Jesus como milagreiro e exorcista é parte do Jesus histórico, geralmente aceita por vários acadêmicos conservadores ou não. Rudolf Bultmann, um dos mais céticos críticos da historicidade do Novo Testamento, afirmava o seguinte:

> A comunidade cristã estava convencida de que Jesus havia realizado milagres, e contaram muitas histórias de milagres sobre ele. A maioria das estórias sobre milagres que estão nos evangelhos são lendas, ou pelo menos estão revestidas de caráter lendário. Não pode haver dúvida, contudo, que Jesus realizou atos que, no seu entendimento e no de seus contemporâneos, eram atribuídos a uma causa divina sobrenatural. Sem dúvida ele curou enfermos e expulsou demônios.[342]

---

341 Ian Henderson. *Rudolf Bultmann* (Richmond, VA: John Knox Press, 1965), p. 7

342 R. Bultmann *Jesus Christ and Mythology* (New York: Scribner, 1958).

O valor do testemunho

Estou ciente de que pessoas podem testemunhar fatos que não ocorreram senão na imaginação delas. Isso é verdade. Também sei que no direito muitas vezes a testemunha é a prostituta das evidências. Contudo, não posso cair no extremo de achar que toda e qualquer afirmação testemunhal de um milagre seja mentirosa.

E quando se fala de provas, aí a coisa fica mais séria porque algumas afirmações estão simplesmente além da condição de serem cientificamente provadas. Como posso provar que aquela música é bonita e a outra é feia? Como posso provar que a sensação que sinto ao sentir determinado cheiro é real? O máximo que uma tomografia revelará serão as sinapses que se formarão no meu cérebro; a razão emocional de sua causa, porém, está além da verificação empírica.

E mais: as ideias que Hume apresentou são filosóficas, e não laboratoriais; logo: Qual é a prova da prova de Hume? Considere algumas destas citações do filósofo:

> Nós nunca devemos repousar a menor confiança no testemunho humano [...] é um milagre que um homem morto volte à vida; porque isso nunca foi observado, em nenhuma era ou país. Deve haver, portanto, uma experiência uniforme em oposição a todo evento miraculoso: caso contrário, o evento não mereceria tal denominação ou prontamente rejeitamos qualquer fato que seja incomum e incrível em um grau ordinário.

Note que a prova comprobatória de Hume é a negação absoluta de milagres e até mesmo os milagres atestados por testemunhas nunca devem ser aceitos. Na explicação dele, a menos que seja posto 100% à prova, e 100% reconhecido por todos, o evento deve ser rejeitado. Imagine isso aplicado à ciência moderna, se, por exemplo, cientistas de grande prestígio dissessem que o efeito estufa está acabando com a terra e muitos políticos não aceitasse essa afirmação; logo, ela também deveria ser rejeitada por falta de unanimidade diante dos relatos.

Como é que o testemunho de Hume se sai usando seus próprios critérios? Simples: ele mesmo seria reprovado, pois ninguém pode dar 100% de provas, seja ateu ou crente e nenhuma das teorias será uma unanimidade. Se formos rejeitar o testemunho humano, então o que vamos fazer com o próprio testemunho de Hume?

Cientistas podem crer?

É muito curioso que o físico Alessandro Volta, contemporâneo de Hume e homenageado com o nome Volt, dado à unidade de tensão elétrica do Sistema Internacional de Unidades, aceitava a realidade dos milagres mesmo sendo um cientista:

> Submeti as verdades fundamentais da fé a um estudo minucioso. Li as obras dos apologetas e de seus adversários, avaliei as razões a favor e contra e assim obtive argumentos relevantes que tornam a religião [bíblica] tão digna de confiança ao espírito científico que uma alma com pensamentos nobres ainda não pervertida por pecado e paixão não pode senão abraçá-la e afeiçoar-se a ela.[343]

Mais recentemente Francis Collins, cientista chefe do Projeto Genoma Humano, confirmou este entendimento:

> Eu não tenho problemas com o conceito de que milagres podem ocasionalmente ocorrer em momentos de grande significado, em que há uma mensagem sendo transmitida a nós por Deus onipotente. Mas como cientista adotei padrões muito elevados para milagres.[344]

Até homens de ciência podem aceitar que milagres existam de verdade e quem os experimentou sabe que isso jamais será uma utopia.

---

[343] Apud Karl Alois Kneller. *Christianity and the leaders of modern science; a contribution to the history of culture in the nineteenth century*, p. 117, 118. Disponível em <https://archive.org/stream/christianitylead00knelrich#page/118/mode/2up>. Acesso em: 05/05/2018.

[344] Entrevista concedida a J. Horgan em 2009. Disponível em <http://inters.org/Collins-Scientist-Believer>. Acesso em: 08/05/2018.

Capítulo 33
Que dizer da Bíblia?

Você pode não acreditar, mas este foi o capítulo mais difícil que tive de iniciar. O que falar sobre a Bíblia que o faça continuar lendo até o fim? Como introduzir o assunto de maneira interessante? Não posso esquecer que para muitos esse é um tema fechado, ou seja, a Bíblia é um livro ridículo e não há como levar um sujeito racional a acreditar nela. Tanto é, afirmam muitos, que basta ver as experiências toscas que encontramos relacionadas às interpretações literais que fazem desse livro: mulheres que não podem subir ao púlpito por estarem menstruadas, mães proibidas de conversar com filhos porque abandonaram a igreja, doentes que negam o tratamento médico para demonstrar fé num pastor curandeiro.

O jornalista americano David Plotz, que é agnóstico, resolveu em 2006 ler a Bíblia de um modo leigo, fundamentalista, levando tudo ao pé da letra exatamente como fazem muitos pregadores de hoje em dia. O resultado de sua leitura aparece no livro *Good book: the bizarre, hilarious, disturbing, marvelous, and inspiring things I learned when I read every single word of the Bible* [O bom livro: as coisas bizarras, hilárias, perturbadoras e maravilhosas que aprendi quando li cada palavra da Bíblia]. Ele percebeu, por exemplo, que se a Bíblia fosse seguida literalmente o mundo seria um desastre. Estaríamos apedrejando as pessoas até a morte só porque trabalharam no sábado ou cometeram uma infração sexual. A sociedade seria totalmente segregada entre homens e mulheres, que estariam impuras quando menstruadas. Até na igreja as mulheres deveriam ficar caladas sem direito de usar o púlpito, ou seja, qualquer um, em sã consciência, percebe que não dá para seguir tudo o que está lá.

Outra coisa que Plotz descobriu – talvez por ser ele mesmo calvo – foi a predileção bíblica pelos que não possuem cabelo. Na sua interpretação, os carecas seriam os queridinhos de Deus: "Há até um episódio", disse ele à revista *Época*, "em que alguns garotos caçoam do profeta Eliseu chamando-o de careca. Em seguida, aparece um urso [sic] e mata 42 crianças por causa disso"[345]. De fato, ele se referia à passagem de 2Reis 2:23-25.

O texto na realidade não tem nada a ver com queda capilar ou couro cabeludo de uma pessoa, muito menos criancinhas inocentes sendo devoradas porque chamaram um profeta de "carequinha". Antes de mais nada, entenda que a tradução "criancinhas" é sem sentido. O hebraico diz que Eliseu era perseguido por um grupo de *ne'arim qetannim*, expressão hebraica que seria mais bem vertida por "jovens insignificantes", ou seja, quem o perseguiu era um grupo de delinquentes juvenis ou adolescentes, mas não crianças. O fato de haver dezenas deles e saírem da cidade ao encalço do profeta, que estava seguindo viagem para Betel, indica que se tratava de uma gangue de marginais enviada por algum inimigo do homem de Deus.

Além disso, a alcunha de "calvo" tinha um sentido adicional de "enlutado", "deprimido", "amaldiçoado por Deus". Pessoas amaldiçoadas costumavam ser apedrejadas. Logo, a intenção deles era matar o profeta e parecer que foi um linchamento comum, sem punição para ninguém, segundo o código penal da época. Quando as duas ursas apareceram e estraçalharam uma parte do grupo (a Bíblia deixa claro que não foram todos), o autor interpretou aquilo como um livramento de Deus.

Deixe-me fazer um paralelo atual dessa história. Não sei se é do seu conhecimento, mas o famigerado Estado Islâmico tinha em suas fileiras soldados mirins altamente violentos de apenas 12 anos. Certo refém, que iria ser morto, teve a mesma impressão de livramento divino descrito pelo profeta, quando, no momento de sua execução, viu surgir no horizonte um destacamento militar oponente que metralhou os terroristas e libertou os prisioneiros. Alguém lendo isso *a posteriori* pode entender que se tratou de um massacre de garotinhos mulçumanos de 12 anos, quando a coisa não foi bem assim.

Lembre-se, antes de tudo, de que na maioria das vezes a linguagem de um texto oriental como a Bíblia reforça uma descrição violenta como uma espécie de compensação antropológica e histórica para pessoas simples, indefesas e destituídas de recursos, que depositam no Deus poderoso a sua garantia de vida. É um estilo literário que muitos não levam em conta na hora de ler o texto.

Contudo, isso não invalida a observação de Plotz, acho que entendi o ponto dele. Nem todos os leitores têm acesso a ferramentas hermenêuticas que os teólogos por formação manuseiam com mais naturalidade. Eles não conhecem

---

345 Disponível em <http://revistaepoca.globo.com/Revista/Epoca/0,,EMI65831-15228,00-NAO+LER+A+BIBLIA+E+COMO+SER+CEGO.html>. Acesso em: 02/03/2010.

grego, hebraico, muito menos os contextos originais para uma leitura mais parcimoniosa do texto. Assim, o que ele fez foi um laboratório de como pessoas leigas como ele podem ler a Bíblia e tirar conclusões estapafúrdias e sem sentido.

Contudo, longe do que muitos poderiam concluir, Plotz não achou desnecessária a leitura bíblica, pelo contrário, para ele não ler a Bíblia é tornar-se voluntariamente cego:

> Não acho possível ser uma pessoa verdadeiramente educada sem ter lido a *Bíblia*. Ela é a fonte original para muitos aspectos de nossa civilização e nossa cultura. Há milhares de palavras e frases que estão na *Bíblia* que usamos atualmente. Algumas leis básicas, como o direito de proteger a propriedade e a forma de tratar as outras pessoas, também estão lá. Hoje em dia, a *Bíblia* ainda é usada na política, como forma de justificar ataques a adversários e grupos específicos, como os homossexuais. Não ler a *Bíblia* é quase como ser cego. Você fica ignorante sobre como sua civilização se tornou o que é. É como para os americanos não ter lido Shakespeare ou a Constituição. Sei que, por ser um livro religioso, não será ensinado nas escolas, mas as pessoas teriam uma visão melhor do mundo se fossem incentivadas a ler os livros que estão na base da criação de suas civilizações.[346]

Plotz foi criticado por religiosos, como era de se esperar, e também por ateus por sugerir a leitura de um livro que consideram tão ridículo e fomentador de fanatismos.

Livro perigoso

Publicações como a de Plotz dão a impressão de que religiosos são, em geral, o grupo de pessoas mais idiotizado da sociedade. Eles geralmente se convencem por qualquer coisa, especialmente se estiver embasada em sua Sagrada Escritura. Prova disso é o fato de que pessoas crentes são as mais rápidas em propagar notícias "religiosas" sem antes verificar a procedência do relato.

De fato, não é raro eu ser abordado em minhas palestras arqueológicas por religiosos que correm para me mostrar fotos de ossos gigantes encontrados no México ou na Turquia – que confirmariam a menção de gigantes *nefilins* no livro do Gênesis – ou supostos achados da Arca de Noé e de rodas das carruagens egípcias sob as águas do mar Vermelho – evidência inconteste do dilúvio e do Êxodo.

---

346 Disponível em <http://revistaepoca.globo.com/RevistaEpoca/0,,EMI65831-15228,00-NAO+LER+A+BIBLIA+E+COMO+SER+CEGO.html>. Acesso em: 02/03/2010.

É desconcertante ver o desânimo de alguns quando revelo que tudo aquilo é mentira! A dos gigantes, por exemplo, foi uma fotomontagem publicada em 2008 no site *Worth1000* que um internauta republicou de propósito com o título de "arqueologia confirma a Bíblia" apenas para zombar a fé ingênua de alguns crentes. E não é que deu certo?

Foi muito vergonhoso ver vários irmãos fazendo corrente de oração nas redes sociais em prol de um grupo cristão da Nigéria que estava sendo atacado e queimado vivo por radicais muçulmanos. Uma foto inclusive circulou pela Internet mostrando vários corpos carbonizados cuja legenda dizia se tratar de uma igreja incendiada durante um culto. Embora perseguições religiosas existam de fato, a verdade era que naquele momento não havia perseguição alguma na região citada. A dita foto era de um acidente ocorrido em 2010, na República Democrática do Congo. Tratava-se de um caminhão-tanque que capotou e explodiu matando 230 pessoas carbonizadas e ferindo outras 100. De acordo com os jornais da época, alguns dos mortos eram pessoas que estavam tentando roubar o combustível que vazava, provocando com isso a explosão que matou tanta gente. Bem diferente do que diziam os sites cristãos.

Em situações como estas, a primeira tentação de um apologista cristão seria introduzir o assunto falando só coisas boas sobre a Bíblia para amenizar o constrangimento. Eu também poderia fazer o mesmo, dizendo que estamos diante do livro mais lido e vendido no mundo inteiro, que a Bíblia foi o primeiro exemplar impresso no Ocidente, que é estimada por intelectuais de prestígio e vultos da história etc. De fato, eu poderia encher páginas e páginas de propaganda pró-bíblica. Não sinto, entretanto, que minha abordagem deva seguir por esse caminho.

Começo, portanto, entrando pela porta dos fundos do problema, como aquele acesso sujo dos antigos teatros de Nova York. Que tal fazê-lo a partir do famoso aforismo atribuído ao dramaturgo irlandês George Bernard Shaw? "A Bíblia é o livro mais perigoso da Terra, mantenha-o trancado e jogue a chave fora. Mantenha-o longe do alcance de seus filhos".

Conselho radical, não é mesmo? Bem diferente da sugestão de Plotz, embora ele mesmo achasse, contraditoriamente, que a leitura de seu livro poderia substituir bem as Escrituras, especialmente por ser menor, mais hilário e poder ser lido no banheiro de casa sem nenhum peso na consciência.

Quanto à frase atribuída a Bernard Shaw, não consegui localizar a fonte original dela. Contudo, a sentença coaduna com o pensamento dele, embora eu advirta que interpretar Shaw sem parecer contraditório não é tarefa fácil. Espero, pelo contexto de suas ideias, esclarecer os limites e a razão de minha concordância parcial com o que ele disse.

Antes, porém, deixe-me dizer que a Bíblia é um livro perante o qual não podemos assumir postura de neutralidade. Ela afetou e afeta muito a história da humanidade para simplesmente dizermos que não nos interessa opinar a seu respeito. Se estou diante de um livro falso, arrisco dizer que esse é o livro mais dantesco do mundo e merece ser combatido. Se, contudo, estiver diante de um livro verdadeiro tenho de dar ouvidos a sua mensagem. É uma questão de vida ou morte.

Alguns infelizmente não entendem esse apelo. Dias atrás vi o seguinte *post* na Internet:

> As histórias de Zeus, Thor ou qualquer outra devem ser combatidas? Se a Bíblia ou qualquer outro livro como este for verdadeiro TEM que ser seguido? Acho que não tem que ser combatido e nem seguido, cada um acredita e segue o que quiser, se quiserem acreditar que o homem veio do barro e a mulher da costela deste homem tudo bem, nada contra, agora se eu acreditar em Zeus ou outra figura pagã quero o respeito também![347]

Fico me perguntando o que um comentário como este diz a respeito de nossa cultura, nossos valores e nossas habilidades para responder questões existenciais. Respeitar o outro significa não se posicionar acerca de seus erros? Não o alertar das consequências de seu devaneio? Como se respeita a decisão de uma filha que decide interromper os estudos e se juntar a um traficante? Como se respeita a decisão de um delinquente que entra em sua casa e rouba seus pertences? Ele faz isso para comprar a droga que o namorado de sua filha oferece. Você se posiciona entregando o bandido ou respeita a escolha de todos?

As pessoas estão fazendo escolhas estranhas baseadas em filosofias igualmente estranhas. Tragicamente, em nome do respeito, nada mais pode ser dito ou combatido. Convidar alguém para mudar de vida é proselitismo, é invadir sua privacidade. Deixe cada um como quiser. Contudo, se você não se posiciona por nada, poderá cair por qualquer coisa.

Fazer ouvido mouco diante de uma mensagem como a da Bíblia – caso seja verdadeira – é algo tão estúpido quanto morar numa rota de *tsunamis* e não sair

---

347 Disponível em <https://br.answers.yahoo.com/question/index?qid=20141003054755AA30S-Bh>. Acesso em: 08/05/2018.

de casa apesar do alerta dos bombeiros de que uma enorme onda se aproxima. Por outro lado, se sua mensagem for falsa, é imoral não comunicar às pessoas o terrível engodo. Em ambos os casos estou diante de uma atitude moral ou de bom senso, mas nunca de neutralidade.

Dialogando com Shaw

Usando um forte estilo de ironia irlandesa mesclada de humor, Shaw fez críticas muito acirradas à religião, especialmente à cristã. Seu estilo era tão ácido em relação às igrejas que muitos (inclusive eu mesmo) o reputaram erroneamente por ateu e inimigo da Bíblia. Sei que ele escreveu certa vez: "Tenho lido muita poesia, mas apenas um poeta foi sagrado para mim: Shelley [...] como ele, eu também sou um socialista, ateu e vegetariano"[348]. Tal declaração definiria sua descrença, certo? Nem tanto. Vamos entender melhor o que ele quis dizer.

O Shelley mencionado aqui é Percy Shelley, um poeta britânico a quem Shaw conheceu pessoalmente no Museu Britânico de Londres e que o influenciou muito em seu pensamento. Ambos, na verdade, se consideravam ateus num sentido muito específico, que não quer dizer descrença na existência divina, mas rompimento confessional com o Deus da ortodoxia cristã.

Talvez sua vigorosa resistência em personificar a divindade, somada à desilusão teológica que ele descreve na saga *The Adventures of the Black Girl in her Search for God* [As aventuras da garota negra e sua busca por Deus], poderia permitir que eu o classificasse como um místico panteísta com forte tendência para um agnosticismo, mas não totalmente liberto de suas raízes cristãs. Esse seria um retrato aproximado de sua pessoa, porém, nunca um ateu no sentido atual do termo de negação absoluta da divindade[349].

Shaw repudiava com força o puritanismo, a hierarquia e a hipocrisia das igrejas de seus dias, o que é claro em suas peças como *O Discípulo do Diabo* (1896) e *A Revelação de Blanco Posnet* (1909). Seu método, para mim, é de tirar o chapéu, ainda que tenhamos divergências gritantes em relação à natureza de Deus. Ele parece muito com o estilo de Dostoiévski, ou seja, escreve peças que juntam humor, ironia e rigor lógico numa mesma trama, a fim expor temas sociais

---

348 Bernard Shaw. *Immaturity* (London: Constable & Co. Ltd., 1931), p. xvii.

349 Keum-Hee Jang. *George Bernard Shaw's Religion of Creative Evolution: A Study of Shavian Dramatic Works* (University of Leicester, 2006); cf. também Warren Sylvester Smith (ed.) *The Religious Speeches of Bernard Shaw* (University Park: Pennsylvania State UP, 1963).

importantes e, ao mesmo tempo, propõe soluções para os males que a ficção denuncia. É, enfim, uma proposta didática similar à das parábolas de Jesus Cristo.

Em *Androcles e o leão* (1912), Shaw faz uma releitura de um antigo conto romano. Ali expõe o que considera as motivações religiosas e espirituais do homem. Já no prefácio ele deixa claro que "governar sem religião é tarefa impossível"[350], embora, a rigor, sua proposta de religião do futuro nada teria a ver com o sistema eclesiástico a que estava acostumado. O difícil é interpretar até que ponto ele realmente rompeu com o cristianismo de seu tempo, pois ele não parece aqui perder completamente sua fé na relevância da Bíblia Sagrada.

Porém, em *A Garota Negra* (1932), o epílogo parece ser escrito por alguém que considera até os evangelhos algo obsoleto, para não dizer perigoso – talvez seja aí que entre o contexto da citação enunciada, "A Bíblia é um livro perigoso". Note, no entanto, que, mesmo assim, ele nunca deixou de frequentar os cultos religiosos de sua cidade e pediu que fosse sepultado na igreja de Dublin como um homem cristão[351].

Como interpretar, portanto, seu dito de que a Bíblia era um livro perigoso? Creio que a advertência, com a qual eu concordo, está exatamente no sentido de que a Bíblia, interpretada de qualquer maneira e de qualquer modo, se torna um livro perigosíssimo. A razão é simples: ela fala do único assunto do qual não podemos ser neutros, ela fala de Deus!

A Bíblia na história

A influência bíblica na história humana, principalmente na história ocidental, é gigantesca. O Renascentismo, com seus desdobramentos na música, literatura e arte; as grandes navegações; a Reforma Protestante e até a ciência moderna foram frutos diretos de pessoas fortemente influenciadas pelo conteúdo da Bíblia Sagrada. Alguns agiram por adoção da mensagem, outros por rejeição a ela e uns tantos por uma reação não à Bíblia em si, mas aos desmandos eclesiásticos em nome de Deus. Enfim, pessoas que se transformaram pelo contato com esse livro e em sua vicissitude mudaram os rumos da história.

Talvez não tenham lhe contado, mas as principais universidades modernas (Harvard, Yale, Oxford, Cambridge) foram fundadas por pessoas que se

---

[350] Apud Dayananda Pathak. *George Bernard Shaw, his Religion and Values* (New Delhi: Mittal, 1985), p. 17.

[351] Idem.

inspiraram na missão bíblica educacional e por isso criaram colégios. Eles eram crentes frequentadores de igreja que defendiam com unhas e dentes a integração fé e ensino na sala de aula.

Harvard hoje pode até ser secularizada em termos de cristianismo e apoiar paradoxalmente uma celebração satânica no subsolo do Salão Memorial[352], contudo, seus fundadores tinham objetivos bem diferentes para aquela instituição. Seu estabelecimento em 1636 se deu para levar os alunos a Deus e à Bíblia Sagrada, cuja leitura era obrigatória pelo menos duas vezes por semana, com direito a prova de proficiência e tudo mais[353]. Seu nome foi dado em homenagem ao pastor calvinista John Harvard (1607-1638), que deixou como herança para a universidade toda a sua biblioteca de cerca de 400 livros e metade de sua propriedade. Mesmo sem possuir qualquer filiação oficial com a igreja, Harvard treinava principalmente pastores calvinistas.

Embora não seja adivinho, arrisco afirmar que alguns leitores ateus estão pensando neste momento: *Ainda bem que Harvard não é mais assim*. Porém, não percamos o foco do argumento. Meu ponto é outro. Em que pese o fato de essas instituições hoje estarem bastante secularizadas, a verdade é que elas começaram por uma inspiração bíblico-cristã, o que de cara me faz refutar um argumento mil vezes repetido. Dizem por aí que a Bíblia e a religião amortecem o cérebro, inibem o progresso e desestimulam a erudição. Se isso fosse verdade, nenhuma dessas universidades teria sido fundada, pois seus pioneiros não teriam o incentivo "cristão" para fazê-lo.

Sei que é tarefa inócua ficar pensando na possibilidade do que seria se não fosse. Onde eu estaria se em vez de nascer nesta família fosse trocado no hospital e criado por outra pessoa? Qual seria o contexto brasileiro se os chineses chegassem aqui antes dos portugueses? Coisas desse tipo não levam a pensamentos precisos. Contudo, arrisco questionar, ainda que retoricamente, qual seria a história do Ocidente se a Bíblia não tivesse sido produzida.

O intuito da pergunta não é descobrir se estaríamos em melhor ou pior situação. Eu disse que isso seria inócuo. A questão aqui é outra. Estou, incontestavelmente, diante de um livro com grandes poderes de persuasão, seja para um lado, seja para o outro. Não é uma revistinha de gibi distribuída mensalmente

---

[352] Disponível em <http://juliosevero.blogspot.com.br/2014/05/universidade-de-harvard-realizara-missa.html>. Acesso em: 30/09/2017.

[353] Disponível em <http://www.constitution.org/primarysources/harvard.html>. Acesso em: 30/09/2017.

que necessita de novas estórias depois que os meninos já leram aquelas. Trata-se de um enredo sem anexos ou atualizações que atravessou os séculos e até hoje continua influenciando pessoas.

A Bíblia é forte o bastante para inspirar tanto a criação de universidades quanto a execução de horrores baseados em interpretações doentias de seu conteúdo. Por isso, faço eco a Bernard Shaw e digo: realmente estou diante de um livro perigoso.

Fico pensando em extremos morais como Madre Teresa de um lado e o maníaco Jim Jones, cognominado "pastor do diabo", do outro. Ambos eram seguidores da Bíblia e se inspiravam em seus ensinos para realizar os atos que praticaram. Um salvando crianças na Índia, outro causando a morte de centenas em Jonestown, na Guiana. Vejo então que este livro que tenho aqui ao meu lado, no momento em que digito este texto, é semelhante a um compêndio de física, que fornece dados tanto para a geração de energia quanto para a produção de uma bomba atômica. Tudo depende da mão que executa a experiência.

Se a Bíblia não existisse, não teríamos o massacre da Guiana. Logo, isso já é motivo mais que suficiente para argumentar que estamos diante de um livro dispensável. Será? Isso é o mesmo que dizer que se Einstein e os físicos não existissem não haveria a bomba de Nagasaki e Hiroshima. Mas também não teríamos os avanços atuais da radioterapia, os exames por tomografia, a energia gerada sem consumo de fósseis etc. Voltaríamos, enfim, para a Idade Média.

Não quero induzi-lo a dizer que o mundo seria pior sem a Bíblia assim como estaríamos atrasados sem a energia nuclear. Ainda que eu admita pensar assim, com os argumentos até agora levantados não posso fazer esse tipo de analogia. Seria um argumento *non sequitur*. Meu intento foi apenas este: mostrar primeiramente que não se resolvem os problemas de distorção do conteúdo anulando o conteúdo. Digo isso para aqueles que, a semelhança de Dawkins, julgam que o melhor seria acabar com a Bíblia, e assim acabarão os fanáticos por ela. Fanáticos sempre arrumarão motivos para seu comportamento doentio. Se não for o elemento X, será o elemento Y.

Em segundo lugar, enfatizo que a Bíblia não é um livro qualquer. Você pode odiá-la, desprezá-la, fazer piadinhas a seu respeito, mas a história desse livro é maior que a sua e a minha experiência de vida. Sua influência para o bem ou para o mal não é de pouca conta e, creio, até os ateus mais acirrados poderão concordar comigo.

Por que um livro?

Os autores bíblicos fazem afirmações muito audaciosas de sua composição literária. Eles afirmam que aquilo que escrevem são palavras de Deus para a humanidade (2Timóteo 3.16; 2Pedro 1:20-21). Isso é tão sério que só posso atribuir sua fala a quatro opções: ingenuidade, engano, inspiração ou histerismo. Por eliminação, descarto a ingenuidade com base não somente na erudição de homens como Paulo, Salomão e Lucas (erudição reconhecida até por acadêmicos não religiosos), mas também no fato de que o modo como escrevem não se caracteriza como uma literatura simplória. Para ser engano, parecem sinceras demais as afirmações que fazem ao ponto de não ganharem nada com aquilo e sofrerem, grande parte deles, o martírio e a humilhação. Sobra então a inspiração e o histerismo. Se optar pelo histerismo, fico às voltas sem saber como a literatura produzida por insanos mentais influencia tantas pessoas ao redor do planeta até os dias de hoje. Resta trabalhar com a hipótese da inspiração.

Isso, contudo, não resolve uma questão básica que talvez devesse estar no início deste capítulo. Se Deus realmente existe e quer se comunicar com a humanidade por que não usou um método tão discutível para dar sua mensagem? Por que através de um livro? Não seria mais inteligente ou óbvio se ele o fizesse manifestando-se soberano no céu com poder e grande glória? Até Richard Dawkins creria nele.

Não estou seguro de que este seria o melhor caminho. E já que mencionamos Dawkins, veja o que ele mesmo respondeu num debate público com George Pell, mediado por Tony Jones, quando lhe perguntaram o que seria necessário para que mudasse de opinião e se rendesse a Deus. Ele disse:

> Essa é uma pergunta muito difícil e interessante porque, quer dizer, eu costumava pensar que talvez se, de alguma forma, você sabe, um Jesus gigante, de trezentos metros de altura com uma voz igual à do Paul Robeson, de repente aparecesse e dissesse: 'Eu existo. Aqui estou eu', mas, ainda assim, na verdade eu às vezes me pergunto se isso mesmo me levaria a acreditar nele.[354]

Ademais, uma aparição epifânica e universal de Deus provocaria pânico, e não adesão voluntária. Deus deseja filhos que o amam, não admiradores, fãs ou fanáticos, muito menos gente que lhe segue por conveniência, medo ou por

---
354 Disponível em <http://www.smh.com.au/entertainment/tv-and-radio/dawkins-shades-pell-in-battle-of-belief-20120409-1wlk9.html>, Acesso em: 26/10/2017.

não ter outra opção. Assim, pelo menos por agora, fica descartada a aparição majestosa para levar à crença.

De qualquer modo, a pergunta persiste. Por que um livro? Por que revelar suas mensagens através de supostos profetas, quando poderia ter falado ele mesmo ao coração de todos os homens e mulheres do planeta Terra? Parece uma contradição: Se podemos ir a Deus diretamente em oração, por que ele precisa de um livro para revelar sua vontade?

Uma Bíblia escrita há milênios, por pessoas desconhecidas, e em idiomas inacessíveis à maioria, soa como um rapaz que ao ver o colega com a camisa do avesso evita alertá-lo diretamente, preferindo antes ligar para uma pessoa na China, que, por sua vez, passa uma mensagem em mandarim a outro que está na Polônia, para que este traduza para o português e envie por carta para um conhecido, que só encontrará o pobre coitado daqui a duas semanas, quando ele já não precisar mais do alerta quanto à camisa invertida.

Ora, os que fazem essa indagação, por mais lógica que ela pareça, esquecem-se ou desconhecem que este é o padrão cognitivo do ser humano. Ouvir verdades através do testemunho de outrem é o modo mais natural de apreender realidades, e Deus levou isso em consideração ao revelar sua Palavra. "O Ser humano", dizia Vygotsky, "constitui-se como tal em seu meio social"[355]. O que o autor quer dizer é que o ser, desde a mais tenra idade, só se torna epistemologicamente humano a partir das interações desencadeadas em seu meio social, histórico e cultural. Não se trata de mera transferência de informações para o interior do sujeito. O ciclo epistemológico só funciona se houver uma construção de saberes a partir da interação do ser com o meio social em que está envolvido, ou seja, um ser humano sempre precisa de outro ser humano para compreender a realidade.

Confirmando isso, temos as pesquisas mais recentes de Albert Bandura, professor de Stanford e um dos maiores teóricos da aprendizagem social. Foi ele quem formulou cientificamente o conceito de modelagem, segundo o qual a criança reconhece a realidade através do adulto, e não é só na fase infantil que isso ocorre, na fase adulta também, afinal, ninguém é bom em tudo.

Na verdade, como já acenei em outro capítulo, somos leigos em 99% daquilo que conhecemos e, portanto, precisamos da *expertise* e do testemunho do outro para nos ajudar a compreender aquela realidade. O mais exímio matemático

---

355 Lev S. Vygotsky. *Teoría de las emociones: estúdio sócio-psicológico*. Obras Escogidas, tomo VI (Madrid: Aprendizaje/Visor, 2004).

do MIT – o Instituto Tecnológico de Massachusetts – precisa dos conselhos de um advogado para saber como agir numa ação judicial que tem início com a contestação da demanda. O ganhador do Prêmio Nobel de Economia precisa das recomendações do médico para saber como controlar sua hipertensão, e todos precisam de um bom mecânico se o carro der pane no meio da estrada.

A partir disso, posso confortavelmente afirmar que nossa visão de mundo e nossa relação com a realidade serão sempre mediadas pelo outro, desde a infância até o fim de nossos dias. Podemos até ter uma ou outra experiência autodidática, mas mesmo essa será baseada no que outros antes de nós perceberam ou disseram. No final das contas, nunca aprenderemos nada sozinhos.

Se assim for, por que deveria ser diferente com uma comunicação feita por Deus? Por que ele quebraria o meio mais natural de conhecimento humano – construído na interação com outros saberes – e revelaria a cada um individualmente como se os demais não existissem?

Caso trabalhemos com a mínima possibilidade de que Deus exista e se revele, temos de superar aquela sensação antropocêntrica e individualista de acreditar que o universo seríamos Deus e eu. Há pessoas em redor, e mesmo os que já se foram deixaram seu legado, de modo que não posso interagir com qualquer provável revelação divina senão passando pelo outro.

Nas palavras de O. Cardedal:

> Para chegar ao eterno é necessário voltar os olhos para a temporalidade; para ir até Deus é necessário passar pelos homens; para penetrar profundamente no mistério é necessário partilhar a intimidade com um próximo humano; para nos conhecermos a nós mesmos temos de passar pelo irmão e deixar que ele passe por nós.[356]

O uso de profetas e autores inspirados foi o meio elegido pela Providência para comunicar verdades para a humanidade. Esses autores, portanto, estariam para nós como o médico está para o economista, e o advogado para o professor do MIT – eles simplesmente nos trazem um conhecimento que não adquirimos por nós mesmos. Sua *expertise* – se posso chamar assim – foi a inspiração.

O ponto, portanto, não é se Deus pode ou não usar coerentemente seres humanos para transmitir sua mensagem aos outros. A questão é saber se aquele que reivindica tal título – autor inspirado – o seria de fato ou se estamos diante

---

356 O. Cardedal. *Jesús de Nazaret. Aproximación a la cristología*. Biblioteca de Autores Cristianos (Madrid: Editorial Católica, 1993), p. 38.

de um exemplo de charlatanismo. Este é o elemento central aqui: testar aquele que arvora possuir uma mensagem do céu. Isso vale para a Bíblia, o Alcorão, o livro dos Vedas ou qualquer outra obra literária que se diga de origem divina. "Pelos seus frutos, disse Cristo, vocês reconhecerão [os verdadeiros e falsos profetas]" (Mateus 7:20).

Como se produz um best-seller?

A continuação de meu raciocínio nas próximas linhas pode soar como um tangenciamento do assunto, mas não é. Lembre-se, estou entrando pelos fundos do teatro, não pela porta principal e glamorosa do tapete vermelho. Quero conhecer a Bíblia pelos bastidores de sua história. Sendo assim, considerando que estou diante do livro que mais se vende no planeta, me pergunto: Qual o segredo dela? O que há dentro dessas páginas que gera tantas reimpressões, traduções e paráfrases, mas nenhuma reedição ou atualização de conteúdo?

Para que você entenda o que quero dizer com o "livro que mais se vende", deixe-me apresentar alguns dados. Embora seja impossível obter números exatos, uma pesquisa realizada pela Sociedade Bíblica e validada pelo Guinness[357] estima que cerca de 2,5 bilhões de Bíblias foram impressas desde 1815 até 1975, porém estimativas mais recentes falam de um número superior a 5 bilhões de cópias. Considerando ainda dados publicados pela revista *The Economist*[358] pode-se atualizar para mais de 6 bilhões.

O segundo livro no ranking de distribuição seria o chamado *Citações dos escritos de Mao Zedong (Tse-Tung)*, que se tornou leitura obrigatória na China desde 1966 até 1971. Os cidadãos eram obrigados pelo ditador a lê-lo, e em alguns casos carregá-lo e memorizá-lo. Quem descumprisse a ordem seria severamente punido, por isso milhões de cópias foram produzidas pelas gráficas do país. Mesmo assim, o cognominado "livro vermelho chinês" só alcançou 800 milhões de cópias, ou seja, 1/8 da tiragem da Bíblia, cuja leitura jamais foi obrigatória em nenhum país cristão. O livro de Mao, relembro, é o que estaria em segundo lugar no ranking!

---

357 Disponível em <http://www.guinnessworldrecords.com/world-records/best-selling-book-of-non-fiction/>. Acesso em: 05/10/2017.

358 Disponível em <http://www.economist.com/node/10311317?story_id=10311317&CFID=3 289446&CFTOKEN=a87381115ea0752-5130AD65-B27C-BB00-012B3B9A581DD567>. Acesso em: 05/10/2017.

Falando especificamente de nosso país, somente em 2015 a Sociedade Bíblica do Brasil (SBB) distribuiu 7.622.674 de Bíblias. O número representa um aumento de 0,13% em relação ao ano anterior. Esse número é apenas uma fração dos mais de 100 milhões de Bíblias vendidas ou distribuídas anualmente no mundo inteiro.

No quesito tradução, os últimos dados informam que a Bíblia já estaria traduzida no todo ou em parte para 2.426 línguas e dialetos, cobrindo assim 95% da população mundial. Isso fora os 550 projetos de tradução em andamento[359]. Estima-se que somente em Braille a Bíblia já esteja completamente traduzida para 30 diferentes idiomas. Números como este fazem da Bíblia o maior best-seller de todos os tempos e que continua disparado na dianteira todos os anos, deixando bem para trás títulos como *Harry Potter*, *Crepúsculo*, *A Cabana* e outros.

Agora vem o irônico paradoxo. Você sabe como se produz um bom livro com potencialidade de virar best-seller? Vou deixar a resposta com um especialista na área, o premiado editor João Scortecci. Veja como ele explica o processo de avaliação para se publicar um livro:

> Primeiro fazemos uma entrevista com o autor para analisar se ele tem potencial para vender muito ou pouco, posteriormente é analisado o tamanho da família e da empresa onde trabalha, se conhece bastante gente, se tem convívio social, cidade onde mora e se tem vida escolar. Todas estas características podem determinar se a venda será grande.[360]

A Bíblia, definitivamente, não se enquadra nestes quesitos.

Obra-prima ou rascunho?

No exato momento em que redijo este capítulo, os meios de comunicação estão anunciando o ganhador do Prêmio Nobel de Literatura de 2017. Foi o escritor Kazuo Ishiguro, de 62 anos, nascido em Nagasaki, no Japão, mas que se mudou para a Inglaterra aos 5 anos de idade, vivendo até hoje naquele país. Ao ver a reportagem, fiquei me perguntando que qualificações um escritor deveria ter para alcançar o Prêmio Nobel de Literatura. A academia apontou várias

---

359 Disponível em <http://dnm.cadp.pt/areas-de-interesse/82-a-biblia-no-mundo-principal>. Acesso em: 05/10/2017.

360 Disponível em <http://noticias.universia.com.br/destaque/noticia/2008/07/23/421647/ovem-escritor-quer-publicar-um-livro.html>. Acesso em: 02/03/2009.

características técnicas de Ishiguro e simplesmente não pude identificar nenhuma delas que se encaixe com o modo como a Bíblia foi produzida.

Pelos parâmetros da academia, posso dizer que a Bíblia é, de fato, um best-seller inconteste. Melhor produção literária? Não, nem de perto. Ela levou tempo demais para ser terminada, é extremamente inconsistente em termos de estilo redacional e muito variada em termos de qualidade – o que não é surpresa considerando que foi escrita por mais de 40 autores, a maioria dos quais nunca se conheceu pessoalmente.

Emily Elizabeth Dickinson (1830-1886) foi uma brilhante poetisa americana que viveu em Amherst, Massachusetts. Ela está para a literatura americana como Fernando Pessoa está para os portugueses e Carlos Drummond de Andrade para os brasileiros. No início de sua carreira, era uma mulher crente, depois nem tanto. Apaixonada pelos escritos de Shakespeare, a partir dos quais ela avaliava os demais autores, sua opinião literária sobre a Bíblia era desconcertante: "A Bíblia é um antigo volume, escrito por homens desbotados sugestionados por santos espectros"[361]. Ela criticava a Bíblia dizendo que se o livro santo fosse escrito não em sermões condenatórios, mas com a elegância e gentileza dos escritos de Orfeu, teria mais adeptos.

Dickinson não estava sozinha em sua percepção. Séculos antes dela, Agostinho de Hipona, que se tornou um dos mais influentes teólogos do catolicismo, admitiu que em sua vida de intelectual e boêmio teve dificuldades de creditar qualquer valor à Bíblia, justamente por sua inferioridade literária quando comparada aos escritos de Cícero e da filosofia grega[362].

Para não ficar apenas com a opinião dos que já se foram, deixe-me dizer para você que eu também reconheço essa fragilidade literária nas Escrituras Sagradas. É claro que se eu avaliar seu conteúdo dentro da ótica da poesia do Antigo Oriente Médio – comparada à literatura sumeriana, hitita ou acadiana – verei uma bela composição poética em livros como o Gênesis e Cantares. No caso do Novo Testamento, o texto do amor de 1Coríntios 13 é espetacular.

Contudo, como estou analisando o conjunto completo, e não somente uma parte dele, devo empregar o mesmo critério avaliativo que um editor usaria para aprovar ou não um manuscrito enviado para análise. Ou seja, não posso aprovar

---

361 Emily Dickinson. *The Poems of Emily Dickinson*, Thomas H. Johnson (ed.). 3 vols. (Cambridge: Belknap, 1955).

362 Agostinho, *Confissões* 3.3.6-5.9. Disponível em <http://www.earlychurchtexts.com/public/augustine_and_cicero.htm>. Acesso em: 02/10/2017.

um livro que tem seis capítulos bons e quatro ruins, a menos que os ruins sejam melhorados e corrigidos por um bom editor de texto. Considerando, porém, que a Bíblia não parece ter sido "corrigida" nem "melhorada", posso dizer que tenho em mãos um livro mal rascunhado que certamente seria reprovado para publicação.

Deixe-me explicar o porquê de minha conclusão. O estilo redacional de algumas partes do Novo Testamento, especialmente o Apocalipse, é tão deficiente do ponto de vista gramatical que dificilmente um aluno do Enem receberia uma boa nota escrevendo daquele jeito. Os motivos de tantas imprecisões gramaticais é tema controverso entre os especialistas. Há os que dizem se tratar de solecismos, idiossincrasia redacional, hebraísmos naturais ou uso do grego como segunda língua. Não obstante as diferentes opiniões, todos reconhecem as dificuldades estilísticas do texto grego do Novo Testamento[363].

Esse debate, aliás, vem de longe, desde a produção das principais gramáticas gregas do Novo Testamento publicadas por eruditos como Deissmann, Debrunner, Funks, Robertson, Moule e outros. Há quem sustente que o Novo Testamento foi escrito numa linguagem de rua, o que, apesar do exagero, se sustenta se aplicado a algumas porções do texto.

É um consenso que o grego usado na Bíblia é a forma comum ou vulgar do idioma helênico chamada *Koiné*, ou seja, não se trata do grego clássico, é um estilo redigido sem muita sofisticação. Chego a dizer que, embora inspiração divina não demande a obrigação de produzir uma *Opus Magnum* da literatura humana, a redação do Novo Testamento chegava a ser ofensiva às pessoas cultas dos tempos greco-romanos, tanto é que, ao ler a acusação dos intelectuais romanos contra a fé cristã, o resumo da ópera seria que apenas pessoas já convertidas ao cristianismo se impressionariam com o conteúdo literário do Novo Testamento. Isso faz sentido à luz do que o apóstolo Paulo admitiu em sua primeira carta aos Coríntios:

> Pois a mensagem da cruz é loucura para os que estão perecendo, mas para nós, que estamos sendo salvos, é o poder de Deus. Pois está escrito:

---

[363] *Laurențiu Florentin Moț* defendeu recentemente uma tese doutoral em que procura valorizar o texto apocalíptico como uma literariamente válida apesar de seu estilo excêntrico. Contudo, a despeito de seu otimismo em relação ao livro, nem ele nega que as irregularidades gramaticais existem (*Morphological and Syntactical Irregularities in the Book of Revelation: A Greek Hypothesis*. Linguistic Biblical Studies 11 [Leiden: Brill, 2015]). Veja também Allen Dwight. "Callahan, 'The Language of Apocalypse'", Harvard Theological Review 88/ 4 (1995): 453-70; Stanley E. Porter; D. A. Carson (eds.). *Biblical Greek Language and Linguistics: Open Questions in Current Research* (Sheffield: JSOT Press, 1993).

'Destruirei a sabedoria dos sábios e rejeitarei a inteligência dos inteligentes'. Onde está o sábio? Onde está o erudito? Onde está o questionador desta era? Acaso não tornou Deus louca a sabedoria deste mundo? (1Coríntios 1:18-20).

Por falar em Paulo, apesar de sua erudição, nem mesmo suas cartas escapam de alguns problemas sintáticos que as tornam pouco claras. Os especialistas são divididos em relação à qualidade do grego com que ele escreve[364]. Suas sentenças são por vezes interrompidas pela falta de elementos sintáticos, cláusulas inconclusas e apostos muito longos.

Um quase aborto literário

A Bíblia tinha tudo para nem chegar a ser compilada. Foram mais de 1.400 anos entre o primeiro e o último autor a contribuir para seu conteúdo. Espero, num livro futuro, contar melhor a história da Bíblia para você. Por ora, basta dizer que ela tem mais senões e mais contras do que elementos de vantagem para um livro que tencionava ser um best-seller.

O problema já começa com sua temática. É um livro que fala de guerras sem ser um tratado bélico ou militar. Fala de saúde e alimentação sem ser um manual de medicina, nutricionismo ou culinária. Possui filosofia, mas está longe de ser um tratado tipo dos pensadores gregos. Fala de Deus, mas não vem na forma lógica de um manual de teologia sistemática. Seus assuntos estão espalhados aqui e acolá e até a ordem cronológica de seus livros é complicada. Autores diversificados, ausência de pauta ou editor final que afine as linguagens são todos elementos que conspiram contra a qualidade de um livro. Quanto mais um livro sagrado!

Veja as expressões estranhas e aparentemente contraditórias. Numa parte diz que Deus não se arrepende; noutra, que ele se arrependeu de ter criado o homem. A conduta de faraó é descrita como um endurecimento de coração provocado por Deus – o que torna o monarca egípcio um fantoche, e não um tirano consciente de seus atos. Se Deus queria que o povo saísse por que endureceu o coração do rei?

---

364 R. A. Martin. *Studies in the Life and Ministry of the Early Paul and Related Issues* (Lewiston: Edwin Mellen Press, 1993), apêndice 1; Jerome Murphy-O'Connor. *Paul the Letter-Writer: His World, His Options, His Skills* (Collegeville: Liturgical Press, 1995).

Pior ainda são os discursos pesados que a Bíblia possui, e nem vou falar do Antigo Testamento, falo de Cristo mesmo. Prédicas que, num primeiro momento, mais afastam do que atraem. Numa época em que os romanos usavam o termo cruz como um xingamento, vem Jesus e diz para aqueles que o amam que deveriam tomar cada um sua cruz e segui-lo. Quem é que ia querer saber de cruz? Não para por aí. O evangelho está cheio de antífrases de arrepiar, todas de Jesus: "Comam da minha carne e bebam do meu sangue", "Quem olhar uma mulher e se excitar já adulterou com ela", "não vim trazer paz, e sim espada [*i.e.*, guerra]", "quem amar seus entes queridos (filhos, mulher, pai e mãe) mais do que a mim não é digno de mim" e outras mais.

Realmente já dizia Leonard Ravenhill, "ou a Bíblia é inteiramente absoluta ou é obsoleta" e, de fato, a primeira impressão é que temos diante dos olhos um livro radical, absolutista e muito duro. Isso é, no mínimo, um suicídio intelectual. Mas por que essas coisas não conseguiram barrar seu sucesso? Dizer que o poder eclesiástico é responsável por sua disseminação é desconhecer os fatos como mostrarei a seguir. Não estou diante de um cantor ruim cujo pai rico suborna o produtor para que grave seu disco a despeito de seus desafinos. A igreja medieval, como mostrarei, foi mais inimiga do que promotora do conteúdo bíblico.

Por isso, minha admiração permanece. Qual o segredo do sucesso bíblico? Veja que, a despeito dos problemas que citei como exemplos, os milhões que leem esse livro (mesmo em culturas não cristãs) parecem não se importar com isso e se apaixonam por ele. Tem alguma coisa incomum em suas páginas que minha razão não consegue explicar usando apenas a lógica humana.

Se os que acolhessem a Bíblia fossem todos asiáticos eu diria que é questão de cultura. Se fossem eruditos, diria que é questão de sofisticação ou mensagem cifrada acima do senso comum. Se fossem semianalfabetos, poderia dizer que é porque são pobres de raciocínio que aceitam qualquer coisa. O problema, no entanto, é que o contingente de crentes na Bíblia é diverso demais para dizer que se trata de um livro setorizado. Desde caboclos em choupanas até cientistas e filósofos, ricos e pobres, adultos e crianças, são muitos os grupos que se sentem atraídos por esse livro. Não se pode dizer que é uma imposição religiosa, pois há inúmeros relatos de pessoas que se apaixonaram por ele onde não havia nem um missionário sequer. Existem inclusive aqueles que, mesmo odiando o sistema religioso, se dizem adeptos desse livro inspirado. Tais fenômenos são, no mínimo, intrigantes.

Nem clássico nem best-seller

Seria a Bíblia um best-seller? Por tudo que escrevi anteriormente, a resposta óbvia parece ser um sonoro "não". Porém, veja a definição mais simples de best-seller: "significa mais vendido, em inglês. É um livro considerado extremamente popular entre os leitores, além de ser incluído na lista dos mais vendidos no mercado editorial. Best-seller são normalmente considerados literatura de massa, ou seja, para um público chamado pelos críticos de semicultos"[365].

Ora, com esta definição na mesa, as coisas começam a ficar um pouco mais complicadas, pois se não posso classificar a Bíblia como best-seller, o que faço com os 6 bilhões de exemplares vendidos ou distribuídos? Não é exatamente isso que caracteriza um best-seller, vendagem e distribuição?

O contraditório aqui – espero estar sendo claro em meu raciocínio – não é negar que a produção caseira se tornou campeã disparada de bilheteria. É explicar como isso pode ter acontecido se ela não contou com o rigor e financiamento de uma produção de Hollywood.

Veja, não se trata de dizer que a Bíblia está "pau a pau" com os livros mais vendidos; ela está disparadamente no isolado primeiro lugar. Se a produção literária fosse comparada a uma corrida de cavalos, a Bíblia – por sua forma de produção – seria um pangaré velho que mal sairia da baia. Porém, estranhamente se tornou o cavalo mais rápido alcançando uma velocidade que nenhum outro pode alcançar. Se a corrida fosse mais longa que o trajeto de um hipódromo, quem sabe saindo de Porto Alegre para São Paulo, a Bíblia já estaria passando pela Marginal do Tietê enquanto os demais cavalos ainda estariam cruzando a divisa com Santa Catarina.

O assunto se torna ainda mais relevante se a pergunta for direcionada ao tema dos clássicos. Como você sabe, um clássico é algo distinto e ao mesmo tempo superior ao best-seller no sentido de que o segundo pode até vender muito mais que o primeiro, porém, não perdura tanto tempo na cultura de um povo.

É imprescindível que um erudito conheça pelo menos os principais clássicos da humanidade. Ler seu conteúdo é outra história, tanto é que Mark Twain

---

[365] Disponível em <https://www.significados.com.br/best-seller/>. Acesso em: 05/03/2009.

ironizou dizendo que "o clássico é uma obra que todos gostariam de ter lido, mas ninguém quer ter o trabalho de ler"[366].

Ironias à parte, o que caracterizaria um clássico? De acordo com os especialistas em literatura, o clássico seria "uma peça literária que pelo senso comum é reconhecida como possuindo um *status* superior na história da Literatura. Seu autor também deve possuir semelhante *status*"[367].

Que livros, portanto, eu poderia encontrar numa lista oficial de clássicos da humanidade? Bem, este é um daqueles temas que se você perguntar a dez especialistas obterá 11 respostas. Contudo, existe consenso pelo menos em alguns pontos:

1) Definição: *classicus* – adjetivo latino que significa "pertencente à elite dos cidadãos". Por extensão: superior, autoritativo, perfeito. No início aplicava-se apenas ao mundo ocidental (cânon greco-romano de Alexandria), depois aplicou-se à literatura do mundo inteiro.
2) Perpassa através do tempo (não há clássicos instantâneos ou temporários).
3) Tem um apelo estético e uma mensagem significante. Deve ser escrito com elegância até se for descrever cenas de violência.
4) Tem de chamar a atenção dos intelectuais antes de chamar a atenção do povo.
5) Tem de ter uma história ou enredo cativante.
6) Não pode ser escrito de maneira gramaticalmente pobre[368].

Novamente, a Bíblia não se encaixa nos detalhes desse cânone literário. Isso fica ainda mais claro a partir da definição latina de Aulus Gellius, escritor romano do 2º século. Ele disse: *"Classicus scriptor, non proletarius"*[369] (Um escritor

---

366 Ao que tudo indica, Twain estava citando ou parafraseando o professor Winchester quando disse isso num contexto anterior em "'Disappearance Of Literature', Speech at the Nineteenth Century Club, New York, 20 November 1900", in *Mark Twain's Speeches* (1910), William Dean Howells (ed.), p. 194.

367 C. Holman; William Harmon. A *Handbook to Literature*. 6. ed. (New York: Macmillan Publishing Co., 1992).

368 M. H. Abrams. *Glossary of Literary Terms Fort Worth* (Texas: Harcourt Brace College, 1993); Susie Wilson. "Qualities of Classic Literature", *Education Articles* (November 18, 2009), disponível em <http://www.articlesfactory.com/articles/education/qualities-of-classic-literature.html>. Acesso em: 05/10/2017.

369 Em *Noctes Atticae* 19,8, 15.

clássico não pode ser um proletário). Para que você saiba, em Roma o cidadão pobre só era útil pelos filhos que procriava. Ora, se essa é a característica de um autor "clássico", o que faço com Pedro, João, Amós e outros autores bíblicos pertencentes às baixas camadas sociais de seu tempo?

Mas a Bíblia permanece e o tempo não apaga sua história. Continua tão influente hoje como foi no passado. Logo, é um clássico que não tem caraterísticas de clássico! Como pode ser?

Alguém, tentando responder a essa minha afirmação, publicou o seguinte na Internet:

> A Bíblia não pode ser comparada a um clássico de literatura, pois foi criada com finalidade política de dominação, e não é avaliada por seus valores literários, mas pelo terror que infunde a seus leitores, que a ouvem desde o nascimento, enquanto ainda não têm discernimento, e fica arraigada no subconsciente, sendo muito difícil remover seu condicionamento, que é reforçado o tempo todo, por todos os meios de comunicação.[370]

A afirmação feita não poderia ser mais inconsistente. Primeiro porque o autor da sentença certamente desconhece a crítica moderna (especialmente pós-colonialista) que se faz sobre a política de dominação eurocêntrica que permeia as noções de linguagem e literatura de muitos clássicos do Ocidente. Ele certamente não teria dito isso se tivesse livro o excelente tratado *The Empire Writes Back: Theory and Practice in Post-Colonial Literatures* [O império escreve por detrás: teoria e prática na literatura pós-colonial], publicado por Bill Ashcroft, Gareth Griffiths e Helen Tiffin[371]. É ingenuidade pura imaginar que clássicos foram escritos sem qualquer intensão política ou propagandística[372].

Em segundo lugar, não há base alguma para dizer que a Bíblia é um livro que se impõe pelo terror que infunde em seus leitores desde a pequenez. Se assim fosse, como explicar casos como da China? Décadas de governo comunista instalaram o ateísmo como filosofia de vida para 90% da população chinesa.

---

370 Disponível em: <https://br.answers.yahoo.com/question/index?qid=20141003054755AA30SBh>. Acesso em: 05/10/2017.

371 Bill Ashcroft; Gareth Griffiths; Helen Tiffin. *The Empire Writes Back: Theory and Practice in Post-Colonial Literatures* (London: Routledge and Kegan Paul, 1989).

372 Marcos Botelho. "Por que des(ler) os clássicos em Omeros?", *Revista de Literatura e Diversidade Cultural Légua & Meia*, v. 3, n. 2 (Universidade Estadual de Feira de Santana, 2004): 164-170; Pierre Bourdieu. "A ilusão biográfica", in Marieta de Moraes Ferreira; Janaina Amado (org.), *Usos & abusos da história oral* (Rio de Janeiro: Fundação Getúlio Vargas, 1996), p. 183-192.

Eles, portanto, não seriam classificados como uma geração de crentes dominados pelo terror bíblico, como acenou o internauta em seu comentário.

Contudo, após a morte de Mao, em 1976, o interesse do povo chinês pela Bíblia tem sido crescente ano após ano, tanto é que o governo, ainda oficialmente ateu, permitiu a distribuição legal de 50 milhões de Bíblias à população, pois reconheceu que não tinha como interromper o interesse do povo por aquele livro religioso. Existem, inclusive, sociólogos como Fenggang Yang, da Purdue University de Indiana, que preveem um crescimento exponencial de cristãos que fará da China o próximo país com maior número de cristãos em todo o mundo[373]. A teoria da Bíblia como literatura "arraigada no subconsciente, sendo [portanto] difícil remover seu condicionamento", não explica a explosão de conversões em lugares sem tradição cristã. E olha que eu nem mencionei o que ocorre na Rússia e em Cuba!

Novamente insisto na pergunta: O que tem neste livro que atrai tanta gente?

Livro imposto?

Dizer que a Bíblia permanece porque foi imposta às massas é outra acusação que não faz o menor sentido. O poder literário como ferramenta déspota, dominadora de povos subalternos, diaspóricos e seus impactos nas subjetividades das minorias, especialmente povos com passado colonial, já foi vastamente discutido por autores como Bhabha, Mignolo, Walcott e Foucault. A Bíblia não se encaixa neste cenário.

Existe uma suspeita pós-moderna que se levada ao extremo pode cair no erro da generalização apressada, que é um tipo de falácia. Para alguns críticos da Bíblia, toda tentativa de se atribuir às palavras um significado objetivo especial implica usar a força e declarar poder sobre outros. Isso é um exagero argumentativo.

Veja, o próprio Michel Foucault reconhecendo o *status* marginalizado do cristianismo primitivo, descreveu as estratégias discursivas dos apóstolos como reguladoras da relação de poder. Contudo, eram distintas daquele domínio totalitário (militar, político e econômico) que, aliás, era-lhe inalcançável. Foucault argumentou que o surgimento do cristianismo foi marcado pela propagação e criação de novas relações de poder que ele chama de "poder pastoral". O modo

---

[373] Disponível em <http://www.dailymail.co.uk/news/article-4200282/470m-Christian-theme--park-built-China.html>. Acesso em: 06/10/2017.

como esse poder será posteriormente institucionalizado, transposto e modificado, especialmente no Estado Moderno, não vem ao caso no que diz respeito à formação da Bíblia e aos motivos que geraram sua produção, pois é posterior a ela. De acordo com a própria definição de Foucault, esse "poder pastoral" dos primeiros cristãos não é, em princípio, uma forma de poder político que domina, mas que está pronto a sacrificar-se pela vida e salvação do rebanho. Bem diferente do poder monárquico, cuja meta é o sacrifício do povo para salvar a coroa. Ademais, o objetivo último do poder pastoral não é a massificação dos povos, mas assegurar salvação do indivíduo no mundo porvir[374].

Para mim, a maior contradição de Foucault é permitir tal leitura do cristianismo primitivo negando, porém, a possibilidade ao menos de existir um "significado transcendental" (*i.e.*, Deus) ao qual todos os "significadores" (seres humanos) possam recorrer definitivamente. Essa ideia tem consequências claras e diretas para os cristãos que procuram defender a possibilidade de se deparar com a verdade num livro inspirado pelo Espírito Santo de Deus.

Mas isso não é tudo. Se a mensagem bíblica se resume a um jogo de conhecimento e poder, fico às voltas com duas ausências históricas na base formativa desse livro: seus autores (à exceção de Moisés, Davi e Salomão) não eram homens de poder, pelo contrário, eram profetas marginalizados, personagens incômodos e verdadeiras pedras no sapato dos que estavam no poder. Alguns poderiam até ser altos funcionários do governo como Daniel e Neemias, isto, porém, não significava controle da situação, muito menos a produção de uma literatura sob encomenda, pois seu conteúdo de denúncia era de difícil digestão política.

A segunda lacuna na origem da formação bíblica é a produção de um conteúdo que realmente ofereça ameaça a alguém fora do círculo judaico-cristão. Deixe-me explicar melhor essa segunda assertiva. A Bíblia, conforme já foi pontuado, não é uma obra-prima da literatura como foram os demais clássicos da humanidade. Ela contém certas inconsistências narrativas, episódios indigestos (como o caso da concubina violentada e esquartejada), casos de difícil aceitação (Jonas engolido por um peixe), enfim, um aparente livro de historietas que não fazem mal a ninguém.

---

374 Foucault. *Segurança, território e população: curso dado no Collège de France (1977-1978)*. Coleção tópicos (São Paulo: Martins Fontes, 2008); idem. *Microfísica do poder*. 15. ed. Organização e introdução de Roberto Machado (Rio de Janeiro: Graal, 2000); cf. também Cesar Candiotto; Pedro de Souza (orgs.). *Foucault e o cristianismo* (Belo Horizonte: Autêntica, 2012).

Livro perseguido

Não obstante essa fragilidade literária, muitos governos se sentiram tão ameaçados por ela e demandaram destruí-la. Sei que houve outros livros igualmente destruídos, mas não como a Bíblia; nenhum livro foi tão ameaçado como ela.

Há alguns anos tive a oportunidade de ler numa sentada o livro de Fernando Báez, *História universal da destruição dos livros*[375]. Desconheço outro autor que tenha se lançado a um projeto destes. Leitura fascinante, eu diria. Palavras inéditas como biblioclastia, bibliocídio passaram a fazer sentido para mim depois dessa leitura. Descobri que o crime de destruir livros é tão antigo quanto a própria invenção da escrita. Seu aniquilamento é visto como sinônimo de destruição de ideias.

Báez mostra em sua obra vários episódios de destruição de livros em massa: em diferentes épocas, durante o 3º e 2º milênio a.C., bibliotecas inteiras como as de Ebla, Mari, Alalakh e Ugarit foram incendiadas por exércitos inimigos que atacaram estas respectivas cidades. O mesmo se repetiu em 612 a.C. quando a imensa biblioteca de Assurbanipal foi incendiada pelos babilônios. Em 330 a.C., livros sagrados do zoroastrismo foram queimados em Persépolis juntamente com todo o arquivo real, provavelmente pela ação de um soldado bêbado.

Outra conhecida queima de livros na história se deu por ordem do primeiro imperador da Dinastia Chin, que, por volta de 213 a.C., mandou queimar uma grande quantidade de livros que preservavam ideias e moral dos antigos. Até os egípcios com Akhenaton e os gregos com Platão têm sua história manchada por fuligem de obras queimadas.

Para quem pensa que a os relatos se detêm apenas na história antiga, Báez também registra acontecimentos mais recentes como livros judaicos, queimados pelos nazistas, e os 10 milhões de documentos históricos e culturais devastados durante a Guerra do Iraque. Ele então cita o poeta Heinrich Heine, a quem atribui um caráter profético: "Onde queimam livros, acabam queimando homens".

O que percebi, no entanto, lendo a obra de Báez foi que existe uma distinção clara – não notada pelo autor – entre o bibliocídio comum e as tentativas de aniquilação bíblica, o que reforça minha tese de que a Bíblia teve uma história única de destruição e sobrevivência. Vejamos:

---

[375] Fernando Báez. *História universal da destruição dos livros: das tábuas sumérias à guerra do Iraque* (Rio de Janeiro: Ediouro, 2006).

Livros que sofreram destruição	Bíblia
Obras literárias escritas com primor.	Conjunto de livros bem redigidos, por um lado, e pobres gramaticalmente por outro.
Destruídos por um governo, um sistema ou num momento histórico apenas.	Destruída por vários governos, vários sistemas e ao longo de vários séculos desde o passado até hoje.
Destruídos acidentalmente, pois o intuito era queimar a cidade, e não especificamente aqueles títulos.	Sempre destruída intencionalmente. Era a própria Bíblia o alvo do ataque.
Destruídos porque eram tratados políticos, escritos por intelectuais oposicionistas do governo vigente.	Destruída mesmo que tenha sido escrita séculos antes daquele governo, por vários autores não intelectuais, e não possua qualquer intenção política contemporânea aos tempos de sua destruição.
Sua destruição envolveu pouquíssimos mártires, que morreram tentando preservar seu conteúdo – a maioria, porém, não registrou martírio algum.	Envolveu milhares de mártires ao longo da história. Pessoas dispostas a morrer para que o conteúdo bíblico fosse preservado.
Depois da destruição a maioria se perdeu para sempre ou legou uns poucos exemplares para a humanidade.	Depois da destruição, ela não somente foi preservada como possui uma quantidade ímpar de cópias manuscritas que, de alguma maneira, foram guardadas pelos fiéis.

Posso até não acreditar na Bíblia, mas a história me diz que há algo estranho com ela. Quando a tomo em mãos, destituído de qualquer predisposição religiosa em relação ao seu conteúdo, o máximo que posso perguntar é: Como um livro tão simplório, se comparado a outros, pode atrair tanto amor e tanto ódio? Os homens parecerem polarizados entre os que querem destruí-la e os que querem preservá-la, ainda que ao custo de suas próprias vidas, o que é ainda mais surpreendente, pois dificilmente se encontra um intelectual capaz de morrer por sua interpretação de Shakespeare. Mas a história traz uma lista sem-fim de eruditos e analfabetos, nobres e plebeus, homens e mulheres, ricos e pobres, livres e escravos, que, com alegria, entregaram sua vida pelo que leram nas páginas desse livro. Dizer que isso é ideologia de massa não faz o menor sentido, pois não estou falando de um povo ou de um recorte histórico qualquer, é um relato que atravessa séculos e regiões.

Você tem ideia de quanta gente morreu nas mãos de Roma, Lenin, Mao e, atualmente, de governos ditatoriais islâmicos por amor a esse livro? Que obra produzida por mãos humanas obteve tanta fidelidade literária e tamanho ódio biblioclasta?

Em 303, Diocleciano decretou que cada cópia da Bíblia cristã fosse queimada. Presume-se que centenas, senão milhares de cópias, tenham se perdido. Por pouco não teríamos o Novo Testamento. Muitos cristãos também foram mortos. A recuperação veio 20 anos depois quando Constantino mandou publicar 50 cópias da Bíblia para repor a perda. Mas novamente a Bíblia foi proibida.

Muitos pensam que a leitura da Bíblia causara os desmandos da Idade Média. Foi justamente o contrário, sua leitura foi proibida pela Igreja Católica. Em 1199, o Papa Inocêncio III proibiu a tradução da Bíblia para a língua vernácula (o francês) e decretou que seria um perigo se a Bíblia fosse lida por pessoas simples do povo. Quem fosse flagrado lendo ou ensinando a Bíblia na França seria morto. Várias Bíblias foram queimadas a mando da Igreja[376].

Depois da morte de Inocêncio III, o sínodo de Toulouse redigiu um 14º cânon contra os cátaros (e, por tabela, Albigenses e Valdenses) dizendo: *prohibemus, ne libros Veteris et Novi Testamenti laicis permittatur habere*, ou "proibimos que seja permitido aos leigos possuir os livros do Antigo e Novo Testamento"[377].

Wycliffe foi condenado por Heresia em 1383 por ter traduzido a Bíblia para o inglês, facilitando ao povo ler seu conteúdo. Seu corpo foi posteriormente exumado e queimado em praça pública para cumprir a ordem papal.

Foi apenas em 1564 que o Papa Pio IV promulgou em sua Constituição *Dominici gregis* uma lista de livros proibidos, abrindo, porém exceção para que o Antigo Testamento apenas pudesse ser lido em língua vernácula, mesmo assim por pessoas treinadas pela igreja e autorizadas pelo bispo local, com o único fim de entender melhor a Vulgata Latina.

Nem por isso, porém, as coisas se acalmaram. Dez mil Bíblias foram queimadas em 8 de agosto de 1713 por ordem de Ferdinando II. O Papa Clemente II condenou a leitura da Bíblia e o Papa Gregório considerou as sociedades bíblicas um crime contra Deus e o cristianismo. Pelo visto, nem a igreja queria que a Bíblia fosse lida pelo povo!

---

376 Epist., II, cxli; Hurter "Gesch.des. Papstes Innocent III", Hamburgo: 1842, IV, 501 sqq. Apud *Catholic Encyclopedia*. Disponível em <http://www.newadvent.org/cathen/13635b.htm>. Acesso em: 08/05/2018.

377 Cf. Hefele. "Concilgesch", Freiburg, 1863, V, 875. Apud *Catholic Enciclopaedia*. Disponível em <http://www.newadvent.org/cathen/13635b.htm>. Acesso em: 15/03/2018.

No museu de uma universidade cristã que conheço, existe uma Bíblia que chama a atenção. Ela está datilografada em papel de seda muito fino e costurada à mão. O curador explicou-me certa vez que, durante os tempos da antiga União Soviética, religiosos clandestinos que moravam no país faziam de tudo para espalhar aquele livro entre as pessoas. O comunismo, é claro, proibia a entrada de Bíblias no país. Então o jeito era datilografar bem devagar páginas da Bíblia em papel de seda e carbono (a fim de fazer algumas cópias), usando uma lanterna e um cobertor sobre a cabeça a fim de não chamar a atenção dos vizinhos, que poderiam denunciar aquele crime.

Quando ouço histórias assim ou leio relatos como do livro *O contrabandista de Deus*, de Anne van der Bijl (conhecido no Brasil como "irmão André"), fico me perguntando o que tem neste livro que causa tanta afeição e tamanho ódio? Certamente não é uma mensagem qualquer, tem alguma coisa especial ali.

Preservação única

Com toda essa lista de destruições em massa, era de se esperar que a Bíblia hoje fosse, quando muito, uma nota mencionada por um escritor da Antiguidade. Um livro há muito perdido como milhares de outros dos quais só sabemos o título. Contudo, não é bem assim.

Basta dizer que só do Novo Testamento existem mais de 5.800 cópias antigas, fora umas 8 mil da Vulgata Latina e cerca de 9.300 em outras versões primitivas, como o copta e o siríaco. Isso contrasta em muito com o segundo livro mais autenticado do mundo, a *Ilíada*, de Homero, da qual existem cerca de 1.700 cópias manuscritas.

Veja no quadro a seguir um pequeno exemplo da "vantagem" textual do Novo Testamento sobre alguns antigos clássicos da humanidade[378]:

---

378 Este quadro comparativo foi adaptado de várias fontes: F. F. Bruce, *The New Testament Documents: Are they Reliable?* (Downers Grove: InterVarsity, 1960), p. 16; Norman L. Geisler. "New Testament manuscripts", in *Baker Encyclopedia of Christian Apologetics*, ed. Norman Geisler (Grand Rapids: Baker, 1999), p. 532; Richard M. Fales. "Archaeology and History attest to the Reliability of the Bible", in *The Evidence Bible*, ed. Ray Comfort (Gainesville: Bridge-Logos Publishers, 2001), p. 163; Paul D. Wegner. *The Journey from Texts to Translations – The Origin and Development of the Bible* (Grand Rapids: Baker, 2002), p. 235.

Autor	Quando foi escrito	Cópia mais antiga que possuímos	O intervalo de tempo entre o original e a cópia mais antiga que possuímos	Número de cópias
Júlio César (*Guerra Gaulesa*)	100-44 a.C.	900 d.C.	1.000 anos	10
Tito Lívio (*Anais do Povo Romano*)	59 a.C.-17 d.C.	300 d.C.	360 anos	20*
Sófocles	496-406 a.C.	1000 d.C.	1.400 anos	193
Platão (*Tetralogias*)	427-347 a.C.	900 d.C.	1.200 anos	7
Tácito (*Anais e Histórias*)	100 d.C.	1100 d.C.	1.000 anos	2
Heródoto (*História*)	480-400 a.C.	900 d.C.	1.300 anos	8
Plínio, o moço (*História*)	61-113 a.C.	850 d.C.	750 anos	7
Plínio, o moço	61-113 a.C.	850 d.C.	750 anos	7
Homero (*A Ilíada*)	900 a.C.	100 a.C.**	800 anos	1.757***
Sófocles	496-405 a.C.	1000 d.C.	1.400 anos	193
Demóstenes	383-322 a.C.	1100 d.C.	1.300 anos	200
Aristóteles	384-322 a.C.	1100 d.C.	1.400 anos	49
Suetônio (*História*)	75-160 d.C.	950 d.C.	800 anos	8
Novo Testamento	ca. 50-100 d.C.	130 d.C.	menos de 100 anos	mais de 5.800****

* Desta obra de Tito Lívio, é importante acentuar que apenas 35 dos 142 volumes da obra original sobreviveram até nossos dias. Dos 20 mss disponíveis apenas um (contendo o fragmento de três parágrafos) pode ser datado do IV século, os demais são bem mais tardios. Cf. F. F. Bruce, 16; Paul D. Wegner, 235.

** Esta é a data sugerida para o manuscrito P.Köln Gr. 3.125 de Homero pelo Leuven Database of Ancient Books (LDAB).

*** Na edição anterior apresentamos o total de 643 cópias de Homero. O número acima foi atualizado de acordo com as informações de Martin L. West, *Studies in the Text and Transmission of the Iliad* (München: K. G. Saur, 2001), pp. 86 e 130.

**** De acordo dados publicados pelo Institut für Neutestamentliche Testforshung (INTF) em Münster, na Alemanhã, instituto responsável pela produção do texto crítico Nestlè-Aland, hoje existem 5.824 manuscritos gregos catalogados.

Como se pode ver, só o Novo Testamento em grego possui quase cinco vezes mais cópias do que a soma de todos esses clássicos. Esta comparação textual não para por aqui. Bruce Metzger[379], um dos mais renomados especialistas em crítica textual, fez uma acurada comparação entre a *Ilíada* de Homero, o *Mahabharata* (livro sagrado dos hindus) e o Novo Testamento. Sua conclusão foi que das quase 20 mil linhas que compõem o Novo Testamento, apenas 40 permanecem dúbias quanto ao seu original, logo, 99,5% do texto é criticamente confiável. Da *Ilíada*, porém, percebeu-se que das suas 15.600 linhas, 764 eram questionadas pelos especialistas – 19 vezes mais que o montante bíblico! E, finalmente, do *Mahabharata*, que é 8 vezes maior que a *Ilíada*, teríamos pelo menos 26 mil linhas cuja originalidade também pôde ser posta em dúvida – um número bem maior que o percentual bíblico.

Cabe ainda observar que nenhuma dessas disputadas passagens do Novo Testamento apresenta perigo à fé cristã. São cerca de 400 palavras dúbias, como aquelas que aparecem no texto de Apocalipse 22:14, que mencionamos anteriormente. Note-se também que nenhuma doutrina fundamental do cristianismo se assenta sobre passagens cuja leitura é disputada entre os especialistas. A doutrina da Trindade, por exemplo, não se sustenta no texto de 1João 5:7, cuja autenticidade é seriamente questionada pelos especialistas.

Existem outros excelentes argumentos a favor da fidedignidade textual da Bíblia. Mas não vou reproduzi-los aqui por questões de espaço e por fugir ao objetivo deste livro. Não obstante, vou ainda mostrar uma confirmação a mais da preservação textual da Bíblia, falando desta vez da integridade do Antigo Testamento.

Os Manuscritos do Mar Morto

Até a descoberta dos Manuscritos do Mar Morto, a mais antiga cópia em hebraico que possuíamos do texto completo do Antigo Testamento datava de 1008 d.C. Era o códice de São Petersburgo (B 19a), depositado na biblioteca de Leningrado. Este, por um tempo, foi o mais antigo manuscrito completo do Antigo Testamento com data conhecida. Ele é a base da moderna *Bíblia Hebraica Stuttgartensia*.

---

379 Bruce M. Metzger. "Trends in the Textual Criticism of the Iliad, the Mahabharata, and the New Testament", in *Journal of Biblical Literature*, v. 65, n. 4 (Dec., 1946): 339-352.

Estamos falando de 1.400 anos após o Antigo Testamento haver sido completado – um hiato deveras complicado para se estabelecer a fidedignidade textual das Escrituras. Havia, é claro, o *Papiro Nash* – uma porção hebraica de Deuteronômio 6:4 e 5 –, que foi encontrado em 1902 e datado em torno do 1º século a.C., mas seu conteúdo, como se pode notar, era deveras pequeno para grandes conclusões.

Outras cópias que tínhamos eram:

- Manuscrito Oriental nº 4.445 do Museu Britânico: trata-se de uma cópia do Pentateuco (Gênesis 39:20 a Deuteronômio 1:33) cujo texto remonta ao ano 850.
- Códice dos profetas anteriores e posteriores da Sinagoga Caraíta do Cairo. Foi escrito em Tiberíades em 895. Os profetas anteriores são: Josué, Juízes, Samuel, Reis. Os profetas posteriores são: Isaías, Jeremias, Ezequiel, Os Doze (profetas menores).
- Códice Petropolitano, escrito em 916 (ou 930), veio da Crimeia. Contém apenas os profetas posteriores. Está na biblioteca de Leningrado (Rússia).
- Códice de Alepo, de cerca de 980, contém todo o texto do Antigo Testamento. Era guardado zelosamente pela sinagoga sefárdica de Alepo. Foi contrabandeado em anos recentes da Síria para Israel. Será utilizado como base da Nova Bíblia Hebraica, em preparo pela Universidade Hebraica, de Jerusalém.

Assim, com cópias de manuscritos tão tardias em mãos, os especialistas em teologia bíblica se viam às voltas com o problema de provar que não houve graves alterações anteriores às cópias que possuíamos. Imagine se algum capítulo houvesse sido deliberadamente acrescentado ou suprimido?

Em 1939, Sir Frederic Kenyon[380], diretor do Museu Britânico, expressou seu pessimismo em dizer que não acreditava na possibilidade de se encontrar sequer um manuscrito do texto hebraico que fosse anterior ao período da

---

380 Frederic G. Kenyon. *Our Bible and Ancient Manuscripts* (New York: Harper & Brothers), 1941.

formação do texto massorético (copiado provavelmente entre 500 e 1000)[381]. A "impossibilidade" tornou-se miraculosamente "possível", num achado bastante providencial. Kenyon viveu o suficiente para poder testemunhá-lo.

Tudo aconteceu por volta de 1947 quando, segundo uma das muitas versões, um garotinho beduíno chamado Muhammad Ahmed el-Hamed (conhecido como "Edh-Dhib," o lobo) saiu à procura de algumas cabras perdidas e se deparou com uma gruta na região de Qumran, que fica próxima ao Mar Morto, no sul da antiga Judeia. Curioso, ele jogou umas pedrinhas dentro da fenda (talvez para verificar se os animais estivessem lá dentro) e o que ouviu foi o barulho de jarros se quebrando.

Correndo para o acampamento de sua tribo (os *ta'amireh*), ele chamou um adulto e o levou até o local do achado, na esperança de que se tratasse de um grande tesouro. Juntos eles escalaram a parede (pois a fenda ficava num escorregadio terreno na ponta do platô) e se surpreenderam ao encontrar dentro da gruta grandes jarros de barro com tampa, o que aumentou a ideia de que pudessem conter ouro ou pedras preciosas.

Para frustração deles, no entanto, o que encontraram nos potes eram imensos rolos de manuscritos envoltos em tecido. Alguns dizem que eles venderam os vasos (sete ao todo) para um comerciante em Belém, que chegou a enfeitar sua loja com os antigos pergaminhos. Outros já afirmam que foi um sapateiro cristão sírio que os comprou, com o fim de usar o couro no remendo de sapatos. Seja como for, ao que parece, alguns membros do grupo perceberam que os manuscritos poderiam ser valiosos para colecionadores e investigaram por conta própria outras cavernas em busca de novos pergaminhos. Até que, finalmente, foram presos pelo Departamento de Antiguidades da Jordânia, que proibia escavações clandestinas. O Estado de Israel (reconhecido formalmente apenas em 14 de maio de 1948) só ocuparia a Cisjordânia após a Guerra dos Seis Dias, em 1967, por isso a região ainda estava sob domínio da Jordânia.

Com as pistas dadas pelos beduínos e a ajuda dos arqueólogos da *École Biblique de Jerusalém*, da *American School of Oriental Research* (hoje *Albright Institute of Archaeological Research*) e do *Archaeological Museum of Palestine* (hoje *Rockefeller Museum*), onze grutas foram descobertas, pesquisadas e

---

[381] Julio Trebolle Barrera. *La Biblia judía y la Biblia cristiana: introducción a la historia de la Biblia* (Madrid: Editorial Trotta, 1993), p. 318. Há, contudo, autores que colocam a produção do texto massorético apenas a partir de 750. Veja Josef Scharbert. *Das Sachbuch zur Bibel* (Aschaffenburg: Paul Pattloch Verlag, 1965), p. 160.

catalogadas como contendo manuscritos antigos. Entre os rolos havia muitas cópias de textos do Antigo Testamento, datadas de aproximadamente 300 anos antes de Cristo[382], o que corresponde a cerca de 1.000 anos mais antigas que as cópias massoréticas! Só para lembrar, a cópia massorética incompleta mais antiga de que dispomos data de 850!

Quando se comparou, por exemplo, a cópia de Isaías encontrada em Qumran com o texto que hoje possuímos, verificou-se que de fato Deus protegeu a integridade do texto, pois, se houvesse qualquer mudança mais comprometedora, ela estaria evidente. Afinal, o texto qumrânico foi produzido muito antes, até mesmo, de haver o cristianismo.

Na verdade, encontraram-se, nas grutas, cópias de todos os livros veterotestamentários, menos as do livro de Ester, pois talvez seu estado fragmentário tenhas-as feito se perder junto com centenas de outros pergaminhos de todos os tamanhos, por terem sido manipulados indevidamente pelos beduínos ou por já estarem deteriorados pela ação do tempo.

A gruta quatro revelou-se a mais importante de todas. Embora nenhum manuscrito completo tenha sido encontrado ali, o relatório oficial supõe que no mínimo uns 15 mil fragmentos foram recolhidos ali[383]. Era um verdadeiro quebra-cabeça gigante que montava um total de aproximadamente 584 textos. Desses, 127 são bíblicos e o restante culturais. Todos eles foram muito importantes para o estudo crítico-textual do Antigo Testamento e também para o conhecimento do substrato cultural de muitas ideias do Novo Testamento.

A Bíblia foi modificada?

Acho interessante, apenas para concluir esse assunto de modo hilário, quando ouço dois argumentos contra a Bíblia muito difundidos na Internet, mas que se excluem mutuamente, e poucos parecem ter dado conta disso! Refiro-me à observação de que a Bíblia contém contradições inconciliáveis (os relatos da

---

382 A mais recente datação radiométrica, chamada espectroscopia de massas com aceleradores, registrou que alguns manuscritos de Qumran teriam cerca de 200 anos a mais que a data hasmonea dada pelos paleógrafos (300 a.C., e não 100 a.C.). Veja o relatório em G. Bonani, et al. "Radiocarbon Dating of the Dead Sea Scrolls", in *Atiqot* 20 (Junho, 1991): 27-32; "Radiocarbon Dating of Fourteen Dead Sea Scrolls", in *Radiocarbon* 34/3 (1992): 843-849.

383 R. de Vaux; J. T. Milik. "Qumrân grotte 4.II: Archéologie; II: Tefilin, Mezuzot et Tergums (4Q128-4Q157)", in Benoit (ed.), *Discoveries in the Judaean Desert* (Oxford: Clarendon Press, 1977).

ressurreição, por exemplo), seguida da acusação de que o texto não é confiável, pois a igreja o modificou na Idade Média.

Ora, somado à argumentação crítico-textual que apresentei anteriormente em relação ao Antigo e Novo Testamentos, deixe-me dizer que se a Bíblia tivesse sido modificada, como afirmam alguns críticos, para atender aos discursos da igreja, três coisas teriam acontecido:

a) Os manuscritos que possuímos seriam todos destruídos, deixando apenas aqueles que dissessem o que o clero afirmava.

b) A Igreja Católica, soberana da Idade Média, teria todos os seus dogmas claramente retratados na Bíblia Sagrada, sem nada que contradissesse ou omitisse seus ensinos. Contudo, não só é notória a ausência de importantes ensinos ali (a ascensão de Maria, orações como "Salve-Rainha", o Credo Apostólico) como também a presença de textos complexos para a teologia latina, como os que proíbem a confecção de imagens e seu uso para fins litúrgicos.

c) As contradições textuais e as passagens de difícil interpretação desapareceriam, pois teriam sido corrigidas ou censuradas pela Igreja. Que sentido teria para uma hierarquia oficialmente celibatária ensinar que Pedro, tido como o primeiro dos Papas, era casado? Que lógica teria deixar os dez mandamentos em Êxodo 20 redigidos como estão se seu conteúdo diverge do decálogo ensinado no Catecismo?

É por essas e outras que o texto não tem ares de ter sido modificado. Além do mais, não era objetivo da Igreja usar a Bíblia para referendar seus ensinos. Para isso, ela se valia da autoridade eclesiástica e proibia o acesso ao Santo Livro. Se seu intuito fosse modificá-lo, não precisaria dirimir sua leitura pelo povo comum, bastaria modificar seu texto e fazer uma bela propaganda do papado. Os monges que copiavam a Bíblia eram geralmente religiosos que viviam na clausura de mosteiros no meio do deserto, alienados praticamente de tudo que acontecia no mundo exterior, principalmente em Roma. Seu exercício de copista, bem como o dos escribas judeus, foi isento de qualquer compromisso político ou institucional. Foram trabalhos independentes que naturalmente se harmonizaram segundo os críticos em manuscritos antigos. Dizer que é impossível saber o conteúdo original das Escrituras é um argumento que não faz o menor sentido.

Sei que alguns talvez argumentarão que Bart Ehrman, famoso especialista em crítica textual, disse recentemente que é impossível saber ao certo o que foi que os autores bíblicos escreveram, pois seu texto se perdeu para sempre. O que você precisa, no entanto, levar em conta é que existem muitos outros especialistas em crítica textual que discordam dele. Ademais, seu falecido mentor, o professor Bruce Metzger, conhecido como um dos maiores especialistas em crítica textual de que temos notícia, chegou a uma conclusão muito distinta. Veja o que Metzger disse num livro publicado em coautoria com o próprio Bart Ehrman em referência às citações em comentários e sermões produzidos nos primeiros séculos do cristianismo:

> Além da evidência textual derivada dos manuscritos gregos do Novo Testamento e antigas versões [...] as citações [bíblicas] são tão vastas que, se todas as demais fontes de conhecimento sobre o texto do Novo Testamento fossem destruídas, sozinhas essas citações seriam suficientes para a reconstituição de praticamente todo o Novo Testamento.[384]

Talvez alguém diga: "mas Ehrman pode ter mudado de pensamento". Se assim for, por que o mesmo argumento permanece contraditoriamente publicado em outro livro que ele escreveu sozinho e que continua sendo divulgado?[385] Algo a se pensar.

Um livro que transforma

Quero terminar este capítulo como comecei, falando da fragilidade bíblica, ou seja, sua simplicidade literária se comparada a grandes clássicos, seus deslizes gramaticais e tudo mais. O que antes podia ser um motivo de vergonha torna-se agora motivo de êxtase.

Raciocine comigo: se a Bíblia fosse um livro produzido pelos maiores escritores do mundo, com tempo hábil para se reunirem com calma, estudando calmamente o que escreveriam e como escreveriam; se a pudesse ter o melhor editor do mundo e os melhores corretores textuais; se seus autores pudessem contar com as melhores secretárias e o mais avançado banco de dados; se a seleção dos textos e a escolha das frases fossem feitas com esmero de um filme

---

384 Bruce Metzger. *The Text of the New Testament* (Grand Rapids: William B. Eerdmans, 1968), p. 62.

385 "Apesar das diferenças notáveis entre nossos manuscritos, os estudiosos estão convencidos de que podemos reconstruir a forma mais antiga das palavras do Novo Testamento com precisão razoável (embora não 100%)" (*Lost Christianity*, p. 221).

hollywoodiano; eu não teria outro argumento para o seu sucesso literário senão que realmente se trata de uma obra preparada para esse fim. Um filme, por exemplo, que custou milhões de dólares para ser rodado e contou com os melhores atores e diretores, não surpreende ninguém ao ser indicado para concorrer ao Oscar. Caso ganhe, será mera consequência natural dos fatos. Fruto da genialidade humana.

Porém, a fragilidade bíblica, somada ao resultado de seus escritos (sua imensa divulgação, sua permanência, sua ameaça ao sistema, sua fidelização a pessoas de bem), mostra que ela pode até ter sido escrita por homens, mas sua origem é sobre-humana.

Para os que insistem em dizer que sua sobrevivência e sucesso literário não constituem prova de sua relevância para a humanidade, pense por um instante nos milhares, milhões de seres humanos que tiveram sua vida transformada pela leitura desse livro. Espero ter deixado claro que horrores como a Idade Média aconteceram não por causa da Bíblia, pois foi banida do povo naquele tempo. Não confunda o desmando eclesiástico com a mensagem que a Bíblia apresenta. Trata-se de duas fontes distintas de autoridade. Mesmo que alguns desmandos tenham sido feitos por má interpretação bíblica, relembro que a construção de uma bomba atômica não é motivo para desmerecer os estudos sérios da energia nuclear. Anular um por causa do outro é estupidez acadêmica.

Proponho a você um exercício simples, uma pesquisa sociológica: leve a uma penitenciária exemplares de livros escritos pelos maiores ateus, agnósticos e deístas da humanidade. Dos antigos aos mais recentes: Voltaire, David Hume, Christopher Hitchens, Bertrand Russell, Richard Dawkins, Stephen Hawking, Michel Onfray e outros. Deixe que os piores condenados leiam estes livros por, digamos, seis meses. Enquanto isso, entregue em outra penitenciária exemplares da Bíblia Sagrada igualmente para os piores condenados e também deixe que eles a leiam por cerca de seis meses. Volte no final do semestre e compare os resultados. Quantos dos presos deixarão a criminalidade pela leitura dos céticos e quantos se converterão pela leitura da Bíblia? Certamente você já imagina o resultado. Senão, basta ver quantas pessoas deixaram o mundo das drogas, da depressão, da delinquência, da prostituição e coisas afins ouvindo sermões de Billy Graham e quantos o fizeram ouvindo palestras e piadas do sarcástico ateu Bill Maher?

Lembro-me até hoje de quando estudei filosofia e me deparei com os escritos de Antony Flew, um dos maiores filósofos ateus do final do século 20. Nome respeitado em pé de igualdade com Sartre e Lévi-Strauss. Dizer que um dia ele aceitaria a existência de Deus e abriria margem para crer na Bíblia, era algo tão insensato quanto dizer que o papa um dia se tornará muçulmano. Qual não foi minha surpresa quando, anos mais tarde, veio o anúncio de que Flew havia reconsiderado seu ceticismo.

Eu mesmo pensei que fosse mais um boato de Internet, e Dawkins correu para desmentir o anúncio, dizendo que aquilo era delírio de crentes, pois jamais alguém da envergadura intelectual de Flew mudaria de opinião a esse respeito. Qual não foi minha surpresa ao ver que a mudança era pra valer. Flew não se tornou necessariamente membro de uma igreja cristã, mas aceitou escrever com Roy Varghese um livro cujo título em português não poderia ser mais provocante: "Um ateu garante: Deus existe. As provas incontestáveis de um filósofo que não acreditava em nada[386]". Especificamente sobre a Bíblia, veja o que ele disse numa entrevista que deu a Habermas: "a Bíblia é um eminente livro que merece ser lido [...] a ressurreição de Jesus tem muito mais evidências que qualquer outro milagre mencionado na História"[387].

Sinceramente, só posso dizer uma coisa, meu amigo: Se a razão humana era assim tão poderosa como pensavam os iluministas, por que não conseguiram mandar Deus e seu velho livro embora? É claro que estou sendo irônico, mas ironia é uma forma sutil de argumentar que só pessoas inteligentes conseguem perceber. Portanto, se você percebeu a ironia, sinta-se elogiado, você é uma pessoa esperta.

Homens como Diderot podem não ter se convencido da fé, mas ficaram sem palavras quando o matemático suíço Leonhard Euler afirmou "$a+b^n$ sobre $n = x$, donc Dieu existe"[388]. O cálculo podia não ser prova absoluta da divindade, contudo, evidenciava que o ateísmo não era assim tão lógico para todos os dotados de inteligência acima da média. Crer ou não em Deus e na Bíblia era uma questão de escolha, e não de argumentos claros que todo intelectual sensato pudesse ver. Realmente, mais do que convencimento, chego a pensar que crença ou ceticismo é mais uma questão de escolha!

---

386 Título original: *There Is a God: How the World's Most Notorious Atheist Changed His Mind.*

387 *Winter 2004 issue of "Philosophia Christi" the journal of the Evangelical Philosophical Society.* Disponível em www.biola.edu/philchristi>. Acesso em: 13/10/2015.

388 Michael Guillen. *Pontes para o infinito: o lado humano das matemáticas* (Lisboa: Editora Gradiva, 1987), p. 9,10.

Capítulo 34
Escavando a verdade

Das muitas definições dadas à Bíblia, é provável que uma das mais interessantes tenha sido a de Gerald Wheeler, que definiu a inspiração como "Deus falando com sotaque humano". De fato, a proposta teológica deste livro é materializar textualmente as intervenções divinas na história humana. Portanto, seria interessante lembrar que a Bíblia não surgiu num vácuo histórico. Suas histórias possuem um contexto cultural que as antecede e envolve. Suas épocas, seus costumes e sua língua podem parecer estranhos a nós, que vivemos num tempo e geografia bem distantes daqueles fantásticos acontecimentos, mesmo assim são importantíssimos para um entendimento saudável da mensagem que elas contêm.

Como poderíamos, então, voltar a esse passado escriturístico? Afinal, máquinas do tempo não existem e ideias fictícias seriam de pouco valor nesta jornada. A solução talvez esteja numa das mais brilhantes ciências dos últimos tempos: a arqueologia do Antigo Oriente Médio.

Usada com prudência e exatidão, a arqueologia poderá ser uma grande ferramenta de estudo não apenas para contextualizar corretamente determinadas passagens da Bíblia, mas também para confirmar a historicidade de vários de seus relatos. Não se trata, é claro, de dizer que a arqueologia comprova a Bíblia. Não é esta sua finalidade. A pá do arqueólogo não pode provar doutrinas como a divindade de Cristo ou o juízo final de Deus sobre os homens. Esses são elementos que demandam fé da parte do leitor. Contudo, é possível – através dos achados – verificar se a narrativa bíblica realmente procede ou se tudo não passou de uma lenda. Aí, fica óbvio o axioma filosófico: se a história bíblica é real, a teologia que se assenta sobre essa história também o será. Talvez seja por isso que em vez de inspirar a produção de um manual de teologia, Deus soprou aos profetas a ideia de escreverem um livro de histórias que confirmassem a ação divina em meio aos eventos humanos.

Como tudo começou

Dizer exatamente *quando* começou a arqueologia bíblica não é tarefa fácil. Na verdade, desde os primeiros séculos da era cristã já havia pessoas que se aventuravam na arte de tirar da terra tesouros relacionados à história da Bíblia Sagrada. Helena, a mãe de Constantino, foi uma dessas "pioneiras" numa peregrinação à Terra Santa demarcou com igrejas vários locais sagrados onde supunham ter ocorrido algum evento especial. Muitos desses locais servem até hoje de ponto turístico no Oriente Médio.

Porém, as técnicas desses primeiros empreendimentos eram bastante duvidosas e o fervor piedoso levava as pessoas a verem coisas que na verdade nem existiam. Aparições de santos, sonhos e impressões eram o suficiente para demarcar um local como sendo o exato lugar da crucifixão ou do nascimento de Cristo.

Mas a partir do final do século 13, a arqueologia das terras bíblicas começou finalmente a ter ares de maior rigor científico. A descoberta acidental da pedra de Roseta, ocorrida em 1798, levou vários especialistas a se interessarem pela história do Egito, da Mesopotâmia e da Palestina, descobrindo um passado que havia muito se tinha por perdido.

Babilônia, Nínive, Ur e Jericó foram apenas algumas das muitas localidades que começaram a ser escavadas revelando importantes aspectos da narrativa bíblica. Para os críticos que na ocasião levantavam argumentos racionalistas contra a Palavra de Deus, os novos achados representavam um grande problema, pois desmentiam seus arrazoados confirmando vários elementos do Antigo e do Novo Testamentos.

Um exemplo pode ser visto no próprio ceticismo com que encaravam a existência de uma cidade chamada Babilônia. Muitos pensavam que tal reino jamais existira. Era apenas o fruto mitológico da mente de antigos escritores como Heródoto e os profetas canônicos. Até que, finalmente, suas ruínas foram desenterradas em 1899 pelo explorador alemão Robert Koldewey, que demorou pelo menos 14 anos para escavar as suas estruturas.

Mais tarde veio a descoberta de várias inscrições cuneiformes que revelaram o nome de pelo menos dois personagens mencionados no livro de Daniel, cuja historicidade também tinha sido questionada pelos céticos. O primeiro foi Nabucodonosor, o rei do sonho esquecido, e o segundo, Belsazar, que viu sua sentença de morte escrita com letras de fogo nas paredes de seu palácio.

Contribuições adicionais

Além de ajudar tremendamente na confirmação de episódios descritos na Bíblia, a arqueologia presta um grande serviço ao estudo elucidativo de determinadas passagens. Graças a ela, é possível reconhecer o porquê de alguns comportamentos estranhos à nossa cultura. É o caso de Raquel roubando deliberadamente os "ídolos do lar" que pertenciam a Labão, seu pai (Gênesis 31:34). Aparentemente, o delito parecia ter um fim religioso, mas antigos códigos de lei sumerianos revelaram que naquela época a posse de pequenos ídolos do lar (comumente chamados de *Terafim*) era o certificado de propriedade que alguém precisava para firmar-se dono de uma terra. Caso os ídolos fossem parar nas mãos de outra pessoa, esta se tornava automaticamente a proprietária dos terrenos que eles demarcavam. Por serem pequenos, poderiam facilmente ser roubados e cabia ao dono o cuidado de guardá-los para não ser lesado. Foi, portanto, num descuido de Labão que Raquel roubou seus ídolos (ou seja, suas escrituras) com o fim de entregá-los posteriormente a Jacó, e fazer dele o novo senhor daquelas terras. Tratava-se, portanto, de uma tentativa de indenização do esposo pelo engano que o levou a sete anos extras de trabalho nas terras de seu pai.

Várias palavras e expressões antigas também tiveram seu significado esclarecido pelo trabalho da arqueologia. O nome de Moisés, que certamente não era de origem hebraica, pode ter sua explicação na raiz do verbo egípcio *ms-n* que significa "nascer ou nascido de". Não é por menos que muitos faraós e nobres da corte egípcia tinham o seu apelido formado pela junção desse verbo e do nome de uma divindade. Por exemplo: *Ahmose* ("nascido de Ah, o deus da lua"); *Ramose* ("nascido de Rá, o deus Sol"), *Thutmose* ("nascido de Thot, outra forma do deus da lua"). É possível que Moisés (ou em egípcio, *Mose*) também tivesse originalmente o nome de um deus local acoplado ao seu próprio nome. Talvez fosse *Hapimose* (o deus do Nilo), uma vez que, de acordo com Êxodo 2:10, a rainha escolheu chamá-lo assim, porque das águas do Nilo o havia tirado.

Uma embaraçosa situação entre Jesus e um discípulo também pode ser esclarecida pela arqueologia. Trata-se do episódio descrito em Lucas 9:59, em que o Senhor aparentemente nega a um jovem que queria lhe seguir o direito de sepultar o seu próprio pai. Olhando pela cultura moderna ocidental, dá-se a impressão de que o pai do moço estava morto em um velório e que ele estaria pedindo apenas algumas "horas" a Cristo para que pudesse seguir o féretro e, logo em seguida, partir com o Senhor. Um pedido, a princípio, bastante justo para não ser atendido!

Mas as dificuldades se esvaem quando entendemos pelo resgate arqueológico que, naquela época (e também hoje, em alguns idiomas como o árabe e o siríaco), a expressão "sepultar o meu pai" seria um idiomatismo que nem de longe indicava que seu pai houvesse recentemente morrido! Tanto é que o episódio se dá "caminho fora" (Lucas 9:57). Se o pai do jovem houvesse morrido, o que estaria ele fazendo à beira da estrada? Na verdade, essa expressão idiomática significava que o pai estava sadio e feliz e que seu filho prometia sair de casa apenas depois que ele morresse.

Ademais, segundo o costume oriental, quando o pai morria, o filho mais velho ficava encarregado do seu sepultamento, mas este também não ocorria imediatamente após a sua morte. Primeiramente, o corpo era banhado, perfumado e envolvido num lençol para ser depositado numa gruta tumular, onde ficava deitado sobre uma cama de pedra por um ano ou mais, até que a carne houvesse completamente sido decomposta, restando apenas os ossos. Então, nesse dia, o filho retirava a ossada de seu pai, colocando-a delicadamente num pequeno caixão de pedra (conhecido como ossuário) e, somente aí, tinha-se finalmente completado o "sepultamento", isto é, vários meses após a morte do indivíduo. Com esse pano de fundo trazido dos estudos arqueológicos, o diálogo de Jesus com aquele jovem passa a ter outra dimensão. Esclarece-se a questão e torna o texto mais compreensivo e agradável de se ler.

É curioso como a Bíblia – evidentemente usando uma figura de linguagem – descreve a teimosia do rei do Egito com a ideia de que Deus endureceu (literalmente "petrificou") o coração de Faraó. O estudo das línguas orientais mostra que Deus muitas vezes é colocado como autor daquilo que ele na verdade apenas tolera. É um limite do idioma e nada mais. Nós também temos as mesmas limitações em nossa língua pátria: quando dizemos a alguém "vá com Deus" ou "que o Senhor te acompanhe" não estamos com isso negando a onipresença do Altíssimo como se ele precisasse "ir" a um lugar onde já não estivesse. Também não estamos de maneira nenhuma nos matando quando dizemos: "Estou *morto* (*i.e.*, cansado)!".

A ideia de um faraó de coração duro pode ser ainda mais esclarecida se atentarmos para o fato de que o estudo de várias múmias revelou o estranho costume egípcio de colocar dentro do corpo mumificado um escaravelho de pedra bem no lugar do coração. Esse amuleto servia ao defunto como uma espécie de salvo-conduto no juízo final perante Osíris. Um coração normal (que era pesado na balança da deusa Ma'at) poderia denunciar seus pecados fazendo-o perder um lugar no paraíso. Mas um coração de pedra enganaria os deuses. Ocultaria os erros que ele cometeu garantindo-lhe o paraíso, mesmo que houvesse levado uma vida de constantes pecados. Ter, portanto, um coração duro (ou "de pedra") era para Faraó a certeza de uma salvação forjada à custa do engano dos deuses! Daí a forma irônica e eufemística de dizer: "Deus endureceu o coração de faraó".

Arqueologia do Antigo Testamento

Estes são alguns dos principais achados alusivos ao Antigo Testamento:

1) **Leis mesopotâmicas.** Uma coleção de várias leis datadas do terceiro e segundo milênios antes de Cristo que ilustram em muitos detalhes o período patriarcal. O conhecido Código de Hamurabi (c. 1750 a.C.) é uma delas.

2) **Papiro de Ipuwer.** Trata-se da oração sacerdotal de um certo egípcio chamado Ipuwer, que reclama junto ao deus Horus as desgraças que assolavam o Egito. Entre elas, ele menciona as águas do Nilo se tornando sangue, a escuridão cobrindo a Terra, os animais morrendo no pasto e outros elementos que lembram muito de perto as pragas mencionadas no Êxodo.

3) **Estela de Merneptah.** Uma coluna comemorativa escrita por volta de 1207 a.C. que conta as conquistas militares do faraó Merneptah. É a mais antiga menção do nome "Israel" fora da Bíblia. Alguns céticos insistem em negar a história dos Juízes dizendo que Israel não existia como nação naqueles dias. Porém, a Estela de Merneptah desmente essa afirmação ao mencionar Israel entre os inimigos do Egito.

4) **Textos de Balaão.** Fragmentos de escrita aramaica foram encontrados em Tell Deir Allá (provavelmente a cidade bíblica de Sucote). Juntos, eles trazem um episódio na vida de "Balaão, filho de Beor" – o mesmo Balaão de Números 22. Os textos ainda descreviam uma de suas visões, indicando que os cananitas mantiveram lembrança desse profeta.

5) **Estela de Tel Dã.** Outra placa comemorativa, desta vez da conquista militar da Síria sobre a região de Dã. Encontrada em meio aos escombros do sítio arqueológico, a inscrição trazia de modo bem legível a expressão "casa de Davi", que poderia ser uma referência ao templo ou à família real. Porém, o mais importante é que mencionava pela primeira vez fora da Bíblia o nome de Davi, indicando que este fora um personagem real.

6) Obelisco negro e prisma de Taylor. Estes artefatos mostram duas derrotas militares de Israel. O primeiro traz o desenho do rei Jeú prostrado diante de Salmanazar III oferecendo tributo, e o segundo descreve o cerco de Senaqueribe a Jerusalém, citando textualmente o confinamento do rei Ezequias.

7) Inscrição de Siloé. Encontrada acidentalmente por algumas crianças que nadavam no tanque de Siloé, essa antiga inscrição hebraica marca a comemoração do término do túnel construído pelo rei Ezequias, conforme o relato de 2Crônicas 32:2-4.

Arqueologia do Novo Testamento

Estes são alguns dos principais achados alusivos ao Novo Testamento:

1) Ossuários de Caifás e (possivelmente) Tiago, irmão de Jesus. Alguns ossuários costumavam trazer uma inscrição com o nome da pessoa que estaria ali. Sendo assim, dois ossuários chamaram a atenção dos arqueólogos. O primeiro foi encontrado em 1990 e legitimado como sendo do mesmo Caifás, mencionado em Mateus 26 e João 18. Já o segundo, cuja autenticidade é disputada entre os especialistas, pertenceria a Tiago, um dos irmãos de Jesus, conforme o texto de Mateus 13:55. Caso se demonstre verdadeiro, este ossuário será a mais antiga menção ao nome de Jesus de que temos notícia.

2) O esqueleto do crucificado. Um outro ossuário encontrado em 1968 revelou a ossada de um certo Yehohanan ("João", em aramaico) que morrera crucificado. Seu calcanhar ainda trazia um pedaço torcido do prego romano. Esse foi o único exemplar de um crucificado de que temos notícia. Graças ao seu estudo, foi possível levantar importantes detalhes sobre os modos de crucifixão usados no tempo de Cristo.

3) Inscrição de Pilatos. Uma placa comemorativa encontrada em Cesareia Marítima no ano de 1962 revelou o nome de Pilatos como prefeito da Judeia. Antes disso, sua existência histórica era questionada pelos céticos.

4) Cafarnaum. A cidade onde Jesus morou foi escavada e preservada para visitação. Ali é possível ver os restos de uma sinagoga e uma igreja bizantinas, que foram respectivamente construídas sobre a sinagoga dos dias de Jesus, e a casa de Pedro, o líder dos doze apóstolos.

Qumran e os Manuscritos do Mar Morto

Um isolado sítio arqueológico foi acidentalmente descoberto por um garoto beduíno em 1947, nas redondezas do Mar Morto junto ao deserto da Judeia. Ali podem ser vistas as ruínas de Khirbet Qumran, onde, segundo a opinião de muitos, viveram os antigos essênios, uma facção religiosa judaica que rompera com o partido sacerdotal de Jerusalém. Mas o achado do garoto foi ainda mais surpreendente. Ele descobriu, numa das grutas locais antigas, cópias do Antigo Testamento e outros livros judaicos que estavam guardados por quase dois mil anos.

Juntos, esses manuscritos (advindos de pelo menos 11 cavernas) formavam uma enorme biblioteca de textos inteiros ou fragmentados que contextualizam o judaísmo dos dias de Cristo. E mais, ajudam a estabelecer a confiança na transmissão do texto bíblico, uma vez que não possuímos nenhum dos originais que saíram das mãos dos profetas.

Ocorre que, até o achado dos Manuscritos do Mar Morto, as cópias hebraicas mais antigas da Bíblia datavam do século 10 d.C., ou seja, mais de mil anos depois da produção do último livro veterotestamentário. Que certeza teríamos, além da fé, de que não houve alterações substanciais no texto? Sendo assim, o achado de Qumran foi bastante providencial, pois proveu-nos de cópias da Bíblia Hebraica que datavam de até 250 a.C.

Quando essas cópias foram comparadas ao texto hebraico massorético (aquele tardio sobre o qual se baseavam as traduções modernas) demonstrou-se claramente que elas confirmavam a fidedignidade da versão que possuíamos. Se a Bíblia tivesse sido drasticamente alterada ao longo dos séculos, os Manuscritos do Mar Morto demonstrariam isso, pois, afinal, foram produzidos antes mesmo do surgimento do cristianismo.

O achado de Qumran, pois, constitui a maior descoberta bíblica de todos os tempos.

Conclusão

Certa vez, ao entrar glorioso em Jerusalém, Jesus declarou em meio à multidão que ainda que os filhos se calassem, as próprias pedras clamariam (Lucas 19:40). Por que não poderíamos ver na arqueologia um cumprimento destas palavras? De uma maneira silenciosa, porém bastante ativa, pedras, cacos de cerâmica, restos de fortalezas e antigos manuscritos *clamam* que a história é verdadeira, que Deus é tão real que quase dá para tocá-lo, e a arqueologia está aí para ajudar nesta experiência de fé.

Capítulo 35
Seria Deus um genocida?

A primeira vez que visitei o sítio histórico da antiga Plymouth, colônia de pioneiros fundada nos Estados Unidos, fiquei emocionado ao ver o local onde o navio *Mayflower* aportou em 1620, trazendo abordo os "Pilgrim Fathers", protestantes que fundaram a América, após fugirem da perseguição religiosa na Europa.

Todavia, jamais podia supor que meu romantismo histórico se desvaneceria diante de outra leitura dos fatos que encontrei a poucos metros do porto onde dizem que o barco atracou originalmente. Uma placa de bronze trazia que, desde 1970, índios se reúnem naquele local no Dia de Ação de Graças – feriado ligado ao assentamento dos protestantes – para contar a outra versão da história: quando o homem branco chegou e começou a tomar suas terras, matar suas crianças e estuprar suas mulheres. Para eles aquele era um dia de lamento, não de ação de graças.

Continuo achando bonita a história de famílias que fugiram da perseguição para construir um novo país que tivesse, acima de tudo, liberdade religiosa e de expressão. Os índios, no entanto, me preveniram a não ser tão ingênuo. Nem todo mundo era bom e piedoso naquele barco. Na leva de europeus que chegavam houve os pacíficos e bondosos, que até repartiram o que tinham com os nativos. Porém, junto deles vieram os predadores cujo intento era dizimar povos indígenas, oprimindo os que sobrevivessem. Tudo por causa do vil metal. Joio e trigo migraram juntos, ambos se vestindo de piedosos.

Não seria assim na Bíblia?

Ora, uma leitura rápida do Antigo Testamento parece indicar que o Deus dos hebreus fez a mesma coisa nos tempos bíblicos. Eles chegaram a Canaã sem ser convidados, mataram os nativos cananeus e se apropriaram de sua terra, chegando ao ponto de pegar para si as virgens que mais lhes agradassem. Imagine uma jovem canaanita tendo de dormir com o soldado que tirou a vida de seu pai e seus irmãos!

Veja algumas passagens desconcertantes que parecem descrever assim a história hebraica:

> E tudo quanto havia na cidade destruíram totalmente ao fio da espada, desde o homem até à mulher, desde o menino até ao velho, e até ao boi e gado miúdo, e ao jumento (Josué 6:21).
>
> Doze mil homens e mulheres caíram mortos naquele dia. Era toda a população de Ai (Josué 8:25).
>
> Tudo o que o Senhor tinha ordenado a seu servo Moisés, Moisés ordenou a Josué, e Josué obedeceu, sem deixar de cumprir nada de tudo o que o Senhor tinha ordenado (Josué 11:15).

Aqui vão, para mim, as duas mais terríveis de todas:

> Agora, pois, matai dentre os jovens todos do sexo masculino e todas as mulheres que conheceram homem, deitando-se com ele. Mas todas as virgens, que não conheceram homem, deitando-se com ele, deixai-as viver para vós (Números 31:17 e 18).
>
> Vai, pois, agora e fere a Amaleque, e o destrói totalmente com tudo o que tiver; não o poupes, porém matarás homens e mulheres, meninos e crianças de peito, bois e ovelhas, camelos e jumentos (1Samuel 15:3).

Talvez alguém esteja pensando, ele está admitindo a gravidade dos textos apenas para desconstruir o agravo no final. É um jogo de palavras apenas. Aos que talvez pensem assim, peço, dê-me um voto de confiança, minha posição de desconforto não é artificial. Embora eu já tenha uma explicação provisória que me satisfaça – neste capítulo a apresentarei para você – admito que essa reação de espanto e repulsa é a atitude mais normal que qualquer um, em sã consciência, teria diante de passagens tão horripilantes.

A situação não fica mais amena quando saímos do genocídio para a pena capital. Em Números 15:32-36 é dito que um homem foi apedrejado até a morte apenas porque o apanharam catando alguns gravetos no dia de sábado. Se as regras mosaicas estivessem valendo hoje, eu teria de matar a pedradas meu vizinho *gay*, meu aluno espírita e aquela mulher que confessou um adultério (Levítico 20:9-13; Deuteronômio 18:11). Jamais me imagino fazendo isso. Já tive a desdita de assistir, através de um vídeo a uma execução a pedradas e não foi nada agradável de se ver.

Como entender tudo isso?

A primeira coisa que aprendi ao lidar com temas complexos como estes foi evitar os extremos da simploriedade e da rejeição do todo pela parte. Esse realmente é um tema difícil, contudo, considerando as evidências extraordinárias que tenho a favor da Bíblia Sagrada como um livro incomum – falei disso no capítulo anterior –, não posso rejeitar toda a proposta por causa de seus pontos desafiadores ou desconcertantes. Seria o mesmo que desconsiderar toda medicina por causa de alguns horrores de sua história, como a prática da sangria, prescrição de xaropes venenosos ou uso de choque elétrico para curar epilepsia.

Por outro lado, não posso jogar tudo na caixinha de brinquedos, agindo como se as dificuldades textuais fossem coisas simples e fáceis de ser digeridas, exceto pelos tolos e descrentes. A situação não é tão simples assim.

Veja esse caso. Em 1.966, o psicólogo israelense George Tamarin fez uma pesquisa com 1066 crianças com idades entre 8 e 14 anos. Depois de apresentar a história bíblica da destruição de Jericó ele perguntou: "Você acha que Josué e os israelitas agiram corretamente destruindo a cidade?". Dois terços das crianças disseram que sim, que eles agiram em obediência à vontade de Deus. Mas quando Tamarin substituiu o nome de Josué pelo do terrível general Lin e o nome de Israel pelo império chinês, apenas sete por cento das crianças acharam certa a atitude da China e seu general em destruir seus oponentes. As demais acharam uma crueldade dos chineses. Em outras palavras: quando quem pratica o massacre é Hitler ou os hutus de Ruanda, achamos que realmente é um caso condenável de genocídio, mas quando quem pratica a matança são israelitas então achamos que é cumprimento da vontade de Deus. Esse realmente parece ser um ponto de incoerência e desequilíbrio da fé.

É talvez por isso que muitos cristãos preferem ficar restritos às páginas do Novo Testamento. O Deus descrito desde o Gênesis até Malaquias, isto é, o Deus do Antigo Testamento, não parece nada agradável de se conhecer. Jesus é mais bonzinho, Javé dá vergonha. Será que realmente céticos e ateus têm em mãos argumento que religiosos não podem honestamente enfrentar?

"Hold on"!

Antes de entrar na problemática propriamente dita, vamos ver o que, de fato temos aqui. Digo isso para corrigir um conhecido pseudoargumento em relação a esse tema e à realidade divina. O assunto pode ser embaraçoso, mas não contradiz nada acerca da possível existência de Deus. Os ateus podem tomá-lo para questionar o caráter de um Deus descritivamente bom, mas não têm um ponto para negar sua realidade ontológica.

Veja como o argumento não se sustenta, é uma falácia do tipo *non sequitur*:

1) Deus existe e é bom;
2) Segundo a Bíblia, Deus mandou matar;
3) Logo, Deus não existe.

Essa proposição deriva da confusão que muitos fazem entre condição suficiente e condição necessária. Veja novamente: Dadas as proposições:

P = Deus existe e é bom,
Q = Segundo a Bíblia, Deus mandou matar,
~P = Logo, Deus não existe,

se admitir que P é verdadeira, concluirei que Q é verdadeira. P é suficiente para Q. Q é necessária para P (não há P sem Q). Mas, do fato de Q ser verdadeira, não posso concluir que P o seja (Q não é suficiente para P). Logo, todo o argumento com a seguinte fórmula é inválido:

Se P, então Q.
Ora, Q.
Logo, ~ P.

Deixe-me facilitar o assunto. Imagine alguém dizer:

O doutor João é um excelente médico.
O doutor João matou um sujeito na mesa de cirurgia.
Logo, o doutor João não existe.

Ora, eu tenho mil sugestões possíveis do que teria acontecido durante a operação (que o doutor João errou, que estava cansado, teve um surto mental, assumiu o erro para poupar um médico residente etc.), contudo, nenhuma delas é argumento para sua não existência.

Um teólogo liberal, por exemplo, que não aceita a historicidade bíblica pode dizer que Deus existe e é bom. As afirmações do Antigo Testamento são apenas lendas ou visões mitológicas de um povo que interpretou a guerra como uma batalha cósmica envolvendo sua divindade. Embora esse não seja meu argumento, apenas o cito para enfatizar que o ponto aqui não é afirmar se há ou não um Deus dentro ou fora do universo.

Assim, o que temos em mãos é o desafio de conciliar a bondade de Deus com essas terríveis ordens citadas na Bíblia. Sua existência não é contra-argumentada por esse problema. Aliás, pelo contrário, é até afirmada. Veja por que em mais um exercício lógico. Premissas:

1) Valores morais universais só têm sentido se houver um Deus universal que os estabeleça (caso contrário, serão apenas imposições locais, históricas, humanas e circunstanciais, mas nunca "universais", pois nenhum legislador humano pode ser universal, não histórico e atemporal);

2) São justamente valores morais, supostamente acima dos valores históricos ou locais, que me fazem abominar as mortes de guerra descritas na Bíblia;

3) Portanto, Deus existe, caso contrário meu questionamento seria sem fundamento, pois não teria base alguma, fora de minha cultura e percepção, para dizer que aqueles massacres do Antigo Testamento são, em si mesmos, moralmente condenáveis.

Como você pode ver, ao afirmar que o Deus do Antigo Testamento fez algo moralmente errado, o que não crê em Deus está justamente afirmando a premissa número 2, que implica a número 1. Logo, o problema não está com a existência de Deus.

Conhecendo culturas estranhas

O que vou dizer a seguir parece um tangenciamento da questão, mas não é. Preciso de um arcabouço histórico para situar o problema dentro de seu verdadeiro contexto. De outro modo, corro o risco de analisar anacronicamente o assunto transportando para ontem um código de valores comum dos dias de hoje. Não se trata de discutir ainda quem está certo ou errado, pois não se faz uma análise social correta de um indígena nu, usando como parâmetro o que dizem os estilistas da São Paulo Fashion Week. São critérios diferentes.

Não posso ler a Bíblia como se ela fosse escrita toda de uma vez, na semana passada, em português e por autores de brasileiros, preferencialmente moradores do mesmo bairro em que fui criado. Não se trata de uma obra escrita por mineiros de Belo Horizonte. Há um tremendo hiato histórico entre mim e os autores originais da Bíblia e me abster dessa realidade é julgar o outro com meu código de valores e minha percepção criada a partir do contexto no qual eu vivo.

Sei que neutralidade é algo complexo de se possuir, contudo, devo persegui-la diante de uma pesquisa acadêmica como pretendo que se faça em relação à violência do Antigo Testamento. Não posso ir até o texto bíblico munido de uma agenda intelectual que me leve a projetar códigos de valor antes mesmo de entender por que tal história foi escrita desta ou daquela maneira tão estranhas à minha percepção.

Ocorre que nem sempre esta avaliação se mostra correta e, por essa razão, ao julgar outras culturas corremos o risco de cometer equívocos acadêmicos e praticar injustiças avaliativas. O pior que pode acontecer quando julgamos um episódio desconsiderando seu contexto é, sem dúvida, não levar em conta os sentimentos, vicissitudes e elementos sociais que formaram aqueles que estamos criticando.

Gostaria de pedir paciência aos que não aceitam a Bíblia como livro inspirado. Lembro-lhes de que por mais que não concordemos com as atitudes e crenças de um grupo de pessoas, não podemos esquecer que elas estão motivadas por um jogo de emoções e percepções de mundo que as levam a se comportar de modo rígido e inflexível, do mesmo modo que nós mesmos também nos comportamos quando levados por nosso código de valores mental e emocional.

O desafio é saber reconhecer quando estamos sendo influenciados por nossos conflitos internos no momento em que avaliamos ações alheias. Portanto, um investigador sério da história tem, em primeiro lugar, que abandonar a postura de juiz implacável e se colocar no contexto daquele que está analisando. Aí sim estará pronto para fazer uma análise mais racional e menos sentimentalista do problema.

Karl Jaspers advertia que:

> A neutralidade valorativa da ciência significa a contenção dos próprios julgamentos para se terem dados bem claros, tanto em face de fatos desejados como dos desconfortáveis. A obrigação científica de ser a verdade dos fatos e a obrigação prática de defender os próprios ideais são deveres diferentes.[389]

---

389 Karl Jaspers. "Método e visão do mundo em Weber", in *Sociologia: para ler os clássicos* (Rio de Janeiro, Livros Técnicos e Científicos, 1977), p. 130.

Disto posto, relembro que cultura não é algo fácil de subtrair de um indivíduo. Não se trata, num primeiro momento, de endossar inequivocamente tudo o que foi feito na história, nem afirmar, a partir de meu próprio código de valores, que tal coisa está certa ou errada – isso pode e deve ser feito *a posteriori*, em outro momento, mas não na hora de conhecer o comportamento daquele que age segundo sua cultura. Afinal, é ela que lhe permite construir seus conhecimentos, crenças, artes, leis e todos os demais hábitos que o fazem se sentir parte de um povo.

As relações humanas com as quais interagimos em nosso meio permitem a circulação de emoções e ideias que incentivam e avalizam certas atitudes, estimulando e desaprovando condutas. Justamente por ser instintivamente emocional, essa circulação de ideias obedece certa regularidade, constituindo ciclos fechados que caracterizam um determinado padrão de comportamento.

Por isso, é tão difícil mudar uma cultura. Não basta fazer discursos dizendo que aquilo é errado ou que é preciso adotar novos modelos de desenvolvimento. Os discursos têm seu valor, porém, sozinhos e prescindidos do elemento temporal eles não alteram a coletividade. Essa é uma das principais razões pelas quais a maioria das tentativas de transplantar modelos de uma realidade cultural para outra não funciona do jeito que gostaríamos.

Sendo assim, é prioritário e imprescindível entender que, caso realmente Deus exista (digo apenas como suposição), ele seria um péssimo guia de um povo se exigisse de seus membros agirem "instantaneamente" de modo contrário à cultura na qual foram criados. Caso queira realmente transformá-los coletivamente e corrigir seus maus costumes, precisa lhes dar tempo, sabendo que o livre-arbítrio pode atrasar ou até interromper definitivamente o processo. Em alguns casos, é preciso que gerações inteiras passem para que certo comportamento seja abandonado, e em outros pode até ocorrer que jamais o seja.

Veja esse caso: a tribo Dani, no oeste de Papua-Nova Guiné, tem um processo único de luto nas mulheres. Quando alguém muito amado morre, elas começam a cortar segmentos dos próprios dedos para demonstrar a dor. Por incrível que pareça, impedi-las de fazer isso seria desumano. Estaríamos proibindo-as de expressar sua dor do modo como acham que deve ser feito. Seria como dizer a uma criança que ela não pode chorar no velório de seus pais. Portanto, se quero mudar o jeito das viúvas danesas de se expressar cortando os dedos, devo ter paciência e aguentar uma, duas ou até três gerações que ainda continuarão agindo dessa maneira. Pressa não combina com mudança cultural, pelo menos naqueles setores do mundo e da história que ainda não estão moldados pela velocidade tecnológica, que produz num prazo de poucos anos três diferentes gerações, de modo que um homem de 30 anos já é velho demais para um adolescente de 17 – coisas do nosso Ocidente, com sua pressa e sua síndrome do pensamento acelerado!

A mente de um radical

Como acenei anteriormente, a sociedade de hoje – maiormente a ocidental – sofre transformações muito rápidas e radicais em pouco espaço de tempo, de modo que três ou até quatro diferentes gerações culturais têm tempo de se conhecerem e conviverem juntas, muitas vezes em conflitos comportamentais. É o caso do seu avô, que pensa diferente do seu pai, que pensa diferente de você, que pensa diferente daquele garotinho de 10 anos que já nasceu brincando com celular de adulto.

No passado não era assim. Eram necessários séculos para se observar uma alteração cultural significativa. Os jovens podiam olhar para os velhos e ter um quadro de seu futuro. Um trabalhador egípcio que vivesse nos tempos do faraó Djoser não tomaria tanto susto se ressuscitasse nos dias de Ramsés II, mesmo tendo se passado quase 1.400 anos entre uma e outra geração. A cultura, educação de filhos, valores e religião não estariam tão modificados assim a ponto de ele se espantar neste novo mundo. O mesmo não posso dizer de um cidadão que morreu em 1990 e ressuscitou hoje, duas décadas depois.

Diferente, porém, do ambiente ocidental, o Oriente Médio é mais lento em seus passos de transformação cultural graças ao islamismo, que congelou, de certa forma, aspectos culturais milenares que me permitem comparar o Código de Hamurabi, escrito há 3.700 anos, com situações que vejo até hoje quando viajo para aquelas terras. Algumas penas de morte prescritas na Sharia, lei islâmica baseada no Alcorão, lembram muito de perto o que se fazia na Mesopotâmia há 4 mil anos! Não será, portanto, anacronismo valer-me de alguns exemplos atuais para entender o comportamento de alguns povos do passado.

Veja como funciona a cabeça de certos radicais. Embora eu não queira que você generalize o exemplo a seguir, achando que todo cidadão do Oriente Médio aja dessa maneira, também não quero que se iluda pensando que o que direi é algo mentiroso ou extremamente excepcional. Eu até gostaria que fosse, mas não é.

Hatun Sürücü era uma jovem de origem curda e sunita que, aos 16 anos, foi obrigada pela família a se casar com um primo muito mais velho que vivia em Istambul, na Turquia. Não aguentando a violência doméstica, Hatun fugiu de casa, pediu divórcio e foi para a Alemanha, onde encontrou abrigo, optando por um estilo de vida mais ocidental. Lá se casou novamente com um jovem alemão e teve um filho com ele.

Sete anos se passaram e Hatun tinha agora 23 anos de idade. Vivia feliz e estava concluindo a faculdade quando seu irmão mais novo pediu para se encontrar com ela e calmamente a matou numa rua movimentada no centro de Berlim. "Você manchou o nome da nossa família" – foram as últimas palavras que ouviu.

Veja, um assassinato frio, premeditado por anos que envolveu toda a família de Hatun, incluindo mães e irmãs. Você pode não acreditar, mas esse tipo de planejamento é feito à volta de uma mesa em que os familiares e até representantes da comunidade local decidem calculadamente que uma filha ou esposa precisa ser intimada ou morta. Todos os pormenores são definidos: quem será o assassino, onde, quando e como será morta e como se livrarão do cadáver. Não se trata apenas de crimes morais/sexuais. Uma mudança de religião – islâmico que se torna cristão, por exemplo – pode envolver a pena de morte imposta pela comunidade.

Como eu disse, seria um erro supor que 100% das pessoas daquela região pensam assim. Por outro lado, é ingenuidade acreditar que estou falando de comportamentos raros. Em alguns rincões isso é tão normal quanto o brasileiro gostar de futebol e cerveja.

Hoje, num contexto pós-colonialista, é mais comum termos diferentes culturas convivendo no mesmo espaço social, conforme já teorizaram autores como Chris Gosden, Homi Bhabha e outros. Isso no passado era mais raro, especialmente nos tempos bíblicos. Era tão forte a distinção cultural que mesmo sem nenhuma fonte escrita é possível saber arqueologicamente se estou escavando um assentamento judeu, filisteu ou romano. Basta observar o estilo de construção, restos de comida (grãos, sementes, ossos de animais) ou até mesmo a cerâmica que o assentamento apresenta. Até o copo e o prato variavam de um grupo para o outro.

Mesmo que houvesse, por exemplo, um número de judeus vivendo em Alexandria, no Egito, eles tinham seu próprio bairro, que funcionaria como uma espécie de reduto em meio a um ambiente estrangeiro. Havia certas interações? Claro que sim, mas não como as de hoje. Salvo raríssimos casos, citados até em tom de desaprovação, uma criança judia frequentaria apenas uma escola rabínica. Não teria o que aprender com estrangeiros. Uma jovem egípcia se casaria com um egípcio, jamais com um fenício – a não ser nos casos de casamento real por questões políticas. As fronteiras culturais, apesar de não possuir cercas visíveis, eram nitidamente percebidas por meio de roupas, comida, religião e demais hábitos distintivos que demarcavam o território em que cada povo estava estabelecido.

Na atualidade, o jovem japonês usa o mesmo celular e a mesma calça *jeans* do jovem americano. A Coca-Cola e o McDonald's são consumidos tanto pelo europeu quanto pelo asiático e o latino-americano. O espaço comum entre diferentes culturas representa uma intersecção considerável num gráfico social.

Ilustrando com ironia a realidade presente, Pieterse toma a morte da princesa Diana como símbolo do que hoje se vê:

> Uma princesa inglesa com um namorado egípcio usa um telefone da Noruega, bate num túnel francês dentro de um carro alemão de motor holandês, conduzido por um motorista belga, que estava bêbado por causa do uísque escocês. É seguida por *paparazzi* italianos numa motocicleta japonesa. Depois é assistida por um médico americano e um *staff* de paramédicos filipinos que usam medicamentos brasileiros. Então ela morre.[390]

É inegável a interação de culturas dos últimos anos. Contudo, não era assim nos dias de Moisés e Josué. Com isso em mente, imagine no passado toda uma geração de pessoas vivendo num limite geográfico e pensando de maneira radical como a família de Hatu. "Olho por olho, dente por dente" – esse era o seu lema. Aliás, esta lei foi prescrita no Código de Hamurabi no século 18 a.C. e repetida nas leis de Moisés (Êxodo 23, 24 e 25; Levítico 17 a 21). Tal aforismo legal situa-se no contexto da *Vingança Privada*, época em que a reação às agressões era regra, e não exceção. Havia reação de indivíduo contra indivíduo, reação do grupo contra o indivíduo, reação de grupos contra grupos, e o direito de punição (ou *jus puniendi*, como preferem os advogados) não era reservado ao Estado, pertencia ao ofendido ou a quem quer que tomasse parte na querela.

Todavia, não raro havia uma desproporção entre a ofensa impingida e seu respectivo revide, de modo que isso poderia resultar em exageros vingativos: um jovem A matava um jovem B, pois este havia desonrado sua irmã. Então o tio do jovem B matava o jovem A pelo assassinato de seu sobrinho. E o pai

---

[390] J. N. Pieterse. "Hybridity, So What? The Anti-Hybridity Backlash and the Riddles of Recognition", in *Theory, Culture & Society* 18 (2001): 237 (n. 16).

do jovem morto matava o tio assassino, que, por sua vez, seria vingado por um primo, e assim por diante, perpetuando uma guerra eterna entre famílias.

Assim, a chamada lei do Talião (ou lei do "tal qual") estabelecia a necessidade de certa proporção entre a ofensa e o direito de revide ("olho por olho"). Uma família enlutada teria o direito legal de matar alguém da outra família e para por aí – a morte adicional seria criminalizada pelo Estado. A ideia, pois, não era impedir, mas colocar um limite na vingança muito comum naqueles dias.

No caso dos hebreus foi necessário ainda instituir uma cidade de refúgio para abrigar aqueles que acidentalmente provocaram a morte de alguém e eram, por isso, ameaçados por outros familiares. Na visão deles, a vida do adversário seria inferior aos códigos de honra e conduta que protegiam o ofendido.

Juntando os fatos

Do que até agora foi posto, tente construir um quadro mental da sociedade daquele tempo. Junte num mesmo cenário o que descrevemos anteriormente sobre a mentalidade radical do Antigo Oriente Médio com a noção de cultura, patriarcado e a dificuldade que é despir um povo de seus valores culturais. Lembre-se, era toda uma sociedade pensando daquele jeito.

Os assírios, por exemplo, anexaram territórios além da Mesopotâmia – sua terra natal – dominando Egito, Etiópia e Síria. Considerados guerreiros ferozes, eles impunham o domínio pelo terror. Com seu poderoso exército – o primeiro a ser organizado – saqueavam, massacravam e destruíam os povos conquistados. Vá ao Museu Britânico e você terá uma noção de sua crueldade nos painéis que eles mesmos esculpiam para comemorar suas vitórias. Havia uma espécie de orgulho nacional na tortura e no sadismo contra os que foram vencidos. Ora, os assírios não surgiram num vácuo cultural. Suas práticas advêm de uma cultura mesopotâmica anterior dominada pelos babilônios de 2900 a 1700 a.C., o que cobre o período de Abraão – dado importante para o levantamento histórico que pretendo realizar.

Pois bem, apesar de uma ou outra controvérsia e até mesmo da relutância de certos acadêmicos em aceitar determinados dados, a maior parte dos orientalistas concorda que havia frequente prática de sacrifícios humanos na cidade de Ur, de onde partira o patriarca Abraão em direção à terra prometida[391].

---

391 Laerke Recht. "Human Sacrifice in the Ancient Near East", in *Trinity College Dublin Journal of Postgraduate Research* 9 (2010): 168-180. Disponível em <https://www.academia.edu/1561457/Human_sacrifice_in_the_ancient_Near_East>. Acesso em: 19/10/2017.

Uma recente análise feita sobre os crânios do cemitério real de Ur, descoberto no Iraque há quase um século, parece sustentar uma interpretação mais terrível do que a anterior sobre os sacrifícios humanos associados a enterros da elite da antiga Mesopotâmia[392]. Os servos do palácio, no dia do sepultamento de alguém da família real, eram mortos juntamente com o nobre falecido, e, diferentemente do que até então se cria, eles não tomavam veneno para morrer serenamente, mas eram perfurados na cabeça com um instrumento pontiagudo, provavelmente uma lança. Depois eram colocados no sepulcro real.

Eu poderia descrever mais coisas dantescas, porém, isso é o suficiente para entender a ordem divina dada a Abraão para que abandonasse logo aquelas terras e fosse para outro lugar a fim de constituir um novo povo isento dessas mazelas.

O plano divino, no entanto, teve percalços ao longo do caminho e as coisas não saíram exatamente como Deus queria. Os descendentes de Abraão não foram exatamente aquilo que Deus planejara que fossem. O próprio Abraão falhou em esperar o cumprimento da promessa de Deus, adiantando um filho com a empregada de sua esposa. Mas isso é outra história.

O fato é que mencionar supostas "falhas" no cumprimento dos planos de Deus pode soar problemático até para alguns religiosos. Se Deus determina, pensam eles, está determinado, afinal de contas Deus é Deus! Entendo, contudo, que é justamente o fato de ele ser "soberano" e não "ditador" que dá espaço para ajustes e frustrações temporárias naquilo que ele desejara originalmente para seus filhos. Lembre-se, se não houvesse livre-arbítrio diante de Deus eu não precisaria estar escrevendo este livro, pois os céticos não existiriam. Todos seriam obrigados a crer nele!

História patriarcal

A saída de Abraão da Mesopotâmia, associada a um chamado divino para fazer dele um novo povo, inaugura o "período patriarcal" do qual participam Isaque, Jacó, José e seus irmãos. Note, porém, que Deus jamais intencionara forjar um povo guerrilheiro, tanto que, uma vez peregrino em terra estranha, Abraão não usou força armada para expulsar ninguém de sua própria região. Em vez de atacar os povos locais, ele e seus primeiros descendentes (Jacó e Isaque) negociaram extensões de terra para si conforme vemos, por exemplo,

---

392 Andrew C. Cohen. *Death Rituals, Ideology, and the Development of Early Mesopotamian Kingship toward a New Understanding of Iraq's Royal Cemetery of Ur* (Leiden: Brill, 2005).

em Gênesis. Ali é possível perceber anotações específicas da aquisição de direitos territoriais na terra de Canaã por parte dos patriarcas (Gênesis 21:15-34; 22:19; 23:1-20; 26:12-33; 33:19-30; 46:1-5). Note que havia cerimônias públicas que legitimavam os acordos evolvendo poços, altares, túmulo, campos pastoris e agricultura, exatamente conforme documentos legais babilônios e sumérios datados da mesma época (p. ex., Gênesis 31:52).

A evidência de que Abraão tornara-se cada vez mais rico, pela negociação comercial, pode ser perfeitamente deduzida a partir de elementos descritivos, vistos à luz da literatura cuneiforme contemporânea:

- Abraão era recebido por reis e tratado de igual para igual Tinha escravos, prata, ouro, animais (medida de patrimônio real) – camelos, poço, terras (Gênesis 21:25; 26:12; 33:18-20; 49:30).
- Seu clã era descrito como um grupo de mercadores ou negociantes (סֹחֵר), o que certamente envolvia aquisição de terras (Gênesis 23:16; 34:10, 21; 37:28; 42:34). O Código de Hamurabi e outros tratados mesopotâmicos associa mercadores como Abraão ao mais alto nível hierárquico de uma sociedade, que inclui sacerdotes, oficiais de governo e proprietários de terras, cuja riqueza era contada pelo total de animais e servos que possuíam.
- Esses chefes de clãs igualados a reis são chamados em semítico babilônico de *Amelu*, que em hebraico seria algo como *Enosh* – o nome de um dos ancestrais de Abraão. Uma comparação efetiva entre textos cuneiformes e o livro do Gênesis leva a crer que Abraão pertencia naturalmente a esta classe, pelo que não é errôneo considerá-lo uma espécie de chefe de Estado, de acordo com os padrões da sociedade vigente no período do Bronze[393].
- Embora jamais o usasse para conquistar territórios, Abraão dispunha de um pequeno exército particular, conforme se lê em Gênesis 14:14, quando se juntou a outros líderes tribais para pelejar contra os sequestradores de seu sobrinho Ló.

Depois disso, entre idas e vindas, os descendentes de Abraão desceram ao Egito por causa de uma grande fome e terminaram morando ali, pois José era

---

393 K. V. Nagarajan. "The Code of Hammurabi: An Economic Interpretation", in *International Journal of Business and Social Science* (May, 2011): 108-117.

primeiro-ministro de faraó. À medida que foram escravizados por Faraó e proibidos temporariamente de voltar para sua região, o vácuo deixado fez com que duas situações surgissem na terra de Canaã: primeiro, o surgimento de povos que invadiram terras antes pertencentes aos patriarcas; segundo, a presença de grupos hostis (alguns deles militares mercenários e subservientes ao rei do Egito) que ficavam no caminho para impedir os hebreus de chegarem à sua terra, mesmo depois de serem libertos por Moisés.

Sendo assim, as conquistas de Josué podem ser lidas não como um genocídio contra nativos, mas uma operação militar de retomada de posse. Lembre-se, os grupos hostis que havia pelo caminho não eram apenas inimigos políticos. Eles eram grupos armados cujo intento não se resumia a impedir a passagem dos hebreus, mas eliminá-los do mapa. Logo, as guerras que houve foram, antes de mais nada, uma ação militar de legítima defesa.

Sei que a linguagem bíblica soa mais como uma ordem direta de ataque do que uma defesa diante de alguém que atacou primeiro. Sobre isso falarei mais adiante. Por ora, considere, por exemplo, o caso de Jericó – o primeiro grupo contra o qual Josué lutou assim que atravessou os limites da Cisjordânia.

O caso de Jericó

Tenho pesquisado durante alguns anos esse sítio arqueológico e, depois de várias visitas *in loco* e leitura de inúmeros relatórios de intervenção arqueológica local, levanto a hipótese de que Jericó não era uma cidade propriamente dita, mas um posto militar a serviço dos egípcios.

Embora haja uma polêmica não resolvida acerca da cronologia do assentamento (as teorias de Garstang, Kenyon, Wood e Bienkowski se chocam neste sentido), não entrarei nesse quesito por fugir ao ponto em discussão. Trata-se de um sítio arqueológico bem trabalhoso em termos de estratigrafia. Argumentarei aqui apenas com o pressuposto teórico de que se Josué chegou historicamente ali com um exército de hebreus, que tipo de assentamento poderia ter encontrado no local?

Pois bem, Jericó foi continuamente ocupada no período do Bronze Médio e destruída no Bronze Tardio. Evidências materiais indicam que, nesta última fase de ocupação, ela provavelmente não funcionava mais como um grande centro urbano, mas como um posto militar avançado. Sua posição estratégica, justamente com estrutura arquitetônica dos edifícios encontrados no lado oriental do assentamento, foi interpretada por alguns como parte de uma pequena guarnição egípcia local[394]. A evidência disso são os escaravelhos de pedra encontrados perto das tumbas que datam dos tempos de Tutmés III, Hatshepsut e Amonfis – faraós possivelmente ligados à história de Moisés e os eventos narrados da saída de Israel do Egito.

É fato conhecido dos historiadores que entre o Bronze Médio e Bronze Tardio (período em que os hebreus estavam no Egito) houve um movimento expansionista do Egito sobre as regiões de Canaã e Síria. O faraó mantinha centros administrativos nas terras baixas, como Gaza, Jope, Megido e Beth Shan. Tal presença não envolvia a ideia de colonização, pois os cidadãos egípcios não tinham qualquer interesse em viver e morrer longe do rio Nilo. Sua presença era firmada pela criação de núcleos militares formados por exércitos mercenários, que garantiriam o controle de faraó, sobretudo, sobre o comércio, exploração de cobre e as rotas de ligação que passavam por todo o território[395]. Jericó, na minha opinião, seria um desses postos de controle.

A presença da prostituta Raabe morando ali não contraria essa possibilidade, que é reforçada por outros elementos que, para não ser prolixo, deixei de fora. Sua referência como prostituta não deve ser entendida no sentido moderno de "garota de programa", pois o termo hebraico *zanah*, que aparece em Josué 2:1, pode ser diferentemente entendido por infiel, prostituta sacerdotal (comum nos cultos de fertilidade) ou dona de estalagem (conforme lemos em Josefo e em algumas versões aramaicas do texto).

Sobre essa última hipótese e o fato de os espiões hebreus pernoitarem em sua casa, temos um interessante paralelo no Código de Hamurabi (lei § 109) que diz: "Se conspiradores tramarem juntos [nas relações conspiratórias] dentro da casa de uma dona de pensão, e ela não os denunciar e trouxer para o palácio, que seja condenada à morte".

Não é ainda impossível conjecturar, conforme certas práticas da época, que Raabe fosse uma das muitas meninas raptadas para servir sexualmente aos soldados ou agira como amuleto religioso (a presença de uma sacerdotisa-prostituta acalmaria os soldados na base militar).

---

394 H. J. Franken. "Tell es-Sultan and Old Testament Jericho", in *Oudtestamentische Studiën* 14 (1965): 189-200.

395 R. Gonen. "Urban Canaan in the Late Bronze Period", in *Bulletin of the American Schools of Oriental Research* 253 (Boston: Boston University, 1984); J. J. Baumgarten. "Urbanisation in the Late Bronze Age", in A. Kempinski; R. Reich (eds.), *The Architecture of Ancient Israel from the Prehistoric to the Persian Period* (Jerusalém: Israel Exploration Society, 1992).

Outro indício que corrobora com essa contextualização que proponho é o reconhecido aumento de ocupações na região de Canaã durante o período do Bronze Médio – ocasião em que os hebreus estavam habitando o Egito –, o que harmoniza com a ideia de que o vácuo deixado pelos descendentes de Abraão permitiu a invasão de áreas "abraâmicas" por povos que não eram donos legítimos da terra.

Deixe-me, contudo, esclarecer algo para não o levar a uma ideia errada do que proponho. O território de Canaã não era um mapa geopolítico como o Brasil, que é formado por estados que pertencem a uma mesma federação. Tal coisa não existia! Havia povos já em Canaã antes de Abraão chegar ali. O que temos, portanto, é um grande território – em sua maior parte desértico – que era habitado por certos povos (Abraão comprou terras nas mãos de alguns deles) e transitado por grupos nômades que passavam por ali transportando mercadorias valiosas. Daí o interesse egípcio em manter o controle da região!

A princípio os hebreus não tinham problema em conviver com grupos vizinhos, donos de terras que os patriarcas não haviam comprado. Seu problema era com invasores e grupos (ou fortificações militares) que estavam na rota de seu trajeto para casa, oferecendo resistência militar e ameaçando destruí-los.

Genocídio ordenado?

Note que diferentemente do que fizeram os exércitos mulçumanos e os cruzados na Idade Média (que obrigavam povos conquistados a se converterem à sua religião para não serem mortos), não há nenhum verso bíblico em que Deus ordene Israel a exterminar os que não se convertessem ao judaísmo. Aliás dos vários povos que habitavam Canaã neste tempo apenas dez foram especificamente marcados para serem combatidos (Deuteronômio 7:1). Os cananeus eram um grupo específico de pessoas, mas o seu nome também foi usado de uma forma geral para se referir a essas dez nações ou postos militares – os amorreus foram nomeados da mesma forma.

Note que interessante o modo como a ordem é dada em hebraico. O imperativo que aparece no antigo idioma bíblico não é exatamente igual ao que temos em português. A forma de expressar um desejo, uma ordem direta ou apenas consentimento podem ser diferentemente expressos no *Qal*, no *Piel*, no *Hiphil*, no *Coortativo* ou no *Jussivo*, que são modos verbais da língua hebraica.

Contudo, seu sentido último (se é ordem direta, causativa, permissiva, tolerativa ou modalidade deôntica) é muitas vezes esclarecido apenas pelo contexto[396].

Deixe-me dar alguns exemplos:

Êxodo 1:17 – lit. "Elas [fizeram] viver os meninos" (וַתְּחַיֶּיןָ אֶת־הַיְלָדִים), isto é, elas os deixaram viver, não os mataram.

Jeremias 24:1 – lit. "Fez-me ver o Senhor" (הִרְאַנִי יְהוָה), mostrou-me, permitiu-me enxergar.

Gênesis 48:11 – "Deus me fez ver também tua semente" (הִרְאָה אֹתִי אֱלֹהִים גַּם אֶת־זַרְעֶךָ), de fato, "permitiu-me ver a tua semente".

Gênesis 2:16 – "De toda árvore do Jardim, comendo comerás" (מִכֹּל עֵץ־הַגָּן אָכֹל תֹּאכֵל), o sentido é "poderás comer".

Disto posto, autores como Joe Sprinkle, professor de hebraico no Hebrew Union College, argumentam que paralelos gramaticais idênticos ou semelhantes permitem entender algumas ordens divinas como ação permissiva do verbo (modo imperfeito). Assim, Deuteronômio 20:12-13 ficaria deste modo:

> Agora, se ela [a cidade] não estiver disposta a ter paz com vocês, mas em vez disso fizer guerra, então vocês têm permissão para sitiá-la. Então, YHWH seu Deus deixará em sua mão, você tem permissão para matar qualquer um de seus homens ao fio da espada.

Os não combatentes seriam poupados.

E as crianças de peito?

"Espere um pouco", dirá alguém. Posso até não entender de hebraico, mas o texto diz que eles deveriam matar todos na cidade, até crianças de peito." Sim, isso é verdade, mas novamente tenho de recorrer a questões gramaticais e textuais. Sinto muito por isso, não se trata de uma excusa ardilosa, muito

---

396 John A. Cook. *Mood/Modality in Biblical Hebrew Verb Theory* (SBL 2005) (Warsaw: Eisenbrauns); Ronald J. Williams. *Williams' Hebrew Syntax Third Edition Revised and Expanded by John C. Beckman* (Toronto: University Press, 2007); Bill T. Arnold; John H. Choi. *A Guide to Biblical Hebrew Syntax* (Cambridge: Cambridge University Press, 2003); David Andersen. "The Evolution of the Hebrew Verbal System", in *Zeitschrift für Althebräistik* 13/1 (2000): 1-66; Bruce K. Waltke; M. O'Connor. *An Introduction to Biblical Hebrew Syntax* (Winona Lake: Eisenbrauns, 1990); Tarsee Li. *The Verbal System of the Aramaic of Daniel: An Explanation in the Context of Grammaticalization* (Leiden: E. J. Brill, 2009.)

menos uma minimização artificial do problema, mesmo porque não creio que todas as intervenções militares de Israel refletem uma interpretação correta do que Deus queria ou permitira. Houve excessos e a própria Bíblia deixa isso bem claro. Houve coisas feitas "em nome de Deus" que, na verdade, foram em nome do rei! Mas o recurso ao argumento gramatical se deve ao fato de que estamos falando de um texto milenar, escrito em outro idioma, cuja sintaxe e cuja semântica são distintas até mesmo do hebraico moderno falado hoje em Israel. Não podemos ignorar esse fato.

Do mesmo modo, a expressão "se Deus quiser ele ficará bem" não significa que se o sujeito morrer é porque Deus não quis que ele vivesse. A bem da verdade, nem mesmo os cientistas conseguem ser tão precisos em sua linguagem, pois chamam de átomo o que não é átomo e de pôr do sol algo que não existe, pois o Sol não se põe. São figuras de linguagem.

Muitos, ao lerem esses textos bíblicos, quer em hebraico ou em qualquer idioma, não levam em conta o caráter hiperbólico das antigas redações. Felizmente há bons trabalhos neste sentido, como, por exemplo, os reconhecidos estudos de Eybers e Watson[397]. Veja o que declarou Aristóteles, falando dos discursos e escritos de seu tempo: "Há algo de adolescente nas hipérboles, pois elas expressam as coisas violentamente [...] São mais usadas por pessoas iradas que por outras pessoas"[398].

Veja este interessante texto que encontrei na estela comemorativa de Jebel Barkal, relativo a Tutmosis III (ca. 1479-1425 a.C.), e exposto no Museum of Fine Arts de Boston. Sua cronologia, em minha opinião, é próxima aos eventos descritos no Pentateuco, pelo que posso tomar seu estilo de linguagem em paralelo com o texto bíblico. Pois bem, a primeira coisa que me chama a atenção é o título que lhe é dado no texto hieroglífico: *Sma Khasetyiu* (a tradução seria algo como "aquele que aniquilou os estrangeiros").

No texto seguinte, encontro este trecho:

> O numeroso exército de Mitani foi derrotado numa única hora. Desapareceram por completo como se nunca houveram existido, foram aniquilados como por um [gafanhoto?] devorador, pela ação dos

---

[397] I. H. Eybers. "Some Examples of Hyperbole in Biblical Hebrew", in *Semitics* 1 (1970): 38-49; Wilfred G. E. Watson. "An Unrecognized Hyperbole in Krt", *Orientalia* 48 (1979): 112-117.

[398] Aristóteles. *"Arte" Retórica* III. xi. 16.

exércitos do grande e bondoso deus, forte nas batalhas, que causou a aniquilação de todos.[399]

A hipérbole do texto é evidenciada no fato de que tanto o exército quanto o reino de Mitani continuaram existindo de maneira próspera após o confronto com Tutmosis III, tanto que deixaram de ser vistos como inimigos pelos egípcios e, com Tutmosis IV (c. 1401-1391 a.C.), formaram uma coalizão com o Egito para batalhar contra os hititas na Anatólia. O acordo foi selado com um casamento arranjado entre uma princesa egípcia e o rei hurrita.

Agora deixe-me dar dois outros exemplos de hipérbole em que o objeto da "aniquilação total" é Israel. O primeiro está no Museu do Cairo, é a Estela de Merneptá, faraó da 19ª dinastia. O segundo está no Museu do Louvre, é a Estela de Mesha, rei de Moabe do 9° século a.C. Note como ambas narram a derrota de Israel:

"Israel foi aniquilado, seus filhos não mais existem" (Merneptá)
"Israel desapareceu por completo e para sempre" (Mesha)

Acho que nem preciso explicar que tal coisa jamais aconteceu. Trata-se, portanto, de um exagero literário. Por que não supor que a Bíblia também contenha expressões de linguagem semelhante a outros textos produzidos na Antiguidade? A meu ver se há algo em xeque aqui não é a inspiração divina, mas o modo como alguns a entendem. Eu, particularmente, não creio que Deus ditou sua palavra aos profetas de uma maneira verbal usando uma fraseologia celeste impecável e sem defeitos. Ele falou com sotaque humano. As ideias, os *insights*, foram "soprados" por Deus à mente dos profetas, mas a forma de transcrever tudo aquilo era perfeitamente humana e pessoal. Houve rascunhos, edições, correções e imprecisões redacionais que não prejudicam a essência da mensagem, mas coincidem com o modo humano de se expressar e nem os maiores escritores escaparam disso.

Quer ver isso na prática? Veja na tabela a seguir o relato da destruição total (supostamente incluindo animais, mulheres e crianças) e a realidade da história, ou seja, a permanência ativa desses mesmos povos anos depois da suposta destruição cabal deles:

---

[399] Para acesso ao texto veja A. De Buck. *Egyptian Readingbook* (Chicago: Ares Publishers, 1948); K. Sethe. *Urkunden der 18. Dynastie: Historisch-biographische Urkunden*, Bd. 2, Heft 4, S (1227-1243).

Hipérbole	Realidade histórica anos depois
Naquela época Josué eliminou os enaquins dos montes de Hebrom, de Debir e de Anabe, de todos os montes de Judá, e de Israel, Josué exterminou-os completamente, assim como suas cidades. Assim, pois, nenhum dos descendentes de Enaque foi deixado vivo sobre todo o território israelita; somente em Gaza, em Gate e em Asdode é que alguns puderam sobreviver (Josué 11:21 e 22).	Agora, pois, dá-me este monte de que o Senhor falou aquele dia; pois naquele dia tu ouviste que estavam ali os anaquins, e grandes e fortes cidades. Porventura o Senhor será comigo, para os expulsar, como o Senhor disse (Josué 14:12).
Assim feriu Josué toda aquela terra, as montanhas, o sul, e as campinas, e as descidas das águas, e a todos os seus reis; nada deixou; mas tudo o que tinha fôlego destruiu, como ordenara o Senhor Deus de Israel (Josué 10:40).	Porque, se de algum modo vos desviardes, e vos apegardes ao restante destas nações que ainda ficou entre vós, e com elas vos aparentardes, e vós a elas entrardes, e elas a vós... (Josué 23:12).
Então feriu Saul aos amalequitas [...] tomou vivo a Agague, rei dos amalequitas; porém a todo o povo destruiu ao fio da espada [...] Então disse Saul a Samuel: Antes dei ouvidos à voz do SENHOR [...]; e trouxe a Agague, rei de Amaleque, e os amalequitas destruí totalmente (1Samuel 15:7,8,20).	E subia Davi com os seus homens, e davam sobre [...] os amalequitas [...] Sucedeu, pois, que, chegando Davi e os seus homens ao terceiro dia a Ziclague, já os amalequitas tinham invadido o sul (1Samuel 27:8,9; 30:1).

Sei que minha explicação é hipotética, porém, ainda assim, não deixa de ser razoável, como, aliás, são muitas sugestões igualmente hipotéticas que encontro em diversos artigos científicos de todas as áreas. Também estou consciente de que nem todos os religiosos explicam o assunto como eu o fiz.

O que Israel fez, portanto, na minha avaliação histórica, foi recuperar as terras que lhe pertenciam e defender-se de seus inimigos. Imagine, portanto, chegar à terra prometida e encontrá-la repleta de grupos hostis que ficavam pelo caminho impedindo sua entrada e ameaçando sua vida e de seus familiares. Eles queriam a todo custo eliminar Israel, exterminando-os do mapa. Considerando tal situação não posso condená-los por pegar em armas.

Deus ordena a violência?

A visão excessivamente piedosa do Deus dos cristãos tem criado ao longo dos tempos mais recentes uma caricatura do Altíssimo como exclusivamente um velhinho de barba branca, com um sorriso ingênuo no rosto, lembrando figuras gentis como Gandhi, Dalai Lama ou Madre Teresa de Calcutá. Esse quadro é também aplicado à pessoa de Jesus, que igualmente é retratado como um sujeito frágil, de grande sabedoria e pouco rigor físico. Reserva-se a Thor e outros personagens da Marvel o retrato de um deus musculoso capaz de vencer um inimigo numa batalha feroz.

Nada mais longe da realidade bíblica. Embora seja correto – tanto no Antigo como no Novo Testamento – que Deus e Jesus sejam retratados como pastor, amigo, conselheiro e pai, existem também expressões que revelam sua capacidade de ira, ferocidade e ataque. O Apocalipse descreve ironicamente o juízo final como o dia da "ira do Cordeiro"! Deus é amor, mas, se for preciso, ele declara guerra ao mal para estabelecer paz, e, segundo a Bíblia, é em meio a isso que estamos: um conflito cósmico entre o bem e o mal.

É claro que a violência não leva a nada, porém, essa frase na prática não deixa de ser mera retórica. Em muitas situações ela é bem-vinda e denota sabedoria, em outras não passa de clichê. Analise desse jeito: imagine que um grupo de traficantes perigosos tome sua família como refém e ameace matá-los dentro de sua própria casa. A polícia cerca o quarteirão, e você, que chegou agora do trabalho, fica aqui fora em angústia, imaginando como se dará o desfecho do sequestro. Você acharia errado que, esgotada a negociação, a polícia invada o local com armas e, se preciso for, mate alguns dos criminosos para garantir a integridade de sua família? Claro que não! A morte está longe de ser o ideal, mas em algumas situações é um mal necessário. Bem-vindo seja o *sniper*! É menos ruim um bandido morto que uma criança de 5 anos!

Veja o caso da Segunda Guerra Mundial. Todo o mundo comemorou aliviado quando foi anunciado que Hitler e seus generais foram mortos pelos países aliados. Existe uma diferença, portanto, entre genocídio e contra-ataque. O problema é que nem sempre as coisas são milimetricamente controláveis. Berlim fora bombardeada antes que o Führer pudesse ser derrotado e certamente houve baixa de inocentes naquela ação.

Foi por uma situação semelhante que Deus autorizou Israel a guerrear contra alguns povos cuja índole estava abaixo do aceitável, e ainda que a ordem divina possa ter sido direta (como disse, o imperativo hebraico dá margem para ambas as compreensões), ela seria análoga à cena em que um comandante dá ordens ao atirador de elite para abater um assassino com a faca no pescoço da vítima. Ninguém em sã consciência consideraria isso um assassinato.

Portanto, não é válido dizer que Deus ordenara assassinatos. Sua permissão ou ordem nada tem de contraditório com a lei do "não matarás" contida nos dez mandamentos. Aliás, o sentido original hebraico expresso na lei era de "não assassinarás" (*lo' tirtsah*), isto é, "não tirarás traiçoeiramente a vida de um ser humano", "não praticarás homicídio", "crime premeditado de assassinato".

Entrar com artilharia pesada num reduto de traficantes, gângsteres ou terroristas do Estado Islâmico não é, definitivamente, um ato de crueldade ou assassinato, ainda que visões distorcidas de direitos humanos insistam em dizer algo diferente disto. Os grupos que Israel combateu precisavam ser eliminados e mesmo assim Deus suportou por muito tempo sua impiedade dando tempo para que mudassem de conduta. Algo que não fizeram (Gênesis 15:16).

Israel nunca foi ordenado a matar os cananeus por questões de etnia, religião ou para assumir o controle da terra. O Senhor deixou claro que o povo de Canaã estava sendo destruído por seus pecados e nada mais (Gênesis 18: 20-21; 15:16; Deuteronômio 7:3-4).

Cananitas abomináveis?

Dizem que toda história tem três lados: o meu, o do outro e a verdade. Logo, alguém poderia questionar se realmente os canaanitas eram tão perversos assim ou se isso não passa de uma descrição bíblica bastante suspeita. Afinal de contas, livros nazistas, escritos durante o governo de Hitler, justificavam a aniquilação dos judeus com argumentos muito similares aos que a Bíblia usa para justificar a destruição dos amalequitas. Seria isso propaganda, e não realidade dos fatos? A pergunta é procedente, principalmente numa época em que se levantam revisionistas tentando a todo custo redimir personagens controversos da história como Pol Pot, Che Guevara, Stalin ou grupos étnicos, como os filisteus e os bárbaros escandinavos. Neste sentido, creio que a cultura material deixada por esses povos poderia ser um bom fiel da balança. Vamos então aos fatos.

Existem consideráveis evidências de que entre as práticas comuns de alguns povos cananeus estavam: o sacrifício de crianças em rituais religiosos, orgias ritualísticas sazonais em que adolescentes eram violentadas e depois mortas por sacerdotes a fim de garantir a fertilidade da terra e, finalmente, o desejo intenso de destruir os israelitas e apagá-los da face da terra.

O humanista e arqueólogo William Foxwell Albright admitiu diante disso que:

> As comparações dos objetos de culto e texto mitológicos dos cananeus com os dos egípcios e mesopotâmicos levam a uma única conclusão: que a religião canaanita era muito mais centrada em sexo e suas manifestações. Em nenhum outro país foram encontradas tantas figuras de deusas de fertilidade nuas, algumas distintamente obscenas. Em nenhum outro lugar, o culto às serpentes aparece com tanta força. As duas deusas, Astarte e Anate, são chamadas de "as grandes deusas que concebem, mas não dão à luz".[400]

Noutra feita, numa palestra na universidade de Johns Hopkins, o mesmo Albright, que não era religioso, chegou a dizer para colegas críticos da Bíblia que na verdade Israel fez um favor para o mundo exterminando culturas de índole tão doentia como aqueles povos pagãos. Sei que essa frase poderá ser severamente rejeitada por estudiosos de minorias culturais que corretamente denunciam o discurso colonialista que é feito em opressão a elas, mas veja, é um erro imaginar que todas as culturas têm de ser preservadas e respeitadas, que todas gozam do mesmo direito social de existir e ser transmitidas de geração em geração.

O que você acha dos que insistem em perpetuar o nazismo ou os costumes tribais do canibalismo, do encolhimento de cabeças, do estupro ritualístico de mulheres? São culturas que devem ser extintas para o bem da humanidade. Vítimas inocentes morrem nestes conflitos? Certamente que sim, mas, neste caso, se existir mesmo um Deus como a Bíblia anuncia, ele fará justiça a esses que terão, segundo promessa escriturística, a oportunidade de receber a vida eterna. Isso não significa, é claro, que qualquer religião tenha hoje o direito de tirar vidas. O antigo Israel estava num contexto e cultura distintos do nosso. Fazer uma equiparação anacrônica de ambas as épocas não é um arrazoado coerente.

Segundo a argumentação textual, eles eram regidos por uma teocracia e estavam numa situação singular. Nós não! É muito perigoso transferir para mãos humanas o veredicto final sobre a vida ou a morte de um indivíduo e mesmo que o encarceramento ou até mesmo a execução sejam inevitáveis em alguns casos, não compete à religião exercer essa justiça, e sim às autoridades civis

---

400 William F. Albright. *Recent Discoveries in Bible Lands* (New York: Funk and Wagnalls, 1955), p. 29.

devidamente constituídas para esse fim. Esta, pelo menos, é a recomendação que temos em 1Pedro 2:13-17. O contexto de guerras do Antigo Testamento era algo provisório nos planos de Deus.

Quanto aos casos em que Deus mesmo tirou a vida de um indivíduo ou de um grupo deles, como no caso de Sodoma e dos Antediluvianos, devemos lembrar que, sendo ele mesmo o criador da vida, Deus seria o único com possibilidade moral de pegar de volta aquilo que ele deu. Se eu ou qualquer ser humano destruirmos um Picasso, seremos seriamente processados. O próprio Picasso, no entanto, não. Ele seria o único com possibilidade legal de rasgar um de seus quadros depois de pronto, sem que ninguém pudesse imputar-lhe qualquer crime. Afinal de contas, somente ele poderia produzir outro "Picasso", eu e você, não!

Ainda que alguém diga: "Picasso vendeu seus quadros, logo, estaria destruindo propriedade alheia", isso não se aplica à vida, pois ela nos foi dada por Deus e é mantida por ele. Não se trata de alguma venda ou algo do qual adquirimos o senhorio. Deus continha sendo o dono da essência vital que nos permite existir. A vida não é propriedade nossa.

Bem, era isso que eu tinha de dizer sobre esse espinhoso assunto. Não termino, porém, o capítulo com a pretensão de ter esgotado exaustivamente a questão. Precisaria de um livro inteiro sobre isso. O que apresentei foi apenas um *insight* que, espero, ajude você a refletir um pouco melhor sobre essa problemática. Principalmente porque outra pior será tratada a seguir: Por que Deus permite o sofrimento?

Capítulo 36
Deus e o sofrimento

O assunto do sofrimento é algo tão forte que até presumo que alguns leitores tenham sido tentados a pular da primeira página diretamente para este capítulo e, a partir dele, decidir se leem ou não o resto do livro. Realmente isso é possível. De princípio, digo que, pela complexidade do tema, vou falar desse assunto pelos próximos três capítulos.

Tenho, logo no começo, alguns desafios muito sérios: o primeiro deles é não perder a linha argumentativa que venho seguindo, tentando, em vão, resolver o assunto com frases sentimentalistas que podem confortar, mas não esclarecem racionalmente a questão.

Por outro lado, também não quero simplificar o tema com chavões especulativos ou até mesmo teológicos que já não dão conta dos questionamentos atuais. Dizer que o sofrimento na Terra é uma forma de embelezar minha mansão no céu, sinceramente, não me traz conforto algum. Se o Paraíso existir (como eu creio que exista), é claro que eu quero ir para lá. Não obstante, me contentaria com uma simples quitinete no céu, se isso fizesse menos sofrível a vida aqui neste mundo. Mansões construídas com tijolos de sofrimento mais parecem a descrição de um Deus sádico adorado por masoquistas que um Deus de amor coroando os vencedores. A Idade Média podia aplaudir homilias de sadismo, eu não!

Não posso ser presunçoso ao ponto de querer apresentar algo que ninguém nunca escreveu. Contudo, também não quero "chover no molhado" nem sistematizar o óbvio. Estou realmente diante de um dilema difícil, de abordagem mais complexa e desafiadora. Mas se minha fé em Deus é real, não será varrendo o problema para debaixo do tapete que conseguirei resolvê-lo. Portanto, enfrentemos mais esse desafio!

Para nortear nosso raciocínio é importante estabelecer uma diferença mencionada por J. P. Moreland e William L. Craig que consiste em distinguir entre o problema *intelectual* do mal e o problema *emocional* do mal[401]. O problema emocional do mal está relacionado com o conforto que damos aos que sofrem.

---
[401] J. P. Moreland; William L. Craig. *Filosofia e cosmovisão cristã* (São Paulo: Vida Nova, 2005), p. 652.

São as palavras e, principalmente, as atitudes de apoio que damos a outrem no momento da dor. Numa palavra: solidariedade. Já o problema intelectual do mal refere-se às tentativas de se oferecer uma resposta racional acerca da existência de um Deus de amor num mundo marcado pelo sofrimento.

A abordagem intelectual está mais para a esfera acadêmica, enquanto a abordagem emocional vincula-se à área do aconselhamento, da empatia, da fraternidade. É importante manter bem clara essa distinção porque é justamente a troca indiscriminada de abordagens que gera preconceito e insatisfação. Ficar tecendo frias teses probabilísticas de teodiceia para uma pessoa num momento de dor pode ser tão desastroso quanto responder emotivamente a um questionamento de um universitário que apenas está aludindo à problemática de uma maneira abstrata. É claro que, pela natureza de nossa discussão, preciso oferecer uma abordagem intelectual da questão, mas que não esteja completamente isenta de ternura.

Sistematizando o problema

A objeção do personagem Ivan, no best-seller *Os irmãos Karamázov*, de Dostoiévski, continua a ser para muitos o maior obstáculo à fé num Deus de amor: Como podemos confiar em Deus num mundo onde crianças são torturadas? Se Deus é bom, como pode permitir o sofrimento dos inocentes?

O problema do mal é reconhecidamente complexo mesmo nas páginas da Bíblia. Cito dois exemplos: o primeiro vem do salmista Asafe, que, ao meditar sobre a desigualdade social e o sofrimento sem explicação dos necessitados de seu tempo, admitiu: "Só em refletir para compreender isso, achei mui pesada a tarefa para mim" (Salmo 73:16). O segundo vem nada menos do que do próprio Jesus de Nazaré. Ao contrário do que esperaríamos, ao final de um ministério tão glorioso sua oração na cruz não é uma afirmação doutrinária, e sim uma angustiosa dúvida, marcada por um grito existencial: "Deus meu, por que me desamparaste?" (Mateus 27:46).

Indo direto ao assunto, eis o esquema lógico da problemática do mal. Segundo o pressuposto teísta-cristão, deus é:

1) Criador de tudo o que existe;
2) Onipotente (não há impossíveis para ele);
3) Onisciente (não há nada que ele não saiba);
4) Justo e bom.

Problema: O mal existe no mundo e estamos sujeitos a ele.

1) Se Deus é criador de tudo, então ele criou o mal;
2) Se Deus é onipotente, poderia impedir o mal de surgir;
3) Se Deus é onisciente, saberia que o mal iria surgir;
4) Se Deus é justo e bom, por que ele não fez nada para impedir o surgimento do mal?

Conclusão racional: O mal efetivamente ocorre. Logo:

Opção 1: Deus é onipotente, mas não é bom, pois poderia impedir o mal e não fez nada.
Opção 2: Deus é bom, mas não é onipotente, pois não pôde impedir a existência do mal.
Opção 3: Não existe nenhum Deus bom e onipotente.

Seria então o caso de ser Deus um ente poderoso, mas não onipotente ou onisciente, mas malévolo ou, pelo menos, indiferente à sua criação? Pior ainda, seria Deus um menino cósmico que nos fez apenas para brincar de playmobil com nossas vidas? Seria finalmente Deus uma ilusão?

Antes de propor uma resposta a essas questões, deixe-me tecer algumas considerações iniciais acerca desta problemática, que, segundo a definição de vários autores, é a maior dificuldade para se crer em Deus ou o maior argumento a favor da não existência dele.

Em primeiro lugar, uma coisa que me intriga é "se o mal é o maior argumento do ateísmo", e o mal parece estar aumentando cada vez mais (pois acompanha exponencialmente o crescimento populacional), então a hipótese de Deus já deveria ter sido banida da humanidade, ficando restrita a um número muito pequeno de pessoas. O estranho, no entanto, é que Deus insiste em não ir embora. Nem a diminuição da frequência aos cultos, verificada em alguns países, fez necessariamente as pessoas desistirem de sua fé. Mesmo na Europa, o ateísmo ainda é minoria.

Um interessante estudo comparativo sobre a religiosidade europeia e americana foi publicado por dois jornalistas americanos que trabalham para a conceituada revista *The Economist*. São eles John Micklethwait e Adrian Wooldridge, o primeiro um católico romano e o segundo, um ateu convicto. Não se trata de um livro escrito contra o ateísmo (mesmo porque um dos autores é descrente), muito menos uma apologia à fé. É apenas um estudo e nada mais. Contudo, seu título não poderia ser melhor: *God is Back: How the Global Rise of Faith is Changing The World* [Deus está de volta: como o crescimento global da fé está mudando o mundo].

A conclusão a que os autores chegaram é que a fé, frustrando todos os prognósticos sociais e antropológicos, não está diminuindo e sim aumentando ao ritmo da modernidade. Para eles, o secularismo europeu está se transformando em direção à religiosidade exportada pelos Estados Unidos, especialmente aquela que apresenta a fé como um atributo da prosperidade.

De fato, embora a Europa de hoje alcance níveis de até 80% dos cidadãos afirmando que a religião não ocupa um lugar importante em sua agenda pessoal, ainda assim, a crença em Deus ou em algum tipo de entidade sobrenatural é sustentada por 79% da população europeia. E dos 21% restantes, é bom dizer, 3% não responderam à pergunta formulada e os demais 18% não se dizem necessariamente "descrer" em Deus, mas "não saber se ele existe". Descontadas as margens de erro e os que permanecem na dúvida, os números do ateísmo permanecem bastante modestos[402].

Não estou aqui endossando toda e qualquer manifestação de fé indistintamente. Meu ponto é que, se o sofrimento é o maior argumento que os ateus possuem, devemos admitir que ele não está sendo muito convincente, pois as pessoas não estão abandonando Deus por causa da dor sem explicação. Parafraseando Dostoiévski, "parece que nem as tragédias nos fizeram desistir de Deus".

Aliás, isso me faz lembrar uma palestra que dei certa vez na Europa perante um auditório composto de pessoas crentes e descrentes. Embora temesse um pouco ofendê-los, arrisquei uma pergunta reflexiva que parece ter surtido algum efeito pelo menos sobre um ateu que me procurou posteriormente: Se o sofrimento é o grande argumento do ateísmo, por que ele é usado majoritariamente por teóricos oriundos de países ricos, que não sofrem com a pobreza ou altos índices de desigualdade social? Vá aos países mais pobres da África ou aos lixões da Índia (onde crianças dividem comida com ratos) e procure as grandes agremiações de ateus. Você praticamente não achará nenhuma! Já

---

[402] Para a fonte destas estatísticas veja: Gallup Poll 2007-2008, "Does religion occupy an important place in your life?", disponível em <https://worldview.gallup.com>; "Eurobarometer 225: Social values, Science & Technology" (PDF), Eurostat (2005); Mattei Dogan. "Religious Beliefs in Europe: Factors of Accelerated Decline", in Ralph Piedmont; David O. Moberg (eds.). *Research in the Social Scientific Study of Religion* (Boston: Brill, 2003), v. 14, p. 161-188.

na Europa, elas existem aos montes. Se o sofrimento realmente argumentasse alguma coisa contra ou a favor de Deus, a Europa, com suas riquezas, deveria estar repleta de crentes, e a África abarrotada de ateus. Em outras palavras, o que noto são acadêmicos sadios e bem alimentados usando a fome e a doença, que não experimentaram, para negar a providência divina. Enquanto isso, famílias famintas e vitimadas pela Aids (aquelas realmente experimentadas na dor) continuam dizendo: ele existe, nós cremos em sua bondade! Isso é, no mínimo, um mistério.

Deus em Auschwitz

Muitos ateus, por exemplo, usam o Holocausto nazista como pano de fundo para uma pergunta fuzilante: Onde estava Deus em Auschwitz? O filme *God on Trial* (*Deus no banco dos réus*), lançado em 2008 pela BBC, foi interpretado por alguns *blogs* como um dos mais impactantes documentários ateístas da atualidade[403]. Ele mostra de forma fictícia um grupo de judeus prisioneiros em Auschwitz simulando um julgamento em que o próprio Deus estaria sentado no banco dos réus. O processo se desenrola ao clima de outros judeus sendo exterminados pelos nazistas. Enquanto isso, as questões colocadas durante o inquérito improvisado demonstram-se extremamente complexas e, quando se aproxima a hora de os próprios participantes do processo enfrentarem a morte nas mãos de seus captores, os prisioneiros chegam a um veredicto: Deus é culpado por quebrar a aliança deixando aquilo acontecer ao seu povo.

Uma coisa, contudo, que precisa ser mencionada é que esse filme se baseia nos escritos do romancista Elie Wiesel, que sobreviveu ao Holocausto para recontar a história. Ele mesmo admite que criou uma ficção paralela em cima do que viu e sua obra é tão intensa que pode ser descrita como um romance que não é romance.

Num dos episódios, menciona-se uma criança judia (o próprio Elie?) que vê um amiguinho sendo enforcado e ouve por detrás de si uma voz que pergunta: "Onde está Deus? Onde está ele? Onde está, então?". Dentro de si surge uma voz que responde: "Onde está? Ei-lo – está ali, pendurado naquela forca"[404].

---

[403] Disponível em <http://fernandothomazi.blogspot.com/2009/08/deus-no-banco-dos-reus.html>. Acesso em: 15/03/2018.

[404] Elie Wiesel. *A noite* (Rio De Janeiro: Ediouro, 2006), p. 9.

Elie Wiesel, contudo, deixa claro que não se tornou ateu nem rompeu seus laços com Deus. Seu questionamento, como ele mesmo explicou diversas vezes, é um brado de dor pelo sofrimento alheio semelhante a muitos que temos no Antigo Testamento, nunca um protesto em causa própria. Uma frase sua que ficou conhecida no mundo inteiro diz: "Um judeu pode estar com Deus ou contra Deus, mas jamais sem Deus"[405].

No final do romance e também do filme, um jovem que é levado para morrer corre para o mesmo companheiro que pronunciou a sentença judicial contra Deus e pergunta: "Agora que Deus é culpado, o que vamos fazer?". A resposta veio com serenidade: "Vamos rezar, meu filho, vamos rezar...", e calmamente todos começam a recitar a prece judaica do entardecer. Creio que essa foi uma maneira de o autor deixar claro que a intenção de seu questionamento não era, jamais, romper laços com o Altíssimo; antes, reafirmá-la.

A relação dos que experimentaram o campo de concentração e continuaram teístas não é pequena. Viktor Frankl, Anne Frank, Hugo Gabriel Gryn... Todos a seu modo disseram: "Sim, Deus estava conosco em Auschwitz", e note que eles não estudaram a história, foram testemunhas dela. É claro, como escreveu Zachary Braiterman, que o trauma daquele genocídio provocou mudanças na teologia judaica, especialmente em seu conceito de teodiceia[406]. Mas não criou, de maneira nenhuma, um rompimento absoluto com Deus. Era de se esperar depois de um evento destes que os sobreviventes fossem, percentualmente falando, o maior grupo ateu da história. Entretanto, não foi o que vimos.

Os que descreram

O filósofo Robert Nozick afirmou que após o Holocausto pouca coisa sobraria do cristianismo. Ele escreveu: "Ainda restam os ensinos éticos e o exemplo de vida de Jesus, antes de seu fim. Mas a mensagem de salvação do Cristo não tem mais significado. Neste sentido, a era cristã chegou ao seu final"[407].

---

405 Veja a entrevista de Elie Wiesel no programa *Roda Viva* (TV Cultura) exibido em 4 de junho de 2001. Transcrição e vídeo parcial disponíveis em <http://www.tvcultura.com.br/rodaviva/programa/PGM0751>.

406 Zachary Braiterman. *(God) After Auschwitz: Tradition and Change in Post-Holocaust Jewish Thought* (Princeton: Princeton University Press, 1998).

407 Robert Nozick. *Examined Life: Philosophical Meditations* (New York: Simon and Schuster, 1989), p. 239.

Em 1966, a revista *Time* publicou uma matéria de capa intitulada "Deus está morto?". O artigo falava de um movimento recém-inaugurado, fruto do pós-guerra, que apregoava uma abordagem religiosa radical chamada "teologia secular" ou, mais propriamente, "a teologia da morte de Deus". A ideia dos proponentes era criar uma visão de cristianismo que pudesse ser acomodada ao secularismo pós-guerra presente especialmente na Europa e nos Estados Unidos, principalmente por causa da saia justa que o Holocausto causara aos "defensores" de Deus.

Dois famosos teólogos, precursores deste movimento, foram William Hamilton e Thomas J. J. Altizer, este último, inclusive, chegou a escrever um livro muito vendido com o curioso título de *The Gospel of Christian Atheism* [O evangelho do ateísmo cristão].

O curioso, no entanto, é que apesar da lógica que o movimento aparentava trazer, afinal os ventos pareciam mesmo soprar na direção de uma negação coletiva de Deus, o movimento foi um fracasso. O próprio Altizer admitiu posteriormente: "Meu grande fracasso foi imaginar que eu poderia escrever de um jeito que afetaria o leitor comum. Mas, no final, não consegui me fazer claro nem mesmo para leitores educados com *background* em teologia". Alguém chegou a ironizar que, dez anos depois de iniciar o movimento, a teologia da morte de Deus tinha "tantos adeptos" que se fizessem um congresso mundial, bastaria alugar uma cabine telefônica, e não um auditório.

Uma pergunta legítima que tanto ateus quanto cristãos podem fazer neste momento é: Em face de tanto sofrimento, como aquele causado pela guerra, por que Deus não foi embora? Por que a ideia da divindade persiste, apesar de um argumento tão forte como esses milhões de assassinatos sem nenhuma aparente intervenção de Deus? "Se Deus estava ou não em Auschwitz eu não sei", disse um ex-combatente, "mas que ele continuou vivo depois disso, continuou." A crença em Deus foi de certa forma outra sobrevivente de Hitler.

E os judeus?

E quanto aos próprios Judeus? Bem, como acenei anteriormente, é notório que eles não se transformaram no maior grupo de ateus, como era de se supor na lógica de muitos. Contudo, seria importante ouvir deles mesmos o que teriam a dizer sobre esta questão.

Num primeiro momento tudo parecia supor, como eu disse, que os sobreviventes dos campos de concentração perdessem em massa sua fé em Deus. Aliás um dos primeiros rabinos a escrever largamente sobre o tema de Deus após o Holocausto foi Richard Lowell Rubenstein e ele não parecia nada simpático à fé religiosa. Veja suas palavras:

> Como filhos da terra nós, judeus, tínhamos uma ideia errada de nosso destino. Nós perdemos toda esperança, consolo e ilusão... um Deus que tolera o sofrimento até mesmo de uma única criança inocente ou é infinitamente cruel ou indiferentemente sem condições de oferecer qualquer esperança.[408]

Os teólogos da morte de Deus aplaudiram a posição do Rabino Rubenstein. Contudo, duas coisas me chamam a atenção aqui neste ponto: primeiro que Rubenstein recusou peremptoriamente abraçar o ateísmo ou qualquer negação da existência de Deus; segundo, ele, embora judeu, não passou pelo Holocausto nazista. Felizmente estava seguro em território americano, onde morou por toda a vida. Os que se basearam nele para afirmar um ateísmo sistemático não parecem ter dado conta disto.

Mas em 1980 houve uma reviravolta no tema. Uma pesquisa sobre Deus e o Holocausto foi publicada em que, pela primeira vez, se ouviu a voz dos sobreviventes, das testemunhas oculares do drama, e não de teólogos, filósofos e roteiristas que refletiram sobre o acontecimento. Não que essas vozes reflexivas não tenham seu valor, mas é que tanto se falou de crer ou não crer em Deus por causa do massacre nazista que esqueceram, de certa forma, as principais testemunhas do processo: os que de fato estiveram lá!

O autor da pesquisa foi o rabino Reeve Robert Brenner e seu título: *A fé e a dúvida dos sobreviventes do Holocausto*. Não se tratava de um livro teológico nem de um manual de teodiceia. O documento era antes um exaustivo trabalho estatístico, que arrancou muitos elogios nas resenhas acadêmicas. Seu marco foi o rigor em apresentar dados numéricos, e não em sistematizar inferências subjetivas. A opinião pessoal do autor mal aparece no texto! O livro demorou 9 anos para ser concluído e contou com o apoio e a assistência do prestigiado Instituto de Pesquisas do Holocausto, ligado ao Yad Vashem de Jerusalém.

---

408 Richard L. Rubenstein's. *After Auschwitz: History, Theology and Contemporary Judaism* (Baltimore: Johns Hopkins University Press, 1992), p. 87.

Pois bem, o que a pesquisa revelou em resumo foi que um terço dos sobreviventes entrevistados já eram ateus ou agnósticos antes do Holocausto. Estes disseram ter perdido sua fé ou qualquer possibilidade de um dia construí-la. O outro um terço disse ter tido a intensidade de fé diminuída, mas não abalada aponto de se tornarem descrentes; eles ainda continuavam crendo em Deus. E o outro um terço afirmou que sua fé em Deus foi aprofundada e fortalecida depois daquela experiência.

Dos que disseram ter sua fé diminuída, é importante esclarecer o que isso significou na pesquisa, muitos deles mudaram sua compreensão de um Deus pessoal, patrono quase exclusivo de Israel, para um Deus diferente, que talvez não tivesse uma aliança exclusiva com seu povo, como pensavam desde a infância. Mas, ainda assim, continuava sendo um Deus autoexistente e real. Nas palavras do próprio autor da pesquisa, em uma entrevista concedida à jornalista Rachel Baumann, os números indicaram que

> aquelas pessoas que eram crentes antes do Holocausto geralmente descobriram que a experiência do campo de concentração e sua sobrevivência confirmou suas crenças, ao passo que os que eram céticos acharam que o Holocausto confirmou seu ceticismo.

Em outras palavras, o argumento do Holocausto abalou mais as crenças de quem o viu de fora do que dos que o experimentaram de dentro. Os que ali estiveram continuaram, em sua maioria, sendo aquilo que sempre foram: crentes ou descrentes em Deus. Muitos mudaram, é claro, sua concepção de Deus, mas não sua crença nele.

Um caso para se pensar

Quero agora usar como exemplo o caso de um sobrevivente do Holocausto cujas teorias sobre Deus rodaram pelo mundo. Ele já foi mencionado neste livro, seu nome: Dr. Viktor Frankl, fundador da Logoterapia, a terceira escola de psiquiatria de Viena. Apesar de Freud ter ficado mais famoso, o trabalho de Frankl foi igualmente importante para a psicanálise, especialmente na cura de depressões e suicidas em potencial. Ele chegou a ser professor visitante em Stanford e Harvard e seus livros foram traduzidos para mais de 20 idiomas.

Porém, o que nem todos sabiam é que em 1942 ele, sua esposa e seus pais foram deportados para diferentes campos de concentração nazistas. Seu pai morreu de fome, sua mãe transportada para Dachau e executada na câmara de gás. Sua esposa de 25 anos morreu em outro campo de concentração de Bergen-Belsen. Só sobraram ele e uma irmã que havia fugido da Alemanha.

Frankl ficou preso em Dachau e depois em Auschwitz e só foi libertado em 27 de abril de 1945 quando os aliados chegaram. Antes da guerra havia sido um brilhante discípulo de Freud. Foi justamente o que ele passou no campo de extermínio que o fez romper com os ensinos de seu antigo mestre.

Freud, por exemplo, por causa do seu ateísmo, afirmava no livro O *futuro de uma ilusão* que "a religião é uma compulsiva neurose universal da humanidade". Frankl viu justamente o contrário. No campo de concentração, foi justamente a religião – elemento que Freud desprezara – aquilo que trouxe esperança para muitos e transformou uns tantos em heróis.

Novamente por não acreditar em Deus, Freud dizia que quando as necessidades básicas são retiradas todos os homens ficam iguais, tornam-se instintivamente animalizados e agressivos contra quem quer que seja, para que se satisfaça sua necessidade de sobrevivência e de afeto, os famosos *Eros* e *Tánatos*. Frankl novamente discordava: ele viu na prática o que Freud imaginou na teoria: homens e mulheres privados das necessidades mais básicas de um ser humano. Quando isso aconteceu, eles não se tornaram iguais, pelo contrário, foi aí que as diferenças se acentuaram. Nas suas próprias palavras: "uns se tornaram santos, outros se tornaram porcos". O que os diferenciou? A relação maior ou menor com aquilo que Frankl chamou de "Deus inconsciente".

Observe, porém, que Frankl não predica uma ideia estrita de Deus conforme os tratados de teologia da época, até porque isso não estaria ao alcance de sua pesquisa, mas ele falava muito da realidade espiritual ou transcendental que, se negada, pode trazer neuroses ao ser humano.

Embora não possamos dizer que a ideia de deus de Frankl é a mesma dos credos cristãos, também não podemos predicar que Deus, em seu tratado, é qualquer coisa. Pelo contrário, embora um de seus códigos de ética fosse respeitar a crença prévia do paciente, o próprio Frankl tinha bem claro para si de que Deus estava falando: um Deus pessoal, criador, que deixou um vazio com sua forma em nosso ser. Quando não preenchemos esse vazio, abrimos espaço para as doenças da alma.

Sendo assim, esse "Deus", que às vezes ele chama de transcendência para não ofender o espírito dos pacientes e acadêmicos céticos, foi o tema de sua tese doutoral cuja conclusão foi que o sentido transcendental da vida é espiritual e está fora de nós. É esta busca por ele que justifica nossa existência e nos traz a paz mesmo em meio a uma provação severa como o sofrimento que o próprio Frankl testemunhou. Esse existencialismo logoterápico é bem diferente daquele existencialismo ateísta proposto por Sartre, que, negando a realidade divina, dizia que devemos aprender a nos conformar e tolerar a falta de significado no cosmos.

    Frankl, por sua vez, dizia o contrário, que o Logos divino é superior à lógica humana. É ele quem traz sentido à nossa existência mesmo em meio à dor. Nós, que estudamos o acontecido a distância, podemos até ser tentados a dizer que Deus não estava em Auschwitz ou questionar como pode ele ter permitido tamanha atrocidade. Sobreviventes como Frankl, no entanto, diriam que Deus esteve com eles no campo de extermínio. Ilusão? Não sei, mas posso afirmar que eles sobreviveram e reconheceram o poder de uma força divina e pessoal que não estava neles mesmos.

Capítulo 37
Existe lógica na dor?

Como vimos anteriormente, é deveras curioso que o sofrimento não pareça ser o principal argumento ateu para aqueles que o experimentam na pele. Nem mesmo um acontecimento como o Holocausto foi forte o bastante para conduzir ao ateísmo os sobreviventes do nazismo, a não ser, é claro, alguns famosos como Einstein e Freud, que, coincidentemente, tiveram a ventura de escapar do Holocausto. Isso parece, no mínimo, indicar que os que estudam por demais o sofrimento e discursam sobre ele tendem à negação de Deus, mas que os que o experimentam na carne tendem a correr para os braços do Criador. O porquê disso eu não sei, estou apenas sistematizando o que me diz a história e concluindo que o sofrimento pode ser um tema complexo, não é um argumento tão poderoso assim!

Sem contar que alguns questionamentos de Deus terminam sendo uma contradição em si mesmos. Veja o caso mencionado numa palestra do apologista cristão Ravi Zacharias sobre um jovem ateu que certa vez lhe questionou em público sobre o fato de que a existência do mal anularia automaticamente a existência de um Deus. Ravi lhe respondeu:

– Se você trabalha com o conceito de mal, então também admite a existência de um bem para contrastar com o mal. Certo?

– Sim – respondeu ele.

– Se há bem e mal, então existe um parâmetro legal que estabelece coisas que são boas e coisas que são ruins, correto?

– Exatamente.

– Se há esse tal parâmetro legal, então deve haver um Legislador... Mas é aqui que entra a contradição de seu argumento. Se não há Legislador [conforme a tese ateísta] não pode haver legislação, se não há legislação, não há parâmetro de bem nem de mal, se não há parâmetro, então as noções de bem e de mal também são todas fictícias. Logo, como se pode ter tanta certeza do mal e usá-lo para argumentar a inexistência de Deus?

Outro exemplo de argumentação contraditória é justamente aquela que lida com o assunto da onipotência divina, citada no topo do já mencionado trilema de Epicuro. Alguns o chamam de "o paradoxo da onipotência" e o sistematizam mais ou menos assim: Poderia Deus criar uma pedra que nem ele mesmo poderia carregar?

A pergunta é capciosa. Se ele puder criar tal pedra, deixa de ser onipotente (pois haverá algo que efetivamente não pode fazer), se não puder criá-la, também deixa de ser onipotente (pois finalmente há algo que não pode realizar). Como resolver isso?

A primeira coisa que temos de esclarecer é o significado bíblico de onipotência de Deus. Tomás de Aquino foi preciso ao dizer que os que "confessam que Deus é onipotente às vezes têm dificuldades em explicar em que consiste precisamente a sua onipotência"[409].

A onipotência de Deus

De fato, a Bíblia diz em várias passagens que Deus é todo-poderoso (cf. Jó 42: 2; Jeremias 32:17,27; Mateus 19:26; Lucas 1:37; Apocalipse 19:6). Em Gênesis 17:1, ele se apresenta ao patriarca Abraão como El Shadday, que em hebraico quer dizer justamente "o Deus todo-poderoso". Mas atenção: a Bíblia também lista uma série de coisas que Deus simplesmente *não pode fazer*. Exemplo: ele não pode mentir ou quebrar uma promessa (Hebreus 6:18); não pode negar-se a si mesmo (2Timótco 2:13); não pode macular seu próprio nome nem dar sua glória para outrem (Isaías 48:11); não pode duelar com seu caráter (Malaquias 3:6); não pode ser tentado pelo mal (Tiago 1:13). Assim entendemos que onipotência não é sinônimo de "fazer tudo indistintamente". Um Deus que criasse a terceira margem de um rio ou estabelecesse a quadratura de um círculo seria um ser ilógico, não onipotente.

De acordo com a Bíblia, Deus é capaz de fazer qualquer coisa que esteja em acordo com sua natureza e caráter. Ele é, antes de tudo, essencialmente coerente consigo mesmo. Assim, se entendermos a onipotência como a capacidade de se fazer qualquer coisa sem distinção (conforme sugere o paradoxo de Epicuro), então estamos dizendo que Deus seria capaz de existir e não existir ao mesmo tempo, significando que tanto o ateísmo quanto o teísmo estariam concomitantemente certos. Ora, tal forma de raciocínio é classificada

---

409 Tomás de Aquino, *Summa theologica*, I, 25, a. 3.

na filosofia como *reductio ad absurdum*, uma expressão originalmente usada por Aristóteles para classificar aqueles argumentos que derivam de uma consequência absurda ou ridícula que não provam em nada que a suposição original (no caso, a existência ou não de um Deus todo-poderoso) estaria realmente errada. Sua conclusão só leva a um resultado irracional que descarta a própria refutação, e não a tese a que ela se opõe. Vale ainda mencionar a lei da não contradição, segundo a qual uma declaração não pode ser simultaneamente tanto verdadeira quanto falsa.

Assim a ideia de um Deus que pode ser e não ser ao mesmo tempo (carregar e não carregar uma pedra) cria um conceito ilógico, refutável em si mesmo. Sem essa compreensão, a existência de um Deus onipotente seria logicamente contraditória e poderíamos razoavelmente concluir que Deus, por definição, não existe. Portanto, é importante que aqueles que negam a existência de Deus tenham claro em seu discurso se o conceito que estão tentando refutar é, de fato, o que o teísmo bíblico apresenta.

E então? Um Deus onipotente poderia ou não poderia impedir a existência do mal? É claro que poderia, desde que seguisse os critérios de sua própria coerência. Afinal, Deus não é controlado pelo seu poder, mas tem o total controle sobre ele. De outro modo, não poderia ser classificado como um ser livre, munido de vontade própria.

Justamente por ser um Ser munido de livre-arbítrio, Deus desejou e pôde criar seres igualmente livres, capazes de escolher se querem ou não o amar e viver em sua companhia. Se ele não criasse nenhum ser livre, mas fizesse-nos todos automatizados como o computador de Richard Dawkins, então realmente a menor possibilidade do mal estaria evitada. Contudo, ele preferiu nos dar a chance da opção, e é graças a essa chance que há crentes e ateus, pessoas que o servem e pessoas que o negam. Se há um mistério que extasia até a alma é o mistério do amor de Deus. Como um ser que em si mesmo se basta deseja criaturas ao lado dele? E mais: podendo ter todas ao mesmo tempo, dá-lhes a chance de escolherem se querem ou não estar em sua companhia. Um ser essencialmente onipotente, que de modo voluntário assume uma vulnerabilidade: ele pode ser rejeitado!

Um Deus legislador

Sendo Deus um ser essencialmente lógico e organizado, era de se esperar que junto à criação do universo viesse a sistematização de leis físicas para a manutenção e o bom funcionamento do cosmo, além, é claro, de específicas leis morais para aqueles que eram moralmente livres para escolher.

Mas aqui temos um novo dilema. Numa sociedade relativista como a que vivemos, a ideia de lei parece contradizer a ideia de livre-arbítrio. Isso sem contar que, segundo alguns, se Deus colocou diante do ser humano a porta do certo e do errado, e o ser humano escolheu o erro, Deus é, em última instância, culpado, pois foi ele quem propiciou a possibilidade do erro. Tal conclusão conduz novamente para a negação do direito de escolha. Contudo, esconder as opções para se evitar escolhas erradas não é definitivamente o método de Deus.

As leis estabelecidas por Deus não foram criadas para tirar minha liberdade, e sim para estabelecê-la. São como as leis que organizam o trânsito, a sociedade e a vida. Quanto a placa numa rodovia diz que não devo ultrapassar naquele trecho, ela não está de modo algum cerceando minha liberdade de dirigir. Pelo contrário, está estabelecendo a segurança do meu direito de dirigir um carro nas rodovias públicas do meu país, sem o risco de encontrar um caminhão vindo em direção oposta. Como você sabe, não precisamos nem consultar as estatísticas para saber que a maioria absoluta dos acidentes ocorre por culpa de motoristas que desrespeitam as leis de trânsito.

Agora veja; alguns, ao lerem a história do fruto proibido contada no Gênesis, culpam a Deus pela transgressão de Adão e Eva, pois dizem que se ele não tivesse lhes apresentado a oportunidade do erro não teriam caído em tentação. Em outras palavras, se ele não houvesse criado uma lei para ser quebrada, a transgressão não existiria, então Deus é culpado. Imagine então alguém tentando culpar o Código Nacional de Trânsito porque um amigo seu morreu bêbado, dirigindo em alta velocidade num limite muito acima do permitido na lei. Sua morte não seria evitada se o Código não existisse. O perigo não passou a existir nem quando nem porque o mandamento foi estabelecido. Ele já existia antes, a lei apenas o sinalizou e impôs limites para nos manter protegidos. O problema é que a nossa liberdade de escolha pode nos levar para além desses limites.

Aí entremos no tema do livre-arbítrio; uma questão essencial para este debate. Mesmo dentre os teístas as opiniões são divididas. Uns creem que Deus nos criou livres, outros, que nos predestinou para a salvação ou para a perdição.

No campo da filosofia, encontramos como principal corrente a doutrina do determinismo (com suas variantes). Ela afirma que todos os acontecimentos, inclusive as escolhas humanas, são causados por acontecimentos anteriores. Logo, o homem não é totalmente livre para decidir e influir em todos os fenômenos em que toma parte. A liberdade é condicionada pela natureza do evento e o instante em que ela ocorre.

Alguns pensam que tal definição anula o conceito de livre-arbítrio (libertanismo), enquanto outros defendem que é possível harmonizar os dois princípios (compatibilismo). De fato, várias passagens bíblicas dão a entender que o direito de escolha não consiste em fazer tudo o que se *deseja*. Antes, a escolha reside na capacidade de *tomar decisões* diante de situações antecedentes[410].

Em Deuteronômio 28-30, Deus coloca, através de Moisés, dois caminhos diante de seu povo, cada um com suas respectivas consequências. Ao final da proposta, ele conclui de um modo bastante eloquente e até passional:

> Hoje invoco os céus e a terra como testemunhas contra vocês, de que coloquei diante de vocês a vida e a morte, a bênção e a maldição. Agora escolham a vida, para que vocês e seus filhos vivam e para que vocês amem o Senhor, o seu Deus, ouçam a sua voz e se apeguem firmemente a ele. Pois o Senhor é a sua vida e ele lhes dará muitos anos na terra que jurou dar aos seus antepassados, Abraão, Isaque e Jacó (Deuteronômio 30:19 e 20).

Veja que nem mesmo as bênçãos puderam ser impostas, tinham de ser aceitas para serem derramadas. Um conceito análogo pode ser encontrado no discurso de Cristo acerca dos dois caminhos colocados diante do ser humano, o caminho da salvação e o caminho da perdição (Mateus 7:13 e 14).

É claro que eu não posso escolher voar como um pássaro apenas porque tenho vontade de fazê-lo. Meu corpo não está projetado para isso. Também não posso escolher em que dia ocorrerá a morte de um ente querido. Não obstante, está em minhas mãos *decidir* o que fazer com aqueles elementos da vida que escapam ao meu direito de escolha. Mesmo não escolhendo nascer num mundo repleto de ódio, posso optar pelo caminho do bem. Portanto, sou moralmente responsável pelas ações que advêm das escolhas que fiz. As evidências escriturísticas mostram que, pela visão bíblica, o ser humano sob hipótese alguma jamais perdeu o direito à liberdade de escolha dado originalmente por Deus.

---

410 Gênesis 3:2 e 3; Deuteronômio 30:19; Isaías 1:18 e 19; Jeremias 21:8; João 5:40; Atos 7:51; Tiago 1:14; 4:7.

O dilema continua

Mas ainda não findamos nossa questão. Estamos apenas na metade do caminho. Reconheço que tudo o que escrevi anteriormente até serve para explicar o mal que surge da transgressão humana verificada todos os dias. Permanecem, contudo, alguns pontos em aberto: o que fazer com aqueles casos de sofrimento em que não podemos apontar um culpado ou transgressor?

Vejamos uma situação exemplar: John Carey Merrick (cujo nome de batismo era Joseph). Nascido em 1862, ele fora abandonado pela família e exibido como aberração num circo de Londres. Todos os dias era espancado e sua alimentação consistia em água e uma porção de batatas cozidas, uma vez ou outra permitiam comer um pedaço de carne.

Quando Merrick foi descoberto pelo Dr. Frederick Treves, o mais notável cirurgião de Londres, 90% de seu corpo estava deformado por uma doença de nascença diagnosticada décadas depois de sua morte como um raro caso de neurofibromatose múltipla, também conhecida como "síndrome de Proteus". Sua história virou um filme mundialmente conhecido como O *homem elefante*, que tinha por objetivo levar as pessoas a refletirem sobre a dignidade humana. Para John, tarde demais, pois as únicas lembranças que possuía de outros seres humanos era a repulsa que sentiam ao verem aquele que era anunciado num cartaz circense como "a versão mais degradante do ser humano".

Dizer para John Merrick, e outros bilhões de sofredores ao longo da história, que suas desventuras estão relacionadas ao livre-arbítrio, chega a soar como a mais insensível das afirmações. Onde foi que eles erraram para receberem tal aguilhão? E onde Paris Hilton acertou para receber como herança um belo rosto e a maior rede de hotéis do planeta? Diga-nos, imploram os sofredores, pois queremos acertar também!

Nisto alguns tentam resolver tais dilemas apresentando a proposta espírita de reencarnação. Em que pese meu respeito pelos que assim pensam, não posso concordar com suas premissas por mais que elas aparentem resolver o problema das injustiças. Neste caso, pessoas como John Merrick vieram desse jeito para pagar a dívida que deixaram de alguma encarnação passada. Assim, muitos que sofrem hoje podem ter sido vilões no passado que mereciam passar pelo que estão passando.

Devo lembrar que o espiritismo moderno, especialmente o de linha kardecista, nasceu num ambiente europeu marcado pelo materialismo, cientificismo, secularismo e, principalmente, evolucionismo de Darwin. A dialética espiritualista com esses elementos deu ao novo segmento religioso ares de progressismo positivista que queria a todo custo encontrar uma forma laboratorial de comprovar a fé. Daí a necessidade de cartas psicografadas, fotografias de ectoplasmas, aparições de entes falecidos e demonstrações parapsicológicas. Tudo isso são absorções positivistas de um movimento que se diz espiritual, mas se mostra cientificista.

Com base nisso, minhas dificuldades com a lei do carma e tudo que ela representa seguem em duas direções: a primeira, no fato de que o espiritismo, pela combinação dos fatores anteriormente mencionados, deixa de ser uma proposta cristã e monoteísta para se tornar uma forma disfarçada de panteísmo. As sucessivas reencarnações, caso fossem reais, provocariam uma despersonalização do indivíduo uma vez que cada ser humano nunca terá uma vida transitória que o identifique como ser único, mas antes uma série de caracteres e identidades provisórias. Hoje ele é um empresário, mas antes foi uma viúva mãe de oito filhos e poderá voltar como um andarilho com problemas mentais. Seu eu se funde com a essência cósmica, formando todo um abstrato divino, semelhante ao que pregam os seguidores do hinduísmo.

Em segundo lugar, está o fato de que a Bíblia é taxativamente contrária a práticas de consulta aos mortos e atividades mediúnicas (cf. Levítico 20:27; Jeremias 27:9; Isaías 8:19,20). Hebreus 9:27 e 28 é claro em dizer algo que dificilmente abriria espaço para a reencarnação, muito menos para qualquer capacidade humana de pagar por sua própria culpa: "Da mesma forma, como o homem está destinado a morrer uma só vez e depois disso enfrentar o juízo, assim também Cristo foi oferecido em sacrifício uma única vez, para tirar os pecados de muitos; e aparecerá uma segunda vez não para tirar o pecado, mas para trazer salvação aos que o aguardam".

Pela discrepância insolúvel entre tais ensinamentos e a Bíblia, não vejo como ser ao mesmo tempo um crente no espiritismo e nos ensinos bíblicos. Por isto descarto a primeira abordagem.

O melhor dos mundos?

O discurso do desígnio inteligente e do livre-arbítrio parecem perder a sua força quando vemos casos como este. Se o universo é como um relógio que demanda um relojoeiro, parafraseando Dawkins, então ele realmente é cego, pois não vê direito as coisas que faz.

Meditemos por um instante, numa sátira de Voltaire, intitulada *Cândido, ou o otimismo*[411]. A estória versa sobre um jovem criado por um filósofo chamado Pangloss que lhe ensina que o segredo da vida está em reconhecer que tudo o que acontece sempre é para o bem e que nós vivemos no "melhor de todos os mundos". Acontece que as cenas passam misturando com muita ironia a ingenuidade e a esperteza, o desprendimento e a ganância, a violência e a mansidão, o amor e o ódio.

Cândido é injustamente expulso do castelo onde morava. Depois é preso e torturado. Perde sua amada, seus amigos o abandonam. As explicações de seu mestre já não dão conta de esclarecer seu sofrimento. Voltaire não perde a oportunidade de descrever todos os casos com requintes de ironia e crueldade. Afinal, ele mesmo era um homem que não conseguia conviver bem com o chamado "grande plano de Deus".

Finalmente, o jovem Cândido se rebela contra as ideias iniciais do livro e conclui que não há propósitos que deem uma razão para nossa vida. Devemos esquecer os porquês e viver a vida enquanto podemos, desfrutando ao máximo os prazeres deste mundo. Afinal, se esse é o "melhor de todos os mundos" imagine como seria o pior deles.

Quando vi imediatamente essa narrativa de Voltaire, perguntei-me: Quem disse que esse é "o melhor mundo possível"? Onde está escrito que esse era o plano original de Deus para este planeta? Admitamos uma coisa: se tornados, doenças, secas, inundações e similares levam a crer que o relojoeiro é cego, a tremenda precisão dos detalhes, cores e acertos – também verificáveis na natureza – leva a crer que ele é competente e bastante exímio. Afinal de contas, o que é Deus? Um desastrado aprendiz ou um esmerado criador? A natureza parece apontar para as duas coisas e esse paradoxo não parece ter solução, a menos que, deixando temporariamente a contemplação da natureza, eu encontre uma explicação maior que me diga que o mal é um intruso temporário nos planos originalmente perfeitos de Deus, e que ao final ele será extirpado e o bem perfeito será estabelecido.

Por que não seria o contrário? O bem um intruso no mundo do mal? Por uma questão de lógica. O mal como condição ontológica implica sempre uma

---

[411] Uma versão eletrônica de 1759 pode ser encontrada em <http://books.google.com.br/books?id=PC86AAAAcAAJ&printsec=frontcover&dq=Voltaire+candide&source=bl&ots=3bqI0eOJph&s>.

negação e uma privação de algo. A doença é a privação da saúde e as trevas a privação da luz. Não faz sentido dizer que a saúde é a privação da doença ou a luz a privação das trevas. Seria o mesmo que dizer que o cheio é a privação do vazio e isso não faz sentido.

Considerando, pois, que o mal é a privação do bem e nunca o contrário, posso seguramente dizer que o último é a condição natural da existência e o primeiro a intromissão não convidada. A disputa entre ambos os princípios do bem e do mal é que causa o atrito e, por conseguinte, a zona de desconforto em meio à qual estamos todos inseridos.

Sem uma história real que dê significado a esse conflito entre as forças do bem e do mal, o livre-arbítrio e o desígnio inteligente permanecem como introduções a um livro que ficou sem ser escrito. Perdem completamente o seu sentido e a vida se torna o que descreveu Shakespeare em *Macbeth*:

A vida nada mais é do que uma sombra que passa,
Um pobre ator que gesticula em cena durante algumas horas
Depois ninguém vê mais. A existência,
Uma desesperada história contada por um louco,
Cheia de som e de fúria,
Significando nada.[412]

Por que sofremos? Digo que é porque a grande lei universal foi transgredida! Porém, isso dito assim, *grosso modo*, não faz sentido algum. Por isso preciso contar-lhe uma história que contextualize a afirmação que acabei de fazer. Portanto, acompanhe comigo no próximo capítulo um resumo desta história que, para mim, dá sentido a todas as perplexidades da vida. Depois de muito estudar, concluí que ela tem tudo para ser real. Por outro lado, como não argumentei o porquê de considerá-la assim tão autêntica, sugiro que a leia pelo menos como um conto meditativo e reflita sobre ela, assim como faria sem preconceitos com uma narrativa produzida por Homero, Shakespeare ou os irmãos Grimm.

---

412 Shakespeare. *Macbeth*, Ato V, cena V. Versão eletrônica disponível em <http://books.google.com.br/books?id=rHBCocyRol4C&printsec=frontcover&dq=Macbeth+Shakespeare&source=bl&ots=He1j3CdJ4A&sig=S4JByRLUvrsHRfjPcLPKFexLEfM&hl=pt-BR&ei=MNN5S5HWBc-GUtgfcwNG9Cg&sa=X&oi=book_result&ct=result&resnum=3&ved=0CBQQ6AEwAg#v=onepage&q=sound%20&f=false>.

Capítulo 38
Um enredo para o caos

Existem muitos episódios que ilustram como a falta de um enredo ou de um quadro maior da situação pode gerar compreensões errôneas de uma situação isolada. Conta-se uma parábola de certo homem que sonhou estar num deserto com seu cachorro e seu cavalo (fiéis companheiros) caminhando desesperados em busca de água para beber. Todos, na verdade, queriam chegar ao céu, mas a trajetória era longa e árdua.

O Sol era forte e eles ficaram suados e com muita sede. Precisavam desesperadamente de água. Numa curva do caminho, avistaram um portão magnífico, todo de mármore, que conduzia a uma praça calçada com blocos de ouro, no centro da qual havia uma fonte de onde jorrava água cristalina. O caminhante dirigiu-se ao homem que, numa guarita, guardava a entrada.

– Bom dia! – ele disse.

– Bom dia! – respondeu o homem.

– Que lugar é este, tão lindo? – ele perguntou.

– Isto aqui é o céu – foi a resposta.

– Que bom que nós chegamos ao céu, estamos com muita sede – disse o homem.

– O senhor pode entrar e beber água à vontade – disse o guarda, indicando-lhe a fonte.

– Meu cavalo e meu cachorro também estão com sede.

– Lamento muito – disse o guarda. – Aqui não se permite a entrada de animais.

O homem ficou muito desapontado porque sua sede era grande. Mas ele não beberia, deixando seus amigos com sede. Assim, prosseguiu seu caminho.

Depois de muito caminharem morro acima, com sede e cansaço multiplicados, ele chegou a um sítio, cuja entrada era marcada por uma porteira velha semiaberta. A porteira se abria para um caminho de terra, com árvores dos dois lados que lhe faziam sombra. À sombra de uma das árvores, um homem estava deitado, cabeça coberta por um chapéu; parecia que estava dormindo.

– Bom dia! – disse o caminhante.

– Bom dia! – respondeu o homem.

– Estamos com muita sede, eu, meu cavalo e meu cachorro.

– Há uma fonte naquelas pedras – disse o homem indicando o lugar. – Podem beber à vontade.

O homem, o cavalo e cachorro foram até a fonte e mataram a sede.

– Muito obrigado – disse ele ao sair.

– Voltem quando quiser – respondeu o homem.

– A propósito – disse o caminhante –, qual é o nome deste lugar?

– Céu – respondeu o homem.

– Céu? Mas o homem na guarita ao lado do portão de mármore disse que lá era o céu!

– Aquilo não é o céu; aquilo é o inferno – retrucou o homem.

O caminhante ficou perplexo.

– Mas então – disse ele – essa informação falsa deve causar grandes confusões. Por que o Todo-Poderoso permitiria tal engano das trevas? Isso poderá impedir que muita gente venha para o céu verdadeiro.

– Na verdade não – respondeu o homem. – A situação que você julga problemática termina nos fazendo um grande favor. Porque lá ficam aqueles que são capazes de abandonar até seus melhores amigos! Isso filtra os que vêm para cá.

Algumas situações só são de fato compreendidas quando chegamos ao ponto de ver o quadro por inteiro. Por isso, o que precisamos é de um enredo que justifique racionalmente por que estamos nesta situação de caos e desespero.

Um problema milenar

O problema do mal não é algo que desafia apenas um setor da humanidade. Quer de forma filosófica, existencial ou moral, todos nos debruçamos diante dele e nos perguntamos "por quê?". Até mesmo aquele cético mais radical, que afirma serem os males meras contingências da vida, não escapa das lágrimas e de um punho cerrado diante do infortúnio.

Talvez alguns psicopatas, diagnosticamente desprovidos de emoção, sejam os únicos que não sentem o peso da desventura humana, pois até loucos crônicos questionam o porquê do sofrimento. Isto não quer dizer que sobreviventes à dor não possam encontrar *a posteriori* um conforto, um amadurecimento ou um fruto positivo daquilo que enfrentaram. Conheço mães orgulhosas e gratas por um filho querido, gerado de um estupro. Casais tremendamente apaixonados que se conheceram graças a uma tragédia. Isso não significa de maneira alguma que eu precise da dor para ter o bem. Prefiro dizer que de tragédias não desejadas podem surgir resultados positivos que ajudam a amenizar a experiência ruim. Não é uma compensação literal pelo sofrimento, mas funciona como se fosse.

Não é, tampouco, uma questão de ser o mal necessário, mas, antes, o surgimento de algo bom daquilo que num contexto ideal não era para ter ocorrido. Um milagre, eu diria, que faz surgir superação, otimismo e frutos bons até daquilo que era para ser todo mal. As consequências do sofrimento não estão todas sob nosso controle, porém, parte deles pode sim ser determinada por nossas atitudes.

O livro *Fragmentos de uma vida*, de Henrietta "Rita" Braun, é um exemplo de visão positiva sobre um sofrimento passado. A autora nasceu em Cracóvia, Polônia, mas veio para o Brasil em 1947, trazendo na memória a tragédia do regime nazista do qual foi uma sobrevivente. O interessante da leitura é que ela não se perde em sentimentos de ódio e vingança, pelo contrário, consegue conviver com o passado e os inúmeros momentos de profundo sofrimento com lucidez e equilíbrio.

Mas suas memórias também trazem o tom do questionamento. Um pequeno poema feito por ela relembra quando estava presa do gueto de Stanislavov e, ainda criança, via um gato que entrava e saía do confinamento, passando pelos soldados nazistas sem que ninguém o incomodasse. A cena tornou-se emblemática e ela escreveu:

> Um felino pode sair e entrar no campo de concentração a qualquer momento, mas um ser humano que chora, ri, pensa, ama, [...] não pode fazê-lo sob pena de perder a própria vida. Por quê? Porque eles são alemães e eu sou judia. OH! DEUS MISERICORDIOSO, POR QUE NÃO ME FIZESTE UM GATO?

O que dizer do triste poema de Castro Alves narrando os horrores de um navio negreiro?

Senhor Deus dos desgraçados!
Dizei-me vós, Senhor Deus,
Se eu deliro... ou se é verdade
Tanto horror perante os céus?!...

Conheci certa vez um alemão que admitiu ser ateu porque era melhor acreditar que não havia ninguém lá em cima do que ser obrigado a odiar um Deus que permite tanto caos aqui na Terra. De fato, saber que sua mãe morreu no parto é menos doloroso para um órfão que descobrir que ela vive e simplesmente o abandonou.

O problema do mal na Antiguidade

Antigos textos egípcios e mesopotâmicos já exploravam o assunto do mal da perspectiva de um conto. Um deles, datado de cerca de 2500 a.C., traz como título *Uma disputa acerca do suicídio*. De origem egípcia, o texto fala de um homem deprimido e desanimado com a vida, que viu na morte a única forma de escape. O protagonista, portanto, discursa eloquentemente sobre seu desejo de morrer.

Temendo que sua alma não o acompanhasse na morte, ele a pede que não o abandone. Finalmente, os deuses vêm à sua defesa e sua alma tenta dissuadi-lo do suicídio, sugerindo-o que esqueça os problemas e mergulhe na busca da felicidade, do prazer. Ele, contudo, repreende sua alma. Então ela, finalmente, aceita ficar junto dele, mesmo no momento mais terrível de sua existência.

Outro texto, produzido na Suméria, conta de forma poética a estória de um sábio que foi afligido por severas doenças. Lamentando seu estado caótico, ele deseja que membros de sua família se juntem a ele em seu sofrimento e suplica a seu deus pessoal que o livre da dor. Então, sem oferecer qualquer questionamento sobre o porquê de ter sido tratado assim injustamente, ele confessa seus pecados e os deuses o libertam do demônio das doenças. Aqui o aflito nunca questiona a justiça divina e fica implícito que quem sofre é porque está em débito com a divindade.

Nenhum destes textos, contudo, aborda a questão de uma perspectiva filosófica que delineasse o sofrimento como uma problemática universal. Não há nenhum delineamento histórico para seu surgimento no universo ou esperanças de que seja erradicado num juízo final.

Quem chegou mais próximo disso foram os persas através de uma sistematização apresentada por Zoroastro. Para ele o mal era um de dois princípios opostos (o outro era o bem) que estariam em constante luta durante alguns milênios. No fim, contudo, o bem haveria de triunfar e a paz eterna seria restaurada.

Segundo o zoroastrismo, nós sofremos temporariamente porque estamos em meio a esse grande conflito.

No mundo grego, Teógnis foi um dos primeiros a sistematizar, ainda no 6º século a.C., o assunto do sofrimento dentro da justiça divina à qual ele violentamente questionava. Poeta lírico, cheio de conflitos internos e com uma visão bem pessimista de sua própria existência, ele escreveu:

> Estou surpreso contigo, ó grandioso Zeus! Tu és o Senhor cuja honra e glória estão em toda parte. Tu reinas supremo, meu rei, em todo o mundo. Como então, oh filho de Cronos, pode a sua mente se acomodar em ver criminosos e homens de bem [...] compartilhar o mesmo destino? Não há regras divinas fixadas para os homens, nem caminhos pelos quais se pode com segurança ganhar o favor dos deuses?[413]

Em outra parte, ele continua desiludido:

> Para o homem, a melhor coisa é nunca ter nascido. Nunca ter contemplado um escaldante raio de sol. O melhor seria acelerar seus passos para os portões do Hades, e uma vez lá, deitar sob um montículo de terra.[414]

Dois séculos depois de Teógnis, veio Epicuro, um dos principais autores antigos a apontar o problema do mal. Foi inspirado num antigo texto atribuído por Lactâncio à sua autoria que foi sistematizado o trilema do sofrimento, que já mencionei anteriormente. Para os pensadores de seu tempo, Epicuro dizia: "Vã será a palavra de um filósofo se ela não curar o sofrimento humano. Afinal, assim como não há vantagem na medicina se não expelir as doenças do corpo, também não haverá vantagem na filosofia se ela não expelir o sofrimento da mente"[415].

Para o epicurismo, o sofrimento era um estado da mente que se submetia à sensação de medo da morte, do futuro em miséria, do desconhecido e do inevitável. Em outras palavras, o mal era a dor, e o prazer, a ausência dela. Por isso propunham que o homem gastasse seus dias em busca do prazer sensível, sem medo dos deuses, da morte ou do que poderia acontecer no além-túmulo. É importante, contudo, não confundir o prazer incentivado por Epicuro com os prazeres carnais desejados pelo homem vulgar. É mister dominar os desejos

---

413 Teognis de Mégara Vetta (ed.). *Elegia (*ElegiarumLiber Secundus. Roma: Edizioni dell Ateneo, 1980), p. 372-382.

414 Idem. Op cit., p. 425-428.

415 Epicuro. frag. Disponível em <http://www.attalus.org/translate/epicurus.html>. Acesso em: 05/05/2018.

e não ser dominado por eles, mas na busca de satisfações da alma está a chave para se vencer o mal.

Dentre os romanos, Sêneca foi o pensador que se debruçou sobre o assunto, incentivando a virtude humana como aquela que pode diminuir ou até eliminar os efeitos do mal. Em uma de suas obras, ele apresenta uma resposta à indagação do Lucílio, seu amigo e discípulo:

> Tu me perguntas, Lucílio, por que motivo, existindo uma Providência que governa o mundo, ainda assim coisas ruins continuam acontecendo a homens bons? [...] ao contrário do que parece, nenhum mal pode abater um homem bom. Assim como os incontáveis rios, as torrenciais chuvas que caem do céu e o grande volume de fontes de água mineral não mudam o contorno do mar nem o alteram, da mesma forma, os assaltos de adversidade não enfraquecem o espírito de um bravo homem. Ele sempre manterá sua pose, e perceberá em vivas cores que tudo que acontece é para aperfeiçoar todas as coisas externas.[416]

A teodiceia de Leibniz

Desde que Epicuro lançou, pela primeira vez, no 4º século a.C., o questionamento sobre a bondade de Deus (ou dos "deuses", considerando que era politeísta) o problema filosófico do mal continuou perpassando os tratados teológicos medievais e modernos sobre a existência de Deus. O ponto, conforme já visto em seu trilema, era óbvio: Se existe um Deus que é bom, que criou o mundo, como é possível a existência do mal? Como exemplifiquei anteriormente, essa questão vem perturbando os pensadores desde a mais remota antiguidade muito antes do surgimento do cristianismo.

No início do século 18, uma proposta ganhou destaque não talvez por sua solução, mas pela criação de um termo que pudesse expressar filosoficamente o assunto em pauta. Refiro-me à filosofia de Wilhelm G. Leibniz (1646-1716). Que ele era um gênio, disso não resta nenhuma dúvida. Ainda criança aprendeu sozinho latim e grego, línguas que já dominava aos 12 anos. Ingressou na universidade com quinze anos de idade e, aos dezessete, já havia adquirido o seu diploma de bacharel. O doutorado em Nuremberg veio aos 21 anos. Certamente que fazer um resumo sobre ele é uma tarefa complexa e laboriosa. Posso apenas dizer

---

[416] Scott Smith. "De Providentia". In Heil, Andreas; Damschen, Gregor. *Brill's Companion to Seneca: Philosopher and Dramatist* (BRILL. 2013), p. 115, 116.

que estudou teologia, direito, filosofia e matemática, além de fazer importantes descobertas de cálculo e científicas. Apenas digo que se não houvesse acesso às anotações de Leibniz tanto os programas de computador quanto a matemática e a filosofia hoje estariam em um estágio menos avançado.

Para muitos historiadores, inclusive ateus, Leibniz é tido como o último erudito que possuía conhecimento universal. Até mesmo Bertrand Russell, que odiava o fato de Leibniz acreditar piamente em Deus, foi obrigado a reconhecer a genialidade de seus escritos e que muita coisa fazia sentido[417]. Ele chegou a supor que Leibniz não podia – munido de tal intelecto – ser realmente um cristão conservador. Que falava de Deus apenas para agradar a realeza – interpretação que hoje é rejeitada por praticamente todos filósofos da Europa.

Pois bem, Leibniz de igual modo se debruçou sobre o problema de Deus, isto é, sua existência em face da realidade do mal, e criou um termo inédito para explorar o assunto: "teodiceia", uma composição das palavras gregas *theos*, que quer dizer Deus, e *dikê*, que quer dizer justiça[418]. Assim, o sentido conceitual de teodiceia seria um

> conjunto de argumentos que, em face da presença do mal no mundo, procura defender e justificar a crença na onipotência e suprema bondade do Deus criador, contra aqueles que, em vista de tal dificuldade, duvidam de sua existência, bondade ou perfeição.[419]

Leibniz trata da questão da explicação das justiças e injustiças no mundo do ponto de vista religioso com uma fundamentação filosófica baseada nas linhas do cartesianismo, que por sua vez é pensado com auxílio do platonismo, no qual as ideias são alcançadas independentes da experiência.

Eu precisaria de muito mais que uma parte deste capítulo para apresentar em detalhes toda a argumentação de Leibniz e não diria que toda ela é exatamente um decalque do que creem todos os teólogos cristãos. Contudo, há excelentes contribuições de seu *insight*. Reservo-me, portanto, a citar apenas um item de sua proposta que, para mim, é bastante relevante, embora, como você verá, eu o reinterpretarei num arcabouço diferente do proposto pelo autor. Ele diz:

---

417 B. Russell. A *Critical Exposition of the Philosophy of Leibniz* (London: Allen and Unwin, 1975).

418 W. Leibniz. *Ensaios de teodiceia: sobre a bondade, a liberdade do homem e a origem do mal* (São Paulo: Estação Liberdade, 2013).

419 *Dicionário Houaiss da Língua Portuguesa* (Rio de Janeiro: Objetiva, 2001), verbete teodiceia, p. 2.696.

A imperfeição original das criaturas põe limites à ação do Criador, que tende para o bem. E como a matéria mesma é um efeito de Deus, não pode ser ela mesma a fonte do mal e de sua imperfeição. Mostramos que essa fonte se encontra nas formas ou ideais dos possíveis, e que não é algo oriundo de Deus.[420]

Esta fala mostra, para mim, a improcedência da crítica de Karl Barth, respeitado teólogo suíço, que afirmou ser a teodiceia de Leibniz uma "lógica rompida" em que Deus premia dando o bem com a mão direita e castiga dando o mal com a esquerda[421]. Não creio que esta seria a visão de Leibniz.

Contudo, isso não significa que Barth fosse seu inimigo intelectual ou desconsiderava o valor de tudo que ele escrevera, aliás, uma comparação sobre o conceito de "mal" proposta por ambos fornecerá um bom elemento de transição filosófica a respeito do assunto, antes que eu possa passar ao entendimento bíblico da questão.

O que é o mal?

De modo geral, o mal é visto apenas em seu sentido adverbial significando algo irregular, ruim; diversamente do que convém ou do que se desejaria. Algo posto de maneira incompleta, imperfeita; insuficiente. Seria o contrário do bem.

Em termos metafísicos, no entanto, o conceito tem desdobramentos mais profundos. Tanto o advérbio "bem" quanto seu adjetivo correspondente "bom" implicam elementos que não podem ser pensados, senão em relação a um determinado objeto. Por exemplo "o bom menino", "o trabalho bem-feito".

Porém, no que diz respeito ao problema do mal, é imperativo que se pense num princípio absoluto, e não relativo, que poderíamos chamar de "bem moral". Caso contrário, não teríamos o elemento de contraposição para classificar o mal em si mesmo. Aqui o bem passa de advérbio a substantivo e implica um elemento de valor intrínseco.

Na *República* de Platão, Glauco pergunta a Sócrates: "não te parece que há uma espécie de bem em si mesmo, que gostaríamos de possuir, não por

---

420 *Teodiceia*, p. 31. Disponível em <https://archive.org/stream/theodicy17147gut/17147.txt>. Acesso em: 08/05/2018.

421 *Gott und das Nichtige* (Frankfurt, 1963). Cf. R. Scott Rodin. *Evil and theodicy in the theology of Karl Barth* (New York: Peter Lang, 1997).

desejarmos as suas consequências, mas por estimarmos por si mesmo?"[422]. Este é o bem moral, que reivindica para si uma espécie de incondicionalidade, que o faz ser bom independentemente de suas consequências.

Pois bem, voltando para Leibniz e Barth, o primeiro entendeu o mal como um elemento necessário e que este mundo em que vivemos seria o melhor dos mundos possíveis. Estaria isso correto? Em parte. Como você verá na sequência bíblica da questão, o mundo em que vivemos é o melhor possível numa condição pós-lapsariana, ou seja, estamos numa barraca provisória sendo atendidos por um médico em meio à guerra infernal.

É o melhor ambulatório móvel possível? Claro que sim. O médico foi treinado para guerrilhas e o equipamento está adaptado para a situação de conflito. Porém, considerando a condição anormal em que estamos, os procedimentos cirúrgicos não podem ser comparados à condição ideal de um sanatório bem equipado, que certamente existiu antes que o bombardeio pusesse tudo abaixo. Digamos que o "melhor mundo possível" de Leibniz se assemelha ao melhor ambulatório possível em situação de batalha, não o melhor hospital que os engenheiros poderiam ter construído.

Neste ponto, é muito bem-vinda a sugestão de Barth que identifica o mal com a palavra *Nichtige*, um termo bastante complexo que, como vários vocábulos em alemão, não pode ser traduzido, apenas explicado. O próprio Barth a explica como "algo nulo e vazio, mas não é um nada"[423]. É algo que existe não por si mesmo, mas por uma peculiaridade ôntica que explanarei melhor na seção seguinte[424].

Eu acrescentaria, sem adotar a teologia da eleição que Barth apresenta, um princípio do que chamaríamos em latim de *privatio*, isto é, a privação da presença de Deus. Essa privação, ou esse *Nichtige*, é sistematizado pelo autor dentro do contexto de "oposição e resistência ao domínio universal divino". Esta, aliás, é a primeira sentença sobre o *Nichtige*[425].

Tal resistência implicaria um *Fremdkörper*, isto é, um corpo estranho em meio à criação. Algo alheio à providência divina. Mas como pode surgir algo fora dos planos divinos se ele, segundo a crença judaico-cristã, é o Criador

---

422 Platão. *A República* (São Paulo: Difusão Européia do Livro, 1970), p. 357a.

423 Karl Barth. *Church Dogmatics*, III/3, in *Church Dogmatics*, v. III, The Doctrine of Creation, part 4, tradução de A. T. Mackay, et all. (Edinburgh: T&T. Clark, 1961), p. 523.

424 Idem, p. 323.

425 Idem, p. 327.

Supremo? Num primeiro momento, temos um aparente dilema teológico: Se entendemos que Deus é o originador de tudo que existe e que o mal existe, logo, Deus é o originador do mal. Será?

A existência do mal

Não sou adepto da filosofia budista de que o mal e o sofrimento são uma aparência de sentimentos da qual me liberto se alcançar o Nirvana. A dor que testemunho e experimento é bastante real! Por outro lado, não posso me abster do problema proposto. A menos que reveja o significado básico de "Criador" e "existência".

Deus criou tudo o que existe, mas nem tudo o que existe foi criado por Deus! A ambiguidade é proposital e o trocadilho não implica falácia por anfibologia. É que aprendi com a metafísica de Aristóteles e Heidegger que "existir" não é um conceito inequívoco. Há mais de um tipo de existência. Aristóteles, o primeiro teórico do ser, dizia que *ser* é tudo aquilo que *existe*; aquilo que é. Contudo, há, quatro tipos de existência, a substância, acidente, o ato e a potência, que são reconhecidos como desdobramentos do ser. Exemplificando: quando um pintor imagina em sua mente uma tela, digo que tal situação existe em *ato*. Mas o quadro ainda não pintado existe em *potência* – a pintura pode ou não ser efetuada. O mesmo digo de um copo em minha mão. Ele está seguro em *ato*, mas em *potência* ele pode cair. A existência atual e a existência potencial ilustram bem a pluralidade do existir. O ato sempre decorre de uma potência, mas a potência continua possibilidade enquanto não se tornar ato.

Allures, John Locke também falará de dois tipos de existência, nas mentes e nos objetos. Porém, como ele mesmo esclarece, entendendo as ideias como modificações da matéria nos corpos que causam tal percepção, sua pretensão é falar de qualquer coisa no corpo que cause aquela ideia – sem admitir que isso se encaixa muito estreitamente ao conteúdo da ideia, de modo que não esclarece a questão que propomos.

Heidegger será mais adequado. Ele dará continuidade à teoria aristotélica do ser, que em alemão chamamos de *Dasein*. Falando da essência, ele a entende como a ideia de uma coisa dotada de propriedades. Assim ele discursa sobre as *possibilidades* do ser – um menino que pode ser adulto, casar ou viver celibatário, estudar ou permanecer analfabeto etc.[426]

---

426 M. Heidegger. *Ser e Tempo*. 16. ed. Coleção Pensamento Humano. (Petrópolis: Vozes, 2006).

Nisto, é importante destacar – como o faz Gelven[427] – que Heidegger trabalha um conceito de existência diferente em relação ao termo *existentia* usado pela tradição filosófica. *Existenz* em Heidegger vem do latim *existere*, o qual, em sua raiz semântica, significa uma tomada de posição em relação à vida. Logo, o filósofo alemão entendia ser impossível pensar o *Dasein*, a não ser em termos de "possíveis formas de existência". Lembrando, é claro, que a potência nem sempre se efetivará em ato.

Afetividade e escolha

Lembrando, porém, que a onipotência divina implica coerência e lógica com seu próprio caráter, a criação de seres moralmente livres implicava riscos. Obviamente quando digo "pegue o caminho da direita", abro a possibilidade para que tomem o caminho da esquerda. Deus poderia não ter criado seres livres e assim não correria esse risco, porém, sendo ele essencialmente "amor" aceitou o risco. Lembre-se, se sua garota está com você por obrigatoriedade, chantagem ou falta de opção, esse namoro não terá a menor graça, a não ser que você seja diagnosticado com algum tipo de patologia emocional. Amar e se sentir amado é saber que o objeto de nossa afeição decidiu ficar conosco mesmo tendo outras opções simplesmente porque nos ama.

Nem todos, porém, pensam assim. Tempos atrás li o livro de um ateu, J. L. Schellenberg, intitulado *Divine Hiddenness and Human Reason* [Ocultamento divino e razão humana][428]. O resumo de tudo o que ele diz pode ser representado neste esquema:

- Se existe um Deus, ele é amor puro.
- Se existe um Deus que é amor puro, não existiria a possibilidade de não crer.
- A possibilidade de não crer ocorre.
- Não existe um Deus que é amor puro.
- Portanto, não existe Deus.

---

427 Michael Gelven. *A Commentary on Heidegger's Being and Time* (New York: Harper & Row, 1970).

428 J. L. Schellenberg. *Divine Hiddenness and Human Reason* (New York: Cornell University Press, 1993).

Ora, o autor erra em pelo menos três coisas básicas. Primeiro, algumas coisas se ocultam não por questões de capricho, mas por serem grandiosas demais para serem compreendidas. O infinito, um exemplo, em ligação com a linha circular em que a terra e o oceano parecem se unir com o céu produz um cenário muito maior que meu campo visual consegue suportar. Sendo assim ele se oculta numa ilusão de óptica que normalmente chamamos de horizonte.

Em segundo lugar, o autor ignora a possibilidade de haver um conflito cósmico entre o bem e o mal que gera sensações de atrito. Não se pode avaliar a obra de Verdi desconhecendo as partituras que ele compôs ou ao menos o resumo da ópera. Existe um enredo que explica muito do que está acontecendo, ele está revelado na Bíblia Sagrada.

Finalmente, o mais grave erro de Schellenberg, julgar que o amor para ser genuíno tenha de ser correspondido. De onde ele supõe que existindo um Deus que ama, seria impossível não o amar. A principal característica de um amor verdadeiro é a possibilidade de não ser correspondido. Neste aspecto, é possível dizer que Deus é essencialmente inatingível, mas quando decidiu criar e amar criaturas livres ele assumiu um ponto vulnerável: ele pode ser rejeitado!

Sendo assim, é importante destacar três princípios metafísicos:

1) Deus criou todas as coisas boas e nele não há trevas;
2) O fato de criar seres livres ou dotados de capacidade de decisão (livre-arbítrio) torna o mal uma potência, pois suas ordens podem potencialmente serem ou não obedecidas;
3) Do mesmo modo como não existe frio, mas sim ausência de calor, nem trevas, mas ausência de luz, a sensação de certas existências como o mal não seria necessariamente pela formação de um novo ser, mas pela ausência de outro, que cria tal desconforto. O mal não seria, neste caso, algo criado por Deus, mas a sensação decorrente de seu afastamento.

E como se deu isso? Esta é a parte faltante da história que a Bíblia apresenta.

O caso de Jó

A porção Bíblica que mais de perto lida com o tema da teodiceia é, sem dúvida, o livro de Jó. Não somente é difícil seu estilo hebraico como complexa a própria narrativa que oferece. A tradição judaica o coloca como o mais antigo livro do cânon, porém, estudiosos modernos veem certo trabalho editorial em seu conteúdo.

Seja como for, trata-se de uma obra estupenda, seguidora de uma tradição de outros textos antigos (tanto egípcios como mesopotâmicos e ugaríticos), que também trazem um enredo similar de um indivíduo justo, que foi punido mesmo não merecendo nenhum castigo por seus feitos.

Eis o resumo de Jó: Tudo começa com uma descrição impoluta do caráter e honestidade de Jó, um patriarca ambientado a algum momento no período do Bronze, isto é, anterior a 1200 a.C. A seguir (Jó 1:6,7.), uma convocação celestial traz à cena um intruso [Satanás] a quem Deus questiona por comparecer indevidamente ao céu. Ele argumenta que chegou ali depois de "rodear a terra e passear por ela". O jogo de palavras hebraicas não pode ser desconsiderado.

O título do adversário de Deus em hebraico é *Satan*, que também aparece precedido de artigo (*ha Satan*). Ora, isto é estranho se for considerado que estamos diante de um nome próprio que em hebraico normalmente dispensa o artigo definido. O caminho gramatical mais correto seria entender que *Satan*, neste caso, não se refere ao nome de um ser, mas à sua posição jurídica, pois, enquanto cargo, o termo se aplica perfeitamente àquele que faz acusações formais num tribunal, no caso, um promotor.

Que o ambiente envolve julgamento pode ser atestado nos textos paralelos tanto da Bíblia quanto da cultura do Antigo Oriente Médio, onde governadores de várias províncias vinham perante um monarca para apresentar relatórios, fazer pedidos e solicitar formalmente julgamentos sobre assuntos que lhe interessassem.

Assim, o texto diz que os filhos de Deus (*Benê há elohim*), ou seres celestiais, vieram apresentar-se a si mesmos *lehityasseb* como cortesãos para dar a Deus o relato de sua atividade. Salmo 29:1; 82; 89:6-9; 1Reis 22:19-23 são textos que parecem sugerir que Deus governa o universo através de uma hoste de representantes locais.

Quem seria, pois, o representante do planeta Terra? Obviamente algum ser humano que, de fato, não é citado entre os seres celestiais. Em seu lugar surge a figura do adversário que causa assombro em Deus e em todos (lembre-se, pelo que já vimos ao falar sobre a revelação divina, entende-se que Deus se diminui potencialmente a fim de poder se relacionar com seus filhos, e isso vale até para anjos, de modo que mesmo sendo onisciente ele pode de modo legítimo espantar-se e fazer perguntas a quem quer que seja).

"Donde vens?" – pergunta o Altíssimo. A expressão original no imperfeito *Me'âyn tâbo* (de onde estás vindo?) denota surpresa diante do fato. O sentido é de alguém que estava num evento fechado sem credencial. "De rodear a terra e passear por ela", respondeu ele numa expressão quase semelhante à usada por Davi andando em seu palácio (2Samuel 11:2) ou Deus andando pelo Jardim do Éden (Gênesis 3:8). A ideia é de um governador examinando seu território e concluindo que ninguém se opõe a ele.

Tal ideia esclarece a continuação do diálogo. Diz Deus ao adversário: "Viste meu servo Jó?" (lit. "tens fixado em teu coração, meu servo Jó?"). Chamar a Jó de "servo" significava dizer que Deus ainda era o Rei, que nem todos os humanos aceitavam o reinado do inimigo de Deus. Ele então argumenta que Jó era comprado pelas bênçãos que Deus lhe proporcionava. Porém, se retirasse dele as benesses e o deixasse naos mãos do inimigo, este revelaria seu verdadeiro caráter e serviria de comprovação jurídica de que a Terra, de fato, pertencia ao Diabo, mas Deus se recusava a dar o que lhe era de direito.

Preciso interromper o processo para ambientá-lo com o sistema jurídico do antigo Oriente. Apesar do sofisticado sistema jurídico da antiga Mesopotâmia, não havia em sua relação judicial a figura profissional de um advogado de defesa nem de acusação (promotor). Quem fazia as vezes de advogado se defesa – se fosse o caso – seria o próprio juiz e quem fazia as vezes de promotor ou advogado de acusação seria a própria vítima, aquele que se sentiu lesado por alguma ação praticada pelo outro.

Logo, a posição de Satanás como promotor nada mais é naquele ambiente que ele mesmo argumentando em causa própria. O acusado, neste sentido, seria o próprio Deus, e o objeto da ação, o planeta Terra com tudo que lhe pertencia. Jó, portanto, não era o acusado, mas o elemento da disputa.

Portanto, a permissão de Deus para que o diabo tentasse a Jó, tendo assim chance de provar sua tese, não constituiu uma aposta engenhosa com o diabo, mas a sequência normal de um processo jurídico em que testemunhas são ouvidas e evidências apresentadas. Ele tinha, é claro, autoridade para expulsar o inimigo dali e dar o caso por encerrado antes mesmo de começar. Contudo, se o fizesse não teria esclarecido para os demais seres a falsidade da acusação satânica.

Jó então sofre severamente com a morte de seus filhos, a perda de sua riqueza, a acusação dos amigos e a queixa constante de sua mulher. Ele mesmo se vê tentado a desistir, mas persevera e, no final, é restaurado à sua boa condição original. Sua firmeza foi a evidência judicial de que Deus precisaria. De fato, não são as bênçãos, e sim o amor o elemento que sustenta na luz os seres que optam pelo lado de Deus.

O surgimento e rebelião de um ser celestial contrário às leis de Deus é tema comum em várias correntes do cristianismo e do judaísmo. Uma das criaturas divinas resolveu transformar a desobediência de potência em ato e, portanto, o mal tornou-se uma nova forma de realidade palpável e pode ser sentido em todo o universo. O planeta Terra aderiu à rebelião transportando para cá o conflito entre a luz e as trevas. O sofrimento que experimentamos todos os dias – seja ele fruto ou não de nossas obras pessoais – é resultado direto do conflito cósmico. Nossos ancestrais nos legaram esse quinhão ao transgredirem a lei e, mesmo com o arrependimento, uma sentença foi instaurada.

A atitude de Deus

A transgressão dos princípios morais divinos, segundo a temática religiosa, causou desequilíbrio no universo. Os seres ficaram polarizados entre a luz e as trevas. Não havia terreno neutro. A demanda judicial estava instaurada desde o princípio, quando foi estabelecido que somente em Deus haveria vida. Os que se rebelaram deveriam ser mortos e cair no perpétuo esquecimento existencial.

Não chame Deus de assassino pelo fato de ele eliminar algumas de suas criaturas. O Altíssimo é o único ser em todo o universo que pode dar a vida e, portanto, ter o direito de tomá-la de volta. Qualquer um que passasse tinta sobre uma tela de Van Gogh estaria cometendo um crime de arte passivo de prisão, exceto, é claro, o próprio Van Gogh, o único capaz de pintar quantos Van Goghs quisesse.

Uma vez que expliquei isso a um grupo de universitários certa estudante de Direito protestou achando tudo um grande capricho da parte de Deus. Por que os que se opunham a ele deveriam ser mortos? Se realmente temos liberdade de escolha para decidir que caminho trilhar, e isso vem desde as origens do universo, deveríamos ter a chance de continuar existindo mesmo se optarmos pela oposição a Deus.

De fato, a pergunta procede. Imagine um rapaz que diz para a menina: "Você é livre para terminar o namoro se não quiser continuar comigo. Porém, advirto que, se fizer isso, não poderá namorar mais ninguém por toda sua vida. Virará uma freira". Ora, um sujeito assim pode ser descrito como qualquer coisa, menos um cavalheiro que reconhece a liberdade de escolha. Por que, afinal, o namoro só serve se for com ele? Atitude patológica, típica de paixões possessivas.

O exemplo seria apropriado se Deus e o rapaz da ilustração estivessem em pé de igualdade comparativa. Porém, não se trata disso. No caso do namoro, existem outros jovens melhores ou em pé de igualdade com o moço e que a garota pode escolher. No caso de Deus não existe nenhuma outra forma de vida e existência senão nele. Seria como se a água dissesse para o peixe "viva em mim, caso contrário você morrerá". Não se trata de um exclusivismo chauvinista do elemento água – ela é, na verdade, o único ambiente onde o peixe pode viver. Qualquer outro desprovido da fórmula H_2O lhe será danoso. Da mesma forma Deus; não existe nenhuma forma de vida ou existência senão nele mesmo. Portanto, optar pela oposição ao seu ser significa optar pela morte.

As indagações continuam... que Deus tenha dado liberdade de escolha aos seres que criou fica fácil compreender – ele não poderia ter amor autêntico de criaturas autômatas, programadas para sentir afeição por sua pessoa. A pergunta é: Por que criar um ser que haveria de se rebelar quando ele sabia por sua onisciência que tal coisa haveria de acontecer?

Deus não duela com seu caráter nem é do tipo que só faz boas ações à luz do dia para que todos vejam. Se eliminasse da existência todos os que decidissem não o amar, agiria como um estatístico desonesto que pergunta às pessoas nas ruas sobre preferência eleitoral e na hora de publicar os resultados oculta as respostas contrárias, fazendo com que 100% das escolhas aparentem ser para o partido a que ele pertence. No vocabulário ético, isso se chama desonestidade e não teria relação alguma com o caráter moral de Deus. Se assim o fizesse, o Criador estaria manipulando os dados. A liberdade proposta seria uma mentira, pois os seres nasceriam com a premissa de que eram livres para escolher quando, na verdade, apenas os que escolhessem a Deus viriam à existência.

Em que pese, no entanto, a nobreza do caráter de Deus em trazer à vida até os que se lhe opõem, temos de perguntar se valeu a pena tal atitude considerando os danos que o mal trouxe ao universo e as consequências que enfrentamos disso. Em primeiro lugar é importante dizer que embora o mal jamais estivesse nos planos de Deus, nem servisse para qualquer de seus propósitos, uma vez que deixou de ser potência, ele pode agora ser destruído.

Imagine deste jeito. Joana poderá ser mãe de um menino que será um terrível ditador. Como fazer para acabar com este mal?

1) Matar Joana, assim, sem a potência (que é a mãe), não haverá o ato (o filho ditador).
2) Tirar o útero de Joana, assim a existência primária (Joana) perde uma de suas potências (ser mãe) e o filho não será gerado (ato).
3) Tirar do filho de Joana a possibilidade (potência) de se tornar um ditador (ato).

O problema com todas essas alternativas é que elas são castradoras da potência existencial que está na essência do ser. Seria o mesmo que arrancar os dentes de um cachorro para que ele não me morda. Isso seria uma crueldade com o animal, que precisa dos dentes para se alimentar. Deus poderia anular o livre-arbítrio, romper com seu caráter moral (manipulando os dados) ou exterminar os seres livres antes que tomassem qualquer decisão.

Existe, porém, uma quarta hipótese. Posso deixar que o filho de Joana nasça e tentar trabalhar com ele – convencê-lo – para que não se torne um ditador. Caso ele persista na maldade, então posso com um exército destruí-lo sem que Joana ou qualquer dos envolvidos pensem que sou um assassino sem coração. A potência só pode ser destruída se virar ato. Não posso apagar o quadro que nunca foi pintado, e uma vez que tal coisa é feita e destruída, jamais poderá ser feita novamente. Outra igual pode até ser constituída, aquela porém – com aquela essência – é única e nunca mais voltará a existir.

Agora que o mal se tornou um ato metafísico, ele pode ser destruído. A sensação de trevas e sofrimento causada pela ausência de Deus afetou os seres que agora clamam para que seja extirpada, destruída. Não é mais uma potência, virou realidade e como tal pode ser eliminada. Mas não sem o pagamento de um elevado preço: a morte eterna do transgressor.

A parábola do rei piedoso

Este é um daqueles contos de beduínos cujas origens se perderam na poeira do tempo, mas são muito úteis para a ilustração de certos princípios de vida. Ele retrata bem o dilema universal da transgressão e remissão da raça humana.

Certo rei, para evitar furtos em seu reino, decretou uma lei segundo a qual todos os que fossem apanhados roubando teriam seus dois olhos arrancados. Certo dia, os guardas do palácio chegaram até seu trono, trazendo-lhe a notícia de que um jovem palaciano havia sido pego num terrível flagrante: ele estava roubando moedas no cofre do palácio. E o que era pior: o ladrão era o próprio filho do rei.

– Por favor, papai, não me deixe ficar cego! – implorou o jovem arrependido.

Como Adão, ele se prostra aos pés do monarca suplicando por misericórdia. O problema não era nada fácil para o rei. Aquele caso era grave e havia uma lei prescrevendo o que deveria ser feito. Como você sabe, palavra de rei não volta atrás. Se ele perdoasse de graça a falta de seu filho, anulando a lei, não teria nenhuma moral para instaurar posteriormente uma pena sobre qualquer cidadão. Se, por outro lado, mandasse cegar o rapaz, também seria taxado de implacável e impiedoso, pois não poupara nem seu próprio filho, que estava arrependido.

O monarca era sábio e amava muito o seu herdeiro. Mandou, então, que os guardas trouxessem o príncipe e diante de todos deu o seu pronunciamento: "Como rei não posso voltar atrás naquilo que escrevi num decreto, mas como pai não posso negar perdão ao meu filho que tanto amo. Por isso tomei a seguinte decisão: não são dois olhos o que a lei exige pelo furto praticado? Pois ela terá os seus olhos".

Houve um murmúrio na multidão, que ainda não entendera bem o que o rei estava dizendo. O soberano, então, voltou-se para o príncipe e perguntou:

– Você quer ser perdoado, meu filho?

– Sim, papai – respondeu o jovem.

– Então está decidido! Podem arrancar os meus olhos e considerar paga a dívida do meu filho!

Este é, num conto exemplar, o resumo do que Cristo teve de passar para redimir a humanidade. A cruz não foi apenas um martírio como aquele enfrentado por outros ao longo da história. Ali houve um ato de redenção.

Na pessoa e na morte de Cristo, a divindade pagou a conta do prejuízo dando nova oportunidade aos que se arrependessem de voltar para o caminho da luz. O direito que o mal adquiriu sobre esse mundo não era moral, porém, era legal. Nossos ancestrais lhe entregaram as chaves quando aderiram à rebelião. Cristo, porém, resgatou-nos da morte a fim de que possamos recuperar o paraíso perdido. Para aqueles que acham isso muito forte para ser aceito, saiba que não conheço nenhum intelectual pleno de suas faculdades mentais que creia em Papai Noel, porém, encontro gênios da estirpe de Newton, Lewis, Leibniz e outros que nunca se envergonharam de acreditar na manjedoura, na cruz e no túmulo vazio.

O menino Deus nasceu em Belém e no coração de muitos homens e mulheres ao longo da história, transformando vidas e mostrando para os que ainda duvidam que o enredo é real. Por isso sei que o sofrimento de hoje, por pior que seja, será apenas uma página de um livro cuja história ainda não terminou de ser lida, porém que guarda na última página uma frase final que diz: "o bem vencerá"!

Conclusão
Finalmente em casa

Não posso dizer que o sonho de ser astronauta é uma quimera de todas as crianças, mas eu confesso que esse foi meu ideal durante boa parte de minha infância. Quantas vezes construí foguetes de brinquedo, inspirado no Professor Pardal e no Visconde de Sabugosa, os gênios inventores de Walt Disney e Monteiro Lobato. Os meus foguetes, é claro, só voavam de mentirinha.

O fascínio das estrelas, no entanto, era real, quase "palpável". Tanto que apesar de ir profissionalmente para o extremo oposto da Astronomia (o que me interessa está embaixo da terra, e não acima das nuvens), eu mesmo me flagrei certa vez recordando com suspiros a emoção de quando era criança e ficava da laje de minha casa contemplando a lua cheia, vendo suas crateras e imaginando como seria caminhar sobre elas.

Foi em julho de 2005. Eu estava no Sudão, fazendo uma pesquisa junto aos hawawires, uma tribo de origem semita que vive no deserto de Bayuda. À noite tive a oportunidade de sair do acampamento com um guia local e, por alguns instantes, deitei na área do deserto contemplando – sem o obstáculo de luzes artificiais – um céu estrelado como nunca antes havia visto. Era melhor que qualquer observatório que já visitei. Não precisava de lente, nem de projeção 3D. Bastava deitar, fixar os olhos ao céu e contemplar ao som de um silêncio sem igual. Se eu disser que não tive vontade de chorar, estaria mentindo para você.

É claro que esse fascínio não é privilégio meu, apenas. Os antigos já se mostravam extasiados por essa imensidão que chamamos de cosmo. China, Índia, Egito, sem contar os maias e astecas, tinham uma astronomia bastante avançada e com séculos de antecedência em relação ao surgimento da ciência moderna. Tabletes cuneiformes escritos dois mil anos antes de Cristo testemunham o interesse dos antigos sumérios pelas constelações de estrelas. Os babilônios dos dias de Beroso já até sabiam distinguir uma estrela de outro corpo celeste, identificando a existência de planetas muito antes da invenção do telescópio ou da luneta.

Teve até um filme, rodado em 1999, que, apesar de antigo, ainda é recomendável. Acho até que mereceria uma refilmagem. Seu nome *October Sky*

[*Céu de outubro*], estrelado por Jake Gyllenhaal, Chris Cooper e Laura Dern. É a estória de um adolescente dos anos 1950 chamado Homer Kickam Jr (Jake Gyllenhaal) e seu sonho de conquistar o espaço, inspirado ao ver o satélite soviético Sputnik cruzar os céus de sua pequena cidade natal. Com o incentivo de sua professora (interpretada por Laura Dern) e a ajuda de três amigos ele se lança ao desafio, passando por muitas dificuldades, principalmente de um pai ignorante e severo cuja ordem era que ele fosse trabalhar nas minas de carvão.

Lembro-me perfeitamente da cena em que o jovem Homer sai de casa frustrado para o trabalho nas minas e, ao descer pelo elevador que os levaria ao subsolo, ainda contempla por uma abertura no teto a imagem do céu estrelado. Era como se o elevador o estivesse levando para cada vez mais longe de seu sonho. Como tudo isso termina? Ah, não quero estragar a trama, assista ao filme e você verá.

O que me interessa aqui é resgatar o sentimento e, por que não dizer, as vicissitudes tanto do personagem Homer quanto de mim mesmo no deserto em relação ao mistério fascinante que paira sobre nossas cabeças. E é bem provável que muitos leitores também desejem entrar no grupo dos fascinados, pois algum dia experimentaram essa mesma sensação perante o céu.

Céticos também se fascinam

O fascínio não é exclusividade de pessoas de mente espiritualizada como eu. Até materialistas convictos estão sujeitos ao seu toque. Acho sem sentido a afirmação de que pessoas ateias jamais possuem sentimentos de êxtase diante da realidade. Que elas nunca se assombram diante de nada. Isso é mentira. Se você ouviu esse argumento por aí, saiba que ele não é meu. Minha questão diante do cosmos e da realidade não é saber quem pode ou não se fascinar diante de tudo que nos fascina, mas antes: Por que nos fascinamos? Qual o fundamento lógico do fascínio que supere motivações meramente convencionais? Este é o meu ponto.

Como já disse no decorrer deste livro, um dos problemas intelectuais que tenho com o ateísmo é a base lógica e fundamental de certos sentimentos como o assombro e a admiração, não a negação de que eles existam ou possam existir fora do círculo religioso. A prova disso é a inauguração do *fantástico* enquanto gênero literário surgido a partir do século 19. Embora se trate de uma reação literária ao pensamento racionalista e cientificista do Iluminismo, seu quadro de autores contou com vários ateus como Ursula K. Le Guin, editora de vários livros de fantasia e ficção científica que ironicamente afirmou: "eu falo dos deuses e sou ateia"[429].

Embora a ideia de "fantástico" hoje tenha migrado de um "abalo" do mundo real para uma inserção de elementos insólitos numa realidade já abalada, ele continua sendo um curioso contrassenso do qual não há escapatória. Afinal, o fantástico em termos gerais abrangeria elementos impossíveis de existir na vida cotidiana, mas que insistem em permear nossas experiências.

Por isso, a própria aparição do evento fantástico utiliza recursos para fazê-lo ser visto como um evento possível no real, isto é, para que ao o vermos como possibilidade ele cause um abalo, uma fissura naquilo a que chamávamos, até então, de realidade. Nesse momento, ao notar a rachadura, a fissura, tem-se a sensação que pode ser resumida por aquilo que Jorge Luís Borges sintetiza em *O livro de areia*: "Não pode ser, mas é"[430]. Assim, debruçar-se diante do fantástico permite inquirir sobre o que é, de fato, real, já que num dado instante do racionalismo o primeiro deveria anular o segundo.

Sei que estou falando de obras ficcionais, porém, elas refletem e alimentam a realidade que nos cerca e nem o mundo iluminista conseguiu libertar a humanidade da busca por este tipo de abordagem, pois ela não deixa de ser uma interpretação, ainda que inconsciente, do real.

Lembre-se de que a afirmação acerca do que pode ou não acontecer nem sempre deriva de observações objetivas, científicas e cartesianas, mas de um condicionamento cultural e ideológico que ergue o muro de separação entre o que é e o que não pode ser. De qualquer modo, fatos insólitos são inegáveis, achar uma explicação para eles é o nó do problema, pois a demanda por entendimento nem sempre encontra eco para sua necessidade. Mas ele continua ali desafiando os padrões cognitivos e problematizando nosso conceito do real.

O que seria o sentimento de fascínio – experimentado por crentes e descrentes – senão um desdobramento da percepção do fantástico ao nosso redor? Admirar-se diante do mistério, da imensidão, da quase sensação de infinito, de mais além leva a mente mais inquiridora a abrir espaço para acontecimentos insólitos. O próprio fato de existirmos, estarmos aqui, nos movimentarmos e

---

429 Ursula K. Le Guin; Susan Wood, (eds.) *The Language of the Night: Essays on Fantasy and Science Fiction* (New York: Ultramarine Publishing, 1980), p. 158.

430 Jorge Luis Borges. *O livro de areia*. Tradução de Davi Arrigucci Jr. (São Paulo: Companhia das Letras, 2009), p. 109.

pensarmos sobre nossa existência nos assombra e nos coloca numa espécie de realidade diegética, isto é, a realidade própria da narrativa (mundo ficcional, narrativa fictícia) à parte da realidade externa de quem lê/observa (o chamado "mundo real" ou "vida real"). É aí que reside o dilema de saber se a arte imita a vida ou a vida imita a arte.

Deixe-me apresentar dois autores que confrontaram o fantástico e o fascínio a partir de perspectivas diferentes, pois um era ateu e o outro teísta. Refiro-me ao novelista ateu H. P. Lovecraft, considerado um dos mestres dos contos de suspense e terror, e o teólogo Rudolf Otto, criador do conceito de *numinous*, que ele usava para descrever racionalmente a experiência do totalmente "outro", o divino.

De acordo com Otto, o *numinous* é uma experiência que contempla dois aspectos: *mysterium tremendum*, que é a tendência de invocar o medo e o tremor diante da grandeza, e o *mysterium fascinans*, cuja tendência é atrair, fascinar e compelir[431].

Para Lovecraft, é inegável que existe uma atmosfera de percepção do inexplicável que tira nosso fôlego diante da imensidão que estaria lá fora. Em virtude disso, nosso cérebro sugere com seriedade e grandeza que nossa proteção estaria na suspensão ou na quebra das leis da natureza, quando o contrário deveria ser verdadeiro. Para ele, a descrença nas "leis fixas da natureza" que, de fato, nos protegeriam dos assaltos do caos mina as forças da ciência, que seriam nossa verdadeira salvaguarda contra a loucura e a demência[432].

É claro que tais palavras devem ser lidas no contexto de otimismo positivista em que viveu Lovecraft. Otto já reflete mais o ambiente do desencanto com a modernidade que se abateu sobre a Europa – especialmente a Alemanha – pós--guerra. Hoje descobertas como a relatividade de Einstein e a física quântica de Bohr & cia. mostram que o cosmos (macro e micro) não é tão arrumadinho como propunha o pensamento da época de Lovecraft. Ao contrário da física clássica e determinista de Newton, a física quântica é classificada como "não intuitiva", o significa que, neste ramo de estudo, determinadas coisas são verdadeiras mesmo quando aparentam não ser. Essa é outra maneira não literária de visualizar o real e o fantástico na experiência humana.

---

431 Rudolf Otto. *The Idea of the Holy: An Inquiry into the non-Rational Factor in the Idea of the Divine and its Relation to the Rational* (Oxford and London: Oxford University Press, 1958).

432 H. P. Lovecraft. *Supernatural Horror in Literature* (New York: Dover Publications, 1973).

O que percebo, comparando Otto e Lovecraft, é que ambos os autores reconhecem a força do terrível mistério do cosmos e sua influência sobre nós. A diferença é que enquanto o primeiro define esse mistério em termos de "algo" a ser buscado, o segundo o conceitua em termos de "nada". Assim, seu entendimento do "terror e temor humano" se torna qualitativamente distinto. Enquanto Otto se lança em busca de comungar com esse "outro sagrado", Lovecraft se vê mortificado pelos "demônios de um espaço vazio e insuportável", mas não menos fascinante.

Superando convenções

Desculpem-me os que chegaram até este último capítulo discordando completamente de minhas crenças, mas preciso dizer-lhes algo. Prometi que meu intuito era testemunhar, e não convencer ninguém de nada. Continuo priorizando minha promessa. Contudo, insisto que se o que existe é apenas esse universo material e nada mais além dele, o ser humano não pode ser classificado além da taxonomia animal. A menos que haja um ser supremo que legitime isso.

Se não há Deus, somos apenas mamíferos com pensamentos artificiais sobre a realidade. O amor que sentimos nada mais é que uma reação química. A Monalisa e o teto da Capela Sistina, que puxam suspiros, seriam apenas um conjunto organizado de pigmentos aos quais atribuímos o título de "belo" – mas, novamente, um belo convencional, sem valor intrínseco. As grandes sinfonias de Mozart, Beethoven e Handel seriam apenas vibrações sonoras perpassando nossos tímpanos, e o universo, com todo seu fascinante mistério, apenas um conglomerado de poeira cósmica contemplada por órgãos sensoriais que captam a luz e a transmitem para o cérebro gerando a sensação de imagem que nem sempre será real – o céu azul que vejo agora pela minha janela não tem na realidade cor alguma. Esse belo "engodo visual" é apenas um efeito provocado pela dispersão da luz solar através da camada de gases que envolve o nosso planeta.

Repito, para que fique bem claro, meu argumento não é que ateus, céticos e materialistas não possam se emocionar e se fascinar diante de tudo isso. Em *A teoria de tudo*, filme sobre a vida de Stephen Hawking, o protagonista inicia um diálogo dizendo: "Cosmologia é uma espécie de religião para ateus inteligentes". No final, alguém lhe pergunta em uma entrevista: "O senhor já declarou que não acredita em Deus. Tem alguma filosofia de vida que lhe ajude?". A resposta foi um tanto ambígua:

É claro que nós somos apenas uma raça avançada de primatas vivendo num planeta pequeno, orbitando em torno de uma estrela mediana localizada no subúrbio de uma dentre 100 bilhões de galáxias existentes. Porém, desde o raiar da civilização, as pessoas têm um anseio por um conhecimento acerca das ordens subjacentes no mundo. Deveria haver algo muito especial acerca das condições fronteiriças do universo. E o que poderia ser mais especial que o não haver fronteiras? Não deveria haver limites para o esforço humano [...] por pior que a vida pareça ser, sempre haverá algo que possamos fazer e ser bem-sucedidos naquilo. Enquanto houver vida, há esperança.

Por mais ambígua que a resposta pareça ser, ela é a justificativa de todo o enredo do filme. Afinal A *teoria de tudo* não é outra coisa, senão um enredo de amor, raiva, traição, ironia, apego, ingratidão e ternura. Uma narrativa, enfim, temperada por uma vida de superação e tragédias exatamente como a realidade de muitos nós que assistimos ao filme. É, como disse alguém, a história de um ateu fascinado pelo mistério da existência.

Exemplos de vida como esse tornam falho o pressuposto de que um ateu não possa ter sentimentos de êxtase existencial semelhante a um religioso. Apenas entendo que é impossível tais sentimentos sem que haja uma superação, ainda que inconsciente, da dimensão exclusivamente materialista que muitos ateus defendem. Caso contrário, todos os sentimentos de belo, amável, saudoso, prazeroso ou emocional vistos no filme seriam apenas convenções sociais ou reações químicas sem nenhum significado em si mesmas.

Não há diferença substancial – fora das convenções sociais – que dê sentido axiológico e distintivo entre o alívio de ir ao banheiro e segurar no colo o próprio filho recém-nascido. Ambos os sentimentos são apenas reações químicas que ocorrem dentro nosso cérebro, estimuladas por agentes internos e externos. A única distinção é em que parte essas reações estariam alojadas; se no sistema límbico, no lóbulo frontal, parietal etc. Fora disso, qualquer significado existencial de cada experiência é puramente emblemático. São nomes que damos a sensações que não passam de reações químicas ocorridas no cérebro – reações, aliás, que podem ser artificialmente estimuladas ou controladas por uso de estabilizadores medicamentosos de humor, como aqueles receitados por médicos psiquiatras.

Nada, repito, possuirá valor intrínseco dentro de uma visão puramente materialista do cosmos. Não há motivo autêntico, a não ser nas convenções sociais, para dizer que o nascimento de uma criança merece festa com os amigos e o alívio de uma dor de barriga não.

Permita-me uma comparação: se não há, de fato, uma autoridade divina por detrás do mandamento bíblico, não tenho como argumentar que a blasfêmia é moralmente errada. O máximo que posso dizer é que tal atitude é condenável à luz de uma convenção religiosa e nada mais. Da mesma forma, ninguém pode, fora da convenção social, afirmar que eu estaria louco ou errado por anunciar alegremente nas redes sociais que consegui ir ao banheiro hoje cedo e não comentar nada sobre o nascimento de meu filho.

Por isso, devemos admitir que, para darmos valor intrínseco a certos elementos, precisamos de convicções supramaterialistas, ainda que as consideremos convenções humanas. A vida, prescindida de uma visão supramaterial, seria uma realidade opaca, triste e com data de validade prestes a vencer – uma existência, na melhor das hipóteses, interessante para alguns, mas caótica para muitos.

Não posso cogitar qualquer admissão ao pensamento materialista prescindindo dessa realidade, por mais dura, cruel e inaceitável que seja. Para ser um ateu, coerente com o ateísmo, é preciso admitir que nossa existência como grupo ou indivíduos não vai além de um acidente cósmico, sem qualquer propósito ou intencionalidade. Estamos aqui e pronto, daqui a pouco voltamos para a realidade de onde viemos, a não existência.

Viemos do nada, sem trazer qualquer coisa, e voltaremos para o nada, sem levar nenhum elemento. Entre um e outro ato, passamos pelo hiato chamado vida, brigando por coisas, sentimentos e filosofias que sequer permanecerão conosco depois que deixarmos de existir como seres pensantes – pois nosso corpo ficará na terra transformando-se em outras coisas. Assim resume-se, numa só sentença, a vida humana: um traço entre duas datas, cujo significado existencial, por mais mágico e belo que seja, é meramente convencional. Uma maneira fantasiosa de tornar a coisa menos cruel para crentes e descrentes.

Então fazer o quê?

Se assim for, o melhor, neste sentido, talvez seria aproveitar ao máximo os curtos dias de existência que por sorte possuímos. Digo sorte não por valores supersticiosos, mas pelo reconhecimento de que, sem Deus, tudo – absolutamente tudo – resume-se a uma loteria cega.

É como disseram Paulo e Isaías, citando provavelmente um provérbio conhecido da época: [se não existe vida além dessa que conhecemos] então "comamos e bebamos porque amanhã morreremos" (Isaías 22:13; 1Coríntios 15:32). Seja na iminência de uma catástrofe ecológica – como aquelas que nos ameaçam hoje – ou diante de uma praga dos dias de Péricles e Boccaccio, o que devemos buscar não é arrependimento, mas diversão que garanta prazer e efeito anestésico diante do que está por vir.

Que gastemos a vida desfrutando ao máximo as sensações agradáveis que ela ainda pode oferecer. Que não haja censura alguma a qualquer proposta hedonista que, distinta do epicurismo, advogue uma busca intensa pelo prazer, incluindo, é claro, os apetites sexuais, o que, aliás, muita gente já faz em nossos dias. Chego a imaginar que se arqueólogos do futuro viessem escavar os escombros de nossas cidades, poderiam concluir que não faríamos outra coisa senão transar, beber e nos drogar 24 horas por dia, pois a cultura material encontrada (*i.e.*, os artefatos remanescentes de nossa civilização) dificilmente sugeriria outro cenário.

O lema de nossa época deveria ser o refrão de Chico Buarque e Ruy Guerra: "Não existe pecado do lado de baixo do Equador". Trata-se de um conceito que já existia três séculos antes da composição do frevo, pois, embora muitos não saibam, Chico copiou essa frase de um antigo livro em que o cronista dizia em latim *Ultra aequinoxialem non peccari*, uma referência europeia do século 17, que via o Equador como a linha divisória de dois hemisférios morais: um da virtude, outro do vício desenfreado. Não é por menos que esta música foi trilha sonora da peça *Calabar*, em que o Brasil é descrito como um belo lugar livre da "moral" e dos "bons costumes" – refúgio ideal de todos os hedonistas que correm dos tabus de uma sociedade moralista.

O problema é que a taça de vinho do "hedonismo" não mata a minha sede existencial e nem a de ninguém. Ela pode até dar alívios momentâneos, devido ao seu efeito sedativo. Porém, a dor volta. Vícios e prazeres não curam feridas, apenas as amortecem por algum tempo. Sem contar o efeito rebote de seus resultados. Se a dosagem não for aumentada da próxima vez, a sensação de prazer não será mais a mesma. À medida que a droga é administrada por tempo prolongado, o mecanismo de tolerância ou dessensibilização do organismo demanda um efetivo aumento da dose, com vistas a experimentar a mesma sensação de prazer que nas primeiras vezes que usou. Mas dificilmente ele a encontrará. É por isso que, como disse Drauzio Varella, "todo maconheiro velho reclama da qualidade da maconha atual. Perto da maconha daquele tempo, dizem, a de agora é uma palha sem graça"[433].

No início deste jogo decadente de pressões sociais, você até escolhe se quer ou não se drogar. Depois disso, no entanto, só poderá escolher o fornecedor e a boca de fumo, pois se tornou prisioneiro daquilo que parecia ser o maior barato e virou a maior roubada.

Que tal falar disso relembrando a trajetória de Frida Kahlo, uma pintora mexicana, cujos quadros mexeram comigo mesmo sem saber o motivo ou conhecer uma linha de sua história? A única informação que eu tinha é que eram autorretratos de uma artista obviamente destituída dos padrões de beleza que estamos acostumados a admirar: sobrancelhas grossas quase unidas ao meio, buço por fazer, roupas exóticas... ainda assim havia algo de fascinante e misterioso naquelas pinturas que me levaram a querer descobrir quem era aquela mulher. Até que assisti ao filme de sua vida, estrelado por Jennifer Lopez, e li uma de suas biografias, escrita por Hayden Herrera[434]. Eu estava diante de uma personagem extraordinária, uma pintora conhecida não só por sua arte, mas também por seu desafio a determinados padrões que representaram um marco na história dos movimentos feministas.

O encontro com sua trajetória me fez entender melhor a mensagem subliminar das pinturas que tanto mexeram comigo antes mesmo de obter qualquer informação adicional sobre elas. Frida era, em termos de superação, uma pessoa formidável, digna de ser aplaudida de pé. Quando criança, contraiu poliomielite, o que deixou uma lesão no seu pé esquerdo. De maneira jocosa, as outras crianças a chamavam de "Frida perna de pau". Ela deve ter sofrido muito com isso!

Como se não bastasse o *bullying* e os problemas de autoestima, anos depois, em 1925, Frida sofreu um acidente que a deixou com múltiplas fraturas, demandando nada menos que 35 cirurgias. A seguir veio uma piora significativa de sua saúde resultando na amputação de sua perna direita e no diagnóstico de um quadro depressivo com o qual conviveu até sua morte em 1953.

Curiosamente, foi no período em que ficou presa à sua cama e com problemas na coluna que Frida começou a pintar e retratar suas angústias e frustrações em suas obras de arte. Ela não conseguiu estudar medicina como era

---

433   Disponível em <https://drauziovarella.com.br/dependencia-quimica/maconheiro-velho/>. Acesso em: 26/09/2017.

434   Hayden Herrera. *Frida: a biografia* (São Paulo: Globo, 2011).

seu sonho, então não permitiu que o infortúnio assumisse o caráter de tragédia. Sem muitos lamentos, ela começou a pintar.

Devo ser honesto em dizer que, a despeito do apreço por sua persistência em meio à dor e sofrimento, não posso olvidar que seu comportamento destoava em vários aspectos com importantes princípios da moralidade cristã que também advogo. Falo, especialmente, em relação aos seus vícios, relacionamentos libidinosos e traições. Sendo, porém, marxista e ateia, creio que ela estava pouco se lixando para o que diriam os religiosos de hoje ou de seu tempo.

Em que pesem, no entanto, a admiração e a censura que possa ter por sua pessoa – afinal, nenhum de nós é tão somente admirável ou censurável – posso dizer que a captura emocional de seus quadros serviu para mim – e agora entendo o porquê – de emblema lógico do que seria uma vida sem Deus, voltada apenas para a materialidade e esta existência.

A inspiração de Frida para suas pinturas e fotografias veio de suas angústias e dificuldades em lidar com a própria condição existencial dela e de toda a humanidade. Sua vida foi um reflexo de sua cosmovisão: "vamos viver, comer, beber e nos divertir, pois amanhã acabará o baile". Porém, para além dessa convicção hedonista, havia em seu íntimo uma mulher que se incomodava com a efemeridade de tudo. Por isso seus quadros estão tão cheios de dores e amores, ambiguamente dividindo o mesmo espaço como se um precisasse do outro.

Não é por menos que de acordo com Nancy Deffebach[435], ao fim de sua vida, Frida tornara-se paradoxalmente holística. Seu diário revela uma mistura de panteísmo, marxismo, judaísmo, catolicismo, misticismo indígena, culto asteca etc., que ela mesma resumia como uma reinvenção pessoal de si mesma. O paradoxo de misturas incomunicáveis na mente desta mulher extraordinária revela para mim uma eterna busca de alguém que – ainda que inconscientemente – percebeu as falhas do arcabouço dialético-materialista mesclado de hedonismos racionalizados. A filosofia "livre" de vida não trouxe a paz que ela tanto almejava. Posso dizer, perante isso, que todos somos um pouco dela, todos temos – cada um a seu modo – um pouco de "Frida" em nossos anseios.

---

435 Nancy Deffebach. *María Izquierdo and Frida Kahlo: Challenging Visions in Modern Mexican* (Art. Austin: University of Texas Press, 2015), p. 52.

Olhe pra cima

Quero voltar a falar das estrelas conforme comecei este capítulo. Existe algo lá em cima que possa me interessar mesmo não sendo um astrônomo? Digo, algo que me aponte, ainda que por inferência, a possibilidade de que não estamos sozinhos?

Vejo diante de mim dois caminhos. Um da epopeia materialista, que resume à natureza, e tão somente a ela, toda sucessão de eventos extraordinários, ações gloriosas, retumbantes, capazes de provocar a admiração, a surpresa, a maravilha e o espanto diante da grandiosidade. Esse, eu diria, me limita diante dos pilares de Hércules, repetindo em voz alta a locução latina *nec plus ultra* (nada mais além). Deixe à ciência a última palavra sobre a realidade. Este é o limite que não deve ser ultrapassado.

Outro caminho, no entanto, sugere que eu ignore a velha advertência do Iluminismo. Que ultrapasse os limites convencionais dos Pilares de Hércules e navegue além do estreito de Gibraltar, supondo contra tudo e contra todos a existência de um continente que ninguém nunca viu. Assim digo *plus ultra* (mais além), o novo lema de Colombo, do rei Carlos V, dos nobres da Casa de Habsburgo.

Analise comigo: numa noite estrelada você pode ver de 2.500 a 5 mil estrelas. A maior parte delas está a menos de mil anos-luz de nosso planeta. Se esta contemplação já é o suficiente para tirar nosso fôlego, considere então o fato de que tudo o que vemos a olho nu corresponde a menos de 1% do diâmetro da Via Láctea, nossa galáxia hospedeira. Ela é tão grande que a luz, propagando a incríveis 300 mil km/s, levaria 100 mil anos para cruzá-la de uma a outra extremidade. Então, recolhamo-nos à nossa insignificância astronômica, sabedores de que o que vemos é apenas uma ínfima fração de tudo isso e o que somos é uma ínfima fração daquilo que vemos.

Owen Chamberlain, Prêmio Nobel em Física, disse que a missão Apolo 11 finalmente mostrou que a humanidade pode estar a cargo de seu próprio destino. Essa, porém, não foi a conclusão de quem estava a bordo da espaçonave. Enquanto meditava sobre tudo o que via do espaço, Buzz Aldrin recitou a ironia de um salmo bíblico que coloca o homem em seu verdadeiro lugar diante da imensidão do cosmos: "Quando contemplo os teus céus e a lua e as estrelas que estabeleceste, que é o homem para que dele te lembres?"[436].

---

436 Disponível em <http://usatoday30.usatoday.com/news/nation/2007-09-19-3188379411_x.htm>. Acesso em: 27/09/2017.

Sei que isso parece um tanto chato para os humanistas, especialmente diante do otimismo que colocava o homem como o centro do universo. A Terra, como "filosofou" um estudante medíocre numa das pérolas do Enem, pode até ser "o maior planeta do mundo", mas sua grandeza para por aí. A verdade é que, diante do cosmos, não somos nada! Nada mesmo, pois até a nossa Via Láctea, com suas cerca de 100 a 400 bilhões de estrelas, é apenas uma dentre dois trilhões de outras galáxias que existem no universo[437].

Estudos recentes mapearam milhares de galáxias próximas à nossa e descobriram que a Via Láctea faz parte de um gigantesco "superaglomerado" de galáxias, a que deram o nome de Laniakea. Esta estrutura é muito, muito, muito maior do que os astrônomos haviam anteriormente imaginado. Ela contém mais de 100 mil galáxias, estendendo-se por 500 milhões de anos-luz. Se você olhar num mapa astronômico desta região, não se surpreenda ao lhe informarem que a Via Láctea é apenas um pontinho localizado em uma de suas franjas à direita da imagem. Logo, o que vemos no céu é menos que o ínfimo do ínfimo do total de estrelas, e o que somos, enquanto corpo sideral ou planeta, é uma fração tão diminuta que dá até preguiça de calcular.

Mesmo com as galáxias todas reunidas, ainda estamos longe de imaginar o tamanho do cosmos por duas razões: a primeira é que os sistemas galácticos, e as estrelas em seu interior, não estão todos apertadinhos como o metrô de São Paulo na hora do *rush*. O espaço sideral é relativamente vazio, com os sistemas convivendo bem distantes um do outro.

Vamos imaginar, numa miniatura, a distância das estrelas, apenas para ter uma noção do que estamos dizendo: se o Sol fosse do tamanho de uma laranja, a estrela mais próxima da nossa, Alfa Centauro, seria outra laranja a uma distância de 2 mil km da nossa. Nesta escala de tamanho, é como se um astro estivesse em Salvador, BA, e o outro em São Paulo, SP. Essa é a distância média das estrelas!

A segunda razão pela qual estamos anos-luz distantes de imaginar a verdadeira grandeza do cosmos reside no fato de que tudo aquilo que vemos do universo equivale a menos de 5% de tudo o que existe. Isso mesmo! É como se todas as galáxias que conhecemos fossem apenas alguns pedacinhos de chocolate encravados num enorme bolo de aniversário.

É esse bolo, muito maior que os flocos de chocolate que o enfeitam, que perfaz o restante do universo, constituído por algo que os astrônomos chamam

---

[437] Christopher J. Conselice et al. "The Evolution of Galaxy Number Density At Z < 8 and its Implications", disponível em <https://arxiv.org/pdf/1607.03909v2.pdf>. Acesso em: 27/09/2017.

de "matéria escura". Ninguém sabe exatamente do que se trata, apenas se reconhece que é matéria – porque se consegue averiguar a força gravitacional que ela exerce – e é escura, porque não emite luz. Essa segunda propriedade é justamente o que dificulta seu estudo, pois, devido à distância, todas as observações que se fazem de corpos celestes ocorrem a partir da luz que emitem ou de outro tipo de radiação eletromagnética emitida ou refletida pelos astros. Como a matéria escura não faz nem uma coisa nem outra, ela permanece "invisível" a nós, porém, sabemos que está lá.

Sozinhos ou acompanhados?

A questão de estarmos sozinhos ou acompanhados no universo ainda é controversa em todas as áreas. De acordo com uma pesquisa realizada por David Weintraub[438], um astrônomo da Universidade de Vanderbilt, Texas, a maioria dos ateus acredita em vida extraterrestre, enquanto entre os religiosos o percentual é mais modesto. Ele relatou que 55% dos ateus acreditam em extraterrestres, enquanto apenas 44% dos muçulmanos, 37% dos judeus, 36% de hindus e 32% dos cristãos professavam as mesmas crenças.

Falando dos céticos, ao que tudo indica, a diferença de pensamento neste sentido se dá em relação a como eles mesmos entendem o surgimento da vida no planeta Terra. Os que acentuam em demasia as noções de acaso entendem que seria matematicamente impossível que a mesma coincidência que ocorreu aqui, permitindo o surgimento espontâneo da vida, se repetisse em outra parte do universo.

Outros, porém, como Carl Sagan, Isaac Asimov e Neil deGrasse Tyson preferem supor que a vastidão do universo torna sem sentido imaginarmos que somente nós estamos por aqui. Para Richard Dawkins, a vida em outros mundos segue uma evolução darwinista com base na mesma seleção natural. Então ele conclui: "É implausível e arrogante pensar que estamos sozinhos no universo"[439].

É claro que uma afirmação dessa, feita por um cientista, não é fruto de experimentos laboratoriais. Existe um mergulho total no campo especulativo. Ainda

---

438 David Weintraub. *Religions and Extraterrestrial Life: How Will We Deal With It?* (New York: Springer Praxis Books, 2014).

439 Disponível em <https://oglobo.globo.com/sociedade/ciencia/richard-dawkins-implausivel--arrogante-pensar-que-estamos-sozinhos-no-universo-14018764>. Acesso em: 28/07/2017.

que torçam o nariz diante do que digo, sua fala pode até ser válida, mas é uma declaração de fé, aceitem ou não esse sentimento.

De fato, se o número de estrelas presente em cada galáxia for similar ao da Via Láctea, então, o total de estrelas no universo observável seria da ordem de 10^{23}, das quais cerca de 20% seriam parecidas com o nosso Sol. Logo, uma em cada cinco estrelas é parecida com o nosso astro rei e pode ter o seu próprio sistema planetário.

Ora, considerando que 20% do universo observável equivale a 10.000.000.000.000.000.000.000 estrelas, significa que teríamos, no mínimo, essa mesma quantia de sistemas solares semelhantes ao nosso. Acrescente-se a isso a ideia corrente de que pelo menos 22% desses sistemas possuem ao menos um planeta com as mesmas dimensões da Terra. Resultado? Não é incongruente supor que haja outros lugares com capacidade de haver vida além da Terra.

A pergunta seguinte é óbvia e pode ser feita até por uma criança de 10 anos: Seria o nosso planeta o único lugar habitando no universo? Para não parecer que esta é uma questão ridícula, própria de ufólogos ou aficionados por *Star Trek*, saiba que a partir da década de 1970, pesquisadores ligados à Nasa começaram a fazer diversas tentativas de entrar em contato com prováveis civilizações extraterrestres.

O programa Seti (Instituto de Busca por Inteligência Extraterrestre, na sigla em inglês) varre o espaço em busca de sinal de vida inteligente fora de Terra. É claro que se trata de uma iniciativa controversa, financiada por meio de parcerias entre institutos privados e órgãos públicos nos Estados Unidos, como a própria Nasa. Algumas correntes científicas argumentam que ela é pura perda de tempo. Contudo, não se pode negar que tem muita gente séria ligada às suas pesquisas e projetos.

Um deles consistia em enviar ao espaço duas placas de 15 x 23 cm de ouro contendo uma espécie de "mapa do universo", um diagrama retratando a estrutura de um átomo de hidrogênio e um desenho de um casal humano nu. Carl Sagan participou desse projeto. As placas foram fixadas nas sondas espaciais Pioneer 10 e Pioneer 11, lançadas no espaço. Contudo, em 2003 e 2005, respectivamente, a Nasa perdeu o contato com ambas as espaçonaves, mas não sem antes receber muitos dados interessantíssimos sobre o Sistema Solar. A frustração foi não ter ouvido nenhum "alô" de qualquer extraterrestre.

Falando ainda dessa busca por vida inteligente fora da Terra, eu não poderia deixar de mencionar os incríveis radiotelescópios que, diferentes de um telescópio óptico que produz imagens a partir da luz visível, observam as ondas de rádio emitidas pelo cosmos, detectadas por antenas de grandes dimensões. Vários desses aparelhos já foram construídos desde a década de 1930. O mais recente, erguido pelos chineses, custou a "bagatela" de US$ 110 milhões e demorou seis anos para ser concluído. Do mesmo modo que ocorreu às espaçonaves americanas, os radiotelescópios revelaram muitas coisas do universo, mas não apresentaram até hoje nenhum sinal conclusivo de vida extraterrestre. Dos cerca de 40 astrônomos existentes no mundo capazes de administrar um radiotelescópio, a maioria se demonstra cautelosa, para não dizer cética, em afirmar se podemos ou não estabelecer contato com seres fora do nosso planeta.

Um modelo evolucionista poderia levantar a questão de qual a possibilidade de que pelo menos 1% desses planetas parecidos com a Terra desenvolva uma civilização inteligente como a nossa. Se a resposta for positiva e otimista, isso daria um montante potencial de 10.000.000.000.000.000 civilizações inteligentes em todo o universo!

A complexa equação de Frank Drake supõe que somente na Via Láctea haveria um leque de 20 a 50.000.000 de civilizações avançadas vivendo ao mesmo tempo que nós em vários pontos de nossa Galáxia mãe. Os resultados de sua matemática variam por causa dos dados que ele leva ou não em conta, muitos deles inteiramente arbitrários, como: número de planetas existentes ou não naquele setor, a semelhança ou diferença em relação à Terra etc.

Considerando, pois, a probabilidade de outras civilizações e de nosso esforço para contatá-las, elas também estariam, hipoteticamente, tentando contato conosco. O que temos, porém, até agora é um tremendo silêncio sideral. Onde estaria todo mundo? Esse é o famoso Paradoxo de Fermi, ou seja, a aparente contradição entre as altas estimativas de probabilidade de existência de civilizações extraterrestres e a falta de evidências para, ou contato com, tais civilizações. Das duas uma: ou tais civilizações não existem ou algo está acontecendo que impede a comunicação direta.

Considerando que há sistemas solares muitíssimo mais velhos que o Sol, a vida nesses planetas mais antigos teria surgido bilhões de anos antes da nossa. Certo? Portanto, para os que advogam a evolução das espécies, esses planetas com a hipotética civilização que eles contêm estariam bilhões de anos à nossa frente. Ora, falando exclusivamente em termos tecnológicos, se existe uma diferença abissal entre Ramsés II, inaugurando entalhes num templo de Abu Simbel, e Tim Cook, apresentando ao público a nova versão do iPhone, imagine o hiato entre nós e uma civilização que está 1 bilhão de anos na nossa frente! Lembre-se de que a distância cronológica entre Ramsés e Cook é de apenas 3.300 anos, aproximadamente.

Isso talvez explique por que alguns desses supostos "seres avançados" nunca entraram em contato conosco. Por estarem muito à nossa frente e talvez num contexto cósmico sem nossas contingências (morte, dor, ódio, sofrimento), nós não entenderíamos sua mensagem. Seria como se eu tentasse explicar a um formigueiro a teoria da relatividade de Einstein! Jamais perderia meu tempo com isso, pois as formigas nunca iriam me entender. Nós, nessa descrição hipotética, seríamos formigas para eles!

Escala de Kardashev

Nos anos 1960, o astrônomo soviético Nikolai Kardashev, seguido posteriormente pelo físico norte-americano Freeman Dyson, desenvolveu uma teoria sobre o avanço tecnológico de uma sociedade baseado no domínio em larga escala que aquela civilização adquiriu ao longo dos anos. Esta abordagem, conhecida como Escala de Kardashev, foi aplicada para ordenar e explicar especulativamente como supostas civilizações extraterrestres produzem, consomem e reciclam a energia necessária para sobreviver[440]. Desta proposta surgiram os seguintes tipos na Escala de Kardashev, que originalmente só tinha três níveis, mas recebeu acréscimos posteriores:

Tipo 0: a civilização que usa métodos primitivos de produção de energia, como queima de combustíveis fósseis, nucleares e alternativos (civilização primitiva ou sub global).
Tipo I: a civilização que usa toda a energia disponível em seu planeta natal (civilização planetária).
Tipo II: a civilização que usa toda a energia de sua estrela local – no nosso caso, o Sol (civilização estelar).
Tipo III: a civilização que usa toda a energia de sua galáxia (civilização galáctica).

---

[440] Nikolai Kardashev (1964). "Transmission of Information by Extraterrestrial Civilizations", in *Soviet Astronomy*. 8: 217; idem, "On the Inevitability and the Possible Structures of Supercivilizations", The search for Extraterrestrial Life: Recent Developments; Proceedings of the Symposium (Boston, June 18-21, 1984) (A86-38126 17-88) (Dordrecht: D. Reidel Publishing Co., 1985), p. 497-504.

Tipo IV: a civilização que manipula o tempo-espaço para seu próprio benefício (civilização universal).

A partir, pois, dessa escala tipológica, astrofísicos "sérios" e "descrentes" bolam desdobramentos teóricos estabelecendo até níveis de ocupação escalonada. Nós, terráqueos, estaríamos no nível 0 ou próximos de 1. Outras formas de vida no universo estariam em níveis superiores.

Carl Sagan chegou até a refinar o *ranking* produzindo um estudo dito "científico" em que, com base no nosso consumo de energia, a Terra representaria na verdade uma civilização Tipo 0,7[441]. Já estudos posteriores sugerem com maior "precisão" (desculpe, mas estou sendo irônico) que nossa posição é 0,72. Ou seja, esse é o percentual escalonar que alcançamos nestes 4,5 bilhões. Os hominídeos primatas estariam, a partir da descoberta do fogo, no nível 0,1 e nós no nível 0,72. Porém, a evolução do planeta não atingiu ainda a categoria do Tipo 1 e não atingirá senão daqui a 100 ou 200 anos!

Com exceção dos Tipos 0 e IV, todos os níveis são originais da Escala de Kardashev. Porém, como aconteceu no passado, novamente outros Tipos são adicionados à escala pelos adeptos da teoria kardasheviana. Fala-se, também, no Tipo V, que superaria todos os anteriores e poderia ser chamado de civilização multiverso. Seus habitantes seriam o que chamamos de "raça superior", uma espécie tão avançada que pode usar a energia gerada por vários universos. Tais sociedades poderiam atravessar multiversos com variadas formas de matéria, física e espaço-tempo.

Além dessa estupenda forma de sociedade, haveria o Tipo VI, uma civilização que viveria fora do tempo e do espaço, sendo capaz de criar e destruir universos muito facilmente. Se o Tipo V já era difícil de se imaginar que tal esse aqui?

Roteiro de cinema

Confesso que fico extasiado diante de alguns paradoxos da academia e da comunidade científica. Primeiro porque o rigor metodológico que tanto se exige parece não ser tão determinante em algumas abordagens tão bem-vindas na universidade. Ele até vale para os desdobramentos, mas não para os pressupostos. Vejo grandes hipóteses de trabalho que se revelam num amontoado de

---

441 Carl Sagan. "Twenty Questions: A Classification of Cosmic Civilizations", in *The Cosmic Connection: An Extraterrestrial Perspective* (Cambridge: Cambridge University Press, 2000), parte 3, capítulo 34.

inferências sobre inferências e quando busco a evidência original do modelo, ela não está lá.

Quer um exemplo? Vamos falar de Freeman Dyson, o segundo teórico da Escala de Kardashev. Ele desenvolveu todo um modelo astrofísico baseado na suposição de que os seres de outros planetas gastem energia como nós, retirando-a do ambiente exterior, e quanto maior for sua tecnologia, mais energia gastarão – uma inferência, convenhamos, gratuita. Seria como se uma comunidade de peixes cientistas partisse do pressuposto de que viver dentro de alguma quantidade de água é essencial a todos os que vivem fora do oceano, pois se os cardumes respiram absorvendo o oxigênio presente na água, não há por que ser diferente com outras formas de vida extra-aquáticas!

Pois bem, partindo desse pressuposto teórico, Dyson idealizou a existência de uma megaestrutura hipotética, orbitando em torno de uma estrela, de modo a rodeá-la completamente, capturando toda ou maior parte de sua energia emitida. Dyson especulou que tal estrutura seria a consequência lógica da sobrevivência e do avanço tecnológico daqueles que viviam naquela região orbital. Deste modo, a busca de evidências de tal estrutura poderia levar à detecção de vida inteligente avançada fora do planeta Terra[442].

Essa hipótese, batizada com o nome de "Esfera de Dyson", tem desdobramentos tão "novelísticos" que colocam em dúvida as supostas detecções espaciais que validariam a tese de Dyson. Veja como o pressuposto não comprovado gera raciocínios em série, igualmente não comprovados:

Partindo da ideia de que...
Existem civilizações extraterrestres...
Que elas possuam tecnologia avançada...
Que em termos terrestres tecnologia implica consumo de energia...
Que, portanto, elas também estariam consumindo energia de seu ambiente...

A evidência observacional de uma perda de energia em determinada estrela indicaria uma presença alienígena avançada em sua órbita. É exatamente isso que Geoff Marcy, da Universidade da Califórnia, quis procurar e com muito mais verba do que eu teria para uma pesquisa em arqueologia bíblica. Disse ele numa entrevista:

---

442 Freeman J. Dyson (1960). "Search for Artificial Stellar Sources of Infra-Red Radiation", *in* Science 131 (3414): 1667-1668.

> Estamos buscando, estrelas que fiquem completamente escuras por um tempo e depois brilhem de novo [...] Essa mudança drástica no brilho aconteceria se uma civilização cobrisse sua estrela com anéis para coletar sua luz. Esperamos detectar essas esferas de Dyson ao procurar por estrelas que mudem de brilho dramaticamente.[443]

Ele não somente imaginou como os *aliens* coletariam sua energia – cobrindo a estrela com anéis –, mas também como ela se comportaria, isto é, como uma lâmpada que se acende e se apaga a partir de uma tomada. E olha que Marcy não é um pesquisador medíocre, sua lista de artigos científicos é impressionante. Por isso fico pensando como seria essa fala nos lábios de outro acadêmico menos renomado. Talvez arrancasse risos e debochesdes, mas aqui o raciocínio é válido. Trata-se de um pesquisador de renome. Um típico exemplo de argumento por autoridade, que leva muitos a brincarem de "Simon diz", tanto é que bastou o telescópio espacial Kepler detectar a estrela KIC 84628532 que muitos correram a supor que a emissão e curvatura de sua luz, somadas à sua piscadela sem rumo e uma redução de energia da ordem de 20%, não seria a evidência de que precisavam da esfera de Dyson e as teorias alienígenas que derivam dela.

Até Stephen Hawking achou válida a pesquisa do ponto de vista científico. Apenas alertou que seria perigoso fazê-lo, porque esses seres podem estar buscando um novo planeta para explorar e nosso encontro com eles seria como o dos índios com Cristóvão Colombo. Em pouco seremos escravizados![444] Uau, parece até o seriado *Flash Gordon!* Marcy suavizou a advertência do colega dizendo que tais seres não têm qualquer interesse em nós. O que captamos são sua comunicação entre si, eles não voltarão o radar para o nosso lado.

Sinceramente, com descrições como estas, penso que o brilhantismo de Hawking, Dyson, Macy e outros poderia ser usado pela Marvel ou a D.C. Comics para produzir novas aventuras dos *X-Men*, *Avengers* e *Liga da Justiça*. Parece irônico, mas estou falando sério. Tanto que o astrônomo Jason Wright foi um dos que, inspirado nas falas de Macys, sugeriram com força que a estranha distorção da estrela KIC 84628532 poderia ser resultado de um projeto de construção gigante feito por alienígenas. A ideia animou muitos cidadãos da

---

443 Disponível em <https://super.abril.com.br/ciencia/em-busca-das-super-civilizacoes/>. Acesso em: 28/09/2017.

444 Disponível em <https://www.ancient-code.com/prof-stephen-hawking-states-alien-life-real-warns-human-not-make-contact/>. Acesso em: 28/07/2017.

Terra e mobilizou uma busca mundial por evidências da existência de vizinhos celestiais. Infelizmente, duas pesquisas independentes, por sinais de rádio e feixes laser – que poderiam indicar uma sociedade tecnológica – não deram em nada. Os resultados continuam bastante inconclusivos, para não dizer "um tiro no escuro".

O próprio Wright admitiu numa entrevista o seguinte:

> em astrobiologia [nome que se dá a esse ramo da ciência] é tênue a linha entre ciência e ficção científica. Muitas vezes as melhores discussões destes temas estão nas estórias em quadrinhos... eu posso dizer que é estranho escrever uma proposta séria de pesquisa sabendo que a metade de sua bibliografia será de ficção científica.[445]

Deus na escala

O hilário de tudo isso é que se eu propuser uma conferência acadêmica sobre "As evidências naturais de um Criador do universo", terei de me limitar ao interior de uma igreja, pois, dependendo da universidade aonde eu for, nem na faculdade de teologia esse tema será bem-vindo. A não ser por protesto ou deboche, jamais encherei um auditório com homens e mulheres de ciência para ouvir evidências de um Deus-Criador. "Não há evidência para os pressupostos bíblicos da criação. Isso é tolice, e não ciência."

Simulemos uma situação: Eu diante de um grupo hostil de estudantes céticos e ateus tentando contar para eles a história bíblica de Deus. Os olhares quase me fuzilam à espera da primeira oportunidade para atacar com força meu "conto da carochinha".

Então começo dizendo:

– Olá, pessoal, gostaria de falar com vocês sobre a doutrina da Criação. No princípio, Deus criou o céu e a Terra. Pois a lógica natural aponta para um universo criado, planejado e fruto de uma mente inteligente. Ele criou anjos e outros seres que vivem em mundos diferentes do nosso. Eles têm poderes incríveis, como, por exemplo, voar a velocidade tal que bastam poucos minutos para um anjo cruzar o espaço desde a presença de Deus até chegar aonde estava o profeta Daniel. Uma viagem que a luz gastaria bem mais tempo para percorrer. Assim como os anjos, existem outros mundos criados por Deus, porém, devido

---

445 Entrevista publicada em <https://www.theatlantic.com/technology/archive/2012/10/the-best-way-to-find-aliens-look-for-their-solar-power-plants/263217/>. Acesso em: 28/08/2017.

à nossa condição pecadora, eles não podem se comunicar diretamente conosco. Um dia, porém, alcançaremos, pela graça divina, um estado de perfeição gloriosa em que poderemos não somente falar com essas outras criaturas de Deus, mas também conviver com elas numa condição de vida muito superior à que temos hoje.

– Ridículo! – grita um do fundão, iniciando uma enxurrada de protestos e vaias, que rapidamente conta com o apoio de quase todos.

– Isso não é ciência, é religião! – gesticula uma menina freneticamente sentada à frente.

– Não há evidências para o que você diz – vocifera um aluno de Física. – Nem venha com esse negócio de Design Inteligente. Se quer pregar, fique na sua igreja, aqui é um lugar para ciência, não para credos religiosos.

Esse episódio não aconteceu. Contudo, há muitas situações similares. Deixe-me, portanto, imaginar a mesma cena, apenas pressionando a tecla SAP e mudando a linguagem, porém, não o conteúdo:

> Galera, antes de a gente sair para uma balada depois da aula, quero falar sobre o *paradoxo de Huster* e a *teoria da condicionalidade de Wilbur* [expressões que acabei de inventar como paródia dos enunciados rebuscados que chamam a atenção dos estudantes]. Não sabemos como exatamente tudo começou, pois só podemos analisar do nanossegundo posterior ao Big Bang para cá. Porém, considerando que não temos uma explicação plausível para o surgimento de algo do nada, é possível teorizar que existe uma quantidade infinita de universos possíveis e que o nosso seja fruto de um desses universos paralelos.

Do mesmo modo, podemos afirmar que o universo é mui provavelmente povoado por civilizações mais avançadas que a nossa e, considerando os tipos elencados na Escala de Kardashev, presumimos que as civilizações de Tipo IV seriam capazes de controlar a energia gerada por todo o universo. Eles podem atravessar a expansão acelerada do espaço e permanecer dentro de buracos negros supermassivos. São, enfim, seres com incríveis poderes capazes de moldar a estrutura do tempo e espaço.

Civilizações do Tipo V seriam como os deuses, pois teriam o conhecimento para manipular o universo como bem entenderem. As do Tipo VI viveriam fora do tempo e do espaço, sendo capazes de criar e destruir universos muito facilmente.

O fato de existirem civilizações tais do Tipo II e III – para ficar na escala original – e elas não se comunicarem conosco (o paradoxo de Fermi) significa que algo de errado está acontecendo, e elas não querem ou não conseguem estabelecer contato. Nossa melhor hipótese do porquê disso acontecer é a hipótese do "grande filtro", inaugurada por Robin Hanson em 1996.

A hipótese do grande filtro diz que em algum momento da evolução dessas civilizações até ela atingir pelo menos o nível III, deve existir algum tipo de barreira ou filtro que seja improvável ou impossível de ser transponível.

Se você comparar bem os dois discursos perceberá que a mesma coisa foi dita, porém, de modo diferente. Apenas troquei os escritos de Moisés, Paulo e João pelas descrições especulativas Dyson, Kardashev e Wright. O anjo que cruza instantaneamente o cosmos para atender a oração de Daniel não é nada diferente dos hipotéticos seres que vivem no Tipo IV.

Note, igualmente, que o conceito bíblico de Deus pode muito bem ser colocado nos Tipos V e VI da escala apresentada, afinal se trata de seres ativos capazes de viver fora do tempo e do espaço (portanto, existe algo além do universo) que detêm capacidade criativa e destrutiva (juízo) sobre todo o universo. Isto é apenas uma forma astronômica de falar em onisciência, onipotência e onipresença. O quadro pode não ser exatamente o mesmo, contudo, fiz essa paródia apenas para mostrar como os mesmos conceitos teológicos que céticos odeiam acabam presentes em alguns de seus próprios discursos.

Sei que nem todos os céticos aceitam ou advogam a Escala de Kardashev ou qualquer desdobramento cosmológico que derive dela. Contudo, minha questão é saber por que nenhum kardasheviano é barrado nas faculdades se o seu discurso é tão parecido com o religioso e destituído de comprovações científicas. Não são apenas os crentes que acreditam em coisas as quais são incapazes de demonstrar pelo experimento científico.

Carl Sagan escreveu que "não há comprovação para o Tipo IV de civilização que definitivamente fale por si mesma"[446]. Mesmo assim, ele concorda com as posições da escala. Outros vão mais além, dizendo que há civilizações mais avançadas que as do Tipo IV. Há quem proponha até um Tipo VII de civilização da qual ninguém pode dizer quais seriam as fontes de energia para se desenvolver. A compreensão desses seres ainda está além do conhecimento humano, pelo menos por enquanto.

---

446 Carl Sagan. *The Cosmic Connection: An Extraterrestrial Perspective* (New York: Doubleday, 1973), p. 234.

Obrigado, Kardashev

Saiba que, apesar das descrições especulativas, eu apreciei muito algumas afirmações científicas baseadas na Escala de Kardashev. A formulação, por exemplo, feita por J. D. Barrow[447], acerca dos Tipos I-III, que fala de uma possível reestruturação do universo em que coisas destroçadas podem ser renovadas, soa muito familiar à promessa apocalíptica de que Deus fará novas (ou renovadas) todas as coisas.

Veja as palavras do vidente de Patmos:

> E vi um novo céu, e uma nova terra. Porque já o primeiro céu e a primeira terra passaram, e o mar já não existe.
> E eu, João, vi a santa cidade, a nova Jerusalém, que de Deus descia do céu, adereçada como uma esposa ataviada para o seu marido.
> E ouvi uma grande voz do céu, que dizia: Eis aqui o tabernáculo de Deus com os homens, pois com eles habitará, e eles serão o seu povo, e o mesmo Deus estará com eles, e será o seu Deus.
> E Deus limpará de seus olhos toda a lágrima; e não haverá mais morte, nem pranto, nem clamor, nem dor; porque já as primeiras coisas são passadas.
> E o que estava assentado sobre o trono disse: Eis que faço novas todas as coisas.
> E disse-me: Escreve; porque estas palavras são verdadeiras e fiéis. E disse-me mais: Está cumprido. Eu sou o Alfa e o Ômega, o princípio e o fim. A quem quer que tiver sede, de graça lhe darei da fonte da água da vida. Quem vencer, herdará todas as coisas; e eu serei seu Deus, e ele será meu filho (Apocalipse 21:1-7).

Considerando que as evidências estão no ar, o apóstolo João e o cientista J. Barrow chegaram pelo menos a uma mesma verdade, porém, por vias diferentes. O que um apresenta como possibilidade especulativa, o outro afirma como revelação dada por Deus. Observo, no entanto, que, mesmo falando de probabilidades, um dos últimos trabalhos de Kardashev tinha como título "Sobre a inevitabilidade e as possíveis estruturas de supercivilizações"[448]. Isso me diz que

---

447 J. D. Barrow. *Impossibility: The limits of Science and the Science of Limits* (Oxford: Oxford University Press, 1998).

448 N. S. Kardashev "On the inevitability and the possible structures of supercivilizations", *in* The *Search for Extraterrestrial Life: Recent Developments.* Proceedings of the Symposium (Boston, June 18-21, 1984) (A86-38126 17-88) (Dordrecht: D. Reidel Publishing Co., 1985), p. 497-504.

seu ceticismo como cientista não o impedia de ter algumas certezas. Mesmo o que se dizia "possível" carregava consigo elementos de inevitabilidade.

Ele admitia não poder explicar muitas coisas, porém, não tinha como pensar diferente acerca delas. O mesmo digo de Deus. Há muitas questões religiosas que se traduzem como possibilidades. Deus, porém, é inevitável. Sem ele, a equação não funciona! Para mim é tedioso pensar de outra forma. Descrer de Deus é muito chato.

Convivendo com a incerteza

No que diz respeito à permanente convivência com algumas incertezas, percebo que isso não é privilégio dos crentes. Todo ser pensante, crédulo ou incrédulo, é assaltado por um universo de contradições que desafiam nossas garantias. Pode ser a perda de um filho que nos faz questionar as promessas de Deus ou o excesso de informações que muitas vezes se chocam, confundem e aterrorizam.

Não importa quem somos, todos temos de lidar com íncubos e súcubos mentais que nos assaltam e seduzem, especialmente quando estamos emocionalmente fragilizados. Eles vêm como demônios noturnos, alimentando nossa libido e depois drenando nossa energia, não ao ponto de nos matar, mas nos deixando em condições muito enfraquecidas.

O que é singular, porém, na incerteza de um crente é que ela existe sem causar qualquer desastre histórico ou ameaça real a uma fé que se traduz como fruto de um relacionamento verdadeiro com Deus. O que ele experimenta é a mesma dúvida do Cristo, que em meio a dor e sofrimento gritou: "Deus meu, Deus meu, por que me abandonaste?". Contudo, entremeada nas experiências de toda uma vida, e não apenas na condição de um único momento, a fé oferece evidências e convicções que permitem dizer: "Nas tuas mãos, entrego meu espírito" – mesmo que a dita dúvida não tenha sido sanada.

A realidade de não ter como explicar as coisas celestiais e mesmo assim poder afirmá-las sem qualquer constrangimento fica clara na admissão dos físicos que, ao falarem de conceitos cósmicos, admitem que estamos lidando com elementos além da compreensão humana. Não necessito, pois, ter vergonha de minha fé e suas afirmações aparentemente inadmissíveis. Se teorias científicas também padecem do mesmo dilema, por que seria diferente em relação à crença?

Deus às vezes me magoa muito. Sinto-me como C. S. Lewis depois de uma dramática perda repensando toda explicação racional que dera para a existência de Deus e o problema do sofrimento. Em seu livro A *anatomia de uma dor*, ele chega a chamar o Altíssimo de "carrasco divino", um tipo de efusão emocional muito semelhante a alguns salmos da Bíblia. Como já disse em um capítulo anterior, Deus não nos proíbe de gritar quando está doendo. No caso de Lewis, ele já tinha perdido a mãe aos seus nove anos de idade, depois o pai e agora a única mulher que ele amou, todos vitimados pelo câncer. Onde estava o Deus que protege e cura?

Mas o encontro com o sagrado provoca uma certeza tal – ah, como eu gostaria que você a tivesse – que não se traduz em arrogância muito menos alienação. É a confiança semelhante à de um menino bem-criado que sabe poder contar com o amor de seu pai, mesmo quando este não está presente para colocá-lo na cama. É muito bom este sentimento, explicá-lo é diminuir a sua força. É como dar aula sobre a sensação de um gosto. É impossível transmitir tal sentimento sem que os alunos participem da experiência. Por isso, o máximo que posso fazer é testemunhar esse encontro com Deus e convidar outros a experimentá-lo.

O último livro de Lewis, *Cartas a Malcolm, principalmente acerca da oração*, mostra como o sofrimento, em vez de fazê-lo perder a fé, o reergueu fortalecido, vivendo a última fase de sua vida num clima de profunda relação com a espiritualidade. Antes disso, ele já havia concluído que sua ideia de Deus não era um conceito pronto, acabado e imexível.

Digo que tenho a mesma sensação que ele e por isso parafraseio agora seu pensamento. Minha imagem de Deus muitas vezes é dividida entre um médico que opera sem anestesia e um guardião que diz calmamente que tudo ficará bem. E não é que fica mesmo?

Ainda que a fé não seja abalada – esse é o ideal pregado por religiosos conservadores – admito que minha imagem de Deus é muitas vezes despedaçada. O mais irônico é que em várias ocasiões é o próprio Deus quem a despedaça. Ele parece agir como um grande iconoclasta, talvez com o intuito de me tirar da zona de conforto e atualizar sua imagem, embora ele mesmo não precise de "novas versões". Deus é eterno e imutável; eu, porém, sou contingente e histórico. Não seria justo acordar todas as manhãs e encontrá-lo como sujeito inexorável, que não muda o semblante nem para esboçar um sorriso[449].

---

449 C. S. Lewis. A *anatomia de uma dor* (São Paulo: Vida, 2006).

O Deus que acredito, à semelhança do de Lewis, "sussurra através do prazer, fala através da consciência e grita nos nossos sofrimentos; esse é o seu megafone para despertar um mundo que ficou ensurdecido"[450]. Seja como for, de uma coisa tenho certeza: ele ainda está comigo.

Posso falar da eternidade?

Embora não se trate de um decalque exato de doutrinas e teorias, muitas vezes me flagro falando algumas das mesmas verdades que meus amigos ateus advogam – apenas não tinha me dado conta disso. Nossa divergência talvez esteja no uso de fontes e autores diferentes. O cético usa Kardashev; eu cito o apóstolo Paulo.

Veja essa nota do físico soviético:

> [...] gostaríamos de lembrar que as estimativas apresentadas aqui são inquestionavelmente não mais que uma tentativa natural. Mas todas elas testemunham o fato de que, se a civilização terrestre não for um fenômeno único no universo, então a possibilidade de estabelecer contato com outras civilizações, por meio das atuais potencialidades físicas de rádio, não é totalmente inverossímil.[451]

Agora veja o que diz Paulo:

> Ora, o homem natural não aceita as coisas do Espírito de Deus, porque lhe são loucura; e não pode entendê-las, porque elas se discernem espiritualmente [...] somos feitos *espetáculo* ao *universo*, tanto a anjos como a homens [...] Deus estava em Cristo, reconciliando consigo o *universo* e nos confiou o ministério da reconciliação (1Coríntios 2:14; 4:9; 2Coríntios 5:19).

Em suma, não sou contra a construção de radiotelescópios, mas não preciso deles para me comunicar com o universo. Há um elemento chamado oração que há séculos tem funcionado com muita gente. Pergunte a pessoas que oram e você terá um bom quantitativo estatístico para um estudo de caso. Utilize, se preciso for, a equação da curva normal de Gauss ou um modelo probabilístico mais adequado, não importa o meio. Você verá que Deus, fé, caridade e oração

---

450 C. S. Lewis. *The problem of pain* (New York: Macmillan, 1962).

451 N. S. Kardashev. "Transmission of information by extraterrestrial civilizations", *in Soviet Astronomy*, v. 8, N. 2 (Set.-Out. 1964).

fazem sentido para muita gente e poderá fazer para você também. Sou a prova viva disso, pois sei os momentos em que ele me tirou do abismo.

Não estamos sozinhos aqui, nem somos frutos de um acaso cego. Fomos desejados antes de existirmos. Ainda que um ente querido nos tenha rejeitado, há um ser maior que nos aceita. Não somos um caso de amor não correspondido.

O universo é realmente vasto e povoado, repleto de seres mais capacitados e inteligentes. Porém, sendo Deus maior que qualquer tipo escalonar jamais imaginado, ele pode se relacionar conosco como se fôssemos de um modo personalizado, como se o universo fosse feito apenas para nós.

Um dia, depois da intervenção final de Deus neste sistema, a cortina de separação será retirada e estaremos para sempre reunidos como uma única família sideral. Creio nisso, creio pia e racionalmente em palavras como estas de Ellen White, com as quais fecho esse diálogo em agradecimento aos que me suportaram até aqui:

> Todos os tesouros do universo estarão abertos ao estudo dos remidos de Deus. Livres da mortalidade, alçarão voo incansável para os mundos distantes – mundos que fremiram de tristeza ante o espetáculo da desgraça humana, e ressoaram com cânticos de alegria ao ouvir as novas de uma alma resgatada. Com indizível deleite, os filhos da Terra entram de posse da alegria e sabedoria dos seres não caídos. Participam dos tesouros do saber e entendimento adquiridos durante séculos e séculos, na contemplação da obra de Deus. Com visão desanuviada olham para a glória da criação, achando-se sóis, estrelas e sistemas planetários, todos na sua indicada ordem, a circular em redor do trono da Divindade. Em todas as coisas, desde a mínima até a maior, está escrito o nome do Criador, e em todas se manifestam as riquezas de seu poder.

E ao transcorrerem os anos da eternidade, trarão mais e mais abundantes e gloriosas revelações de Deus e de Cristo. Assim como o conhecimento é progressivo, também o amor, a reverência e a felicidade aumentarão. Quanto mais aprendem os homens acerca de Deus, mais lhe admiram o caráter. Ao revelar-lhes Jesus as riquezas da redenção e os estupendos feitos do grande conflito com Satanás, a alma dos resgatados fremirá com mais fervorosa devoção, e com mais arrebatadora alegria dedilharão as harpas de ouro; e milhares de milhares, e milhões de milhões de vozes se unem para avolumar o potente coro de louvor.

E ouvi a toda a criatura que está no Céu, e na Terra, e debaixo da terra, e que está no mar, e a todas as coisas que neles há, dizer: Ao que está assentado sobre o trono, e ao Cordeiro, sejam dadas ações de graças, e honra, e glória, e poder para todo o sempre (Apocalipse 5:13).

O grande conflito terminou. Pecado e pecadores não mais existem. O universo inteiro está purificado. Uma única palpitação de harmonioso júbilo vibra por toda a vasta criação. Daquele que tudo criou emanam vida, luz e alegria por todos os domínios do espaço infinito. Desde o minúsculo átomo até o maior dos mundos, todas as coisas, animadas e inanimadas, em sua serena beleza e perfeito gozo, declaram que Deus é amor[452].

---

452 Ellen G. White. *O grande conflito* (Tatuí: Casa Publicadora Brasileira, 1988), p. 677, 678.

Referências

ABRAMS, M. H. *Glossary of Literary Terms Fort Worth*. Texas: Harcourt Brace College, 1993.

AGOSTINHO, Santo. *Sermones* 131.10. in *Obras completas de San Augustin*. 41 vols. Texto em espanhol e em latin baseado na edição Patrologia Latina. Madrid: Biblioteca de Autores Cristianos, 1946-).

ALBRIGHT, William F. *Recent Discoveries in Bible Lands*. New York: Funk and Wagnalls, 1955.

ALLAN, Dr. James. *One Solitary Life*. Disponível em: <http://www.medjugorje.ie/files/one-solitary-life.pdf>. Acesso em: 15 mar. 2018.

ALVES, Liane. "A falta que nos move", in *Vida Simples* (set. 2011). Disponível em: <http://vidasimples.uol.com.br/noticias/pensar/a-falta-que-nos-move.phtml#.WfG61ltSx0w>. Acesso em: 26 out. 2017.

ALVES, R. *O que é religião*. São Paulo: Abril Cultural, 1981.

ANAXIMANDRO apud MONTAIGNE, Michel de. *An Apology for Raymond Sebond*. New York: Penguin Classics, 2000.

ARBATOV, Aleksey G. (ed.). *Armaments, Disarmament and International Security* by *SIPRI Yearbook 2011*. Oxford: Oxford University Press, 2011.

ARISTÓFANES. "As Aves 556", in *As Aves*. Tradução, introdução, notas e glossário de Adriane da Silva Duarte. Edição bilíngue. São Paulo: Hucitec, 2000.

_____. *Métaphysique*, 2 vols. Paris: Vrin, 1981.

_____. *Politics. Humans always Found in Groups: "homo politics"*. Oxford: Barker Translation, 1972.

ARISTÓTELES. *Física*, Livro VIII, 3 in Physics, books V-VIII. Trad. de P. H. Wicksteed & F. M. Cornford. Cambridge: Harvard University Press, 1980.

ARMSTRONG, Karen. *Fields of Blood: Religion and the History of Violence*. New York: Alfred A. Knopf, 2014.

ARNOLD, Bill T.; CHOI, John H. *A Guide to Biblical Hebrew Syntax*. Cambridge: Cambridge University Press, 2003.

ASHCROFT, Bill; GRIFFITHS, Gareth; TIFFIN, Helen. *The Empire Writes Back: Theory and Practice in Post-Colonial Literatures*. London: Routledge and Kegan Paul, 1989.

ASIMOV, Isaac. *Counting the Eons*. London: Grafton Books [Collins], 1983.

ASSIS, Machado de. *Quincas Borba*. São Paulo: Ática, 1995.

ATHANASSAKIS, Apostolos N. (ed.). *Hesiod, Theogony, Works and Days, Shield*. Baltimore: Johns Hopkins University Press, 2004.

AUBENQUE, Pierre, (ed.). *Étude sur Parménide – Le poéme de Parménide: Text, traduction essai critique*. Paris: Librairie Philosophique J. Vrin, 1987.

AUPERS, S.; HOUTMAN, D. "Beyond the Spiritual Supermarket: The Social and Public Significance of New Age Spirituality". *Journal of Contemporary Religion* 2 (2006).

AXELROD, Alan; PHILLIPS, Charles. *Encyclopedia of Wars, 3 volumes*. New York: Facts on File, 2005.

AZEVEDO, Renata Cruz Soares De. *Uso de drogas por universitários*. Ensino Superior Unicamp, nov. 2013. Disponível em: <https://www.revistaensinosuperior.gr.unicamp.br/artigos/uso-de-drogas-por-universitarios>. Acesso em: 28 ago. 2017.

BÁEZ, Fernando. *História universal da destruição dos livros: das tábuas sumérias à guerra do Iraque*. Rio de Janeiro: Ediouro, 2006.

BARBUDO, Antonio Sánchez. *Estudios sobre Galdós, Unamuno y Machado*. Barcelona: Editorial Lumen, Palabra en el tiempo, 1981.

BARNA, George; KINNAMAN, David (eds). *Churchless: Understanding Today's Unchurched and How to Connect with Them*. Carol Stream, IL: Tyndale House, 2014.

BARNA, George. *American donor trends*. Disponível em: <https://www.barna.com/research/american-donor-trends/>. Acesso em: 15 mar. 2018.

BARRERA, Julio Trebolle. *La Biblia judía y la Biblia cristiana: introducción a la historia de la Biblia*. Madrid: Editorial Trotta, 1993.

BARRETT, David B.; KURIAN, George T.; JOHNSON, Todd M. *World Christian Encyclopedia: A Comparative Survey of Churches and Religions in the Modern World*. 2 vols. Oxford: Oxford University Press, 2001.

BARROW, J. D. *Impossibility: The limits of Science and the Science of Limits*. Oxford: Oxford University Press, 1998.

BARTH, Karl. *Rudolf Bultmann – ein Versuch ihn zu verstehen*. Zurich: Evangelischer Verlag, 1952.

_____. *Church Dogmatics*, III/3, in Church Dogmatics, v. III, The Doctrine of Creation, part 4, tradução de A. T. Mackay, et al. Edinburgh: T&T. Clark, 1961.

BAUDRILLARD, Jean. *A sociedade de consumo*. Rio de Janeiro: Elfos, 1995.

BAUMAN, Zygmunt. *Vida para consumo: a transformação das pessoas em mercadoria*. Rio de Janeiro: Jorge Zahar, 2008.

BAUMGARTEN, J. J. "Urbanisation in the Late Bronze Age", in A. Kempinski; R. Reich (eds.), *The Architecture of Ancient Israel from the Prehistoric to the Persian Period*. Jerusalém: Israel Exploration Society, 1992.

BEGLEY, Sharon. "Science Finds God". Entrevista publicada em *Newsweek*, 20 jul. 1998.

BEKERMAN, Rabino Vidal. *Cuidados com "D'us"*. O Chabad.org. Disponível em: <https://pt.chabad.org/library/article_cdo/aid/1547780/jewish/cuidados--com-dus.htm>. Acesso em: 15 mar. 2018.

BERCOVITCH, Jacob; JACKSON, Richard. International Conflict: A Chronological Encyclopedia of Conflicts and Their Management 1945-1995. Washington: Congressional Quarterly, 1997. Disponível em: <http://www.scaruffi.com/politics/massacre.html>. Acesso em: 10 fev. 2017.

BERGSON, Henri. *Creative Evolution Mineola*. New York: Dover Publications, 1998.

_____. *Introduction à la Métaphysique*. Paris, Éd. Payot & Rivages, impr. 2013.

_____. *O pensamento e o movente. Ensaios e conferências*. São Paulo: Martins Fontes, 2006.

BERMAN, D. *A History of Atheism in Britain: from Hobbes to Russell*. London: Routledge, 1990.

BESSEL, Friedrich apud *A Dictionary of Scientific Quotations*. London: Institute of Physics Publishing, 2001.

BITENCOURT, Paulo. *Liberto da religião: o inestimável prazer de ser um livre--pensador* (Portuguese Edition), eBook.

BLOOM, Allan. *The Closing of the American Mind*. New York: Simon Schuster Trade, 1987.

BOFF, Leonardo. *Igreja, Carisma e Poder*. Vozes: Petrópolis, 1981.

_____. *Quem é Jesus Cristo no Brasil?* São Paulo: ASTE, 1974.

BONHOEFFER, Dietrich. *Discipulado*. São Leopoldo: Sinodal, 2004.

BORGES, Jorge Luis. *O livro de areia*. Tradução de Davi Arrigucci Jr. São Paulo: Companhia das Letras, 2009.

BOTELHO, Marcos. "Por que des(ler) os clássicos em Omeros?", *Revista de Literatura e Diversidade Cultural Légua & Meia*, v. 3, n. 2. Bahia: Universidade Estadual de Feira de Santana, 2004.

BOURDIEU, Pierre. "A ilusão biográfica", in Marieta de Moraes Ferreira; Janaina Amado (org.), *Usos & abusos da história oral* Rio de Janeiro: Fundação Getúlio Vargas, 1996.

BRAGA, Teófilo apud CASCUDO, Luís da Câmara. *Coisas que o povo diz*. São Paulo: Global Editora, 2009.

BRAITERMAN, Zachary. *(God) After Auschwitz: Tradition and Change in Post-Holocaust Jewish Thought*. Princeton: Princeton University Press, 1998.

BRUCE, F. F. *The New Testament Documents: Are they Reliable?* Downers Grove: InterVarsity, 1960.

BUBER, M. *Eclipse de Dios*. Buenos Aires: Nueva Visión, 1984.

_____. *Eu e Tu*. 10ª ed. Tradução do alemão, introdução e notas por Newton Aquiles Von Zuben. São Paulo: Centauro, 2001.

BUCK, A. De. *Egyptian Readingbook*. Chicago: Ares Publishers, 1948.

BUCKLEY, M. J. *At the origins of modern atheism*. New Haven: Yale University Press, 1987.

BUENO, Marcelo Cunha. *O triunfo da cultura inútil*. Revista Crescer, abr. 2013. Disponível em: <http://revistacrescer.globo.com/Revista/Crescer/0,,EMI8389-15565,00-O+TRIUNFO+DA+CULTURA+INUTIL.html>. Acesso em: 12 ago. 2017.

BULTMANN, R. "Pistew", in Gerhard Kittel. *Theological Dictionary of The New Testament*. Grand Rapids: Eerdmans Publishing Company, 1974.

_____. *Jesus Christ and Mythology*. New York: Scribner, 1958.

_____. "New Testament Mythology", in *Kerygma and Myth*, H. W. Bartsch (ed.). New York: Harper and Row, 1961.

_____. *Jesus and Word*. New York: Scribner's, 1934.

_____. *Primitive Christianity in its Contemporary Setting*. New York, Meridian Press, 1956.

_____. *Theology of the New Testament*. New York: Scribner's, 1955.

BUNGENER, L. F. *Voltaire and his Times*. Edinburgh: Thomas Constable and Co., 1854.

CAMUS, Albert. *O Mito de Sísifo*. Rio de Janeiro: Record, 2010.

CANDIOTTO, Cesar; SOUZA, Pedro de (orgs.). *Foucault e o cristianismo*. Belo Horizonte: Autêntica, 2012.

CARDEDAL, O. *Jesús de Nazaret. Aproximación a la cristología*. Biblioteca de Autores Cristianos. Madrid: Editorial Católica, 1993.

CARLIN, George apud MOSLEY, Shelley et al. *The Complete Idiot's Guide to the Ultimate Reading List*. Indianapolis: Alpha Books, 2007.

CARROLL, Robert Todd (ed.). *The Skeptic's Dictionary*. New Jersey: John Wiley and Sons Inc., 2003.

CARVALHO, José Murilo de. *A formação das almas, o imaginário da República no Brasil*. São Paulo: Companhia das Letras, 2008.

CARY, Lucius. *Discourses of Infallibility*. Disponível em: <http://quod.lib.umich.edu/e/eebo2/A85082.0001.001?view=toc>. Acesso em: 15 mar. 2017.

CASERTANO, Giovanni. "A verdade, o verdadeiro e o falso em Parmênides", in *Kriterion – Revista de Filosofia*, 48/16 (jul./dez. 2007) Disponível em: <http://www.scielo.br/scielo>.

CASTANHO, M. E. L. M. "Da discussão e do debate nasce a rebeldia", in I. P. A. Veiga (org.). *Técnicas de ensino: por que não?* Campinas: Papirus, 1993.

CAVANAUGH, W. *The Myth of Religious Violence: Secular Ideology and the Roots of Modern Conflict*. Oxford: Oxford University Press, 2009.

CHARPENTIER, E. *Pour Lire Le Nouveau Testament*. Paris: Cerf, 1981.

CHESTERTON, G. K. *O homem eterno*. São Paulo: Mundo Cristão, 2010.

CITYLAB. *Gun violence in U.S. cities compared to the deadliest nations in the world*. Disponível em: <https://www.citylab.com/equity/2013/01/gun-violence--us-cities-compared-deadliest-nations-world/4412/>. Acesso em: 17 mar. 2017.

CODINA, Victor. *40 nuevas parábolas*. Bogotá: Ediciones San Pablo, 1993.

COHEN, Andrew C. *Death Rituals, Ideology, and the Development of Early Mesopotamian Kingship toward a New Understanding of Iraq's Royal Cemetery of Ur*. Leiden: Brill, 2005.

COMTE, Augusto. *Système de politique positive publié entre 1851 et 1854*. Collection: "SUP – Les Grands Textes". Paris: Les Presses universitaires de France, Troisième édition, 1969.

CONSELICE, Christopher J. et al. "The Evolution of Galaxy Number Density At Z < 8 and its Implications". Disponível em: <https://arxiv.org/pdf/1607.03909v2.pdf>. Acesso em: 27 set. 2017.

CONSTITUTION SOCIETY. *Laws and Statutes for Students of Harvard College*. Disponível em: <http://www.constitution.org/primarysources/harvard.html>. Acesso em: 30 set. 2017.

COON, Carleton S. *The Origins of Races*. New York: Alfred A. Knopf, 1962.

COUTINHO, M.P.L.; ARAÚJO, L. F.; GONTIÈS, B. "Uso da maconha e suas representações sociais: estudo comparativo entre universitários", in *Revista Psicologia em Estudo*. Maringá: set./dez. 2004.

CRONE, Patricia. "One Wonders if Medieval Latin Bellum Sacrum is not more Likely to Lie behind the Modern Term", in *Medieval Islamic Political Thought*. New Edinburgh Islamic Surveys. Edinburgh: Edinburgh University Press, 2004.

CURKEY, Michael J. *Bishop John Neumann, C.SS.R*. Filadelfia: Bishop Neumann Center, 1952.

DACEY, Austin. *The Secular Conscience: Why Belief belongs in Public Life*. Amherst: Prometheus Books, 2008.

DALBERG-ACTON, John. *Historical Essays & Studies*. London: Macmillan Co., 1907. Reprodução legal de BiblioLife, LLC.

DAWKINS, Richard apud O GLOBO. *Richard Dawkins: 'É implausível e arrogante pensar que estamos sozinhos no Universo'*. Disponível em: <https://oglobo.globo.com/sociedade/ciencia/richard-dawkins-implausivel-arrogante-pensar-que-estamos-sozinhos-no-universo-14018764>. Acesso em: 28 jul. 2017.

_____. *Deus, um delírio*. São Paulo: Companhia das Letras, 2007.

_____. *O relojoeiro cego – a teoria da evolução contra o desígnio divino*. São Paulo: Companhia das Letras, 2008.

DEEGALLE, Mahinda. *Buddhism, Conflict and Violence in Modern Sri Lanka*. Abingdon: Routledge, 2006.

DEFFEBACH, Nancy. *María Izquierdo and Frida Kahlo: Challenging Visions in Modern Mexican*. Art. Austin: University of Texas Press, 2015.

DEMPSEY, Peter J. R. *Freud, psicanálise e catolicismo*. São Paulo: Paulinas, 1966.

DEPARTAMENTO NACIONAL DE MISSÕES. *A bíblia no mundo*. Disponível em: <http://dnm.cadp.pt/areas-de-interesse/82-a-biblia-no-mundo--principal>. Acesso em: 05 out. 2017.

DESCARTES, René. *Meditações metafísicas 2*. Coleção Os Pensadores. São Paulo: Abril Cultural, 1973.

_____. *O discurso do método*. São Paulo: José Olympio, 1960.

DICKINSON, Emily. *The Poems of Emily Dickinson*, Thomas H. Johnson (ed.). 3 vols. Cambridge: Belknap, 1955.

DIDEROT, Denis. "Et ses mains ourdiraient les entrailles du prêtre, Au défaut d'un cordon pour étrangler les rois", in *Les* Éleuthéromanes *avec un commentaire historique*. Paris: Ghio, 1884. Disponível em: <http://pt.calameo.com/books/00010704468e2883c70c4>. Acesso em: 15 mar. 2018.

DIELS, Hermann; KRANZ, Walther. *Die Fragmente der Vorsokratiker*. Zurich: Weidmann, 1985.

DISCOVER THE NETWORKS.ORG. *Timothy Shortell*. Disponível em: <http://www.discoverthenetworks.org/individualProfile.asp?indid=2242>. Acesso em: 17 mar. 2017.

DOGAN, Mattei. "Religious Beliefs in Europe: Factors of Accelerated Decline", in Ralph Piedmont; David O. Moberg (eds.). *Research in the Social Scientific Study of Religion*. Boston: Brill, 2003.

DUBARLE, A. M. "Le temoignage de Josèphe sur Jésus d'après la tradition indirecte", in *Josephus. The Jewish War*, Cornfield (ed.). Grand Rapids: Zondervan, 1982.

DUFOUR, Dany-Robert. *Le Divin Marché: la révolution culturelle libérale*. Paris: Denoël, 2007.

DURKHEIM, É. *As formas elementares da vida religiosa*. São Paulo: Martins Fontes, 2003.

_____. *Ética e sociologia da moral*. São Paulo: Landy, 2003

_____. *Sociologia, educação e moral*. Portugal: Rés, 2. ed., 2001.

DWIGHT, Allen. "Callahan, 'The Language of Apocalypse'", Harvard Theological Review 88/ 4 (1995).

ECKSCHMIDT, Frederico; ANDRADE, Arthur Guerra de e OLIVEIRA, Lúcio Garcia de. *Comparação do uso de drogas entre universitários brasileiros, norte-americanos e jovens da população geral brasileira*. J. bras. psiquiatr. [online]. 2013. Disponível em: <http://www.scielo.br/scielo.php?pid=S0047-20852013000300004&script=sci_abstract&tlng=pt>. Acesso em: 28 ago. 2017.

EDDINGTON, Arthur apud HEEREN, Fred. *Mostre-me Deus*. São Paulo: CLIO, 2008.

EHRMAN, Bart D. *Jesus existiu ou não?* Rio de Janeiro: Agir, 2014).

ELIOT, T. S. apud KREEFT, Peter. *Buscar sentido no sofrimento*. São Paulo: Loyola, 1995.

FÁBIO, André Cabette. *O que é 'pós-verdade', a palavra do ano segundo a Universidade de Oxford*. NEXO, nov. 2016. Disponível em: <https://www.nexojornal.com.br/expresso/2016/11/16/o-que-%c3%a9-%e2%80%98p%c3%b3s-verdade%e2%80%99-a-palavra-do-ano-segundo-a-universidade-de-oxford>. Acesso em: 16 abr. 2017.

FALES, Richard M. "Archaeology and History attest to the Reliability of the Bible", in *The Evidence Bible*, ed. Ray Comfort. Gainesville: Bridge-Logos Publishers, 2001.

FARACO, Sérgio. *Tiradentes: a alguma verdade (ainda que tardia)*. Rio de Janeiro: Civilização Brasileira, 1980.

FAYE, Emmanuel. *Heidegger – L'Introduction du Nazisme Dans la Philosophie*. Paris: Éditions Albin Michel, 2005.

FELDMAN, L. H. "Flavius Josephus Revised: The Man, His Writings, and His Significance", in *Ausftieg und Niedergang der römischen Welt*, W. Haase; H. Temporini (eds.). Berlin: De Gruyter, 1984.

_____. *Josephus and Modern Scholarship 1937-1980*. Berlim, De Gruyter, 1984.

FEUERBACH, L. *Preleções sobre a essência da religião*. Rio de Janeiro: Vozes, 2009.

FLETCHER, William, in *Ante-Nicene Fathers*, v. 7, Alexander Roberts; James Donaldson; A. Cleveland Coxe (eds.). Buffalo: Christian Literature Publishing Co., 1886.

FODOR, Jerry. *Why pigs don't have wings*. London Review of Books, out. 2007. Disponível em: <https://www.lrb.co.uk/about>. Acesso em: 15 mar. 2018.

FRANKEN, H. J. "Tell es-Sultan and Old Testament Jericho", in *Oudtestamentische Studiën* 14 (1965).

FRANKL, Viktor. *A presença ignorada de Deus*. Petrópolis: Vozes/São Leopoldo: Sinodal, 1988.

_____. *Em busca de sentido, um psicólogo no campo de concentração*. Petrópolis: Vozes/Sinodal, 1991.

FREGE, G. "A negação. Uma investigação lógica", in *Investigações lógicas*. Porto Alegre: EDIPUCRS, 1918-1919/2002.

FREIRE, Paulo. *Pedagogia do oprimido*. Rio de Janeiro: Paz e Terra, 2002.

FREUD, Sigmund. "A questão da análise leiga", in *Edição standard brasileira das obras psicológicas completas de Sigmund Freud* (1926). Rio de Janeiro: Imago 1976.

_____. "O futuro de uma ilusão", in *Edição standard brasileira das obras psicológicas completas de Sigmund Freud* (1927). Rio de Janeiro: Imago, 1976.

_____. "Prefácio à juventude desorientada de Aichhorn", in *Freud, S. Obras Completas* (1925). Rio de Janeiro: Imago, 1976.

_____. *O futuro de uma ilusão*. Tradução Renato Zwick. Porto Alegre: L&PM, 2010.

FREYRE, Gilberto. *Casa-grande & senzala*. Rio de Janeiro: Livraria José Olympio Editora, 1952.

FUJITA JR., Luiz. *Maconheiro velho*. Drauzio Varella. Disponível em: <https://drauziovarella.com.br/dependencia-quimica/maconheiro-velho/>. Acesso em: 26 set. 2017.

GÂNDAVO, Pero de Magalhães. *Tratado da Terra do Brasil. História da Província Santa Cruz*. Belo Horizonte: Itatiaia, 1980.

GANDRA, Alana. *Usinas nucleares de angra armazenarão lixo atômico*. Revista ecológico, abr. 2012. Disponível em: <http://www.revistaecologico.com.br/noticia.php?id=200>. Acesso em: 08 set. 2017.

GARDNER, Howard. *Inteligências múltiplas: a teoria na prática*. Porto Alegre: Artes Médicas, 1995.

GAUSS, Friedrich apud, G. Waldo Dunnington. *Carl Friedrich Gauss: Titan of Science*. New York: Exposition Press, 1955.

GEISLER, Norman L. "New Testament manuscripts", in *Baker Encyclopedia of Christian Apologetics*, ed. Norman Geisler. Grand Rapids: Baker, 1999.

GELVEN, Michael. *A Commentary on Heidegger's Being and Time*. New York: Harper & Row, 1970.

GENNEP, A. van. *L'etat actuel du problème totémique*. Paris: Leroux, 1920.

GERVAIS, Will M. et. al. *Global evidence of extreme intuitive moral prejudice against atheists*. Nature Human Behaviou, ago. 2017. Disponível em: <https://www.nature.com/articles/s41562-017-0151>. Acesso em: 03 nov. 2017.

GINTHER, James R. *The Westminster Handbook to Medieval Theology*. Westminster: John Knox Press, 2009.

GLEISER, Marcelo. *Hawking e Deus: relação* íntima. Folha de S. Paulo, set. 2010. Disponível em: <http://www1.folha.uol.com.br/fsp/ciencia/fe1209201003.htm>. Acesso em: 15 mar. 2018.

GOD on Trial. Direção: Andy De Emmony. Produção: Rebecca Eaton, Mark Redhead, Anne Mensah, Jemma Rodgers e Hilary Benson. Hat Trick Productions e BBC Scotland., 2008. Disponível em: <http://fernandothomazi.blogspot.com/2009/08/deus-no-banco-dos-reus.html>. Acesso em: 15 mar. 2018.

GÖDEL, K. *On Formally Undecidable Propositions of Principia Mathematica and Related Systems*. Tradução de Martin Hirzel (nov. 2000). Disponível em: <http://www.research.ibm.com/people/h/hirzel/papers/canon00-goedel.pdf>. Acesso em: 23 mai. 2017.

GONEN, R. "Urban Canaan in the Late Bronze Period", in *Bulletin of the American Schools of Oriental Research 253*. Boston: Boston University, 1984.

GOODWIN, W.; GULIK, C. *Greek Grammar*. Boston: Ginn & Co. 1958.

GRANT, John. *Debunk It!: How to Stay Sane in a World of Misinformation.* São Francisco: Ca. Zest Book, 2014.

GUILLEN, Michael. *Pontes para o infinito: o lado humano das matemáticas.* Lisboa: Editora Gradiva, 1987.

GUIN, Ursula K. Le; Susan Wood, (eds.) *The Language of the Night: Essays on Fantasy and Science Fiction.* New York: Ultramarine Publishing, 1980.

GUINNESS WORLD RECORDS. *Best-selling book of non-fiction.* Disponível em: <http://www.guinnessworldrecords.com/world-records/best-selling-book-of-non-fiction/>. Acesso em: 05 out. 2017.

GÜLECYÜZ, Hayrettin apud AZAT TARTASTAN. *Stalinism: The Ideological Fanaticism And Its Terrible Consequences.* Disponível em: <http://hayrettinguelecyuez.webs.com/stalinism.htm>. Acesso em: 30 ago. 2017.

HADDEN, Jeffrey. "Results of a survey of 7,441 Protestant ministers", in *PrayerNet Newsletter* (nov. 1198): 1. Apud *Current Thoughts & Trends*, (mar. 1999).

HARRIS, Sam. *Letter to a Christian Nation.* New York: Alfred A. Knopf, 2006.

_____. *The End of Faith: Religion, Terror, and the Future of Reason.* New York: W.W. Norton & Co., 2004.

HAWKING, Stephen. *Uma breve história do tempo.* São Paulo: Círculo do Livro S.A., 1988.

HAWKING, Stephen apud ANCIENT CODE. *Prof. Stephen Hawking states Alien Life Is real, warns human not to make contact.* Disponível em: <https://www.ancient-code.com/prof-stephen-hawking-states-alien-life-real-warns-human-not-make-contact/>. Acesso em: 28 jul. 2017.

HEELAS, Paul; WOODHEAD, Linda. *The Spiritual Revolution: Why Religion is Giving Way to Spirituality.* Malden: Blackwell, 2005.

HEGEL, G. W. F. *Vita di Gesù.* Tradução italiana de Antimo Negri. Bari: Laterza, 1994.

HEIDEGGER, M. *Ser e Tempo*. 16. ed. Coleção Pensamento Humano. Petrópolis: Vozes, 2006.

HELM, Toby. Atkinson defends right to offend. The telegraph, dez. 2004. Disponível em: <https://www.telegraph.co.uk/education/3348850/atkinson-defends-right-to-offend.html>. Acesso em: 17 jan. 17.

HENDERSON, Ian. *Rudolf Bultmann*. Richmond, VA: John Knox Press, 1965.

HERRERA, Hayden. *Frida: a biografia*. São Paulo: Globo, 2011.

HERSH, Reuben. *What is Mathematics Really?* Oxford: Oxford University Press, 1999

HESCHEL, Abraham apud *Heschel quotes – God, Man, Prayer, Life and Death*. Disponível em: <http://sunwalked.wordpress.com/2007/07/21/heschel-quotes-god-man-prayer-life-and-death-and-video/>. Acesso em: 25 out. 2009.

HITCHENS, Christopher. *God Is Not Great: How Religion Poisons Everything*. New York: Twelve, 2007.

HOLMAN, C.; HARMON, William. A *Handbook to Literature*. 6. ed. New York: Macmillan Publishing Co., 1992.

HUME, David. *An Enquiry concerning Human Understanding*. Coleção Oxford World's Classics. Oxford: University Press, 2008, *Enquiry*, 10.2.

JANG, Keum-Hee. *George Bernard Shaw's Religion of Creative Evolution*: A *Study of Shavian Dramatic Works*. University of Leicester, 2006.

JASPERS, Karl. "Método e visão do mundo em Weber", in *Sociologia: para ler os clássicos*. Rio de Janeiro, Livros Técnicos e Científicos, 1977.

JERRYSON, Michael K. *Buddhist Fury: Religion and Violence in Southern Thailand*. Oxford: Oxford University Press, 2011.

JOHNSON, Paul. A *History of the Jews*. New York: Harper & Row, 1987.

JOLY, M.C. R. A.; SANTOS, A. A. A.; SISTO, F. F. (orgs.). *Questões do cotidiano universitário*. São Paulo: Casa do Psicólogo, 2005.

JONES, E. Stanley. *A conversão*. São Paulo: Imprensa Metodista, 1984.

_____. *Gandhi: An Interpretation*. New York: The Abingdon Press, 1958.

_____. *The Christ of the Indian Road*. London: Hodder & Stoughton, 1925.

JONES, Samuel Porter. *The Incomparable Christ*. Disponível em: <http://www.logosresourcepages.org/Articles/incomparable_christ.htm>. Acesso em: 15 mar. 2018.

JOURDAN, Camila. "As observações de Wittgenstein sobre o teorema de Gödel". *Philósophos – Revista de Filosofia* (2014). Disponível em: <https://www.revistas.ufg.br/philosophos/article/view/17864>. Acesso em: 21 mai. 2017.

JUNG, Carl Gustav. *O desenvolvimento da personalidade*. Petrópolis: Vozes, 1998.

_____. *Os arquétipos e o inconsciente coletivo*. Petrópolis: Vozes, 2000.

_____. *The Stages of Life # 752*, in *The Collected Works of C. G. Jung*. Gerhard Adler; Michael Fordham; Herbert Read; William McGuire (eds.). Complete digital edition. Princeton University Press, 2009, vols. VIII e VI.

_____. *Seminários sobre psicologia analítica (1925)*. Petrópolis: Vozes, 2017.

JUSBRASIL. *EUA é o quinto país mais violento dentre os países mais desenvolvidos*. Disponível em: <https://professorlfg.jusbrasil.com.br/artigos/121931738/eua-e-o-quinto-pais-mais-violento-dentre-os-paises-mais-desenvolvidos>. Acesso em: 17 mar. 2017.

K. D. S. A. Maciel; Z. J. B. Rocha. "Freud e a religião: presença de um grande paradoxo", *Symposium*. Recife, 2007.

KAHN, Charles H. (ed.) *The Art and Thought of Heraclitus, an edition of the fragments with translation and commentary*. Cambridge: Cambridge University Press, 2001.

KANT, Immanuel. "Resposta à pergunta: O que é esclarecimento? 'Aufklärung'", in *Textos Seletos*. Petrópolis: Vozes, 1974.

_____. *Crítica da razão pura*. Tradução de J. Rodrigues de Merege. Disponível em: <https://www.marxists.org/portugues/kant/1781/mes/pura.pdf.

KARDASHEV, N. S. "On the inevitability and the possible structures of supercivilizations", in *The Search for Extraterrestrial Life: Recent Developments*. Proceedings of the Symposium (Boston, 1984). Dordrecht: D. Reidel Publishing Co., 1985.

_____. "Transmission of information by extraterrestrial civilizations", in *Soviet Astronomy*, v. 8, N. 2 (set.-out. 1964).

KÄSER, Lothar. *Diferentes culturas*. Londrina: Descoberta, 2004.

KAUFMANN. "Über die Schwierigkeiten des Christen in der modernen Kultur", in *Biotope der Hoffnung*. Olten: Darmalst Verlag, 1988.

KELLY, Thomas. "Consensus Gentium: Reflections on the 'Common Consent' Argument for the Existence of God", in Clark and VanArragon (eds.). *Evidence and Religious Belief*. Oxford: Oxford University Press, 2011.

KENYON, Frederic G. *Our Bible and Ancient Manuscripts*. New York: Harper & Brothers), 1941.

KERSHAW, Ian. *De volta do inferno – Europa, 1914-1949*. São Paulo: Companhia das Letras, 2016.

KERSTEN, H. *Jesus viveu na Índia*. São Paulo: BestSeller, 1988.

KINNAMAN, David. *You Lost Me: Why Young Christians are Leaving Church... and Rethinking Faith*. Grand Rapids: Baker Books, 2011.

KISSINGER, Warren S. *The Lives of Jesus*. New York: Garland Publishing, 1985.

KLAUSNER, J. *Jesus of Nazareth, His Life Times and Teaching*. New York: Macmillan Press, 1960.

KOSELLECK, Reinhart. *Futuro passado: contribuição à semântica dos tempos históricos*. Rio de Janeiro: Contraponto/Editora da PUC-Rio, 2006.

KRAUS, Karl. *Ditos e desditos*. São Paulo: Brasiliense, 1988.

LAPLACE, Pierre-Simon. *Essai philosophique sur les probabilités*. Edinburgh: Edinburgh Review, Longmans, Green & Co., 1814.

LATOURELLE, R. *L'accès à Jésus par les Évangiles, Histoire et Herméneutique*. Montreal: Ed. Bellarmin, 1977.

LECOMPTE, Denis. *Do ateísmo ao retorno da religião: Sempre Deus?* São Paulo: Loyola, 2000.

LEIBNIZ, W. *Principles of Nature and of Grace*. New Haven: Tuttle, Morehouse and Taylor Publishers, 1890.

_____. *Ensaios de teodiceia*: sobre a bondade, a liberdade do homem e a origem do mal. São Paulo: Estação Liberdade, 2013.

LEITENBERG, Milton. *Deaths in Wars and Conflicts in the 20th Century*. Cornell University Peace Studies Program, Occasional Paper #29 (Center for International Security Studies at Maryland, School of Public Policy, University of Maryland, College Park, MD, 3. ed., 2006). Disponível em: <http://www.clingendael.nl/sites/default/files/20060800_cdsp_occ_leitenberg.pdf>. Acesso em: 24 mar. 2017.

LÉMONON, Jean Pierre. *Pilate et le Gouvernement de la Judée. Textes et Monuments*. Paris: Gabalda, 1981.

LÉVI-STRAUSS, C. *Totemismo hoje*. Petrópolis: Vozes, 1975.

LEWIS, C. S. *The problem of pain*. New York: Macmillan, 1962.

_____. *A anatomia de uma dor*. São Paulo: Vida, 2006.

LI, Tarsee. *The Verbal System of the Aramaic of Daniel: An Explanation in the Context of Grammaticalization*. Leiden: E. J. Brill, 2009.

LIBÂNIO, J. B. *Teologia da Revelação a partir da Modernidade*. São Paulo: Loyola, 1992.

LIBÂNIO, J. B.; BINGEMER, M. C. L. *Escatologia cristã*. Coleção Teologia e Libertação. Petrópolis: Vozes, 1985.

LINDSAY, Ronald A. *How morality has the objectivity that matters – without God*. Secular Humanism, jul. 2014. Disponível em: <https://www.secularhumanism.org/index.php/articles/5640>. Acesso em: 03 nov. 2017.

LINDSTROM, Martin. *Buyology: Truth and Lies about why we Buy*. New York: Doubleday/Crown Publishing Group, 2008.

LLANSÓ, Joaquín, (ed.). *Poema Parménides*. Madrid: Ediciones Akal, 2007.

LOISY, Alfred. *L'Évangile et l'Église*. Paris: A. Picard, 1902.

LONGERICH, Peter. *Joseph Goebbels, uma biografia*. Rio de Janeiro: Objetiva, 2014.

LOPES, Sávio. "Estado imaginário". Disponível em: <http://poesiasdesaviolopes.blogspot.com.br/search?q=Estado+imagin%C3%A1rio>. Acesso em: 12 abr. 2016.

LOVECRAFT, H. P. *Supernatural Horror in Literature*. New York: Dover Publications, 1973.

LOWRIE, Susie. "Qualities of Classic Literature", *Education Articles* (nov. 2009). Disponível em: <http://www.articlesfactory.com/articles/education/qualities-of-classic-literature.html>. Acesso em: 05 out. 2017.

LUBBOCK, John. *The Origin of Civilization and the Primitive Condition of Man: Mental and Social Condition of Savages*. Cambridge: University Printing House, 2014.

MACIEL, Karla D. S. A.; ROCHA, Zeferino J. B. "Freud e a religião: possibilidades de novas leituras e construções teóricas", in *Psicol. cienc. prof.* n. 4 (Brasília, dez. 2008).

MAIER, J. *Jesus von Nazareth in der Talmudischen Überlieferung*. Coleção Erträge der Forschung 82. Darmstadt: Wissenschaftliche Buchgesellschaft, 1978.

MALEBRANCHE, Nicolas. *Traité de morale*. Paris: Vrin, 1939.

MARTEL, Gordon. *The Encyclopedia of War*. Malden e Oxford: Wiley-Blackwell, 2012.

MARTIN, Michael. *Atheism, Morality, and Meaning*. Amherst: Prometheus, 2002.

MARTIN, R. A. *Studies in the Life and Ministry of the Early Paul and Related Issues*. Lewiston: Edwin Mellen Press, 1993.

MARX, Karl. *Theses on Feuerbach*, in *Karl Marx: Selected Writings*. L. Simon (ed.). Indianapolis: Hackett, 1994.

MATISSE, Henri. "Statements to Tériade", 1936, in *Art in Theory* 1900-2000, Charles Harrison; Paul J. Wood (eds.). Oxford: Blackwell, 2002.

MATOSO, *Filipe. Para 58,5%, comportamento feminino influencia estupros, diz pesquisa*. G1, Brasília, abr. 2014. Disponível em: <http://g1.globo.com/brasil/noticia/2014/03/para-585-comportamento-feminino-influencia-estupros-diz-pesquisa.html>. Acesso em: 14 nov. 2014.

McGRATH, A. *The Twilight of Atheism: The Rise and Fall of Disbelief in the Modern World*. London: Rider Books, 2004.

McPHERSON, Stephanie Sammartino. *Ordinary Genius: The Story of Albert Einstein*. Minneapolis: MNCarolrhoda Books, 1995.

MENNINGER, Karl. *Whatever Became of Sin?* New York: Hawthorn Books, 1973.

METZGER, Bruce M. "Trends in the Textual Criticism of the Iliad, the Mahabharata, and the New Testament", in *Journal of Biblical Literature*, v. 65, n. 4 (dez. 1946).

METZGER, Bruce. *The Text of the New Testament*. Grand Rapids: William B. Eerdmans, 1968.

MICELI, Paulo. *O mito do herói nacional*. São Paulo: Contexto, 1997.

MINOIS, Georges. *História do ateísmo – os descrentes no mundo ocidental, das origens aos nossos dias*. São Paulo: Editora Unesp, 2014.

MIRANDA, André. Com novas versões a cada mês, o mercado de bíblias continua no topo. O Globo, nov. 2015. Disponível em: <https://oglobo.globo.com/sociedade/religiao/com-novas-versoes-cada-mes-mercado-de-biblias-continua-no-topo-18098150>. Acesso em: 05 out. 17.

MONTGOMERY, W.; SCHWEITZER, A. *The Quest for the Historical Jesus*. New York: Macmillan Company, 1968.

MONTGOMERY, W. *The Quest of the Historical Jesus*. London: A. & C. Black, 1910.

MORAIS, Regis de. *Filosofia da ciência e da tecnologia*. Campinas: Papirus, 2002.

MORAN, William L. "The Gilgamesh Epic: A Masterpiece from Ancient Mesopotamia", in *Civilizations of the Ancient Near East*, v. 4, Jack M. Sasson (ed.). New York: Scribner's Sons, 1995.

MORANO, Carlos Domínguez. *El psicoanálisis freudiano de la religión: Analisis textual y comentario crítico*. Madrid: Ediciones Paulinas, 1990.

MORE, Thomas. *Utopia*. New York: Dover Thrift Edition, 1997.

MORELAND, J. P.; CRAIG, William L. *Filosofia e cosmovisão cristã*. São Paulo: Vida Nova, 2005.

MUMMA, Howard. *Albert Camus e o teólogo*. São Paulo: Carrenho, 2002.

MUNITZ, Milton. *Mystery of Existence: an Essay in Philosophical Cosmology*. New York: Appleton-Century-Crofts, 1965.

_____. *Does Life Have a Meaning? Frontiers of Philosophy*. Buffalo: Prometheus Books, 1993.

MURPHY-O'CONOR, J. *The Holy Land – An Oxford Archaeological Guide from Earliest Times to 1700*. Oxford: Oxford University Press, 1998.

_____. *Paul the Letter-Writer: His World, His Options, His Skills*. Collegeville: Liturgical Press, 1995.

MUSK, Elon. Entrevista concedidada ao *Excellence Reporter*. Disponível em: <https://excellencereporter.com/2015/03/11/elon-musk-on-the-meaning-of-life/>. Acesso em: 11 mar. 2017.

NAGARAJAN, K. V. "The Code of Hammurabi: An Economic Interpretation", in *International Journal of Business and Social Science* (Mar, 2011).

NIEBUHR, R. *Schleiermacher on Christ and Religion*. New York: Scribner's, 1964.

NIELSEN, Kai. *Atheism and Philosophy*. New York: Prometheus Books, 2005.

NIETZSCHE, Friedrich. *On The Genealogy of Morals and Ecce Homo*. Traduzido e editado por Walter Kaufmann em colaboração com R. J. Hollingdale. New York: Vintage, 1967.

_____. *The Gaya Science* (1882, 1887), parágrafo 125, in Walter Kaufmann (ed.). New York: Vintage, 1974.

_____. *A Gaia Ciência*. Coleção Obra-prima de cada Autor. São Paulo: Martin Claret, 2003.

NOVELLO, Mário. *O que é cosmologia? A revolução do pensamento cosmológico*. Rio de Janeiro: Jorge Zahar Editor, 2006.

NOZICK, Robert. *Examined Life: Philosophical Meditations*. New York: Simon and Schuster, 1989.

NUÑO, Alfonso García. *El problema del sobrenatural en Miguel de Unamuno*. Madrid: Ediciones Encuentro, 2011.

OBERG, James apud SAGAN, C. *The Demon-Haunted World: Science as a Candle in the Dark*. New York: Random House, 1996.

ONFRAY, Michel. *Antimanual de filosofia*. São Paulo: Edaf, 2005.

_____. *Traité d'athéologie – Physique de la Métaphysique*. Paris: Grasset & Fasquelle, 2005.

OTTO, Rudolf. *The Idea of the Holy: An Inquiry into the non-Rational Factor in the Idea of the Divine and its Relation to the Rational*. Oxford and London: Oxford University Press, 1958.

_____. *O Sagrado: um estudo do elemento não-racional na ideia do divino e a sua relação com o racional*. São Bernardo do Campo: Imprensa Metodista, 1985.

PASCAL, B. *Oeuvres complètes*. Paris: Gallimard, Bibliothèque de la Pléiade, 1998.

PEW RESEARCH CENTER. *Americans are in the middle of the pack globally when it comes to importance of religion*. Disponível em: <http://www.pewresearch.org/fact-tank/2015/12/23/americans-are-in-the-middle-of-the-pack-globally-when-it-comes-to-importance-of-religion/ e http://www.pewforum.org/2015/11/03/chapter-1-importance-of-religion-and-religious-beliefs/#belief-in-god.> Acesso em: 17 mar. 2017.

_____. *U.S. Religious Knowledge Survey*. Disponível em: <http://www.pewforum.org/2010/09/28/u-s-religious-knowledge-survey/>. Acesso em: 10 out. 2015.

PICASSO, Maria Luiza. *Índice de depressão é maior entre universitários*. Disponível em: <http://www.jornalismounaerp.com.br/blog/2017/02/13/indice-de-depressao-e-maior-entre-universitarios/; http://www.anacosta.com.br/artigos/ideacao-suicida-e-depressao-em-universitarios>. Acesso em: 28 ago. 2017.

PIETERSE, J. N. "Hybridity, So What? The Anti-Hybridity Backlash and the Riddles of Recognition", in *Theory, Culture & Society* 18 (2001): 237 (n. 16).

PINES, S. *An arabic version of the Testimonium Flavianum and its Implications*. Jerusalém: Publications of the Israel Academy of Sciences and Humanities, 1971.

PINHEIRO, Paulo. "Poesia e filosofia em Platão", in *Anais de Filosofia Clássica* 2/4 (2008).

PLATÃO. *A República*. São Paulo: Difusão Européia do Livro, 1970.

PLAYFAIR, John. *Elements of Geometry containing the First Six Books of Euclid, with a Suplemento N the Quadrature of the Circle of Solids*. Disponível em: <http://books.google.com.br/books?id=xjcPAAAAYAAJ&dq=Playfair+Euclides&printsec=frontcover&source=bl&ots=qgF501utT>. Acesso em: 5 nov. 2009.

PLOTZ, David. Não ler a Bíblia é como ser cego: depoimento. [30 de março, 2009]. São Paulo: Revista Época. Entrevista concedida a José Antonio Lima. Disponível em: <http://revistaepoca.globo.com/Revista/Epoca/0,,EMI65831-15228,00-NAO+LER+A+BIBLIA+E+COMO+SER+CEGO.html>. Acesso em: 02 mar. 2010.

PORTER, Stanley E.; CARSON, D. A. (eds.). Biblical Greek Language and Linguistics: Open Questions in *Current Research*. Sheffield: JSOT Press, 1993.

POSPIELOVSKY, Dimitry V. A *History of Soviet Atheism in Theory, and Practice, and the Believer*, v. 1: A History of Marxist-Leninist Atheism and Soviet Anti-Religious Policies. New York: St. Martin's Press, 1987.

PURZYCKI, Ben; GIBSON, Kyle. "Religion and Violence: An Anthropological Study on Religious Belief and Violent Behavior", in *Skeptic* 16.2 (2011).

QUINN, Karl. *Dawkins shades pell in battle of belief*. The Sydney Morning Herald, abr. 2012. Disponível em: <https://www.smh.com.au/entertainment/tv-and-radio/dawkins-shades-pell-in-battle-of-belief-20120410-1wlk9.html>. Acesso em: 26 out. 2017.

RADICE, B. *Pliny: Letters and Panegyricus*. Col. Loeb Classical Library, 2 vols. Cambridge/London, coedição: Harvard University Press/Heinemann, 1969.

RAHNER, Karl. "Los cristianos anónimos", in *Escritos de Teología*. Madrid: Taurus, 1969), v. 6.

EMERSON, Ralph Waldo; TAPPAN, Eva March. "Self-Reliance", in *Select Essays and Poems*. New York: Allyn and Bacon, 1808.

RAMOS, Pedro Nogueira. *Torturem os números que eles confessam: sobre o mau uso e abuso das estatísticas em Portugal, e não só*. Coimbra: Almedina, 2013.

RATZINGER, Joseph. *Introdução ao cristianismo. Preleções sobre o símbolo apostólico*. São Paulo, Herder/Loyola, 1970.

RECHT, Laerke. "Human Sacrifice in the Ancient Near East", in *Trinity College Dublin Journal of Postgraduate Research* 9 (2010). Disponível em: <https://www.academia.edu/1561457/Human_sacrifice_in_the_ancient_Near_East>. Acesso em: 19 out. 2017.

REEVES, Hubert. *Atoms of Silence: an Exploration of Cosmic Evolution*. Boston: Massachusetts Institute of Technology, 1984.

REICH, Robert apud HEIDE, Gale. *Domesticated Glory: How the Politics of America Has Tamed God*. Eugene: Pickwick, 2010.

REIMARUS, H. S. *Apologie oder Schutzschrift für die vernünftigen Verehrer Gottes*. G. Alexander (org.). Frankfurt: Gotteheld, 1972.

RICHINITTI, Gabriela. *A delicadeza do tempo*. Obvious Magazine. Disponível em: <http://g1.globo.com/brasil/noticia/2014/03/para-585-comportamento-feminino-influencia-estupros-diz-pesquisa.html>. Acesso em: 29 out. 2017.

RODIN, R. Scott. *Evil and theodicy in the theology of Karl Barth*. New York: Peter Lang, 1997.

ROMEO, Luigi. *Ecce Homo – A Lexicon of Man*. Amsterdam: John Benjamins B.V., 1979.

ROUSSEAU, Jean-Jacques. *Oeuvres complétes*. Paris: Gallimard, Bibliothèque de la Pléiade, 1959-1995.

RUBENSTEIN'S, Richard L. *After Auschwitz: History, Theology and Contemporary Judaism*. Baltimore: Johns Hopkins University Press, 1992.

RUIC, Gabriela. A *religião é a maior causa das guerras? Não exatamente.* (fev. 2015). Disponível em: <https://exame.abril.com.br/mundo/a-religiao-e-a-maior-causa-de-guerras-atuais-nao-exatamente/>. Acesso em: 15 dez. 2015.

RUMMEL, J. *Statistics of Democide: Genocide and Mass Murder since 1900*. Münster: Lit Verlag, 1999.

_____. *Death by Government*. New Brunswick: Transaction Publishers, 1994.

RUSE, Michael. "Evolutionary Theory and Christian Ethics", in *The Darwinian Paradigm*. London: Routledge, 1989.

RUSSELL, B. *A Critical Exposition of the Philosophy of Leibniz*. London: Allen and Unwin, 1975.

_____. "Is There a God?", in *The Collected Papers of Bertrand Russell*, v. 11, John G. Slater; Peter Köllner (eds.). London/New York: Routledge, 1997.

_____. *The Scientific Outlook*. New York: Routledge, 2001.

SADE, Marquês de. *La Philosophie dans le boudoir*. Disponível em: <https://beq.ebooksgratuits.com/libertinage/Sade_La_philosophie_dans_le_boudoir.pdf>. Acesso em: 17 mar. 2017.

SAGAN, Carl. *The Cosmic Connection: An Extraterrestrial Perspective*. New York: Doubleday, 1973.

_____. *Contato*. São Paulo: Companhia das Letras, 1997.

_____. "Twenty Questions: A Classification of Cosmic Civilizations", in *The Cosmic Connection: An Extraterrestrial Perspective*. Cambridge: Cambridge University Press, 2000.

SAMUEL, Dibin. Mahatma Gandhi and Christianity. Christian Today, ago. 2008. Disponível em: <http://www.christiantoday.co.in/article/mahatma.gandhi.and.christianity/2837.htm>.Acesso em: 15 mar. 2018.

SANHEDRIN. *The Babylonian Talmud. Seder Nezikin in Four Volumes: III Sanhedrin*, I. Epstein (ed.). London: Soncino, 1935.

SARTRE, J.-P. *Existentialism and Human Emotions*. New York: Philosophical Library, 1957.

SAYID, Ruki. *One in five children think jesus plays for chelsea and the shepherds found the stable with google maps*. Mirror, dez. 2014. Disponível em: <https://

www.mirror.co.uk/news/uk-news/one-five-children-think-jesus-4784708>. Acesso em: 13 fev. 2016.

SCHALKWIJK, Frans Leonard. *Igreja e Estado no Brasil holandês (1630 a 1654)*. São Paulo: Cultura Cristã, 2004.

SCHARBERT, Josef. *Das Sachbuch zur Bibel*. Aschaffenburg: Paul Pattloch Verlag, 1965.

SCHELLENBERG, J. L. *Divine Hiddenness and Human Reason*. New York: Cornell University Press, 1993.

SCHLEIERMACHER, F. *The Christian Faith*. H. R. Mackintosh; J. S. Stewart, eds. New York: Harper & Row, 1963, v. II.

SCHWEITZER, Albert. *The Quest of the Historical Jesus*. John Bowden (ed.). London: SCM Press, 2000.

SCHOPENHAUER. *O mundo como vontade e representação*. Disponível em: <http://www.egov.ufsc.br/portal/sites/default/files/anexos/24881-24883-1-PB.pdf>. Acesso em: 15 mar. 2018.

SCHWEITZER apud LOWRIE W. *The Mystery of the Kingdom of God*. New York: Dodd, Mead & Co., 1914.

SCREPANTI, Ernesto; ZAMAGNI, Stefano. *An Outline of the History of Economic Thought*. Oxford: Clarendon Press, 1995.

SESBOÜÉ, Bernard. *Karl Rahner, itinerário teológico*. São Paulo: Loyola 2004.

SEVERANCE, John B. *Einstein: Visionary Scientist*. New York: Clarion Books, 1999.

SEVERO, Julio. *Universidade de Harvard realizará missa negra satânica*. Julio Severo, mai. 2018. Disponível em: <http://g1.globo.com/brasil/noticia/2014/03/para-585-comportamento-feminino-influencia-estupros-diz-pesquisa.html>. Acesso em: 30 set. 2017.

SHAKESPEARE. *Macbeth*. Disponível em: <http://books.google.com.br/books?id=rHBCocyRol4C&printsec=frontcover&dq=Macbeth+Shakespeare&source=bl&ots=He1j3CdJ4A&sig=S4JByRLUvrsHRfjPcLPKFexLEfM&hl=pt-BR&ei=MNN5S5HWBcGUtgfcwNG9Cg&sa=X&oi=book_result&ct=result&resnum=3&ved=0CBQQ6AEwAg#v=onepage&q=sound%20&f=false.>. Acesso em: 15 fev. 2018.

SHAW, Bernard. *Immaturity*. London: Constable & Co. Ltd., 1931.

SHAW apud PATHAK, Dayananda. *George Bernard Shaw, his Religion and Values*. New Delhi: Mittal, 1985.

SHERMER, Michael. Nothing is negligible: why there is something rather than nothing. Skeptic. Disponível em: <https://www.skeptic.com/eskeptic/12-07-11/>. Acesso em: 15 mar. 2018.

SHNEIDMAN, Edwin apud FONTENELLE, Paula. *Suicídio: o futuro interrompido*. São Paulo: Geração Editorial, 2008.

SIDER, Robert D. "Credo Quia Absurdum?", in *The Classical World*, v. 73, n° 7 (abr.-mai. 1980).

SINGH, Simon. *Big Bang*. Rio de Janeiro: Record, 2004.

_____. *O último teorema de Fermat*. Rio de Janeiro: Record, 2008.

SMITH, Warren Sylvester (ed.). *The Religious Speeches of Bernard Shaw*. University Park: Pennsylvania State UP, 1963.

SMITH, Quentin. "An Analysis of Holiness", in *Religious Studies* 24 (1988).

SMOOT, George; DAVIDSON, Keay. *Wrinkles in Time*. New York: William Morrow & Company, 1993.

SOLOMON, Robert C. *Spirituality for the Skeptic: The Thoughtful Love of Life*. Oxford: Oxford University Press, 2002.

STEGER, M. F. et. al. "Is meaning in life a flagship indicator of well-being?", in A. Waterman (ed.), *Eudaimonia*. Washington: APA Press.

STONER, Peter. *Science Speaks*. Chicago: Moody Press, 1953.

SUA ESCOLHA.COM. *Será que o Nada alguma vez existiu?* Disponível em: <http://www.suaescolha.com/existencia/nada/>. Acesso em: 04 set. 2017.

SUPER INTERESSANTE. *Em busca das super civilizações*. Disponível em: <https://super.abril.com.br/ciencia/em-busca-das-super-civilizacoes/>. Acesso em: 28 set. 2017.

TAHKO, Tuomas E. *A lei da não contradição como princípio metafísico*. Tradução de Gregory Gaboardi. Disponível em: <http://criticanarede.com/metafisicadopnc.html>. Acesso em: 28 mai. 2017.

TAWNEY apud LANDES, David S. *A riqueza e a pobreza das nações*. Lisboa: Gradiva, 2005.

TEIXEIRA, Anísio. *Educação e universidade*. Rio de Janeiro: Editora da UFRJ, 1988.

TERRA. *Redes sociais deram voz a legião de imbecis, diz Umberto Eco*. Disponível em: <https://www.terra.com.br/noticias/educacao/redes-sociais-deram-voz-a-legiao-de-imbecis-diz-umberto-eco,6fc187c948a383255d784b70cab16129m6t0rcrd.html>. Acesso em: 28 ago. 2017.

THE ASSOCIATED PRESS. *Aldrin note up for auction*. Disponível em: <http://usatoday30.usatoday.com/news/nation/2007-09-19-3188379411_x.htm>. Acesso em: 27 set. 2017.

THE ECONOMIST. *The Bible v The Koran: the battle of the books*. Disponível em:<http://www.economist.com/node/10311317?story_id=10311317&CFID=3289446&CFTOKEN=a87381115ea0752-5130AD65-B27C-BB00-012B3B9A581DD567>. Acesso em: 05 out. 2017.

THE FULLER INSTITUTE; BARNA; PASTORAL CARE, Inc. apud Gabriel Oluwasegun. *Leadership in the Church*. Ibadan: International Publishers. Harvey A. E., 1996.

THROWER, James. *A Short History of Western Atheism*. London: Pemberton, 1971.

THURBER, James apud CRYSTAL, David; CRYSTAL, Hilary. *Words on Words – Quotation about Language and Languages*. Chicago/London: The University of Chicago Press/Penguin Books Ltd., 2000.

TOCQUEVILLE, Alexis de. *A democracia na América: sentimentos e opiniões de uma profusão de sentimentos e opiniões que o estado social democrático fez nascer entre os americanos*. Tradução de Eduardo Brandão. São Paulo, Martins Fontes, 2004.

TODD, Olivier. *Albert Camus, uma vida*. São Paulo/Rio de Janeiro: Record, 1998.

TOLSTÓI apud JAMES, William. *The Varieties of Religious Experiences: A Study In Human Nature*. Nova York: Modern Library, 2002.

TSIPURSKY, Gleb. Using science, not religion, to find your purpose. Richard Dawkins Foundation for Reason & Science, abr. 2015. Disponível em: <https://www.richarddawkins.net/2015/04/using-science-not-religion-to-find-your-purpose/>.Acesso em: 15 mar. 2018.

TUCÍDIDES. "Guerra do Pel. i: 112", in *Historia de la Guerra del Peloponeso. Obra completa*. Madrid: Editorial Gredos, 1990/1992.

TYLOR, Edward. *Primitive Culture* (1871). Disponível em: <https://archive.org/details/primitiveculture01tylouoft>. Acesso em: 13 ago. 2017.

UNAMUNO, Miguel. *Névoa*. Nova Fronteira: Rio de Janeiro, 1989.

_____. *Oração do ateu*. Disponível em: <http://blogueluzesombra.blogspot.com.br/2010/02/oracao-do-ateu.html>. Acesso em: 19 out. 2017.

UNIVERSIA BRASIL. *Jovem escritor: quer publicar um livro?* Disponível em: <http://noticias.universia.com.br/destaque/noticia/2008/07/23/421647/ovem--escritor-quer-publicar-um-livro.html>. Acesso em: 02 mar. 2009.

VAUX, R. de.; MILIK, J. T. "Qumrân grotte 4.II: Archéologie; II: Tefilin, Mezuzot et Tergums (4Q128-4Q157)", in Benoit (ed.), *Discoveries in the Judaean Desert*. Oxford: Clarendon Press, 1977.

VEJA.COM. *Curiosidades numéricas da saga Harry Potter.* Disponível em: <https://veja.abril.com.br/entretenimento/curiosidades-numericas-da-saga-harry-potter/>. Acesso em: 05 out. 2017.

VIEIRA, Marceu. *Nada, não: e outras crônicas.* Rio de Janeiro: Mauad Editora, 1999.

VITZ, Paul C. *Faith of the Fatherless: The Psychology of Atheism.* Dallas: Spence, 1999.

VOLTAIRE. *Tratado de metafísica.* 2. ed. São Paulo: Abril Cultural, 1978.

VOLTAIRE apud PAICE, Edward. *A ira de Deus.* Alfragide: Casa das Letras, 2008.

VOLTAIRE apud PIVA, Paulo J. de Lima. *Os manuscritos de um padre anticristão e ateu: materialismo e revolta em Jean Meslier.* Tese de doutorado em Filosofia: Universidade de São Paulo, 2004.

VOLTAIRE apud POMEAU, René. *La Religion de Voltaire.* Paris: Librairie Nizet, 1958.

VYGOTSKY, Lev S. *Teoría de las emociones: estúdio sócio-psicológico.* Obras Escogidas, tomo VI. Madrid: Aprendizaje/Visor, 2004.

WAAL, Frans de. *Eu, primata: por que somos como somos.* São Paulo: Companhia das Letras, 2007.

WALTKE, Bruce K.; O'CONNOR, M. *An Introduction to Biblical Hebrew Syntax.* Winona Lake: Eisenbrauns, 1990.

WATSON, Wilfred G. E. "An Unrecognized Hyperbole in Krt", *Orientalia* 48 (1979).

WEGNER, Paul D. *The Journey from Texts to Translations – The Origin and Development of the Bible.* Grand Rapids: Baker, 2002.

WEINTRAUB, David. *Religions and Extraterrestrial Life: How Will We Deal With It?* New York: Springer Praxis Books, 2014.

WEISS, Raquel. *Durkheim e as formas elementares da vida religiosa*. Debates do NER, ano 13, nº 22, 2012.

WHISTON. "The Testimonies of Josephus Concerning Jesus Christ, John Baptist, and James the Just Vindicated", in *Josephus – Complete Works*. Grand Rapids: Kregel, 1960.

WHITE, Ellen G. *O grande conflito*. Tatuí: Casa Publicadora Brasileira, 1988.

WIESEL, Elie. *A noite*. Rio De Janeiro: Ediouro, 2006.

_____. Entrevista concedida ao programa Roda Viva (TV Cultura), exibido em 4 jun. 2001. Disponível em: <http://www.tvcultura.com.br/rodaviva/programa/PGM0751>.

WILLIAMS, Ronald J. *Williams' Hebrew Syntax Third Edition Revised and Expanded by John C. Beckman*. Toronto: University Press, 2007.

WITTGENSTEIN, L. *Tractatus logico-philosophicus*. Tradução de José Arthur Giannotti. São Paulo: Companhia Editora Nacional/Editora da USP, 1968.

WONDRACEK, K. E. K. *O amor e seus destinos: a contribuição de Oskar Pfister para o diálogo entre teologia e psicanálise*. São Leopoldo: Sinodal, 2005.

YANCEY, Philip. *O Jesus que eu nunca conheci*. São Paulo: Vida, 2001.

_____. *Perguntas que precisam de respostas*. Tradução de Cláudia Ziller Faria. Rio de Janeiro: Textus, 2001.

ZANINI, M. C. C. *Totemismo revisitado: perguntas distintas, distintas abordagens*. Hábitus: Goiânia, v. 4, n. 1, jan./jun. 2006.

grupo novo século

Compartilhando propósitos e conectando pessoas
Visite nosso site e fique por dentro dos nossos lançamentos:
www.gruponovoseculo.com.br

Ágape

- Editora Ágape
- @agape_editora
- @editoraagape
- editoraagape

agape.com.br

Edição: 1ª
Fonte: Electra LT Std